Wilhelm Schmidt

Geschichte der deutschen Sprache

Teil 1

Geschichte der deutschen Sprache

Begründet von Wilhelm Schmidt

Wilhelm Schmidt

Geschichte der deutschen Sprache

Ein Lehrbuch für das germanistische Studium

Teil 1: Einführung, Vorgeschichte und Geschichte.

Begründet von Wilhelm Schmidt

Fortgeführt von Helmut Langner

12., verbesserte und erweiterte Auflage

herausgegeben von Elisabeth Berner und Norbert Richard Wolf

S. Hirzel Verlag Stuttgart

Autoren/Autorinnen der 6. und 7. Auflage (1993 und 1996)

Rudolf Bentzinger:	Kap. 4.4–4.5
Elisabeth Berner:	Kap. 1.7–1.8
Brigitte Döring:	Kap. 1.6
Hanna Harnisch:	Kap. 3
Erwin Koller:	Kap. 1.1
Helmut Langner:	Kap. 0 und 4.1–4.3
Horst Naumann:	Kap. 1.2 und 2
Norbert Richard Wolf:	Kap. 1.3–1.5

Autoren/Autorinnen der 8., 9. und 10. Auflage (2000, 2004 und 2007)

Rudolf Bentzinger:	Kap. 4.4–4.5
Elisabeth Berner:	Kap. 1.7–1.8 und 3
Brigitte Döring:	Kap. 1.6
Erwin Koller:	Kap. 1.1
Helmut Langner:	Kap. 0 und 4.1–4.3
Horst Naumann:	Kap. 1.2 und 2
Norbert Richard Wolf:	Kap. 1.3–1.5

Autoren/Autorinnen der 11. Auflage (2013)

Rudolf Bentzinger:	Kap. 4.4–4.5
Elisabeth Berner:	Kap. 1.7–1.8 und 3
Heinrich Hettrich:	Kap. 1.1
Wolf Peter Klein:	Kap. 1.6
Helmut Langner:	Kap. 0 und 4.1–4.3
Hans Ulrich Schmid:	Kap. 1.2 und 2
Norbert Richard Wolf:	Kap. 1.3–1.5

Autoren/Autorinnen der 12. Auflage, Teil 1 (2020)

Elisabeth Berner:	Kap. 1.7–1.8
Heinrich Hettrich:	Kap. 1.1
Wolf Peter Klein:	Kap. 1.6
Hans Ulrich Schmid:	Kap. 1.2
Norbert Richard Wolf:	Kap. 0 und 1.3–1.5

Bibliographische Information der Deutschen Nationalbibliothek
Die Deutsche Nationalbibliothek verzeichnet diese Publikation in der Deutschen Nationalbibliografie; detaillierte bibliografische Daten sind im Internet über http://www.d-nb.de abrufbar.

Teil 1	Teil 2	Teil 1 und Teil 2 im Set
978-3-7776-2776-2 (Print)	978-3-7776-2777-9 (Print)	978-3-7776-2775-5 (Print)
978-3-7776-2822-6 (E-Book)	978-3-7776-2824-0 (E-Book)	978-3-7776-2823-3 (E-Book)

2020 S. Hirzel Verlag
Birkenwaldstraße 44, 70191 Stuttgart
Printed in Poland
Satz: abavo GmbH, Buchloe
Druck + Bindung: Druckerei Dimograf Sp.z.o.o., Polen
Umschlaggestaltung: deblik, Berlin

Vorwort zur 12. Auflage

„Die bewährte Konzeption des Buches als Kombination von Sprachgeschichte und drei Kapiteln der historischen Grammatik bleibt weiterhin das Charakteristikum des Lehrbuchs, das auf diese Weise seinen Platz auch innerhalb der nicht wenigen neuen Darstellungen zur deutschen Sprachgeschichte behalten wird." Mit diesen Worten endete das Vorwort zur 11. Auflage.

Auch wenn die 12. Auflage nun doch anders aussieht, an der Konzeption hat sich nichts geändert. Geändert hat sich allerdings die Erscheinungsweise des Werkes. Die Gründe dafür sehen wir in zwei grundlegenden Umständen:

- Das Germanistik-Studium hat durch die Modularisierung im Gefolge der sog. Bologna-Reform eine völlig neue Struktur erhalten. Ziel ist jetzt der Abschluss des Studiums als Baccalaureus bzw. Bachelor. Dadurch ist auch ein neuer Büchertyp entstanden, der das ‚Bachelorwissen' zusammenfassen und darstellen soll und sich daher häufig auf ‚Basics' beschränkt. In dieser Situation scheint ein umfassendes Werk wie die Schmidt'sche Sprachgeschichte als Studienbuch nicht mehr so notwendig.
- Zudem hat sich ein neues fachliches Paradigma etabliert: Die Sprachgeschichte, die alle wesentlichen Aspekte, vor allem auch der ‚äußeren' Sprachgeschichte oder besonders der kulturellen Aspekte der Sprachentwicklung fokussiert, ist im akademischen Unterricht an vielen Orten durch die ‚historische Linguistik/Sprachwissenschaft' abgelöst worden. Es geht nicht mehr um die Entwicklung, die Geschichte einer Sprache, sondern um sprachliche, besonders um grammatische Kategorien und Funktionen und deren Wandel, meistens dargestellt auf der Basis von ‚universalen' Prinzipien.

Unter diesen Voraussetzungen haben wir uns nach mehreren Gesprächen mit dem Verlag, schweren Herzens, entschlossen, das Werk zu teilen und in zwei Bänden herauszubringen. Das Konzept der Einheit von Sprachgeschichte und historischen Grammatiken bleibt erhalten, was sich schon in der Kapitelzählung manifestiert. Tl. 1 wird, wie das HANS ULRICH SCHMID bei einem Autorentreffen formuliert hat, die Kultur enthalten, Tl. 2 die Struktur. Das heißt auch, dass die ‚interne' Sprachgeschichte sich hauptsächlich in Tl. 2 findet. Nur die Kapitel 1.1, 1.7 und 1.8 – schließlich gibt es keine indogermanische und germanische sowie keine neuhochdeutsche Grammatik in unserem Buch – behandeln auch Probleme der Sprachstruktur im engeren Sinn. Dazu erhält jeder Teil sein Literaturverzeichnis und seine Register.

Zunächst wird Tl. 1 in einer Neuauflage vorgelegt. Die Kapitel 1.1 bis 1.8 wurden überarbeitet, neuere Forschung wurde eingearbeitet. Auch jüngere und jüngste Entwicklungstendenzen des Deutschen werden beschrieben. Allerdings wollen wir nicht mit dem oft zu beobachtenden Trend mitgehen, nur neuere Literatur anzuführen; wir sind vielmehr der Meinung, dass es auch eine unserer wesentlichen Aufgaben ist, das in Erinnerung zu halten, was wir schon wissen (können). Das Rad muss nicht immer neu erfunden werden, und neue Speichen machen doch kein neues Rad aus. Kapitel 0 wurde neu geschrieben.

Am 9. Juni 2020 ist HEINRICH HETTRICH, der in der 11. und in der 12. Auflage für das Kapitel 1.1 ‚Vorgeschichte der deutschen Sprache' verantwortlich war, gestorben. Sein umfassendes Wissen, seine Bereitschaft zu gemeinsamer Arbeit sowie sein Interesse an Sprache und Sprachgeschichte haben unsere Arbeitsatmosphäre und schließlich auch unser Buch entscheidend mitgeprägt. Er wird fehlen und nur schwer zu ersetzen sein.

Aufs Neue weisen wir darauf hin, dass die Schmidt'sche Sprachgeschichte, nicht nur von der 6. Auflage an, ohne HELMUT LANGNER nicht das wäre, was sie geworden ist und was sie ist. HELMUT LANGNERS wissenschaftliches Ethos, sein Fleiß und seine Präzision, schließlich sein feiner Humor und seine Freundschaftlichkeit fehlen uns; sie sollen auch diese Auflage kennzeichnen. HELMUT LANGNER ist am 5. September 2014 gestorben. Die 12. Auflage ‚seiner' Sprachgeschichte sei seinem Andenken gewidmet.

Potsdam und Würzburg
im Juni 2020

ELISABETH BERNER
NORBERT RICHARD WOLF

Aus dem Vorwort zur 6. Auflage

Bücher haben ihre eigene Geschichte. Das gilt auch für dieses relativ junge Lehrbuch zur Sprachgeschichte. Angeregt und in seiner Anlage wesentlich bestimmt wurde es 1966/1967 von WILHELM SCHMIDT. Das Werk, dessen erste Auflage 1969 im Verlag Volk und Wissen (Berlin) erschien, schloß damals eine Lücke im Angebot an sprachgeschichtlichen Lehrbüchern. Das Besondere an der Konzeption dieser Publikation bestand darin, daß erstmals ein Lehrbuch für die sprachhistorische Aus- und Weiterbildung von Deutschlehrern und Diplomgermanisten in einem Band vorgelegt wurde. Daher umfaßte es von der ersten Auflage an neben einer knappen Darstellung der Vorgeschichte und der Geschichte der deutschen Sprache Abrisse zur ahd., zur mhd. und zur frnhd. Grammatik sowie ein Kapitel mit Texten aus diesen drei Perioden einschließlich einiger Hilfen zu ihrer Erschließung.

Diese neuartige Gestaltung hat sich in der Praxis im In- und Ausland bewährt. Daher konnten in rund 20 Jahren fünf Auflagen abgesetzt werden; auch die 5., überarbeitete und vor allem durch eine Einführung in sprachgeschichtliche Fragen erweiterte Auflage von 1984 fand eine gute Aufnahme. Für 1990/91 war eine weitere, verbesserte Auflage vorgesehen. Leider war der Berliner Verlag aufgrund seiner veränderten Struktur nicht mehr in der Lage, diese Auflage herauszubringen.

Daher danken Herausgeber und Autoren dem Hirzel-Verlag Stuttgart/Leipzig für seine Bereitschaft, das Werk in sein Verlagsprogramm aufzunehmen. Der neue Verlag und alle Autoren waren sich darin einig, die generelle Anlage des Buches beizubehalten, jedoch auf Grund der Fortschritte in der Sprachgeschichtsforschung der letzten zehn Jahre und der neuen gesellschaftlichen Situation in Deutschland eine Überarbeitung vorzunehmen. Beide Aspekte betrafen die einzelnen Kapitel allerdings in sehr unterschiedlichem Maße. Gründlich überprüft wurden jedoch auch die Teile, bei denen größere Veränderungen nicht erforderlich waren.

Die grundsätzlichen Ziele des Lehrbuches wurden also nicht in Frage gestellt. Das spiegelt sich nicht nur in der unveränderten Konzeption des Werkes wider, sondern das wird auch – so hoffen wir jedenfalls – in der Auswahl der Fakten und Probleme sowie in der Art der Darstellung deutlich. Auch in vielen Einzelheiten baut die neue Auflage auf den bisherigen Ausführungen auf. Das gilt auch für die Teile, die aus unterschiedlichen Gründen von neuen Autoren zu bearbeiten waren. Da wir uns den ausgeschiedenen Autoren verpflichtet fühlen, seien sie hier – in der Reihenfolge der von ihnen bis zur 5. Auflage betreuten Teile – angeführt: Einführung: WILHELM SCHMIDT (Mitautor); Vorgeschichte und Geschichte der deutschen Sprache: WILHELM SCHMIDT und MAX PFÜTZE; Althochdeutsch: SIEGLINDE CZICHOCKI und GISELA TREMPELMANN; Mittelhochdeutsch: ROLF BOCK und SIEGFRIED ZSCHUNKE (Mitautoren); Frühneuhochdeutsch: ROLF BOCK (Mitautor). Über Veränderung und Übernahme von Teilen der älteren Auflagen haben jedoch immer die Autoren der 6. Auflage entschieden; daher tragen auch sie die Verantwortung für die nun vorliegende Fassung.

Auf einige Unterschiede gegenüber der letzten Auflage sei kurz hingewiesen. Obwohl sich die Textauswahl einschließlich der Interpretationshilfen und Glossare durchaus für einführende Übungen und Seminare zur historischen Grammatik bewährt hat, ist auf dieses Kapitel in der 6. Auflage aus zwei Gründen verzichtet worden: Einmal stehen für den akademischen Unterricht geeignete Texte in Form von Gesamtausgaben und von Textsammlungen in reichem Maße zur Verfügung; zum anderen kann durch diesen Verzicht der Umfang des Buches etwas reduziert und dadurch der Preis relativ niedrig gehalten werden.

Da es für historische Sprachstufen schwierig ist, in jedem Fall genau zwischen Phonem und Allophon sowie zwischen Graphem und Allograph zu unterscheiden, haben wir damit verbundene Uneinheitlichkeiten in Kauf genommen, zumal es weder notwendig noch zweckmäßig ist, die Unterscheidung in jedem Fall vorzunehmen. Phonematische und graphematische Aspekte sind vor allem in den speziellen Ausführungen zur Schreibung und zur Lautlehre der Kapitel zwei bis vier stärker beachtet worden, insbesondere dann, wenn durch eine Differenzierung zwischen Phonem, Allophon und Graphem(variante) bestimmte Erscheinungen und Prozesse deutlicher dargestellt werden konnten. Im übrigen wird dem phonologischen Aspekt in den Kapiteln zwei bis vier durch jeweilige besondere Abschnitte zum Phonembestand und durch die Erläuterung einiger Probleme Rechnung getragen; überdies bietet die Tafel 6 eine Ergänzung, indem hier der Phonembestand des Ahd. mit dem des Mhd. und des Nhd. verglichen wird.

Potsdam, im November 1992 HELMUT LANGNER

Inhaltsverzeichnis*

Inhaltsverzeichnis Teil 1

* Um die Übersichtlichkeit des Inhaltsverzeichnisses zu wahren, sind die Abschnitte unterster Ordnung (also diejenigen mit fünf Stellen innerhalb der dekadischen Gliederung des Buches) ausgespart worden.

Inhaltsverzeichnis Teil 2

Verzeichnis der Abbildungen und Karten

Teil 1

Teil 2

Tafelanhang

Online verfügbar unter: http://hirzel-extras.de/2775

Abkürzungsverzeichnis

Sprachwissenschaftliche Termini

abg.	altbulgarisch
Adj.	Adjektiv
Adv.	Adverb
afr.	altfranzösisch
ags.	angelsächsisch
ahd.	althochdeutsch
aind.	altindisch
air.	altirisch
Akk.	Akkusativ
Akt.	Aktiv
alem.	alemannisch
and.	altniederdeutsch
anfränk.	altniederfränkisch
anglofries.	anglofriesisch
anord.	altnordisch
aobd.	altoberdeutsch
as.	altsächsisch
awest.	awestisch
bair.	bairisch
balt.	baltisch
best.	bestimmt
dän.	dänisch
Dat.	Dativ
Dekl.	Deklination
Demonstr.-	Demonstrativ-
dt.	deutsch
els.	elsässisch
engl.	englisch
etym.	etymologisch
fem.	feminin
Fem.	Femininum
finn.	finnisch
flekt.	flektiert
fränk.	fränkisch
fries.	friesisch
frmhd.	frühmittelhochdeutsch
frnhd.	frühneuhochdeutsch
frz.	französisch
Fut.	Futur
Gen.	Genitiv
germ.	germanisch
got.	gotisch
gr.	griechisch
gramm.	grammatisch
hd.	hochdeutsch
hess.	hessisch
Hs(s).	Handschrift(en)
ide.	indoeuropäisch
idg.	indogermanisch
Imp.	Imperativ
imperf.	imperfektiv
Imperf.	Imperfekt
ind.	indisch
Ind.	Indikativ
Inf.	Infinitiv
Instr.	Instrumental
Interrog.-	Interrogativ-
intr.	intransitiv
ir.	irisch
isl.	isländisch
it.	italienisch
Kas.	Kasus
kelt.	keltisch
Kom.	Komparativ
Konj.	Konjunktiv
Konjug.	Konjugation

Kons.	Konsonant
kontrah.	kontrahiert
lat.	lateinisch
lett.	lettisch
lit.	litauisch
Lok.	Lokativ
Ma(a).	Mundart(en)
mask.	maskulin
Mask.	Maskulinum
md.	mitteldeutsch
mhd.	mittelhochdeutsch
mlat.	mittellateinisch
mnd.	mittelniederdeutsch
nd.	niederdeutsch
ndfränk.	niederfränkisch
ne.	neuenglisch
neutr.	neutral
Neutr.	Neutrum
nhd.	neuhochdeutsch
nl.	niederländisch
nnd.	neuniederdeutsch
nnl.	neuniederländisch
Nom.	Nominativ
nord.	nordisch
nordgerm.	nordgermanisch
obd.	oberdeutsch
obfränk.	oberfränkisch
obl.	obliquus
obsächs.	obersächsisch
omd.	ostmitteldeutsch
oobd.	ostoberdeutsch
ostfränk.	ostfränkisch
ostgerm.	ostgermanisch
P.	Person
Part.	Partizip
Pass.	Passiv
perf.	perfektiv
Perf.	Perfekt
Pl.	Plural
Plusqu.	Plusquamperfekt
portug.	portugiesisch
Pos.	Positiv
Poss.-	Possessiv-
Präp.	Präposition
Präs.	Präsens
Prät.	Präteritum
Prät.-Präs.	Präterito-Präsens
Pron.	Pronomen
provenz.	provenzalisch
Redupl.	Reduplikation
redupl.	reduplizierend
refl.	reflexiv
rheinfränk.	rheinfränkisch
rip.	ripuarisch
roman.	romanisch
russ.	russisch
sächs.	sächsisch
schles.	schlesisch
schwäb.	schwäbisch
schwed.	schwedisch
Sg./Sgl.	Singular
slaw.	slawisch
span.	spanisch
st.	stark flektierend
sth.	stimmhaft
stl.	stimmlos
Subst.	Substantiv
Superl.	Superlativ
sw.	schwach flektierend
thür.	thüringisch
toch.	tocharisch
trans.	transitiv
Ugspr.	Umgangssprache
ugsprl.	umgangssprachlich
unbest.	unbestimmt
urgerm.	urgermanisch
uride.	urindoeuropäisch
urnord.	urnordisch
Vok.	Vokativ
vorahd.	voralthochdeutsch
vorgerm.	vorgermanisch
Wb.	Wörterbuch
westgerm.	westgermanisch
wmd.	westmitteldeutsch
Wz.	Wurzel
*	erschlossene Form
<	entstanden aus
>	geworden aus

Quellen

Althochdeutsche Literatur

FT	Fränkisches Taufgelöbnis
HL	Hildebrandlied
LL	Ludwigslied
LS	Lex Salica
MZ	Merseburger Zaubersprüche
N	Notker
O	Otfried
P	Physiologus
T	Tatian
WS	Wessobrunner Schöpfungsgedicht

Mittelhochdeutsche Literatur

GO	Gottfried von Straßburg
H	Hartmann von Aue
HE	Wernher der Gartenære, Helmbrecht
MF	Minnesangs Frühling
MR	Mainzer Reichslandfrieden
NL	Nibelungenlied
WA	Walther von der Vogelweide

Frühneuhochdeutsche Literatur

Literatur des 14./15. Jh.

B	5. Bibel. Etwa 1476– 1478 von Frisner/Sensenschmidt gedruckt	obd.
BE	Berliner Evangelistar und andere von G. Feudel untersuchte omd. Texte	omd.
BM	Beichte des Cunrad Merbot von Weida	omd.
C	C. Hätzlerin	schwäb.
DS	D. Schilling	alem.
E	A. v. Eyb	obd.
K	Religiöse Lieder des 14./15. Jh.	
KW	Urkundensprache der Kanzlei Wenzels	omd.
MB	Mentel-Bibel (1466)	obd.
R	J. Rothe	omd.
SB	Schwabenspiegel	omd./nd.
SW	H. Steinhöwel	schwäb.
UK	Urkundensprache der Kanzlei Karls IV.	omd.
UW	Urkundensprache der Vögte von Weida, Gera und Plauen	omd.
W	N. v. Wyle	alem.

Literatur des 16. Jh.

A	J. Turmair (Aventinus)	bair.
AG	J. Agricola	omd.
BR	S. Brant	els.
BT	B. Pirstinger	bair.
F	J. Fischart	els.
FR	F. Frangk	omd.
G	Geiler von Kaiserberg	alem.
HG	A. Hugen	obd.
HU	U. v. Hutten	obd.
KK	Kursächs. Kanzleisprache	omd.
L	M. Luther	omd.
OE	A. Oelinger	els.
P	M. Pfinzing	obd.
S	H. Sachs	obd.
SN	J. Sleidan	wmd.
TH	Theuerdank	obd.
TS	G. Tschudi	alem.
ZA	Zwölf Artikel	obd.
ZB	Züricher Bibel von 1571	alem.

Literatur des 17. Jh.

AS	Abraham a S. Clara	obd.
D	S. Dach	omd.
FL	P. Fleming	omd.
KR	Kromayer	omd.
LO	D. C. v. Lohenstein	omd.
OP	M. Opitz	omd.
SL	J. Schottelius	omd.
ST	M. Schultes	obd.
Z	Ph. v. Zesen	omd.

0 *Einführung*

0.1 Sprachwandel

„*Dass* Sprache sich wandelt, ist eine Tatsache, die kaum ernsthaft in Frage gestellt werden kann.“ (HARTMANN 2018, 24.) **Geschichtlichkeit** ist ein wesentliches Merkmal von Sprache. Mit anderen Worten: Sprache ändert sich permanent und kontinuierlich.

Die Sprache im Sinn von ‘Langage’ (Ferdinand de Saussure) ist an den Menschen gebunden; ohne Menschen als Sprecher kann es keine Sprache geben. Der Mensch ist ebenfalls geschichtlich, dies in mehrfacher Hinsicht:

- Der Mensch ändert sich ständig, er wird z. B. älter, nahezu in jedem Augenblick ist er neuer Mensch. Er macht immer neue Erfahrungen, er lernt aus seinem Handeln und ändert aufgrund dieser Erfahrungen sein Handeln. Mit den Jahren steht er aufgrund von biologischen und sozialen Notwendigkeiten vor immer neuen Herausforderungen.
- Der Mensch ist ein ζ\ον πολιτικόν (Aristoteles), ein *ens sociale* (in der Sprache der lateinisch schreibenden Scholastiker), als ein Lebewesen, das untrennbar an die Gesellschaft gebunden ist. Auch die Gesellschaft ist dem ständigen Wandel unterworfen. Mit der Gesellschaft ändert sich auch immer das Individuum.
- Der Mensch ist Teil der Natur; in der Natur ist die Evolution ein bestimmendes Gesetz. Somit ist die Geschichtlichkeit des (sozialen und individuellen) Menschen Teil der allgemeinen Evolution.

Wie gesagt, der Sprachwandel bzw. die permanente, kontinuierliche Wandelbarkeit und Wandlung ist ein wesentliches Merkmal von Sprache. In diesem Sinn hat schon Hermann Paul in seinem berühmten Buch ‘Prinzipien der Sprachgeschichte’ (1. Aufl. 1880, 5. Aufl. 1920) die ebenfalls berühmten Sätze geäußert:

> Es ist eingewendet, dass es noch eine andere wissenschaftliche Betrachtung der Sprache gäbe als die geschichtliche. Ich muss das in Abrede stellen. Was man für eine nichtgeschichtliche und doch wissenschaftliche Betrachtung der Sprache erklärt, ist im Grunde nichts als eine unvollkommen geschichtliche, unvollkommen teils durch Schuld des Betrachters, teils durch Schuld des Beobachtungsmaterials. (Zit. nach PAUL 1920, 20.)

In der ersten Auflage von 1880 findet sich diese Äußerung, die eine Reaktion auf diese erste Auflage ist, noch nicht. In die zweite Auflage ist sie aufgenommen. Hermann

Paul nimmt hier auch Stellung zu Arbeiten, die – modern strukturalistisch formuliert – rein synchron vorgehen. Heute würde man eher sagen, dass eine synchrone Untersuchung nicht unbedingt „unvollkommen" sei, sondern eher einen Sprachzustand in einem 'Fließgleichgewicht' beschreibe; Sprachen besitzen „die Wirkkraft von Kräften der Selbstregulation", sie „sind unter natürlichen Bedingungen in der Lage, ein dynamisches Fließgleichgewicht aufrechtzuerhalten und hinsichtlich der Auf- und Übernahme von Fremd- und Lehnwörtern offenbar durchaus regulierend zu agieren." (KELIH o. J., 5) Sprachen sind dynamische offene Systeme, die die Tendenz zu Änderungen in sich tragen. Ein solches Fließgleichgewicht befindet sich zwischen einem Ausgangszustand und einem Zielzustand und kann, wenn man so will, unter diesen Bedingungen als „unvollkommen geschichtlich" angesehen werden.

Auch wenn wir der Meinung sind, dass die Sprache zur natürlichen Ausstattung des Menschen gehört, ist die Muttersprache nicht Naturgut des Menschen, sondern Kulturgut. Denn die Muttersprache ist uns nicht mit den Genen, die wir von den Eltern erhalten haben, gegeben, sondern wird im sozialen Kontakt erlernt. Hermann Paul spricht diesem Kulturgut besondere Qualitäten zu:

> Es gibt keinen zweig der cultur, bei dem sich die bedingungen der entwickelung mit solcher exactheit erkennen lassen als bei der sprache, und daher keine culturwissenschaft, deren methode zu solchem grade der vollkommenheit gebracht werden kann wie die der sprachwissenschaft. (PAUL 1880, 6.)

Der Kulturbegriff bleibt in diesem Zitat merkwürdig unbestimmt. Die moderne Kulturwissenschaft kennt vier 'Lesarten' dieses Terminus:

1. der Bestand an künstlerischen und geistigen Werken;
2. der Prozess geistiger und intellektueller Entwicklung;
3. die Werte, Sitten, Überzeugungen und symbolischen Praktiken, nach denen die Menschen leben;
4. eine komplette Lebensweise.

(EAGLETON 2017, 13.)

Sprachwissenschaft ist vor allem eine Kulturwissenschaft im Sinn von Lesart (3) im Sinne Eagletons. Unlängst hat Johannes Erben in einem großen Aufsatz (ERBEN 2017) dargelegt, dass kulturelle Änderungen ihren sprachlichen Niederschlag in vermehrter Wortbildungsaktivität finden; die semantische Seite der Sprache ist, so gesehen, ein wesentliches Resultat der geistigen, kulturellen Leistung sprachlicher Prozesse.

In diesem Sinn ist es nachvollziehbar, dass die Sprachwissenschaft, in Sonderheit die Sprachgeschichte, eine Kulturwissenschaft ist, als deren besondere Leistung hervorzuheben ist,

> dass die sprachwissenschaft unter allen historischen wissenschaften die saubersten und exactesten resultate zu liefern im stande ist (PAUL 1880, 19).

Auch wenn die Sprache ein Kulturgegenstand ist, ist sie kein Artefakt, das von einem intentional handelnden Subjekt hergestellt worden ist:

> Es ist ferner auch nach dieser seite hin von grosser wichtigkeit, dass die sprachlichen gebilde ohne absicht geschaffen werden, und ohne dass sich das individuum seiner schöpferischen tätigkeit bewusst wird. (PAUL 1880, 21.)

Streng genommen sollte man nicht sagen, dass die Sprache sich ändert, denn die Sprache ist kein Organismus, der wächst oder abstirbt, auch wenn wir oft genug derartige Metaphern verwenden. Die Sprache ist ein System von sozialen Normen, die Normen existieren nicht vor der Sprache, sondern ergeben sich aus dem Usus. Sprachwandel ist demgemäß ein Wandel des Usus. Und „die eigentliche Ursache für die Veränderung des Usus ist nichts anderes als die gewöhnliche Sprechtätigkeit." (PAUL 1920, 32.) Beim Sprechen und durch das Sprechen kommt es zu neuen Phänomenen, die auch als Fehler bezeichnet werden können. Jeder Sprachwandel beginnt also mit einem Fehler, mit einer Abweichung von einer Norm. Schwankender Sprachgebrauch führt zu „mindestens zwei Varianten, die auch als konkurrierende Formen beschrieben werden können. Sie zeugen nicht selten von unabgeschlossenen Sprachwandelprozessen oder Feindifferenzierungen im Sprachgebrauch" (KLEIN 2018, 17).

Mit den Worten Hermann Pauls: „das individuum" ist sich „seiner schöpferischen tätigkeit" nicht bewusst. Rudi Keller spricht in solchem Zusammenhang von der „unsichtbaren Hand" (invisible hand); dieser Begriff stammt aus der Nationalökonomie. Man kann also eine Sprachänderung als ein Resultat der unsichtbaren Hand ansehen. „Eine Invisible-hand-Erklärung" ist der Versuch, ein Phänomen zu erklären, „das Ergebnis menschlichen Handelns, nicht aber Durchführung eines menschlichen Plans ist" (KELLER 1994, 61).

Hermann Paul liefert noch einen weiteren Gesichtspunkt:

> Der zweck spielt in der sprachwissenschaft keine andere rolle, als diejenige, welche ihm Darwin in der zoologie angewiesen hat: die grössere oder geringere zweckmässigkeit der zufällig entstandenen gebilde ist entscheidend für erhaltung oder untergang derselben. (PAUL 1880, 21.)

Paul spielt auf das an, was wir heute ‘evolutionäre Sprachtheorie’ nennen. Die Sprache gehört, wie schon erwähnt, zur natürlichen Ausstattung des Menschen. Daher unterliegt auch die Sprache der Evolution: Es kommt permanent zu Mutationen, und bei entsprechender Umwelt können Mutationen überleben. Da aber die Sprache ein Kulturgut ist, gelten die Prinzipien der kulturellen Evolution: Die Mutationen haben ihren Ursprung im gesellschaftlichen Charakter der Sprache, und auch die Umwelt, die den Mutationen zum Überleben verhilft, ist gesellschaftlich bestimmt. Wenn die Sprachgemeinschaft ein Bedürfnis nach neuen sprachlichen Formen oder Ausdrücken hat bzw. wenn diese neuen Formen oder Ausdrücke einem Bedürfnis oder einer Systemtendenz nachkommen, dann ist die ‘Umwelt’ für das Überleben der Mutationen vorhanden.

Ein Beispiel: Es gibt die Meinung, dass das Althochdeutsche eine ‘Silbensprache’ gewesen sei. Die sog. Zweite Lautverschiebung, die das Althochdeutsche aus dem Germanischen herauslöste, habe das Ziel gehabt, die Silbenstruktur zu verbessern, damit sich eben eine mehr oder weniger perfekte Silbensprache herausbilden könne. (Vgl. zum Ganzen SZCZEPANIAK in: NÜBLING 2006, 26–29.) Hier wäre es eine Systemtendenz, die den Durchbruch eines Sprachwandels ermöglicht.

Auch wenn es die „Sprechtätigkeit" ist, die Sprachwandel bewirkt, ist die Sprechtätigkeit nicht die Ursache für bestimmte Formen des Sprachwandels. In der sprachgeschichtlichen Praxis zeigt sich immer wieder, dass es sehr schwer, wenn nicht gar unmöglich ist, Ursachen für Sprachwandel zu finden. Wohl nicht nur deshalb greift Eugenio Coseriu in mehreren seiner Arbeiten auf die aristotelische Unterscheidung von 'Wirkursache' (*causa efficiens*) und 'Finalursache' (*causa finalis*) zurück; das lateinische Substantiv *causa* bezeichnet in der scholastischen Philosophie die „Ursachentypen", in unserem Fall also die Wirkursache und die Finalursache. „Während die Erklärung von Ereignissen in den Naturwissenschaften fast durchgehend ohne Rekurs auf finale Ursachen erfolgt, sind teleologische Erklärungen in den historischen Wissenschaften stärker vertreten." (GABRIEL/MAINZER/JANICH 1984, 373.) Nach dem „Prinzip des Naturalismus" unterliegen vor allem Naturgegenstände „den Gesetzen von Kausalität und Notwendigkeit" (COSERIU 1988, 32); die Frage nach der Kausalität ist demnach eine naturwissenschaftliche Frage. Demgegenüber gilt das „Prinzip des Evolutionismus" (ebd.) für Kulturgegenstände, bei deren Entwicklung nach dem Ziel oder Zweck zu fragen ist; die Frage nach der Finalität ist die adäquate Frage der Kultur- oder Geisteswissenschaften.

Sprachwandelphänomene manifestieren sich zunächst als Varianten (vgl. den Begriff 'Mutation', der ja auch nur 'Änderung' bedeutet), d. h. dass das Ausgangsphänomen und die Variante nebeneinander existieren. Das will sagen, dass Sprachwandel gegen die systemimmanenten Tendenzen, gegen das, was im System angelegt ist, kaum möglich erscheint.

Dadurch ist ein wesentliches Postulat einer jeden Sprachwandeltheorie erfüllt: Ausgangssprache und geänderte Sprache müssen als identische Sprache empfunden werden. Solange ein Sprachwandelphänomen nur als eine Variante angesehen wird, ist die Identität einer Sprache nicht gefährdet. Erst wenn sich die Variante als einzig zugelassene Form durchsetzt, kann die sprachliche Identität des Ausgangs- und des Endsystems zum Problem werden. Man nennt oft die Erste und die Zweite Lautverschiebung als die Prozesse, die das Germanische aus dem Indogermanischen und das Althochdeutsche aus dem Germanischen herausgelöst haben. Nachdem die Varianten sich zu festen Bestandteilen des geänderten Sprachsystems entwickelt haben, sind die Differenzen zwischen Ausgangs- und Endsystem so groß, dass wir nicht mehr von einer Sprache sprechen können. Sprachwandel wird letztlich zum Sprachwechsel; dabei ist nicht von Belang, dass die neue Sprache eine 'Tochter' der alten ist.

Unter diesen Voraussetzungen problematisieren sich Begriffe wie 'Tote Sprache' oder 'Sprachtod'. Im 'Metzler Lexikon Sprache' lesen wir s. v. „Tote Sprache":

> Metaphorische Bezeichnung für Sprachen, die „ausgestorben" sind, also in der Gegenwart nicht (mehr) als Muttersprachen fungieren. Latein und (Alt-)Griechisch sind in diesem Sinne tote Sprachen, auch wenn das Lateinische noch heute zu den großen Schulfremdsprachen gehört. Der Ausdruck tote Sprachen ist problematisch, ebenso der Ausdruck „Sprachtod". (HELMUT GLÜCK in: GLÜCK 2000.)

Eine Sprache ist dann 'tot', wenn sie keine Muttersprachsprecher mehr hat. Vom Schullatein, einer „großen Schulfremdsprache", kann man sagen, dass es nur als Literatursprache existiert, also kaum gesprochen wurde. Die gesprochene Variante des Lateinischen nennt man 'Vulgärlatein', das wie alle alten gesprochenen Sprachen nicht überliefert ist, sondern nur erschlossen, rekonstruiert werden kann. Latein als Literatursprache ist tot, weil es keine Autoren mit Latein als Muttersprache, die lateinisch schreiben, gibt. Das gesprochene Vulgärlatein war eine lebende Sprache, die sich weiterentwickelt hat und aus der sich die romanischen 'Tochtersprachen' gebildet haben.

Die Metapher 'tote Sprache' lässt präsupponieren, dass diese Sprache einmal gelebt hat und dann irgendwann und irgendwie gestorben ist. So gesehen spricht man auch vom 'Sprachtod':

> Metaphor. Ausdruck, der vielfach verwendet wird, um das Aufhören der Verwendung einer Spr. durch ihre Sprachgemeinschaft zu bezeichnen; er geht zurück auf Organismusmodelle, in denen Spr. als Organismen konzipiert werden, die einem natürl. Lebenszyklus unterworfen sind. Die Ursachen von S. sind Genozid (so bei vielen amerikan. Spr.) oder Sprachwechsel (auch: Glottophagie 'Sprachenfresserei') infolge von Assimilation. (HELMUT GLÜCK in: GLÜCK 2000, 672.)

'Sprachtod' äußert sich dadurch, dass entweder die Sprecher einer Sprache sterben – dann wäre *Sprachtod* kein metaphorischer, sondern ein metonymischer Ausdruck – oder dass die Sprecher eine Sprache aufgeben, sie assimilieren sich in eine andere, meist größere und dominante Sprache. Ein Beispiel dafür wäre das Kornische, eine keltische Sprache, verwandt mit dem Kymrischen/Walisischen und dem Bretonischen, die im 18. Jahrhundert 'ausgestorben' ist. Häufig hört oder liest man, dass im Jahre 1777 die Person gestorben ist, die noch Kornisch als Muttersprache beherrschte und Englisch erst im Alter von zwölf Jahren lernte.
Sprachtod ist also ein Sprachwandel, der die Sprachverwendung betrifft:

- Die Sprecher einer Sprache werden getötet oder sterben aus, als ein Beispiel dafür können mehrere Sprachen amerikanischer Ureinwohner genommen werden.
- Die Sprecher einer Sprache wechseln ihre Sprache, meist aus politischen oder/und wirtschaftlichen Gründen. Dafür kann das schon erwähnte Kornische stehen.
- Eine Sprache entwickelt sich weiter, wird zu einer 'neuen' Sprache, die alte Sprache, gewissermaßen die 'Quellsprache', gilt dann als tote Sprache. Beispiel dafür wäre das (Alt-)Griechische.

Von Griechisch und Latein haben wir deshalb so gute Kenntnisse, weil es eine reiche Literatur in diesen beiden Sprachen gibt. Das Germanische hingegen, das ebenfalls als eine 'Quellsprache' angesehen werden kann, kann nur rekonstruiert werden; da es aus diesem Grund nicht Schulfremdsprache sein kann, ist es auch nicht als 'tote Sprache' in unserem Bewusstsein.

Die metaphorischen Ausdrücke *tote Sprache* und *Sprachtod* haben die Folge, dass man auch von 'Wiederbelebung' einer Sprache sprechen kann. Neuerdings gibt es z. B. Versuche, das Kornische wiederzubeleben, wobei es schwierig ist, mehr als 200 Jahre der Sprach- und Kulturentwicklung aufzuholen.

Latein hingegen wurde im ganzen Mittelalter und in der frühen Neuzeit als Sprache der (römischen) Kirche und als (internationale) Wissenschaftssprache verwendet, allerdings nicht das Vulgärlatein, sondern eine Kontinuante der 'klassischen' Literatursprache. In der katholischen Kirche ist Latein heute noch Amtssprache und, in besonderen Situationen, auch Kultsprache. Die Funktion Amtssprache macht auch Bezeichnungen für Gegenstände und Sachverhalte der modernen Welt notwendig. Im Jahre 1992 gab die Libraria Editoria Vaticana ein 'Lexicon recentis latinitatis' heraus. Es enthielt „zirka 15 000 Stichwörter aus sämtlichen Bereichen des öffentlichen Lebens mit den Schwerpunkten Wissenschaft, Technik, Religion, Medizin, Politik und Sport sowie [...] Umgangssprache" (Latein-Lexikon 1998, 6). Das 'Lexicon' ist ein zweisprachiges Wörterbuch Italienisch – Latein. 1998 erschien eine deutsche Version. Einige wenige Beispiele seien hier präsentiert:

Computer: instrumentum computatorium
Copyright: ius proprietatis librariae
Fernsehen: telehorasis, **Syn.** Televisio
Fernseher: instumentum televisificum
Pornofilm: pellicula cinematographica oscena

Diese wenigen Beispiele zeigen die Möglichkeiten auf, die die Arbeitsgruppe des Vatikans für die lateinischen Benennungen moderner Begriffe sah: „Häufig sind die Neubildungen des Lexikons, die nicht ohne einen gewissen Humor entstanden sind, Entlehnungen aus dem **Altgriechischen** oder dem Italienischen, oft sind sie aber auch weniger Vokabeln im eigentlichen Sinn als etwas umständliche Umschreibungen der gemeinten Sache, die es in der Antike naturgemäß noch nicht gab." (WIKIPEDIA URL 1.) Es bleibe dahingestellt, ob man eine 'tote Sprache' auf diese Weise wiederbeleben kann.

Sprachwandel – dies sei zusammenfassend festgehalten – beginnt mit Variation. Im Sinne einer evolutionären Sprachwandeltheorie ist zu formulieren, dass permanent Varianten in großer Anzahl entstehen; die Varianten, die eine 'ökologische Nische' finden, werden überleben, d. h. zu einer Innovation werden. Das Finden einer 'ökologischen Nische' geschieht im sozio-kulturellen Bereich häufig durch Auswahl, durch Selektion: Die Sprachgemeinschaft wählt bewusst oder unbewusst „Neuerungen aus dem Variantenreservoir" (MATTHEIER 1998, 827) aus. Klaus Jürgen Mattheier meint, dass sich eine Sprachwandeltheorie „auf die Neuerungsausbreitung bzw. die Generalisierung beschränken sollte" (ebd.), weil es erst durch diese Prozesse zu tatsächlichem Sprachwandel komme. Evolutionstheoretisch gesprochen bedeutet das, dass die 'ökologische Nische' im Zentrum einer Sprachwandeltheorie zu stehen hat.

Da die Evolution nie abgeschlossen ist, ist auch die Sprachentwicklung nie zu Ende: Ein wesentliches Merkmal der Sprache ist es, dass sie sich, wie schon gesagt, in stetem Wandel befindet. Sprachen sind offene Systeme; das müssen sie sein, damit sie sich stets neuen Umwelten anpassen und diese bewältigen können. Sprache ist – ich wiederhole –, wie der Mensch und die Natur insgesamt, immer historisch und kann letztlich nur so adäquat beschrieben werden.

'System' heißt indes nicht, dass sich in einer Umwelt immer nur eine Variante durchsetzt. Jede Umwelt lässt zahlreiche Einheiten zu. Auch in der Natur gibt es viele verschiedene Arten von Lebewesen, etwa in der Luft oder im Wasser. Das will aber nicht sagen, dass es nur eine Umwelt für viele Einheiten mit gleichen 'Lebensbedingungen' gibt; das würde zu zahlreichen Redundanzen führen. Es werden vielmehr immer je neue Kombinationen ausgenützt. Im Bereich der Sprache resultiert aus dieser Tatsache die stilistische Vielfalt, die Vielfalt diverser funktionaler und sozialer Varietäten. Neue System-Einheiten weichen in ihrer Eigenart von allen bisher vorhandenen oft nur geringfügig ab (es gibt eben keine echte Synonymie, wohl in keinem sprachlichen Bereich).

Beim Sprachwandel kommt es zu Merkmalskombinationen, die vorher noch nicht genutzt waren. Mit anderen Worten: Sprache/Sprachliche Elemente/Sprachverwendung entdeckt/entdecken für sich stets neue Umwelten. Sprachliche Evolution stellt mithin – wie die biologische – „einen selbstverstärkenden Prozeß" (DITFURTH 1982, 107) dar. Innerhalb dieses Prozesses entstehen immer neue Formen und Funktionen. Dadurch wird auch die Komplexität der 'Umwelt' erhöht und damit die Zahl zukünftiger Anpassungsmöglichkeiten und -notwendigkeiten.

Die Umwelt ist für die Sprache ungemein wichtig. Ich wiederhole: Die Sprache ist ein historisches, ein evolutionäres, somit ein offenes System. Als solches ist sie ein Teil der lebendigen Natur, wozu ich auch die menschliche Gesellschaft rechne. Dadurch ist die Sprache Teil, Teilsystem eines größeren Systems, des Sprachverwendungssystems. In diesem Gefüge steht die Sprache in einem steten Austausch mit ihrer 'Umwelt', muss die Sprache immer wieder, kontinuierlich flexibel und dynamisch auf Änderungen ihrer Umwelt reagieren, als da sind:

- Änderungen der Diskurswelten, der Referenzbereiche;
- Änderungen der Sprecher(gruppen);
- Änderungen der Sprachverwendungsfunktionen.

Solche Änderungen bedingen in der Regel Sprachveränderungen. Man nehme ein Beispiel: Im Zuge der karolingischen Kulturpolitik, besonders durch Karl den Großen, bekommt das Christentum eine wichtige politische Aufgabe. In unserem Zusammenhang bedeutet das: Es kommt eine neue Diskurswelt, das ursprünglich lateinische Christentum, in die deutsche Sprache. Phänomene, deren Inhalte, aber auch Sachgegenstände müssen nun auf Deutsch benannt werden. Eine Reihe neuer Wortschatzbereiche entsteht. Das Christentum, die Latinität hat aber Wirkung auch auf einem ganz anderen Gebiet, an das man in diesem Zusammenhang nicht ohne weiteres denken möchte: Das Germanische kannte nur zwei Tempusformen, Präsens und Präteritum. Das Lateinische hingegen war imstande, komplizierte und komplexe temporale Verhältnisse auszudrücken. Um diesen Aspekt der Latinität zu bewältigen, entstanden im Deutschen die zusammengesetzten Tempusformen. Das alles ging natürlich nicht von heute auf morgen vor sich, sondern beanspruchte Jahrhunderte.

Die 'Umwelt' ist aber nicht nur wichtig für das Entstehen neuer sprachlicher Möglichkeiten und/oder Formen, sondern auch für deren Erhaltung. Wenn bestimmte Elemente der 'Umwelt' verschwinden, verschwinden auch die sprachlichen Elemente, die deren Verbalisierung dien(t)en. Man denke z. B. an soziokulturelle Phänomene wie die höfische Literatur und deren sprachliche Spezifika: Sowie die höfische Gesellschaft ihre kulturelle Funktion verloren hat, ändern sich die sprachlichen Mittel, die die sog. höfischen Ideale verbalisiert haben; der französische Einfluss geht zurück, die Lehnwörter aus dem Französischen nehmen drastisch ab. Es entstehen neue Formen von poetischer Sprache etc.

Dies ist eine Auswirkung des Prinzips der evolutionären, also auch der sprachlichen Ökonomie: Evolutionäre/Sprachliche Energie soll nicht ohne Nutzeffekt verbraucht werden, oder positiv: Angestrebt wird ein Maximum an kommunikativem Effekt mit einem Minimum an (artikulatorischem, mentalem ...) Aufwand. Elemente von sprachlichen (Teil-)Systemen zu erhalten, die einer bestimmten 'Umwelt', die nicht (mehr) existiert, bedürfen, erfordert zu viel Energie, weil dazu – zumindest im sprachlichen 'Weltbild' – diese 'Umwelt' miterhalten bleiben müsste. Sprachwandel ist ebenso wie die natürliche Evolution ein „dialektisches Zusammenspiel von Mutation und Selektion" (DITFURTH 1982, 119). Dies alles darf nun nicht heißen, dass mit jeder Umweltänderung sich auch das sprachliche System ändert; dagegen spricht ja auch unsere geschichtliche Erfahrung, der Augenschein des Sprachhistorikers. Dasselbe ist in der Natur zu beobachten. Sprachliche Elemente sind eben auch dadurch gekennzeichnet, dass sie zukünftige Anforderungen vorweg erfüllen.

Sprache oder sprachähnliche Systeme haben sich vor allem in Sozietäten mit einem hohen Grad an Arbeitsteilung entwickelt, ich denke hier im Tierreich an die Bienen oder Ameisen.

„Schließlich waren die Urmenschen auf ein Leben in gemeinsamen Jagdverbänden angewiesen, also soziale Lebewesen. Dies hat die Ausbildung eines hochentwickelten Kommunikationssystems begünstigt." (OSCHE 1979, 109.)

Sprache ist also von Anfang an an (bestimmte) Tätigkeiten und Funktionen in einem Sozialsystem gebunden. Daraus ist abzuleiten, dass das Sprachsystem, wie schon gesagt, als solches nicht isoliert existiert, sondern mit einem weiteren System, dem Sprachverwendungssystem, sowie mit anderen sozialen Systemen bzw. Subsystemen (etwa kulturellen, politischen, ökonomischen) vernetzt ist. Insgesamt müssen wir somit mit zwei Klassen von Varianten rechnen, und zwar mit sprachstrukturellen oder innersprachlichen und mit pragmatischen resp. kommunikationsbedingten Varianten. Wenn wir also die Blickrichtung wechseln, sehen wir die Faktoren deutlicher, die bestimmte Mutationen überlebensfähig, d. h. zu System-Einheiten machen. Das Sprachsystem und die mit ihm vernetzten weiteren Systeme funktionieren also als Regelkreissystem. Und unter diesem Aspekt wird aufs Neue deutlich, dass wir Kausalitäten beim Sprachwandel nicht überbewerten dürfen, sondern dass wir vielmehr sehen müssen, dass jede Wirkung zugleich Ursache ist. Die Sprachentwicklung ist, so betrachtet, ein an die Zukunft rückgekoppelter Prozess, oder besser ausgedrückt: eine an die Zukunft rückgekoppelte Optimierung, wobei Optimierung die Wiederherstellung des Gleichgewichts innerhalb des Systems meint; das Gleichgewicht ist aufgrund bestimmter Wandlungen des Sprach- oder des Sprachverwendungssystems gestört gewesen. Die jeweils „endgültige Gestalt" einer Sprache, ihr jeweiliger Zustand, „entsteht so", wie alle offenen Systeme in der Natur, „nicht durch Zwang, sondern wie von selbst im Wechselspiel mit der Umwelt aus dem Systemzusammenhang heraus" (VESTER 1984, 149).

Das Konzept der sprachlichen Evolution schließt aber, man möchte sagen: notwendigerweise, das Konzept der vernetzten Systeme mit ein. „Jede Systemänderung löst andere Systemänderungen aus, bis sich wieder ein neues Gleichgewicht hergestellt hat, das sich als Fließgleichgewicht qualifizieren läßt." (KÖLLER 1988, 108.) Offene Systeme befinden sich immer im Fließgleichgewicht. Solche Systeme stehen eben in einer ständigen Wechselwirkung mit ihrer Umgebung, der sie Energie oder Material entnehmen und als Überschüsse wieder an sie abgeben. Mit dem Wiener Biologen Franz M. Wuketits kann man sagen: „Das […] Aufrechterhalten des Fließgleichgewichts ist einer der grundlegenden Wesenszüge des Lebendigen." (WUKETITS 1988, 111.)

Fazit: Auf diese Weise wird die Geschichtlichkeit der Sprache zur 'Natur' der Sprache.

0.2 Typen des Sprachwandels

Zur Erinnerung: Die Sprache ('Langage') konstituiert sich aus zwei Systemen: aus dem System der Sprache ('Langue') und dem der Sprachverwendung ('Pragmatik'). Beide Systeme sind, wie schon mehrfach gesagt, sprechergebunden und somit historisch. Demgemäß können sich alle Elemente dieser Systeme wandeln. Dementsprechend können wir folgende Typen von Sprachwandel unterscheiden:

Sprachimmanenter Wandel betrifft die Ausdrucksseite der Sprache, d. h. alle formalen Ebenen des Sprachsystems. In Ausweitung eines Dictums von Christian Lehmann können wir formulieren: Sprachimmanenter Wandel ist „Wandel des Significans bei Gleichbleiben oder Nicht-Berücksichtigung des Significatums" (LEHMANN, URL 2).

In diesem Bereich ist zunächst der **Lautwandel** zu nennen, der als phonetischer oder phonologischer Wandel vorkommt. Ganz allgemein gesprochen, handelt es sich um drei Typen von Wandelphänomenen: „Bei einer Umgestaltung von Phonemsystemen kann man zunächst von drei Grundtypen ausgehen, nämlich (a) der Systemverwandlung, durch die die Zahl der phonematischen Einheiten nicht verändert wird, (b) der Systemerweiterung, bei der die Phonemzahl sich erhöht, und (c) der Systemreduktion, bei der sie verringert wird." (KOHRT 1998, 563.) Im Falle der „Systemverwandlung" werden die Merkmale, mit denen ein Phonem realisiert wird, geändert, was für Prozesse wie Rundung oder Entrundung, Hebung oder Senkung von Vokalen zutrifft. Aleksander Szulc interpretiert die 'Neuhochdeutsche Diphthongierung' als eine „Phonemverschiebung" (SZULC 1987, 10):

mhd. /î/	≠	/ŷ/	≠	/û/
|		|		|
nhd. /ai/	≠	/ɔi/	≠	/au/

Dieser Typus ist eine „Umphonologisierung", die „Umbildung eines phonologischen Unterschieds in einen anders gearteten phonologischen Unterschied" (ROMAN JAKOBSON, zit. SZULC 1987, 11).

Die beiden anderen Typen sind „Phonemspaltung" (SZULC 1987, 11) und „Phonemzusammenfall" bzw. „Phonemverschmelzung" (a. a. O., 12; s. auch MOULTON 1967). Lautwandelvorgänge, bei denen mehrere Phonemreihen betroffen sind und an denen sowohl Phonemspaltung als auch Phonemverschmelzung beteiligt sein können, werden 'Lautverschiebung' genannt. Durch die sog. 'Zweite oder Althochdeutsche Lautverschiebung' kommt es im (Althoch-)Deutschen zu einer neuen Reihe von Konsonantenphonemen, zu den Affrikaten, die einen Teil von Phonemspaltungen ausmachen.

Das Deutsche hat von Anfang seiner Schriftlichkeit an, von kurzfristigen Ausnahmen abgesehen, als Schriftsystem das lateinische Alphabet, das zunächst für eine ganz andere Sprache mit einem ganz anderen Phoneminventar entwickelt wurde. Auf der anderen Seite enthält das lateinische Alphabet Buchstaben, die das Deutsche nicht benötigt. So wären im Deutschen die Buchstaben *q* oder *x* nicht notwendig. Andere Sprachen, die auch das lateinische Alphabet übernommen haben, etwa das Finnische, schreiben statt der überkommenen Buchstaben phonetisch gerecht *kw* und *ks*. Daneben fehlten am Anfang der Schriftlichkeit Buchstaben für Laute, die es im Lateinischen nicht gegeben hatte. Dafür gab es mehrere Versuche, bis sich eine Schreibvariante durchsetzte, etwa *ch* für [χ] oder *w* für bilabiales [*w*]. Im Laufe der Sprachgeschichte entstand der Schibilant [ʃ], der letztendlich mit dem Trigraph *sch* wiedergegeben wurde; davor sind verschiedene Versuche zu beobachten, darunter auch *chs* oder *chß*. Ein besonderes Problem waren (und sind) die sog. Umlautvokale bzw. die graphischen Zeichen dafür, *ä*, *ö* und *ü*. Deren lautliche Entsprechungen entwickelten und phonemisierten sich im Laufe der mittelalterlichen Sprachgeschichte, es brauchte einige Zeit, bis sich die endgültige Form etabliert hatte – allerdings sind diese Buchstaben bis heute nicht ins offizielle Alphabet aufgenommen, ebenso wenig wie *ß*.

Nur kurz sei erwähnt, dass sich auch die Schrift im Laufe der Zeit ändert, dass sich die Schreibschriften im handschriftlichen Mittelalter wandeln und dass der Buchdruck völlig neue Anforderungen an Schrift und Schreibe stellt. Auf geradezu schmerzhafte Weise bekommt die Schrift ideologisch-politische Funktion, wie Martin Bormann, der Leiter der Partei-Kanzlei der NSDAP, in einem Rundschreiben vom 3. Januar 1941 kundtut (zit. WOLF 2013, 23):

> Die sogenannte gotische Schrift als eine deutsche Schrift anzusehen oder zu bezeichnen ist falsch. In Wirklichkeit besteht die sogenannte gotische Schrift aus Schwabacher Judenlettern. Genau wie sie sich später in den Besitz der Zeitungen setzten, setzten sich die in Deutschland ansässigen Juden bei Einführung des Buchdrucks in den Besitz der Buchdruckereien und dadurch kam es in Deutschland zu der starken Einführung der Schwabacher Judenlettern.

Die Wahl der „normalen Schrift“ (Martin Bormann) ist gerade an den Schulen am leichtesten und am wirkungsvollsten durchzusetzen. Dies ist auch darin begründet, dass die Orthographie der Teilbereich der Sprache ist, der am stärksten normiert und kodifiziert ist. Dadurch ist die Rechtschreibung, die nicht zuletzt eine zentrale Kulturtechnik im menschlichen Zusammenleben und an der Schule ist, am leichtesten planbar.

Schließlich zeigt die öffentliche Diskussion um die Orthographiereform von 1996 und 2006, welche Rolle Schrift- und Schreibwandel im öffentlichen Bewusstsein spielen (kann).

Für viele Sprachhistoriker ist der **morphologische Wandel** besonders interessant, denn „[n]ichts im morphologischen Sprachwandel ist zufällig: Alle Entwicklungen sind funktional begründbar“ (NÜBLING 2016, 19).

Ein kurzer Blick auf die verbale (Flexions-)Morphologie zeigt die Vielfalt der Wandlungsmöglichkeiten in diesem Teilsystem:

- Das Germanische kannte nur zwei Tempora (Präsens und Präteritum), eine Diathese (Aktiv) und zwei Modi (Indikativ und Konjunktiv I und II). Durch die Aufgabe, das lateinische Christentum volkssprachlich zu bewältigen, wurden, wie schon erwähnt, weitere Tempora und Diathesen notwendig: Zusammengesetzte/Analytische Flexionsformen lösten dieses Problem. Dadurch entstand im Deutschen mit der analytische Konjugation ein neuer Flexionstypus, der sich auch im substantivischen Bereich findet: In vielen Fällen steht im substantivischen Syntagma die Deklinationsinformation (Numerus, Kasus) im Begleiter des substantivischen Kerns, dem entstehenden Artikel.
- Das Althochdeutsche verfügt noch über drei Endungen für die 2. Person Singular resp. über drei Morphe mit der Bedeutung 2. Person Singular:
  Präsens der starken und schwachen Verben *-is*: *zelis* ‘du zählst’;

Präteritum der starken Verben *-i*: *nâmi* 'du nahmst';
Präsens der Präteritopräsentien: *-t*: *muost* 'du musst', maht 'du magst/kannst'. (Beispiele aus BRAUNE/HEIDERMANNS 2018.)

Im Laufe des frühen und hohen Mittelalters setzt sich die einheitliche Endung *-st* durch: **Systemvereinfachung**.

- Bei den starken Verben besteht das Präteritalparadigma aus zwei Formenreihen, der Singularreihe und der Pluralreihe. In frühneuhochdeutscher Zeit vereinheitlicht sich das Paradigma, spätestens vom 17. Jahrhundert an ist das einheitliche Präteritalparadigma kodifiziert.
- Das Germanische systematisiert den Ablaut, sodass wir für die germanischen Sprachen von 'Ablautreihen' sprechen können. Im Laufe der Geschichte des Deutschen bildet sich eine weitere Ablautreihe heraus (s. NÜBLING 2013, 17 ff.).

Diese Beispiele können gut für mehrere morphologische Wandeltypen stehen. Der (neue) Typus der analytischen Flexion betrifft sowohl die Morphologie als auch die Syntax: Im Deutschen entsteht der Klammerbau, der sowohl das Substantivsyntagma als auch den Prädikatsbereich im Satz charakterisiert.

Das Zusammenspiel von Morphologie und Syntax kann auch ganz anders aussehen. In ihrem Buch 'Warum Deutsch die wundervollste Sprache der Welt ist' bringt Marlena Fischer unter der Überschrift „Warum einfach, wenn es auch kompliziert geht?" ohne weiteren Kommentar zwei Tabellen (FISCHER 2019, 84):

Bestimmte Artikel deutsch:

Fall	**maskulin**	**feminin**	**neutral**	**plural**
Nom.	*der*	*die*	*das*	*die*
Gen.	*des*	*der*	*des*	*der*
Dat.	*dem*	*der*	*dem*	*den*
Akk.	*den*	*die*	*das*	*die*

Bestimmte Artikel englisch:

Fall	**maskulin**	**feminin**	**neutral**	**Plural**
Nom.	*the*	*the*	*the*	*the*
Gen.	*the*	*the*	*the*	*the*
Dat.	*the*	*the*	*the*	*the*
Akk.	*the*	*the*	*the*	*the*

Es ist nicht mehr als ein Gag, eine solche Gegenüberstellung als Beleg für den Gegensatz 'kompliziert' vs. 'einfach' zu stellen. Die englischen Artikelformen sind ein Beispiel dafür, dass die Flexion der Substantive aufgegeben worden ist. Das mag, was das substantivische Flexionsparadigma betrifft, eine Vereinfachung sein. Doch die Kasus geben uns wichtige Informationen über die syntaktische Rolle des Substantivs; im Englischen wird das eine syntaktische Angelegenheit: Es ist die Wortstellung, die kundtut, was Subjekt und was Objekt ist.

Ein anderes Beispiel für **Syntaxwandel** ist die zunehmende Satzkomplexität, d. h. die starke Vergrößerung des Inventars der 'Nebensätze', die es ermöglicht, kognitive Hierarchien und semantische Relationen zwischen Prädikationen auszudrücken. Es zeigt sich, dass Sprachwandel von formalen sprachlichen Einheiten, die auch eine semantische Seite haben, somit sprachliche Zeichen sind, immer auch semantische Funktionen betrifft.

Wortschatzwandel bzw. **lexikalischen Wandel** und **Bedeutungswandel** bzw. **semantischen Wandel** erleben die Sprachteilnehmer nahezu täglich. Allerdings sind diese Wandelformen schwerer zu klassifizieren als die, die die sog. harte Linguistik betreffen.

Der Begriff **Wortschatzwandel** betrifft das Inventar von lexikalischen Einheiten: Ständig entstehen und vergehen Wörter. Die deutsche Sprache kennt hauptsächlich zwei Methoden: Die Wortbildung und die Entlehnung aus anderen Sprachen. Da wir immer wieder Wörter brauchen, um (neue) Begriffe benennen zu können, spielt auch die Bedeutungsübertragung (Metaphorik, Metonymie) eine nicht unwesentliche Rolle. Wenn wir heute das Wort *Eisenbahn* hören, denken wir kaum noch daran, dass das Wort eigentlich die Fahrbahn und nicht das Fahrzeug bezeichnet. Eine solche Metonymie – die Fahrbahn steht für das Fahrzeug – führt auch zum **Bedeutungswandel**, der bewirkt, dass das Wort in neue Kontexte gestellt werden kann.

Von den Ergebnissen des Bedeutungswandels aus gesehen, unterscheidet schon THEA SCHIPPAN (1975, 221 ff.) und nach ihr, neben anderen Autoren/innen, DAMARIS NÜBLING (2006, 108 ff., ohne Verweis auf ältere Literatur) sechs Ergebnistypen des Bedeutungswandels:

- **Bedeutungserweiterung:** Dabei werden „semantische Merkmale abgebaut, womit sich die Verwendbarkeit des Wortes erweitert" (NÜBLING 2006, 108). Das mittelhochdeutsche Wort *frouwe* bedeutet 'adelige Frau'; im Zuge der Sprachgeschichte fällt von den semantischen Merkmalen 'adelig', 'erwachsene Person' und 'weibliches Geschlecht' das Merkmal 'adelig' ab; von da an kann das Wort nahezu alle erwachsenen weiblichen Personen bezeichnen.
- **Bedeutungsverengung:** Ein semantisches Merkmal wird hinzugefügt, sodass das Wort weniger Referenzobjekte bezeichnen kann. „Ursprünglich ist Schirm für jeden schirmenden Gegenstand zu verwenden: so auch *Schirmherr, Schutz und Schirm, beschirmen, Ofen-, Lampen-, Mützenschirm.* Diese allgemeine Bedeutung 'schützen' tritt zurück, bei isoliertem Gebrauch ist das Wort auf den Regen- oder Sonnenschirm bezogen." Das neue semantische Merkmal ist „dachförmige Gestalt" (SCHIPPAN 1975, 224).
- **Bedeutungsverschiebung** liegt vor, wenn „sich eine Bedeutung 'A' dergestalt [verändert], dass die neue Bedeutung 'B' synchron nichts mehr mit 'A' zu tun hat" (NÜBLING 2006, 112), vgl. das Adjektiv *billig*, das eine Suffixableitung vom Substantiv **bil*, das im Deutschen nicht belegt ist und wohl die Bedeutung 'Vorbild, Muster, Maßstab' hatte (vgl. KLUGE/SEEBOLD 2011, 122 s. v. *Bild*). „Im Bereich

von *Weichbild, Unbill, Unbilden* […]“ hat **bil* die Bedeutung ‘Recht’, sodass wir *billig* als ‘rechtlich, angemessen’ interpretieren können. Über das Syntagma *billige Preise* ‘angemessene Preise’ entwickelt sich das Adjektiv zu einem Ersatz für älteres *wohlfeil* („urspr. ‘nicht teurer, als sich gehört’“; PAUL 2002, 173).

- **Bedeutungsübertragung** wird bisweilen die „Einwirkung eines anderen Wortes“ (NÜBLING 2006, 113), häufig eines fremdsprachlichen Wortes auf ein vorhandenes Wort, das dann entweder seine Bedeutung ändert oder eine zusätzliche Bedeutung annimmt, bezeichnet. Ein großer Teil des christlichen Kernwortschatzes verdankt seine Existenz zahlreichen Bedeutungsübertragungen aus dem juristischen in den theologischen Bereich. In der jüngsten Vergangenheit kann man Bedeutungsübertragungen unter englischem Einfluss beobachten: Das Verbum *realisieren* ‘verwirklichen’ bekommt die Lesart „(in einem Prozess der Bewusstmachung) erkennen, einsehen, begreifen“ (DUDEN-UWB 2015, 1429).
- **Bedeutungsverbesserung** (Meliorisierung) ist selten. Als Beispiel wird gerne das Wort *Marschall* angeführt: Es bedeutete ursprünglich ‘Pferdeknecht’ und entwickelte sich zur Bezeichnung des „höchste[n] militärische[n] Dienstgrad[s]“ (WAHRIG 2012).
- **Bedeutungsverschlechterung** (Pejorisierung): „Paradebeispiel für immer wieder eintretende Perjorisierungen sind die meisten Bezeichnung für die Frau“ (NÜBLING 2006, 114). Eindeutig ist dies bei *Weib* der Fall, das im mittelalterlichen und frühneuzeitlichen Deutsch die Normalbezeichnung für eine erwachsene Person weiblichen Geschlechts ist; in der Gegenwartssprache ist *Weib* „eine umgangssprachliche und abwertende Bezeichnung für eine Frau“ (WAHRIG 2012).

Gerade bei den letzten beiden Typen wird klar, dass die Klassifikation von Bedeutungswandel häufiger auf subjektiven Einschätzungen beruht als auf objektiven Urteilen. Es ist fraglich, ob man, vor allem nach der jüngsten deutschen Geschichte, den Wandel vom ‘Pferdeknecht’ zu einem ‘hohen Offizier’ wirklich als Verbesserung sehen will. Und der Verlust des Merkmals ‘adelig’, der zu einer Allgemeinbezeichnung für eine erwachsene weibliche Person führt, ist nur dann eine Bedeutungsverschlechterung, wenn man an alten gesellschaftlichen Hierarchien hängt. Andere Gesichtspunkte dürften wohl viel aufschlussreicher sein, z. B. die Entwicklung von lexikalischen Feldern. Wenn wir bei den beiden Bezeichnungen für die weibliche Person bleiben, dann können wir sehr gut sehen, dass die entsprechenden Wörter einerseits untereinander in engem Zusammenhang stehen, dass andererseits Kultur- und Sozialgeschichte in der Wortschatzentwicklung eine wichtige Rolle spielen. Der Artikel *Frau* im Duden-Herkunftswörterbuch (RIECKE 2014, 300) demonstriert diese Prinzipien eindrücklich:

> Das Wort *Frau* erscheint zwar schon als ahd. *frouwa*, mhd. *frouwe* in der Bedeutung „vornehme, adlige Dame, Herrin“, es ist aber ganz auf die Sphäre der obersten Gesellschaftsschicht, des Adels, beschränkt. Es ist abgeleitet von ahd. *frô* „Herr“, ein Wort, das heute noch in *Fronleichnam* „Leib des Herrn“; *Frondienst* „Dienst für den Herrn“ und in Ortsnamen wie *Fronhausen* begegnen kann. Ein adeliges unverheiratetes Mädchen war dementsprechend eine *juncfrouwe*; ein unverheiratetes einfaches Mädchen dagegen eine *maget*; später, als *maget* mehr und mehr die Bedeutung ‘Dienstmagd’ angenommen hatte, trat eine Zeit lang das Wort *Fräulein* an seine Stelle. Weil der Diminutiv *-lein* hier aber als abwertend empfunden wird, wird das Wort heute fast nicht mehr verwendet. Nur manchmal hört man es noch in Gaststät-

ten als Anruf für die Kellnerin. Die neutrale Bezeichnung für Angehörige des weiblichen Geschlechts war ahd. *wîb*, mhd. *wîp*. In Ableitungen wie *weiblich* ist heute noch die neutrale Bedeutung von *Weib* erhalten. Das einfache Substantiv *Weib* wird aber heute nur noch abwertend verwendet und auch positiv gemeinte Komposita wie *Rasseweib* müssen wohl letztlich so verstanden werden. Man nimmt an, dass seit der 'frühen Neuzeit auch solche Frauen als *frouwe* im Sinne von 'vornehme Dame' angesprochen wurden, denen eigentlich diese Anrede gar nicht zustand. Dies kann eine Form von Höflichkeit oder Schmeichelei gewesen sein. Jedenfalls übernahm *Frau* nach und nach die Funktion der neutralen Bedeutungsangabe. Das bisher neutral gebrauchte Wort *Weib* wäre dann nur noch für die Gelegenheiten übrig geblieben, an denen man weder höflich sein noch schmeicheln wollte. Es bekam daher eine negative Bedeutung und durchlief damit genauso eine Bedeutungsverschlechterung wie *maget* und *diern(e)*, wo die Bedeutung 'Jungfrau, junges Mädchen' zu 'Prostituierte' absinkt. In bairisch Dirndl 'weibliche Tracht' ist die ältere Bedeutung noch bewahrt. Da nun nach dem Bedeutungswandel von *frouwe/Frau* kein Wort für die vornehme Frau zur Verfügung stand, bot sich franz. *dame* in dieser Position an. Eine Bedeutungsverbesserung findet sich wenigstens bei dem Wort ahd. *quena* 'Frau, Gattin'. Zwar ist es im Deutschen ausgestorben, lebt aber in engl. *queen* 'Königin' weiter.

Schon das kleine Beispiel der Frauenbezeichnungen macht deutlich, dass auch systemexterne Faktoren eine nicht unwesentliche Rolle spielen. Ein Blick auf die Gegenwartssprache zeigt, dass das Deutsche nicht ein einheitlicher Block ist, sondern ein Polysystem, das sich aus mehreren Subsystemen, 'Varietäten', konstituiert. Auch das Varietäteninventar einer Sprache ist keine fixe Größe, sodass man im Laufe der Sprachgeschichte mehrfachen **diasystematischen Sprachwandel** beobachten kann. Für das Deutsche ist unter diesem Aspekt von besonderer Bedeutung, dass sich eine Standardvarietät erst sehr spät entwickelt hat.

Im 19. Jahrhundert bildet sich für das Deutsche eine spezielle Form der Sprachwissenschaft heraus, indem die Sprachgeschichte als die eigentliche Wissenschaft von der Sprache angesehen wird. Die Beschäftigung mit der Gegenwartssprache wird in den Schulbereich verwiesen. Erst in der Mitte des 20. Jahrhunderts kam es zu einem weiteren **sprachreflektorischen Wandel**, d. h. die metasprachliche Beschäftigung mit der Sprache ändert sich und damit u. U. die Einstellung von normgebenden Instanzen zu vorhandenen Normen oder/und Entwicklungen.

Die Geschichte des Deutschen ist ganz wesentlich eine Geschichte der Ablösung des Lateinischen durch die 'Volkssprache', das Deutsche übernimmt immer mehr Domänen vom Lateinischen. In althochdeutscher Zeit sind es vor allem Kleriker, die mit volkssprachigen geistlichen Texten in Erscheinung treten. Im Laufe der Sprachgeschichte kommen immer neue Gruppen, Schichten und/oder Klassen sowohl als Textproduzenten als auch als Textrezipienten hinzu, sodass die Sprachgeschichte als permanenter **sprachsoziologischer Wandel** gesehen werden kann.

Dem soziologischen Wandel müssen auch Sprachverwendungsnormen entsprechen: **pragmatischer Wandel,** der die Verwendung sprachlicher Zeichen in unterschiedlichen Situationen betrifft. Deutlich wird dies z. B. bei dem Wandel der Anredepronomina, bei den verschiedenen Formen des Duzens, Ihrzens und Siezens (vgl. dazu BESCH 1998).

Schon erwähnt wurde, dass der Eintritt in die Schriftlichkeit für die Sprache fundamentale Folgen hat. In der Gegenwart können wir beobachten, dass die Schriftlichkeit im Vergleich zur Mündlichkeit als viel stärker normiert gilt. Technische Neuerungen wie etwa der Buchdruck oder heute der Computer wirken vor allem im textuellen Bereich. **Medienwandel** hat vielfältige Wirkungen.

0.3 Periodisierung

Der vorausgehende Abschnitt 0.2 hat deutlich gezeigt, dass die Entwicklung einer Sprache, somit auch des Deutschen, „immer den internen Bedingungen des Sprachsystems und den externen Bedingungen des je historischen konkreten Sprachgebrauchs" (REIFFENSTEIN 1990, 21) unterliegt. Das folgt aus der Tatsache, dass, wie gesagt, jeder Sprachwandel ein Wandel des Usus und der Normen, die den Usus bestimmen, ist. Die „gewöhnliche Sprechtätigkeit" des Menschen (HERMANN PAUL) bringt – das macht den kreativen Aspekt der Sprache aus – immer neue Äußerungen hervor, die so vorher noch nicht getan worden sind. Diese neuen Äußerungen enthalten immer auch Neuerungen, die hör- oder bisweilen auch sichtbares Zeichen der Tatsache sind, dass sich die Sprache mit jedem Sprechakt neu konstituiert. Die Entwicklung einer Sprache ist ein Kontinuum, man denkt an das alte Prinzip *Natura non facit saltus.* Dennoch gibt es zahlreiche Versuche, dieses Kontinuum in Perioden zu gliedern. „Sprachliche Periodisierungen sind – wie alle historischen Periodenabrenzungen – problematisch." (SCHMID 2017, 3) Die Problematik beginnt bei der Klassifizierung der Periodisierungskriterien und geht über zur Gewichtung dieser Kriterien. Alle Periodisierungen sind demnach Vorschläge, die zumindest die Geschichtsschreibung vereinfachen sollen, indem die Darstellung übersichtlicher wird.

> Doch „Periodisierung historischer Abläufe ist nicht nur aus darstellungstechnischen Gründen unerläßlich und gerechtfertigt, sie ist im Prinzip auch durchaus gegenstandsadäquat. Daß es in der Geschichte Phasen relativer Ruhe, Zustände gewissermaßen, und solche tiefgreifender Umstrukturierung gibt, erleben wir in diesen Tagen unmittelbar." (REIFFENSTEIN 1990, 24.)

Für die Periodisierung benötigt die Sprachgeschichtsschreibung Kriterien, die eine solche Gliederung plausibel und nachvollziehbar machen. Doch gerade in diesem Bereich herrscht keine Einigkeit (vgl. die detaillierte Übersicht bei ROELCKE 1995):

> „Die Gliederung des kontinuierlichen Prozesses der Entwicklung der dt. Sprache in einzelne, zeitlich fassbare und überzeugend begründbare Abschnitte wird von den Sprachhistorikern unterschiedlich vorgenommen. Das liegt vor allem daran, dass keine einheitliche Auffassung darüber besteht, welche Kriterien der Periodisierung zugrunde gelegt werden sollen und welches Gewicht den unter verschiedenen Aspekten gewonnenen Kriterien beizumessen ist." (LANGNER 2013, 17.)

Die Periodisierungskriterien lassen sich grob in folgenden Gruppen zusammenfassen:

1. Sprachliche, d. h. sprachsystematische Kriterien.
2. Sprachpragmatische Kriterien, d. h. Kriterien der Sprachverwendung.
3. Soziolinguistische Kriterien.
4. Historische Kriterien.

ad 1: Als eine „tiefgreifende Umstrukturierung“, die das Frühneuhochdeutsche vom Mittelhochdeutschen trennt, wird oft die ‘Frühneuhochdeutsche Diphthongierung’ (s. 4.3.1.1.) angeführt: Die mittelhochdeutschen Monophthonge /*i:*, *u:*, *ü:*/ werden zu den neuhochdeutschen Diphthongen /*ae*/, /*ao*/, /*oi*/,

> mhd. *zît* > nhd. *Zeit*; mhd. *mûs* > nhd. *Maus*; mhd. *niun* > nhd. *neun*
> **Merkworte:** mhd. *mîn niuwez hûs* > nhd. *mein neues Haus.*

Dies gilt für die neuhochdeutsche Standardsprache. Doch wenn wir auf die (oberdeutschen) Dialekte schauen, dann fällt sofort auf, dass nicht alle Dialekte diesen Lautwandel vollzogen haben. Das Bairisch-Österreichische sowie das Ostfränkische weisen die neuhochdeutschen Diphthonge auf, das Alemannische bis heute nicht, das Schwäbische ist ein Übergangsgebiet zwischen dem Bairischen und dem Alemannischen. SONDEREGGER (1979, 170) beobachtet, dass das Alemannische („Westliches Oberdeutsch“) über ein „volles mittelhochdeutsches Lautsystem“ verfüge, darunter auch über die ‘alten’ Monophthonge; man könne sagen, dass „[v]erschiedene Sprachstufen mit den ihnen zuzuordnenden verschiedenen sprachhistorischen Kriterien [...] landschaftsweise getrennt [...] zeitlich nebeneinanderlaufen“. Es macht aber Schwierigkeiten, dem zu folgen: Die Annahme dass „verschiedene Sprachstufen nebeneinanderlaufen“, zeigt, dass lautliche Kriterien als Periodisierungskriterien kaum geeignet sind.

ad 2: Pragmatische Kriterien sind vielfältig. Von besonderer Bedeutung sind die Aufgaben, die eine Sprache zu einem gewissen Zeitpunkt übernehmen kann, und welche Domänen in einer Sprache – in unserem Fall das Deutsche – versprachlicht werden.

ad 3: Zu den soziolinguistische Kriterien „gehören u. a. die Varietäten und ihr Verhältnis zueinander, die Rolle fremder Sprachen und ihr Einfluss auf das Deutsche, ferner die Vorbildwirkung einzelner Sprachräume, sozialer Gruppen und bestimmter Persönlichkeiten; die Sprachreflexion bewusster Sprachteilhaber“ (LANGNER 2013, 17).

ad 4: Sprache existiert, wie schon öfters gesagt, nicht ohne Sprecher; die Sprecher leben ‘in ihrer Zeit’, sodass allgemein-historische oder sozialgeschichtliche Kriterien auch sprachgeschichtlich relevant sein können.

Das Konzept, das REIFFENSTEIN formuliert, sieht – überspitzt formuliert – die sprachgeschichtlichen Perioden als etwas Statisches, das durch ein Wandelereignis geändert wird; die darauf folgende Periode ist wiederum statisch. Andererseits ist festzuhalten, dass „Gliederungsversuche von einem der genannten Punkte aus (also monokausale Gliederungsversuche) von vornherein fragwürdig” (KETTMANN 1982, 134) sind.

Eine Periodisierung einer jeden Sprachgeschichte muss sämtliche Aspekte im Auge behalten, denn die unterschiedlichen Kriterien stehen allesamt miteinander in Verbindung. Auf dieser Basis nun soll eine Periodisierung der deutschen Sprachgeschichte skizziert werden (nach WOLF 1989).

Die deutsche Sprachgeschichte beginnt in der Mitte des 8. Jahrhunderts mit dem Einsetzen einer kontinuierlichen schriftlichen Überlieferung. Dies lässt sich folgendermaßen charakterisieren:

- Durch die Schriftlichkeit erobert sich das Deutsche, die Volkssprache im Gegensatz zur lateinischen Bildungs- und Klerikersprache, neue Diskurswelten, neue Domänen; in diesem Sinn ist die plakative Formulierung von Theodor Frings „Antike und Christentum an der Wiege der deutschen Sprache“ (FRINGS 1957, 58) immer noch gültig.

- Damit eng verbunden ist die Tatsache, dass der Eintritt in die Schriftlichkeit überhaupt erst den Eintritt in die Geschichte bedeutet. Und dieser Eintritt in die Geschichte ist eng mit der Latinität verbunden, indem eben die lateinische Schrift und nicht das/ein Runenalphabet oder griechische Schrift zugrunde gelegt wurde.
- Sprachinterne Folgen dieser pragmatischen Voraussetzungen sind z. B. die Erweiterung des Wortschatzes durch Wortbildung und Transferenzen aus dem Lateinischen und der Ausbau bzw. das konsequente Ausnützen der Ansätze zu periphrastischen Verbformen.
- Insgesamt also ist diese erste Periode durch ein spezielles Verhältnis der Volkssprache zum Lateinischen gekennzeichnet, weil der größte Teil der uns greifbaren deutschen Literatur in irgendeiner Weise der Latinität bzw. der Bewältigung der Latinität dient.

Dies alles ist eben erst von der Mitte des 8. Jahrhunderts an sichtbar. Für diese Situation musste eine spezielle ‘Umwelt’, mussten spezielle ‘ökologische Nischen’ vorhanden sein, die durch die Kulturpolitik der Karolinger geschaffen wurden.

Diese Situation ändert sich mit/bei dem St. Galler Mönch Notker Labeo grundlegend. In seinem berühmten Brief an Bischof Hugo III. von Sitten erklärt Notker, dass er nicht mehr wie seine Vorgänger, um zum Lateinischen hinzuführen, übersetze; seine Texte, seine Übersetzungen in die Volkssprache beanspruchen eine eigenständige Funktion. Deshalb sieht sich Notker „nicht im Rahmen einer Übersetzungstradition, vielmehr betont er das Neue seines Verfahrens, das eine gewisse Angewöhnung erheische“ (SONDEREGGER 1970, 83). Wenngleich Notkers Werke noch im Rückbezug auf die lateinischen Ausgangstexte überliefert sind, zeigt sich doch deutlich ein neues Stadium: Man schreibt/übersetzt für ein volkssprachiges Publikum aus der Überzeugung vom Eigenwert der Volkssprache heraus. Diese Haltung hat ihre Folgen, u. a. auch bei Williram von Ebersberg, dessen Mischprosa „mit bewußter Rhetorik“ geschrieben ist, denn die „Zeit war jetzt gekommen, daß auch der exklusive Kreis hochgebildeter Geistlicher, der die lateinische Verkehrssprache mit Leichtigkeit und Geschmack handhabte, an wohlgefügter deutscher Rede sein Gefallen finden konnte“ (EGGERS 1965, 46). Dies ist dann auch der Weg der mittelhochdeutschen Literatur: Zunächst schreiben Geistliche für Laien, dann Laien für Laien. In diesem Zusammenhang ist die Ausweitung der stilistischen Möglichkeiten in der sog. höfischen Literatur zu sehen, die aus dem Deutschen eine Sprache der artifiziellen Gestaltung machen.

Um die Mitte des 13. Jahrhunderts tauchen, geradezu plötzlich, zwei neue Textarten auf, die einen deutlichen Wandel der Sprachverwendungsnormen signalisieren:

- Geschäftssprachliche Texte, allen voran Urkunden, deren pragmatisches Kennzeichen die unmittelbare Rechtsverbindlichkeit ist, und
- Prosaliteratur, zunächst besonders geistliche Prosa, dann auch in steigendem Maße ‘weltliche’ Referenzbereiche; nach und nach verdrängt in der öffentlichen Wirkung die Prosa den Reimvers.

Diese neuen Textklassen sind ein sehr schönes Indiz dafür, dass neue Kommunikationsgruppen an der volkssprachlichen Schriftlichkeit teilhaben. Schlagworte wie Entwicklung und Aufblühen der Städte oder Ausweitung des Sprachgebiets durch die Ostkolonisation, die durch das Wirtschaftsleben einsetzende Schulbildung in weiteren Bevölkerungsschichten, der notwendige und sich stets ausweitende Schriftverkehr, weitergehende literarische Interessen gerade auch der Laien können die neue Lage streiflichtartig charakterisieren. Die Reformation mit ihren nicht zu überschätzenden sprachlichen und literarischen Folgen ist ein konsequenter Höhepunkt dieser Entwicklung.

Im 17. Jahrhundert, um den nächsten Wendepunkt zu beschreiben, tritt eine neue Tendenz zutage: Bewusste Sprachteilhaber fordern eine Sprachregelung und Sprachreinigung mit dem Ziel einer sprachlichen Einigung. Das Deutsche wird als überdachende Standardsprache verstanden, das der Normierung und Pflege bedarf. Bis zur Mitte des 17. Jahrhunderts berufen sich Grammatiker auf Martin Luther als normierendes Sprachvorbild. Ganz im Sinne moderner Normendiskussion beruft sich Justus Georg Schottelius auf *viri docti, sapientes & periti,* auf die „verbal gebildetste Schicht", denn „nur in diesem Sprachgebrauch sind die Sprachmittel so differenziert ausgebildet, daß sprachliche Kommunikation auf außersprachliche Kommunikationshilfen auch weitgehend verzichten kann" (REIFFENSTEIN 1975, 131). Deshalb erscheint es den großen und einflussreichen Autoren der Klassik und der Romantik möglich, sich dieser überregional gültigen Sprachform zu bedienen, was letztlich zur endgültigen Einigung des deutschen Sprachraums führt. Der streng normative Ansatz von Schottelius bringt auch eine Abwertung der Dialekte mit sich. Der Begriff 'Hochdeutsch', der zuvor sprachgeographische Gegebenheiten bezeichnet hat, ist zum sprachsoziologischen Terminus geworden, der eine Hierarchie verschiedener Varietäten beinhaltet. Nur die 'Hochsprache' ist 'richtig', 'korrekt', die anderen Varietäten hingegen sind falsch. Mit anderen Worten: Um die Mitte des 17. Jahrhunderts übernehmen die Grammatiker eine wichtige Aufgabe: Sie fordern die sprachliche Einheit und führen zu ihr hin. Dazu kommt ein sprachinternes Indiz: Von der zweiten Hälfte des 17. Jahrhunderts an mehren sich die Äußerungen, dass Luthers Bibelübersetzung zahlreiche veraltete und unverständlich gewordene Wörter enthalte. Luthers nahezu kanonisierter Text wird nicht mehr ohne weiteres verstanden. Der Hauptgrund dafür ist der Wortschatzwandel, der von vielen Sprachteilhabern als einschneidend empfunden wird: Sie spüren förmlich das Ende einer sprachgeschichtlichen Epoche.

Zugleich erlauben diese Kriterien, vielmehr den Charakterzug einer Periode zu beschreiben, als Grenzpfähle zu setzen. Denn zwischen diesen Perioden ist mit ziemlich großen Übergangszeiträumen zu rechnen.

Diese Anmerkungen führen zu folgender zeitlichen Gliederung der deutschen Sprachgeschichte:

- Von 750 an: Entwicklung/Evolution des Althochdeutschen.
- Von 1000 an: Entwicklung/Evolution des Mittelhochdeutschen.
- Von 1250 an: Entwicklung/Evolution des Frühneuhochdeutschen.
- Von 1650 an: Entwicklung/ Evolution des Neuhochdeutschen.

Die jüngste Periode der deutschen Sprachgeschichte beginnt wohl in der Mitte des 20. Jahrhunderts: In der Folge des Zweiten Weltkriegs kommt es zu einer Verkleinerung des Sprachraums. Nahezu gleichzeitig kommt es aufgrund immer neuer Medien zu einer Massenkommunikation, wie sie vorher kaum denkbar war, deren Ende noch nicht abzusehen ist und die gerade in der jüngsten Vergangenheit auch zu gesellschaftlichen Problemen führt.

Die nachfolgende Darstellung der deutschen Sprachgeschichte beschreibt in erster Linie die sog. äußere Sprachgeschichte. Hans Ulrich Schmid hat dies auf die eingängige Formel gebracht: „Teil 1 beschreibt die Kultur, Teil 2 die Struktur." Deshalb ist Teil 1 nach historischen Kriterien gegliedert. Demgegenüber sind die grammatischen Kapitel in Teil 2 mit den bekannten Periodenbezeichnungen überschrieben.

1 Vorgeschichte und Geschichte der deutschen Sprache

1.1 Vorgeschichte der deutschen Sprache

'Vorgeschichte' bezeichnet als Terminus der Geschichtswissenschaft die Zeit vor dem Beginn der schriftlichen Überlieferung, 'Geschichte', zumal von Sprache, ist mit Schriftlichkeit verbunden. Volkssprachlich (deutsch, a. u. 1.2.4.5) setzt diese bei uns, abgesehen von Runeninschriften aus der Völkerwanderungszeit (a. u. 1.1.2.1.2 und 1.2.2), im Reich Karls d. Gr. (2. Hälfte 8. Jh.) systematisch ein. Die sprachliche Entwicklung davor ist insofern auch in einem alltagssprachlichen Sinn 'Vorgeschichte' der deutschen Sprache, als die in diesen Zeiten gesprochenen Idiome zwar als 'germanisch' (s. 1.1.2) bzw. 'indogermanisch' (s. 1.1.1), aber noch nicht als 'deutsch' bezeichnet werden können.

1.1.1 Indogermanisch

'Indogermanisch' (Idg.) fasst eine Gruppe ursprünglich zwischen Indien und Europa (Irland, Island) gesprochener Sprachen zusammen, deren lexikalische und grammatische Gemeinsamkeiten durch die vergleichende Sprachwissenschaft als Verwandtschaft erwiesen und auf eine gemeinsame Ausgangssprache zurückgeführt worden sind. Die idg. Sprachen stehen neben anderen Sprachgruppen, wobei Parallelen in Phonetik und Lexik auf vorgeschichtliche Kontakte zu Sprechern uralischer (finnougrischer) und semitischer Sprachen schließen lassen (COWGILL/MAYRHOFER 1986, 13 f.). Typologisch handelt es sich bei den idg. um (ehemals) flektierende Sprachen. Die Satzstruktur war akkusativisch (nicht ergativisch). Andere Typen werden etwa durch das agglutinierende Türkisch und das isolierende Chinesisch vertreten.

1.1.1.1 Indogermanische Sprachen

1.1.1.1.0 **Historische**: Eine Reihe von Sprachen historischer idg. Völker und Reiche (s. Karte bei KINDER/HILGEMANN 1964, Bd. 1, 20 f. und 32 ff.) sind nur durch schriftliche Quellen (Texte, z. T. aber nur Namen, Lehnwörter) bezeugt (erschließbar) und keinen lebenden Sprachen mehr zuzuordnen, z. B. in Kleinasien: **Hethitisch** (älteste Quellen 19. Jh. v. Chr., Texte 17.–13. Jh. v. Chr., älteste, keilschriftlich überlieferte idg. Sprache; ähnlich: Luwisch, Paläisch und später, 1. Jt., Lykisch, Karisch, Sidetisch, Lydisch), **Phrygisch** (ab 6. Jh. v. Chr. oder früher, vielleicht näher verwandt mit dem Armenischen, a. u. 1.1.1.1.3); in Ostturkestan (China): **Tocharisch** (ca. 6.–9. Jh.); in Europa

(Ägäis und Balkan, adriatischer Raum): **Pelasgisch** (Substrat im Griechischen, vielleicht in einem Wort wie *pýrgos* 'Burg'), **Makedonisch** (nur aus Namen und Glossen bekannte Sprache des antiken Makedonien – Alexander d. Gr.! – und nicht zu verwechseln mit dem modernen slavischen Mazedonisch, a. u. 1.1.1.1.9), **Thrakisch** (rudimentär überliefert in griechischer Schrift, 5./4. Jh.), **Venetisch** (Inschriften 6.–1. Jh. v. Chr. in einer vom Etruskeralphabet abgeleiteten Schrift; der Name *Veneti* im dt. *Wenden* auf die Slaven übertragen) und – vielleicht – **Illyrisch** (Namen). Im Übrigen sind viele inschriftliche Zeugnisse (etwa aus den Alpen) noch unentschlüsselt. Leichter zugänglich sind demgegenüber historische Stufen lebender idg. Sprachen; sie lassen sich in folgenden 10 Gruppen zusammenfassen. (Vgl. auch SEEBOLD 1998, 100 f.; FORTSON 2010, 170 ff.)

1.1.1.1.1 **Indische:** als Altindisch überliefert in den brahmanischen Veda-Texten (tw. wohl auf das 2. Jahrtausend v. Chr. zurückgehend, in den jüngsten Teilen wohl aus dem 5./4. Jh. v. Chr.) und im **Sanskrit**, einer Kunstsprache der klassischen aind. Literatur und Wissenschaft, von Grammatikern in der Nachfolge PĀNINIS im 4. Jh. v. Chr. in Regeln gefasst; als Neuindisch in vielen Dialekten und in der *lingua franca* **Hindūstānī** (schriftsprachlich als **Hindī** in Indien mit *Devanāgarī* geschrieben, als **Urdū** in arabischer Schrift Staatssprache Pakistans), **Bengālī** (in Bangladesch), **Nepālī**, **Sinhalisch** (Sri Lanka); auch die Sprachen der **Roma** und anderer von Nordwestindien westwärts gewanderter Nomadenvölker (*Zigeuner*, seit dem 15. Jh. in deutschen Quellen belegt) gehören zum indischen Zweig.

1.1.1.1.2 **Iranische:** als Altiranisch überliefert v. a. in den altpersischen Königsinschriften der Achämeniden-Dynastie 6.–4. Jh. v. Chr.) und im *Avesta*, den (ca. im 4. Jh. n. Chr. aufgezeichneten) religiösen Texten Zarathustras (Anfang 1. Jt. v. Chr.) und seiner Nachfolger; spätere, mitteliranische Formen sind u. a. das Soghdische (die *lingua franca* der Seidenstraße, mit Überlieferung aus dem 4.–8. Jh.) und die auch nach der *Pehlevi*-Schrift bezeichnete mittelpersische Staats- und Religionssprache der Sasaniden-Dynastie (3.–7. Jh.), die Vorstufe des modernen **Persischen**; weitere neuiranische Sprachen sind **Afghanisch**, **Belutschisch**, **Tadschikisch**, **Ossetisch**, auch das **Kurdische** ist neuiranisch.

1.1.1.1.3 **Armenisch:** Vielleicht mit dem Phrygischen und Griechischen (s. o. 1.1.1.1.0) näher verwandt, ist es als Kirchensprache seit dem 5. Jh. n. Chr. überliefert und in einer ostarmenischen Form Staatssprache der Republik Armenien.

1.1.1.1.4 **Griechisch:** Das Altgriechische ist, abgesehen vom Mykenischen (Linear B: Böotien, Kreta und Peloponnes, ca. 1450–1200 v. Chr.), ab dem 8. Jh. v. Chr. (Homer) überliefert; Neugriechisch (in Form der *Katharevusa* 'Reinsprache') greift archaisierend auf eine die Dialekte (Ionisch-Attisch, Achäisch, Äolisch und Dorisch-Nordwestgriechisch) überbrückende Schrift- und Umgangssprache zurück, die in hellenistischer Zeit entstandene *Koinē*; heute ist überwiegend eine volkstümlichere Form (*Dhimotikī*) in Gebrauch.

1.1.1.1.5 **Albanisch:** Überliefert seit dem 15./16. Jh., auf der Balkanhalbinsel auch außerhalb Albaniens sowie in Unteritalien gebraucht.

1.1.1.1.6 **Italische (Romanische):** Altitalische Dialekte sind seit dem 7. Jh. v. Chr., dem Beginn der (inschriftlichen) lateinischen Überlieferung, bezeugt. Daneben gibt es seit dem 6. Jh. v. Chr. einige Zeugnisse des Sabellischen, des neben dem Latino-Faliskischen zweiten und räumlich umfassenderen Subdialekts der altitalischen Sprachen, der in Südpikenisch, Umbrisch und Oskisch (u. a. Stadtmundart von Pompeji) gegliedert ist. Die Zugehörigkeit des Venetischen (belegt ab ca. 500 v. Chr.) zu der italischen Sprachgruppe ist noch umstritten. Alle diese italischen Sprachen werden infolge der politischen Ausdehnung von Rom durch das **Lateinische** (ursprünglich nur Mundart des Gebiets um Rom) abgelöst, das sich in den meisten Regionen Italiens bis etwa zur Zeitenwende durchsetzt. Latein wird seit dem 3. Jh. v. Chr. auch literarisch verwendet und kann sich, zur 'Goldenen' und 'Silbernen Latinität' verfeinert, mit dem Römischen Reich über die ganze italische Halbinsel, später auch darüber hinaus ausdehnen. Die modernen romanischen Idiome haben sich im Herrschaftsbereich der Römer auf der Grundlage einheimischer Sprachen als Tochtersprachen vulgärlateinischer Sprachformen (1.–5. Jh.) entwickelt (dazu: PH. WOLFF 1971, 53 ff.; WALTER 1994; LÜDTKE 2009). Ihre schriftliche Überlieferung setzt jedoch erst in späteren Jahrhunderten ein: **Französisch** (9. Jh.), **Italienisch** (10. Jh.), **Sardisch** und **Provenzalisch** (11. Jh.), **Katalanisch**, **Kastilisch** und **Portugiesisch** (jeweils 12. Jh.), **Rumänisch/Moldauisch** (16. Jh.), **Rätoromanisch** (Schweiz, 12. Jh. bzw. 16. Jh.), **Furlan** (Friaul, 14. Jh.) und **Ladinisch** (Südtirol, 18. Jh.). Im Zuge der kolonialen Ausbreitung sind romanische Sprachen (über ein Stadium der Pidginisierung, a. u. 1.1.1.3.3) ihrerseits zu Muttersprachen neuer Kreolsprachen geworden, u. zw. portugiesischer (diverse in Afrika, Asien und Südamerika), spanischer (Philippinen) und französischer (Louisiana, Haiti, Antillen u. a.).

1.1.1.1.7 **Keltische:** Aus (gallischen, keltiberischen und – im Tessin: – lepontischen) Inschriften sowie Örtlichkeitsnamen lässt sich erschließen, dass vor 2000–3000 Jahren weite Teile Mitteleuropas, der Pyrenäen-(Galiza), Apenninen- und Balkanhalbinsel, ja sogar Kleinasiens (Galater) von Kelten besiedelt, d. h. keltischer Sprachraum gewesen sein dürften. Allerdings sind diese festlandkeltischen Idiome von ihren Sprechern völlig zugunsten anderer (v. a. romanischer) Sprachen aufgegeben worden. Literarisch überliefert und bis heute noch (mehr oder weniger) gebraucht sind jedoch die inselkeltischen Sprachen: **Irisch** (in der eigenständig-keltischen *Ogham*-Schrift des 4./5. Jhs., lateinschriftlich seit dem 7. Jh. überliefert), **Kymrisch** (in *Wales* < ags. *Wēalas* 'die Welschen'; 9. Jh.) und **Gälisch** (Schottland, 15. Jh.). Auch das **Bretonische**, die literarisch seit dem 8. Jh. belegte Sprache eingewanderter Britannier in der Bretagne, gilt als 'inselkeltisch'.

1.1.1.1.8 **Baltische: Altpreußisch,** schriftlich bezeugt vom 14. bis zum 17. Jh., seit dem 16. Jh. **Lettisch** und das besonders altertümliche **Litauisch**, vgl. etwa lit. *Diẽvas dãvė dantìs, Diẽvas duõs ẽska* mit lat. *Deus dedit dentēs, deus dabit escam* 'Gott gab Zähne, Gott wird auch Essen geben' (SCHMITT-BRANDT 1994, 313). (Das mit dem Finnischen eng verwandte Estnisch ist keine idg. Sprache!)

1.1.1.1.9 **Slavische**: Von den südslavischen Sprachen ist das **Bulgarische** anhand kyrillisch geschriebener (alt-)kirchenslavischer Texte bis ins 10. Jh. zurückzuverfolgen; die Freisinger Denkmäler, älteste Quelle für das (bis heute auch in Kärnten noch gesprochene) **Slowenische**, sind etwa um 1000 (in Bayern!) entstanden, früheste **serbische** und

kroatische Zeugnisse stammen aus dem 12. Jh., das Südslavisch-**Mazedonische** wird erst spät schriftsprachlich fassbar. Die ältesten ostslavischen (gemein**russischen**) Texte stammen aus dem 10./11. Jh., **Weißrussisch** und **Ukrainisch** sind seit dem 16. Jh. literarisch fassbar. Von den westslavischen Sprachen ist das **Polnische** (12. Jh.) etwas früher als das **Tschechische** und **Slowakische** (13. Jh.) bezeugt. Besonders zu erwähnen ist das **Sorbische** als Sprache einer westslavischen Minderheit in der Lausitz, die seit dem 16. Jh. (in Form einer Übersetzung der Luther-Bibel) auch schriftlich belegt ist und sich bis heute gehalten hat (im Gegensatz zu dem Mitte 18. Jh. durch Sprachwechsel verschwundenen Polabischen, auch: Elbslavischen, des Gebiets zwischen Lüneburger Heide und Altmark).

1.1.1.1.10 **Germanische:** Abgesehen von tw. noch älteren Runeninschriften (a. u. 1.1.2.1.2) ist die früheste alphabetschriftlich überlieferte germanische Sprache das (ausgestorbene) **Gotische** (aus dem 4. bzw. 6. Jh.; a. u. 1.1.3.1). Aktuelle germanische Sprachen sind im Norden, jeweils mit runenschriftlicher und seit dem 13. Jh. auch alphabetischer Überlieferung, das (bis heute sehr archaische) **Isländische**, **Norwegisch** (als dänisiertes *riksmål* sowie als ein im 19. Jh. auf dialektaler Grundlage entwickeltes *landsmål*), **Schwedisch**, **Dänisch** und **Färöisch** (verschriftlicht Ende 18. Jh.). Das **Englische** (als Angelsächsisch überliefert seit dem 8. Jh.) wurde in der Neuzeit als Sprache des British Empire und der U. S. A. zur weltweit verbreitetsten Sprache (mit *Pidgin*- und kreolsprachlichen Ablegern). **Niederländisch** (als Altniederfränkisch literarisch belegt seit dem 9. Jh., als mittelnl. Literatursprache z. B. Henriks van Veldeke und als neunl. schriftsprachlich entwickelt seit dem 16./17. Jh.) ist die Staatssprache der Niederlande, wird aber auch im belgischen Flandern gebraucht. Eine Tochtersprache ist **Afrikaans**, die Sprache der nach Südafrika ausgewanderten holländischen *Buren* ('Bauern'). **Friesisch** (in Rechtstexten des 13./14. Jh. zuerst belegt) hat im nördlichen Holland (Westfriesisch) den Status einer anerkannten Minderheitensprache; gesprochen wird (Nord-)Friesisch auch in Deutschland (Inseln um Sylt, Küste bei Husum), die Ostfriesen sind allerdings als Sprachgemeinschaft (um Oldenburg) kaum noch vorhanden. **Deutsch** ist seit dem 8. Jh. überliefert: Neben den ahd. (alemannischen, bairischen, fränkischen) Quellen dieser Zeit steht bereits die Überlieferung des Altsächsischen, das über das Mittelniederdeutsche (Schriftsprache der Hanse) zum modernen **Niederdeutsch** ('plattdeutsche Dialekte') wurde. Die heutige (hoch-) deutsche Standardsprache ist ziemlich homogen, Unterschiede zwischen existierenden Varianten (Bundesrepublik, Österreich, Schweiz u. a.) sind gering. In Luxemburg ist die dortige, auf moselfränkischer Grundlage beruhende Umgangssprache, das **Letzeburgische**, in jüngster Zeit zu einer Schriftsprache ausgebaut worden (s. HOFFMANN 1979). Ähnliche Bestrebungen hat es zeitweise auch für Schwyzerdütsch gegeben (s. Deutsch der Schweizer 1986). Eine Tochtersprache des Deutschen ist das **Jiddische**, das sich im Mittelalter auf der Grundlage deutscher Dialekte als überregionale Verkehrssprache der aschkenasischen Juden entwickelt hat. (Vgl. auch HUTTERER 1990, WALTER 1994; s. 1.3.3.)

1.1.1.2 Gemeinsamkeiten indogermanischer Sprachen

Die Übereinstimmungen zwischen den idg. Sprachen zeigen sich v. a. in Bereichen, in denen von anderen Sprachen ausgehende Entlehnungen oder Fremdeinflüsse selten sind oder überhaupt nicht auftreten. Dies gilt insbesondere in der Morphologie und im Grundwortschatz.

1.1.1.2.1 **Morphologische Gemeinsamkeiten**: Beispiele für Übereinstimmungen, die fast beliebig vermehrt werden könnten, sind u. a. Verbalformen wie 3. Sg./Pl. Ind. Prs. Akt. *ist – sind*, ai. *ásti – sánti*, lat. *est – sunt*, gr. *estí – eisí*, aksl. *jestъ – sǫtъ*, heth. *ešzi – aššanzi* < idg. *$h_1$és-ti – *h_1s-énti*;
gleichartige Vokalwechsel zwischen Präs. – Perf. Sg. – Perf. Pl. z. B. got. *greipa – graip – gripum* ('greifen') gegenüber gr. *peíthō – pépoitha – pépithmen* ('überzeugen').

Nominalformen, z. B.

'Nacht' (Akk. Sg.): ai. *náktam*, lat. *noctem*, gr. *nýkta*, alit. *naktim*, ahd. *naht* < idg. **nokᵘ̯-t-m̥*

'Herr' (Nom. Sg.): ai. *pátis*, gr. *-pótēs*, got. *-faþs* < idg. **póti-s*

Name des Himmelsgottes: Nom. gr. *Zeús* – ai. *dyáus*
Akk. gr. *Zẽn* – ai. *dyā́m*
Gen. gr. *Di(w)ós* – ai. *divás*

Wie sich an historischen Sprachentwicklungen ablesen lässt, bilden grammatische Morpheme diejenige Klasse sprachlicher Zeichen, die am wenigsten durch Entlehnungen beeinflusst wird, insbesondere wenn grammatische Kategorien nicht nur durch leicht isolierbare Endungen, sondern auch durch Veränderungen des Stammes ausgedrückt werden. (Vgl. THOMASON-KAUFMAN 1988, 35 ff.) Wenn gerade in diesem Bereich die deutlichsten zwischensprachlichen Entsprechungen auftreten, führt dies zu dem Schluss, dass diese Sprachen auf eine gemeinsame Ausgangssprache zurückgehen. Ihre Aufdeckung und Erklärung durch FRANZ BOPP („Über das Conjugationssystem der Sanskritsprache in Vergleichung mit jenem der griechischen, lateinischen, persischen und germanischen Sprache", 1816) und RASMUS RASK („Undersøgelse om det gamle Nordiske eller Islandske Sprogs Oprindelse", 1818) steht am Beginn der modernen Vergleichenden Sprachwissenschaft.

1.1.1.2.2 **Lexikalische Gemeinsamkeiten:** Auch beim Vergleich vieler dt. Wörter mit bedeutungsgleichen (oder -nahen) Äquivalenten in anderen idg. Sprachen fällt die Ähnlichkeit der Lautgestalt auf, z. B. **Mutter** – engl. *mother*, anord. *mōđir*, lat. *māter*, gr. *mḗtēr*, russ. *máteri* (Gen.), lit. *motė* ('Ehefrau'), air. *māthir*, ai. *mātar-* u. a.; **drei** – engl. *three*, got. *þreis*, lat. *trēs*, gr. *treĩs*, russ. *tri*, lit. *trỹs*, ai. *tráyas*, heth. *teri* u. a., **neu** – engl. *new*, got. *niujis*, lat. *novus*, gr. *neós*, russ. *novyj*, lit. *naũjas*, air. *nūë*, ai. *návas*, heth. *newa-* u. a., **ess(en)** – engl. *eat*, got. *itan*, lat. *edere*, gr. *édein*, russ. *est'*, lit. *ẽsti*, ai. *átti* (3. Sg.), heth. *ed-* u. a.

Weil das Ausmaß der Ähnlichkeiten solcher zum Grundwortschatz gehörenden Wörter nicht auf Entlehnung beruhen kann, ist zu schließen, dass sie jeweils miteinander verwandt sind, d. h. auf gemeinsame Ausgangsformen zurückgehen. Diese Formen werden von der historisch-vergleichenden Sprachwissenschaft erschlossen (und mit Asterisk markiert), im konkreten Fall als **māter-*, **trei̯es* **neu̯o-/neu̯i̯o-*, **$h_1$ed-*. Diese Zusammengehörigkeit wird noch klarer, wenn wir die entsprechenden Bezeichnungen aus anderen Sprachen vergleichen, die aus diesem Rahmen herausfallen. Die Bezeichnungen für 'drei' lauten z. B. auf baskisch *hiru*, ungarisch *három*, finnisch *kolme*, türkisch *üç* und georgisch (gruzinisch) *sami-i*, also ganz anders. Dies erklärt sich daraus, dass diese Sprachen nicht zur idg. Gruppe gehören.

1.1.1.2.3 **Gruppierungen idg. Sprachen**: Es gibt viele Versuche, in der Gesamtheit der idg. Sprachen nach dem Grad ihrer Übereinstimmung näher zusammengehörige Gruppen auszumachen. Diese Gruppen gehören verschiedenen Ebenen an, die sich teilweise überlagern. Das Verhältnis dieser Gruppen zueinander ist nach wie vor Gegenstand intensiver wissenschaftlicher Diskussion. Hier werden die Gruppen knapp dargestellt, ohne dass in diese Diskussion eingegriffen werden kann.

a) Sog. 'Zwischengrundsprachen' (Ausgangssprachen der Gruppen in 1.1.1.1): Die Anwendung der Methode der sprachvergleichenden Rekonstruktion führt in vielen Fällen auf einer ersten Stufe zu sog. 'Zwischengrundsprachen' (z. B. Urgermanisch, Uritalisch usw.). Sie sind ein Argument dafür, dass die Stammbaumtheorie (s. u. 1.1.1.3.1) in gewissem Umfang nach wie vor ihre Berechtigung hat.
b) Engere Zusammenhänge innerhalb dieser Zwischengrundsprachen sind gesichert für das Iranische und Indische (Ur-Indo-Iranisch) und werden diskutiert für das Italische und Keltische (Italo-Keltisch) sowie für das Baltische und Slavische (Balto-Slavisch).
c) Schwierigkeiten für die Gruppierung bereitet das Hethitische. Obwohl es die frühest überlieferte idg. Sprache ist, fehlen ihm viele morphologische Kategorien, die in anderen, jüngeren Sprachen vorhanden sind: So hat es nur zwei verbale Modi (Indikativ, Imperativ), während jüngere Sprachen (v. a. Indo-Iranisch) über bis zu fünf Modi verfügen (Indikativ, Imperativ, Konjunktiv, Optativ, Injunktiv). Zur Erklärung stehen sich gegenüber 1) die Schwundhypothese (auch das Vor-Hethitische besaß diese Kategorien, hat sie aber vor Beginn seiner Überlieferung verloren) und 2) die Indo-Hithite-Hypothese (das Hethitische ist keine Tochter-, sondern eine Schwestersprache des Idg., beide gehen auf ein noch älteres 'Indo-Hethitisch' zurück. Aus diesem Verband gliederte sich das Hethitische früh aus, während das verbleibende 'Rest-Indogermanische' noch manche Kategorie ausbildete, bevor auch diese Sprache in die unter 1.1.1.1 genannten zerfiel).
d) Kentum-/Satem-Unterscheidung
Die idg. Grundsprache verfügte über drei Reihen (stimmlos, stimmhaft, stimmhaft aspiriert) tektaler Verschlusslaute: $\hat{k}$, $\hat{g}$, $\hat{g}^h$ (palatal); k, g, g^h (velar); $k^{\underset{\frown}{u}}$, $g^{\underset{\frown}{u}}$, $g^{\underset{\frown}{u}h}$ (labiovelar; d. h. velar mit labialer Sekundärartikulation). Diese Differenzen sind in fast keiner idg. Sprache oder Sprachgruppe erhalten geblieben, sondern auf eine von zweierlei Weisen reduziert worden:

1. Palatale und Velare fallen zusammen, Labiovelare bleiben von dieser Entwicklung unberührt (Kentum-Sprachen, vorwiegend im Westen des idg. Sprachgebiets);
2. Palatale werden zu Reibelauten, Labiovelare verlieren ihre labiale Sekundärartikulation und fallen mit Velaren zusammen, die ihrerseits unverändert bleiben (Satem-Sprachen, meist im Osten des idg. Sprachgebietes).

Beispiele aus dem Bereich der stimmlosen Verschlusslaute (entsprechende Verhältnisse bestehen bei stimmhaften und stimmhaft-aspirierten Plosiven):

Uridg. *k̂m̥tóm 'hundert' > lat. ***centum***, gr. ***hekatón***, germ. (got.) ***hund*** (*h* entstand aus *k̂* auf Grund der germ. Lautverschiebung), kelt. (air.) ***cēt***, toch. ***känt*** – Kentumsprachen;
Uridg. * *k̂m̥tóm* > ai. ***śatám***, avest. ***satəm***, lit. ***šim̃tas***, abg. ***sъto*** (russ. *sto*) – Satemsprachen.
Uridg. *k$^{u̯}$elh$_{1}$- 'umdrehen, sich wenden' > lat. ***colere*** 'bebauen', air. (kelt.) *do:air-**chella*** 'umgibt, fasst ein', toch. A ***källāṣ*** 'führt, bringt', luw. ***kuwaliti*** 'dreht', gr. ***pélomai*** 'bewege mich' – Kentumsprachen; ai. ***cárati*** 'bewegt sich', avest. ***caraiti*** 'bewegt sich' – Satemsprachen.
Uridg. *k$^{u̯}$ód 'was' > lat. (Kentumsprache) ***quod*** 'was, dass', lit. (Satemsprache) ***kàd*** 'dass'.
Beide Entwicklungen zusammengenommen erfassen fast das gesamte idg. Sprachgebiet, bewahrt ist der Unterschied zwischen den drei Reihen mit Sicherheit im Luwischen (s. o. 1.1.1.1.0).

Dort gilt	*k̂* > *z*: ziyari 'liegt'	< **k̂ei̯-o-*
	k > *k*: kīšammi 'gekämmt'	< **kes-*
	k$^{u̯}$ > *k$^{u̯}$*: kuiš 'wer'	< **k$^{u̯}$is*

e) Noch nicht ausdiskutiert ist die Konzeption der 'Alteuropäischen Hydronymie' (H. Krahe, W. P. Schmid, J. Udolph). Danach ziehe sich ein System miteinander vergleichbarer Flussnamen von W-Europa über M-Europa nördlich der Alpen bis nach Russland hinein und bezeuge die idg. Grundsprache als ein – der Wellentheorie entsprechendes – Kontinuum in diesen Regionen. An der Existenz dieses Flussnamensystems ist kaum zu zweifeln, jedoch ist nicht abschließend geklärt, ob es der idg. Sprache angehört.
f) Noch relativ jung ist das Konzept des 'Nordwestindogermanischen'. Hierfür werden lexikalische Übereinstimmungen zwischen Keltisch, Germanisch, Italisch und Balto-Slavisch angeführt, z. B. *b^{h}ard^{h}eh$_{2}$- 'Bart': as. *bard*, lat. *barba*, lit. *barzdà*, abg. *brada*. Sie begründen die Auffassung, diese Sprach(grupp)en hätten sich später voneinander differenziert als eine dieser Sprachen von dritten, die nicht der NW-idg. Gruppe angehören (s. u. a. Oettinger 2003).

1.1.1.3 Ausgliederung der indogermanischen Einzelsprachen

Den Zerfall der idg. Grundsprache in getrennte Einzelsprachen versuchen vor allem zwei Theorien zu beschreiben:

1.1.1.3.1 **Stammbaumtheorie:** Namen und Wesen dieser Theorie erklärt ihr Begründer, August Schleicher, 1873 so: „Von Sprachsippen, die uns genau bekannt sind, stellen wir ebenso Stammbäume auf, wie dies Darwin für die Arten von Pflanzen und Tieren versucht hat." (Schleicher 1873, zit. nach Arens 1969, 260.) Schleicher postuliert also, dass auch die einzelnen idg. Sprachen durch zunehmende Verzweigung und Verästelung aus dem Stamm der idg. Grundsprache herausgewachsen seien.

1.1.1.3.2 **Wellentheorie:** Sie wurde von Johannes Schmidt ausdrücklich gegen die Stammbaumtheorie gestellt: „Wollen wir uns nun die verwantschaftsverhältnisse der indogermanischen sprachen in einem bilde darstellen, welches die entstehung irer verschidenheiten veranschaulicht, so müssen wir die idee des stammbaumes gänzlich aufgeben. ich möchte an seine stelle das bild der welle setzen, welche sich in concentrischen und mit der entfernung vom mittelpunkte immer schwächer werdenden ringen ausbreitet. [...] Mir scheint auch das bild einer schiefen, vom sanskrit zum keltischen in ununterbrochener linie geneigten ebene nicht unpassend. Sprachgrenzen innerhalb dises gebietes gab es ursprünglich nicht. Die entstehung der sprachgrenzen oder, um im bilde zu bleiben, die umwandelung der schiefen ebene in eine treppe stelle ich mir so vor, daß ein geschlecht oder ein stamm [...] durch politische, religiöse, sociale oder sonstige verhältnisse ein übergewicht über seine nächste umgebung gewann." (J. SCHMIDT 1872, zit. nach ARENS 1969, 308.)

1.1.1.3.3 **Bewertung:** Beide Modelle stellen unterschiedliche Szenarien dar: Die Stammbaumtheorie beschreibt besser Sprachentwicklungen, die im Zusammenhang stehen mit dem Auseinanderbrechen von Kommunikationskontinuen, entweder durch Abwanderung von Teilen der Gemeinschaft oder durch Zergliederung einer Gemeinschaft infolge von Zuwanderung einer fremden Gruppe (z. B. Trennung von O- und S-Slaven durch einwandernde Ungarn).

Die Wellentheorie beschreibt dagegen Sprachveränderungen innerhalb eines Kontinuums, deren Ausbreitung nicht durch Kommunikationsbarrieren gestört wird. „Die Entstehung von Dialektunterschieden in einer Kommunikationsgruppe und das Auftreten von Parallelentwicklungen grundsätzlich getrennter, aber in gewissem Kontakt zueinander bleibender Kommunikationsgruppen lässt sich mit der Wellentheorie beschreiben, die Aufteilung einer Kommunikationsgruppe in mehrere Teilgruppen mit später eigenständiger Sprachentwicklung mit dem Stammbaummodell. Die beiden Modelle sind keine Alternativen zur Erklärung des gleichen Phänomens, sondern erklären verschiedene Phänomene und ergänzen sich so." (RIX 2003, 149.)

Die Zergliederung der idg. Grundsprache erfolgte teils nach dem Stammbaum-, teils nach dem Wellenmodell. Ein typischer Fall des letzteren sind die Veränderungen, die die Aufgliederung in Kentum- und Satemsprachen zur Folge hatten. Dagegen sind die Entwicklungen, die von der idg. Grundsprache zunächst zu den sog. 'Zwischengrundsprachen' führten (z. B. Urkeltisch, Urgermanisch, Uritalisch, Urgriechisch usw.), nur mit dem Stammbaummodell erklärbar; angesichts des Grades von Verschiedenheit dieser Sprachen reicht die Annahme von Unterdrückung der Übergangsdialekte (Wellentheorie) nicht aus. Offenbar ist also das Kontinuum der idg. Grundsprache durch Abwanderungen in verschiedene Richtungen auseinandergebrochen und so als Kommunikationseinheit zerrissen. Dabei mag es anfangs noch Kontaktbeziehungen gegeben haben, die Erscheinungen wie die Kentum-/Satem-Verteilung flächendeckend, d. h. nach dem Wellenmodell, noch ermöglichten. Diese wurden aber bald zu schwach, um ein sprachliches Auseinanderdriften der Gruppen – und damit stammbaumartige Weiterentwicklungen – zu verhindern. Dieses Auseinanderdriften dürfte noch dadurch verstärkt worden sein, dass es an dem jeweiligen Zielort der Wanderungen, soweit sich die idg. Sprache der Zuwanderer durchsetzen konnte, zu einem massiven Sprachwechsel der nicht-idg. Vorbevölkerung hin zum Idg. kam, der für Veränderungen in der übernommenen Sprache, also dem Idg., einen sehr starken Anstoß gab (Substratwirkungen).

1.1.1.4 Verbreitung und Datierung der idg. Grundsprache

Das Verbreitungsgebiet der idg. Grundsprache in der letzten Phase ihrer Zergliederung ist in den verschiedensten Gegenden zwischen Skandinavien/Westeuropa und Indien mit verschiedener räumlicher Ausdehnung vermutet worden. Dabei verdienen nur wenige Vorschläge ernsthafte Prüfung. Von vornherein abzulehnen sind Hypothesen, nach denen von einem ausgedehnten Raum – etwa zwischen der Nordsee und dem Kaspischen Meer – auszugehen sei (s. HÄUSLER 1998), in dem es zunächst durch Assimilationsprozesse zwischen verschiedenen Sprachen zur Entstehung des Idg. als einer Ausgleichssprache gekommen sei, bevor dann Disintegrationsprozesse zur Zergliederung in die Einzelsprachen geführt hätten. Auf diese Weise wäre die Entstehung deutlicher Sprachgrenzen zwischen idg. Einzelsprachen nicht erklärbar (zum Methodischen vgl. LÜDTKE 2009, 417). Um unter den verbleibenden Möglichkeiten einer Entscheidung nahezukommen, ist zu beachten:

a) Der idg. Wortschatz kennt Bezeichnungen für Pflanzen und Tiere, die der gemäßigten Klimazone angehören, so

Tiere:	*$h_2$óu̯i-	‘Schaf’	*k̂u̯ón-	‘Hund’
	*suH-	‘Schwein’	*$h_1$ék$^{u̯}$o-	‘Pferd’
	*g$^{u̯}$óu̯-	‘Rind’	*pék̂u-	‘Kleinvieh’
	*h_2ŕ̥tk̂o-	‘Bär’	*u̯ĺ̥k$^{u̯}$o-	‘Wolf’
	*k̂asó-	‘Hase’		
Pflanzen:	*$h_2$éker-	‘Ahorn’	*$h_1$eiu̯o-	‘Eiche’
	*b^{h}r̥Hĝó-	‘Birke’	*$h_3$es(k)-	‘Esche’
Klima:	*s(e)meh$_2$-	‘Sommer’	*ĝ^{h}éi̯men-	‘Winter’
	*sneig$^{u̯h}$-	‘schneien’		
u. a. m.				

b) Das Wortfeld ‘Wagen’ ist in der idg. Grundsprache gut vertreten:

Wagen:	*h_2iHs-éh$_2$-	‘Deichsel(-stange)’	*u̯eĝ^h-	‘fahren’
	*d^{h}u̯r̥h$_1$-	‘Anschirrwerk’	*u̯oĝ^h-/*u̯o/eĝ^{h}no-, *u̯eĝ^{h}os-, *u̯eĝ^{h}etlo-	‘Wagen’
	*$h_2$ek̂s-	‘Achse’	*k$^{u̯}$ék$^{u̯}$l̥h$_1$o-, *rót-o-	‘Rad’
	*i̯eu̯g-	‘anschirren’		
	*i̯ugó-	‘Joch’		
	*$h_3$neb^h-	‘Nabe’		

Diese Termini passen phonologisch und nach ihrer Wortbildung bruchlos zum rekonstruierten Indogermanisch und geben keinen Anlass, sie als Fremdwörter zu deuten, die – wie es bei technischen Neuerungen oft geschieht – zusammen mit den bezeichneten Geräten von Sprechern einer anderen Sprache ins Indogermanische übernommen wären.

c) Die frühere These, nach der Rad und Wagen, wie vieles andere auch, im Zweistromland erfunden wurden, unterliegt mittlerweile starken Zweifeln. Besonders J. MARAN hat auf Funde hingewiesen (2004a; 2004b), nach denen die ersten Räder direkt oder indirekt im SO-europäischen Raum (Moldawien/Ukraine) angefertigt wurden und ins 4. Jahrtausend gehören. Das ist eine Region, die in dem geographischen Raum liegt, innerhalb dessen man ohnehin das Verbreitungsgebiet der idg. Grundsprache gesucht hat.

Aus alledem folgt: Wenn die Indogermanen den Wagen und seine Teile mit Mitteln ihrer eigenen Sprache bezeichneten, dürften sie an der Erfindung zumindest teilgehabt haben; hätten sie stattdessen die fertige Technik von Sprechern einer anderen Sprache übernommen, wären höchstwahrscheinlich auch die sprachlichen Bezeichnungen aus dieser anderen Sprache entlehnt worden. All dies spricht dafür, die idg. Grundsprache für das 4. Jahrtausend v. Chr. im Nordwesten des Schwarzen Meeres zu lokalisieren. (S. auch PARPOLA 2008 und HETTRICH i. Dr.) Dies ist die Zeit, in der sich die ersten Hochkulturen im Zweistromland (Sumerer) und Ägypten zu etablieren beginnen.

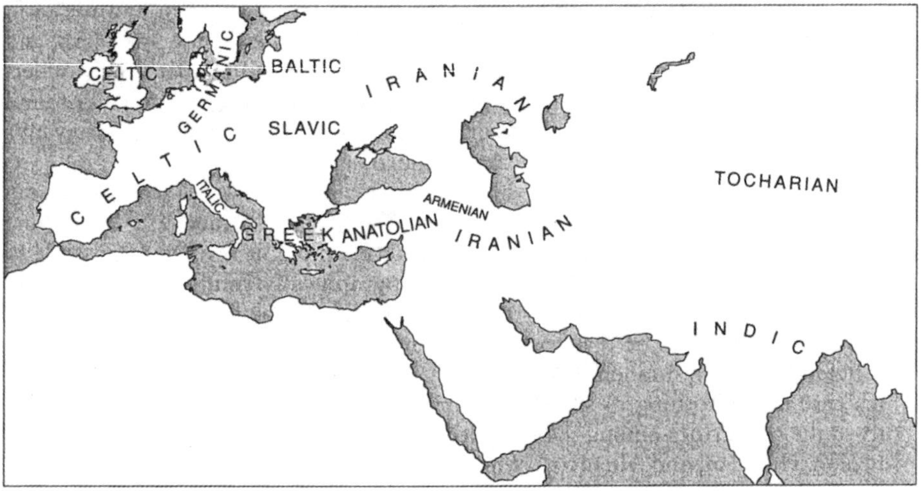

Karte 1: Indogermanische Sprachen in prähistorischer Zeit (aus FORTSON 2010, 12)

Die Idg. waren von diesen Kulturstufen noch weit entfernt, wenn es auch plausibel erscheint, dass sie etwa aus Mesopotamien kulturelle Anregungen aufnahmen. Sie selber pflegten eine neolithische Bauernkultur, die sich in ihrem Wortschatz vielfach widerspiegelt; s. u. a.

Agrartermi-nologie:	*h_2erh_3-	‘pflügen’	*h_2erh_3tro-	‘Pflug’
	**i̯éu̯o*-	‘Getreide’	*seh_1-	‘säen’
	*$h_2e\hat{g}ro$-	‘Feld, Weide’	*$melh_2$-	‘mahlen’
	*$h_2e\hat{g}$-	‘Vieh treiben’	*$g^{u̯}réh_2u̯on$-	‘(Hand-)Mühle’
	**pei̯s*-	‘zerstampfen’	*$\hat{g}r̥h_2nó$-	‘Zerriebenes, Korn’

u. a. m.; vgl. auch die Termini oben unter Buchst. a.

Wenn dies alles zutrifft, muss die Verbreitung dieser Sprache durch Migrationen nach Europa und Asien erfolgt sein. Diese im Detail nachzuvollziehen, ist zumindest derzeit kaum möglich. Immerhin hat die Archäologie ihre lange Jahre gehegte grundsätzliche Skepsis gegen die Existenz solcher Migrationen abgelegt und zahlreiche Indizien für Migrationen zusammengetragen (SUHRBIER 2012, HEYD 2012, KAISER 2012, PETER-RÖCHER 2012).

1.1.1.5 Kategorien der indogermanischen Grundsprache

Mit der Methode der vergleichenden Rekonstruktion, die im 19. Jahrhundert entwickelt und seit dem immer weiter verfeinert wurde, ergänzt durch die 'innere Rekonstruktion' (UNTERMANN 1985), ist es möglich, die idg. Grundsprache, ausgehend von den Frühphasen der Einzelsprachen, in wesentlichen Teilen wieder zu erschließen ('rekonstruieren'):

1.1.1.5.1 Phonologisches System:

a) **Verschlusslaute:**

	labial	dental	palatal	velar	labiovelar
stimmlos	*p*	*t*	*k̂*	*k*	*kᵘ̯*
stimmhaft	*b*	*d*	*ĝ*	*g*	*gᵘ̯*
stimmhaft aspiriert	b^h	d^h	$\hat{g}^h$	g^h	$g^{u̯h}$

b) **Reibelaute:** $s - h_1 - h_2 - h_3$
Die letzteren drei werden – phonetisch ungenau – als 'Laryngale' bezeichnet. Der genaue phonetische Status der Laryngale ist ungeklärt. Wahrscheinlich waren es velare bzw. gutturale Reibelaute. Sie schwinden in fast allen idg. Einzelsprachen in den meisten Positionen unter Hinterlassung kombinatorischer Wirkungen auf die Nachbarlaute; zwischen Konsonanten entwickeln sie einen Sprossvokal, in den meisten Sprachen *a*, im Indo-Iranischen *i* oder *Ø*, im Griechischen *e* ($< h_1$), *a* ($< h_2$) bzw. *o* ($< h_3$).

c) **Resonanten:** *l – r – m – n – i̯ – u̯*
Resonanten realisieren sich in zwei Allophonen: In vokalischer Umgebung erscheinen sie als Konsonanten, in konsonantischer Umgebung als Vokale (*l̥, r̥, m̥, n̥, i, u*).

d) **Vokale:** *a – e – o – ā – ē – ō*
Zu *i, u*: s. Resonanten; *ī* und *ū* resultieren aus der Verbindung von *ĭ* und *ŭ* mit folgendem Laryngal.

1.1.1.5.2 **Akzent:** Das Idg. verfügte über einen Tonhöhen(pitch)-Akzent. Seine Position im Wort war in beträchtlichem Umfang abhängig von grammatischen oder derivationellen Kategorien (so noch im Vedischen; vgl. ***bráhman-*** 'Gebet' vs. ***brahmán-*** 'Brahmane'), allerdings nicht vorhersagbar aufgrund der phonologischen Struktur des Wortes. Diesbezüglich konnte er auf jeder Silbe stehen.

1.1.1.5.3 Flexionskategorien:

a) Nomen, Adjektiv, Pronomen, z. T. Numerale

Numerus:	Singular – Dual – Plural
Genus:	Maskulinum – Femininum – Neutrum
Kasus:	Nominativ – Vokativ – Akkusativ – Instrumental – Dativ – Ablativ – Genitiv – Lokativ – Direktiv (umstritten)

b) Verbum

Person:	1 – 2 – 3
Numerus:	Singular – Dual – Plural

Modus:	Indikativ – Injunktiv – Imperativ – Konjunktiv – Optativ
Aspekt/Tempus:	Präsens (mit Imperfekt) – Aorist – Perfekt
Diathese:	Aktiv – Mediopassiv – Stativ (?)
verbum infinitum:	Partizipien – Infinitiv (?)

Diese Kategorien sind nur bei einem Teil der Verben vollständig vorhanden, insbesondere bei sog. 'Primärverben', die nicht von einem elementareren Wort abgeleitet sind, z. B. *stér-n-h_3-ti 'streckt nieder'. 'Sekundärverben', die von anderen Verben, Adjektiven, Nomina abgeleitet sind, z. B. *h_1nh_3m̥n̥-i̯é/ó- 'nennen' (zu *$h_1$néh_3m̥n̥- 'Name'), bilden im Indogermanischen nur einen Präsensstamm.

1.1.1.5.4 **Wortstruktur:** Das Wort besteht im Indogermanischen aus Morphemen, die in folgende Klassen eingeteilt werden: Wurzel (Träger der lexikalischen Kernbedeutung), Affixe (bzw. meist Suffixe, die teils grammatische, teils Wortbildungsmorpheme darstellen; sie modifizieren die Bedeutung der Wurzel), Endung (bezeichnet Kasus und Numerus, teils Genus beim Nomen, Pronomen, Adjektiv sowie Person, Numerus, Diathese und z. T. Tempus beim Verb). Ein Wort hat immer – ausgenommen Komposita – eine Wurzel, dazu null bis mehrere Affixe bzw. Suffixe und null bis eine Endung.

Beispiele: idg. *b^hér-o-ih_1-t (ai. *bháret*, gr. *phéroi*, got. *baírai*) 'möge tragen': *b^her- = Wurzel 'tragen'; -o- = Themavokal (Suffix mit uneinheitlicher Funktion); -ih_1- = Modussuffix (Optativ); -t = Endung (3. Sg. Akt.).

idg. *h_1éḱu̯-o-m (ai. *áśvam*, gr. *híppon*, lat. *equum*) 'Pferd' (Akk. Sg.): *h_1eḱu̯- = Wurzel ('Pferd'); -o- = Themavokal (Suffix mit uneinheitlicher Funktion); -m = Endung (Akk. Sg. m/f.).

idg. *$h_2$ói̯-u, Gen. *$h_2$éi̯-u-s, jünger: *h_2i̯éu̯-s (ai. *ā́yu-*; avest. *āiiu-*, Gen. *yaoš*; dazu gr. *ai(w)ṓn* 'Lebenszeit', *ai(w)eí* 'immer', lat. *aevum* 'Zeitalter' u. a. m.) 'Zeit, Lebenszeit' (Nom. u. Gen.): *$h_2$ói̯/ $h_2$éi̯- = Wurzel; -u- = Suffix; -Ø bzw. -s = Endungen (Nom./ Akk. bzw. Genitiv).

idg. *mén-ti-s, Gen. *m̥n̥-téi-s (ai. *matíḥ*, Gen. *matéḥ*, lat. *mens*, Gen. *mentis*) 'Verstand(es)': *men/m̥n̥- = Wurzel; -tei/ti- = Suffix (Funktion: Abstraktum); -s = Endung (Nom. oder Gen.)

1.1.1.5.5 **Ablaut:** Bei den beiden letzten Wörtern spielt der 'Ablaut' eine Rolle. Mit diesem Terminus wird ein ursprünglich durch die Akzentposition gesteuerter Vokalwechsel bezeichnet. Ausgehend von dem Grundvokal *e* unterscheidet man einerseits *e*-Vollstufe und *o*-Vollstufe (qualitativer Ablaut), ebenso *ē- und ō*-Dehnstufe, andererseits Vollstufe vs. Dehnstufe bzw. Schwundstufe (quantitativer Ablaut).

Schematisch:

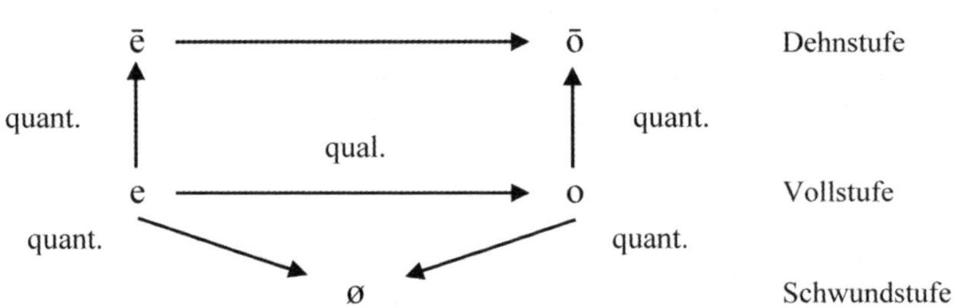

Beispiel (Nomen):

gr. *patḗr* ‘Vater’ *apátōr* ‘vaterlos’

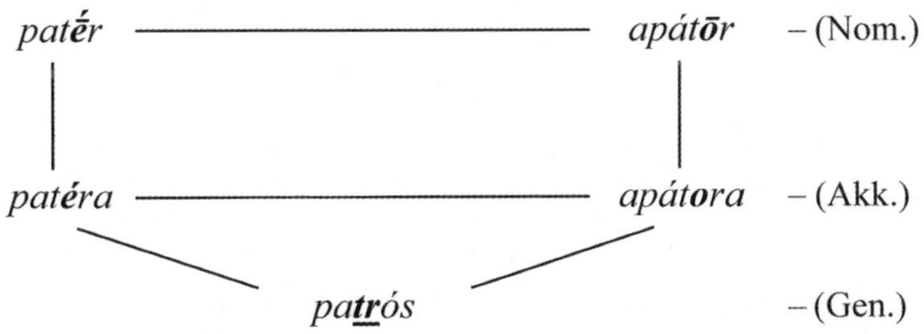

Die verschiedenen Ablautstufen sind mehr oder weniger deutlich als Folgen der Akzentuierung (Vollstufe) oder Tonlosigkeit (Schwundstufe) einer Silbe erkennbar. Sie werden gleichzeitig mitgenutzt zur Differenzierung von flexivischen Kategorien oder Wortbildungsmustern.

Ablaut beim Verbum:

idg. **k̂leu̯-* ‘hören, vernehmen’

3. Sg. Ind. Prs. Akt. **k̂l̥-n-éu̯-ti* ‘er/sie vernimmt’ (*n* = Prs.-Infix, akzentuierte Wurzel in e-Vollstufe **k̂leu̯-*: Singular-Aktiv)

3. Pl. Ind. Prs. Akt. * *k̂l̥-n-u̯-énti* ‘sie vernehmen’ (unakzentuierte Wurzel in Schwundstufe **k̂lu-*: Plural-Aktiv)

idg. **leik*^{u}- ‘zurücklassen’ (griech. und sprachhistorisch entsprechende ahd. Formen) erhalten in gr.

leípō (1. Sg. Ind. Prs. Akt.): *e*-Vollstufe – ebenso in ahd. *līhu*

lé-loip-a (1. Sg. Ind. Perf. Akt.): *o*-Vollstufe – ebenso in ahd. *leh*

é-lip-on (3. Pl. Ind. Aor. Akt.): Schwundstufe – ebenso in ahd. *liwun*

1.1.1.5.6 **Mobile Paradigmen:** Im Bereich des Nomens, weniger beim Verbum, sind Ablaut und Akzent die primären Kriterien für verschiedene Flexionsklassen. Zunächst sind sog. ‘starke’ Kasus (Nominativ, Vokativ, Akkusativ Sg., z. T. Lokativ Sg.) von den ‘schwachen’ (alle anderen) abzugrenzen. Dann gilt: In den starken Kasus steht das betonte und damit vollstufige Morphem ebenso weit oder noch weiter vom Wortende entfernt als in den schwachen Kasus. Im Einzelnen unterscheidet man folgende Klassen (W = Wurzel, S = Suffix, E = Endung; das akzentuierte Morphem ist fett und unterstrichen wiedergegeben):

a) akrostatisch	stark	**W**	S	E
	schwach	**W**	S	E
b) proterodynamisch	stark	**W**	S	E
	schwach	W	S	E
c) hysterodynamisch	stark	W	S	E
	schwach	W	**S**	**E**
d) amphidynamisch	stark	**W**	S	E
	schwach	W	S	**E**

Beispiele im Nom. und Gen. Sg.
zu a) N. **nók$^{u̯}$t-s*, Gen. **nék$^{u̯}$t-s* ‘Nacht’
zu b) N. **mén-ti-s*, Gen. **mn̥-téi-s* ‘Verstand’
zu c) N. **ph$_2$-tḗr*, Gen. **ph$_2$-tr-ó/és* ‘Vater’
zu d) N. **d^{h}éĝ^h-ōm*, Gen. **d^{h}ĝ^h-m-é/ós* ‘Erde’

Die Kasus-/Numerusendungen sind für alle Ablautklassen im Wesentlichen dieselben.

Dieses System, das seit den 1970er Jahren nach und nach erkannt wurde, ist an die Stelle früherer Darstellungen getreten, in denen die Nomina nach dem Stammauslaut eingeteilt waren (z. B. *i*-Stämme, *u*-Stämme, *n*-Stämme usw.). Diese Einteilung bleibt insoweit gültig, als Wörter mit gleichen Suffixen vielfach in die gleiche Ablautklasse gehören.

Außerhalb des Systems der mobilen Paradigmen stehen von Anfang an die Nomina mit Themavokal *-e/o-*. Diese haben durch das gesamte Paradigma gleichbleibenden Akzent, entweder auf der Wurzel (Nom. **h$_1$éḱu̯os*, Akk. **h$_1$éḱu̯om* ‘Pferd’) oder auf dem Themavokal (Nom. **dei̯u̯ós*, Akk. **dei̯u̯óm* ‘Gott’).

Von den verbalen Kategorien können die meisten athematischen Präsentien, Wurzelaoriste und Perfekta als mobil bezeichnet werden: vgl. den Ablaut- und Akzentwechsel bei 3. Sg. Ind. Prs. Akt. **h$_1$és-ti* ‘ist’ vs. 3. Pl. Ind. Prs. Akt. **h$_1$s-énti* ‘sind’. Akrostatisch ist demgegenüber ein Paradigma wie 3. Sg. Ind. Prs. Akt. **stḗu̯-ti* ‘preist’ vs. Pl. **stéu̯-n̥ti* ‘sie preisen’. Wie beim Nomen zeigen auch beim Verbum die Bildungen mit Themavokal keine Mobilität; man vgl. mit gleichbleibender Vollstufe der Wurzel und Themavokal 3. Sg. Ind. Prs. Akt. **b^{h}ér-e-ti* ‘trägt’ vs. Pl. **b^{h}ér-o-nti* ‘sie tragen’.

1.1.1.5.7 **Zusammenfassung:** Das Deutsche gehört zu den idg. Sprachen. Diese weisen Gemeinsamkeiten im Wort- und Lautbestand und im grammatischen Bau auf, die bei dem Vergleich älterer Sprachstufen zunehmend deutlich werden. Diese Gemeinsamkeiten erklären sich dadurch, dass die idg. Sprachen eine gemeinsame Ausgangssprache fortsetzen, die idg. Grundsprache. Diese wurde nach dem heutigen Wissensstand im 4. Jahrtausend v. Chr. im Norden und Nordwesten des Schwarzen Meeres von Gruppen mit jungsteinzeitlicher Wirtschaftsweise gesprochen und breitete sich in raschen Bewegungen in die verschiedenen Regionen Eurasiens aus, in denen bei Einsetzen der schriftlichen Zeugnisse idg. Sprachen verwendet wurden.

1.1.2 Germanisch

Aller Wahrscheinlichkeit nach hat sich das Germanische im norddeutsch-dänisch-südskandinavischen Raum (genauere Festlegungen sind umstritten) dadurch entwickelt, dass eine voridg. Bevölkerung die Sprache idg. Zuwanderer aus Südosten übernahm. Dieser Sprachwechsel führte zu einer deutlichen Veränderung und z. T. Vereinfachung des grammatischen Systems der übernommenen Sprache (dazu s. u. 1.1.2.2); Archäologisch mag diese Indogermanisierung mit der Ausbreitung schnurkeramischer Fundstätten von Südosten her bis in die norddeutsch-niederländische Tiefebene seit der Mitte des 3. Jahrtausends v. Chr. zusammenhängen (vgl. SUHRBIER 2012); detailliertere Versuche, die Träger der entstehenden germanischen Sprache archäologisch zu identifizieren, kommen über das Stadium der Hypothese nicht hinaus und gewinnen erst im Verlauf des 1. Jahrtausends v. Chr. an Wahrscheinlichkeit. So haben germanische Stämme während des 1. Jahrtausends als Träger der nach einem Fundort nördlich von Uelzen genannten eisenzeitlichen '**Jastorfkultur**' (s. WEGSTEIN 2003, 2233) ihre Siedlungsgebiete allmählich (v. a. auf Kosten von Kelten, Trägern der La-Tène-Kultur) nach Süden erweitert. In der Zeit zwischen dem 4. und 2. Jh. v. Chr. scheinen sie aus den Gebieten von Oder und Weichsel weiter nach Osten und Südosten vorgestoßen zu sein, treffen jedenfalls (als *Kimbern* und *Teutonen*) 113–101 v. Chr. erstmals auf die Römer und sind um die Zeitenwende deren Anrainer. Jetzt werden sie auch (etwa in Caesars „De bello Gallico") zusammenfassend mit der Bezeichnung *Germānī* belegt, die laut Poseidonios (135–51) auch von den Kelten für ihre Nachbarn verwendet wurde, nach Tacitus (55–120 u. Z.; Germania c. 2) ursprünglich aber nur den Stamm der Tungrer bezeichnet habe. Die Deutung des Namens, etwa unter Bezug auf das Kelt. (air. *gair* 'Nachbar' oder *gairm* 'Ruf, Schrei') oder Lat. (*germānus* 'leiblicher Bruder'), ist umstritten, vielleicht war er „zunächst die rühmende Selbstbenennung eines kleineren germ. Verbandes" ('die das Erwünschte haben/bringen', zur idg. Wurzel *g^her- 'begehren'; NEUMANN 1998, 83).

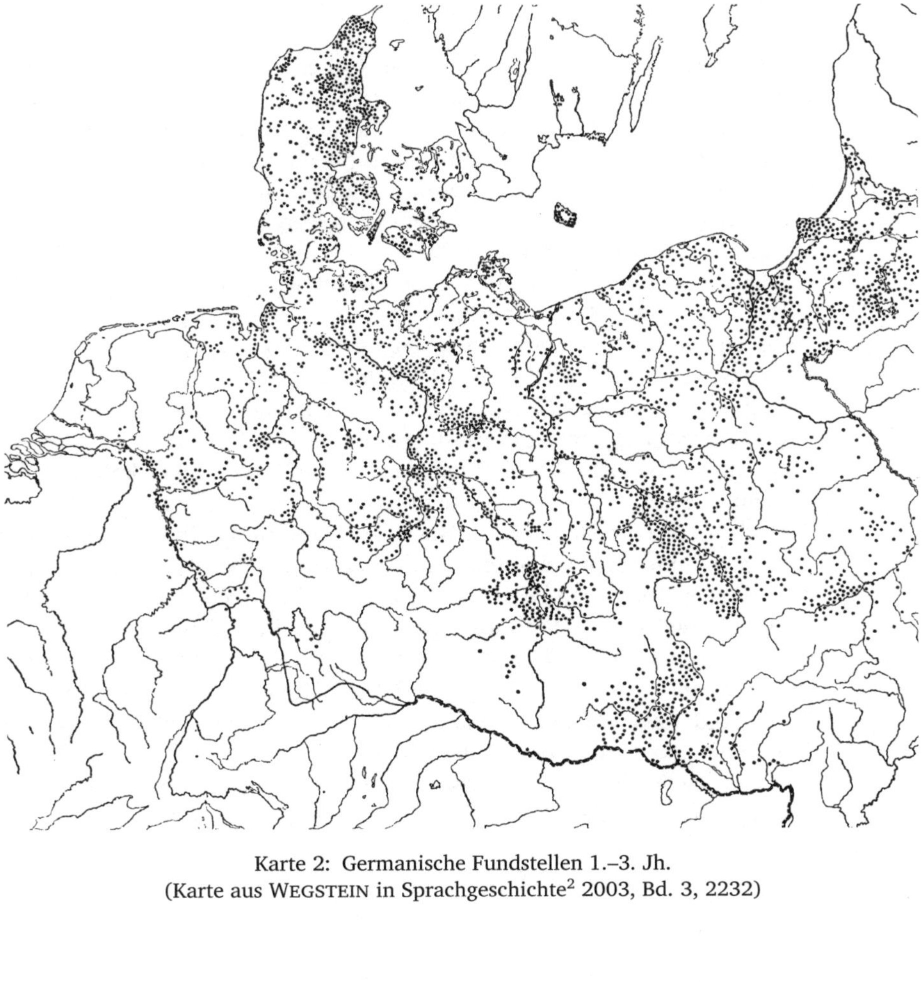

Karte 2: Germanische Fundstellen 1.–3. Jh.
(Karte aus WEGSTEIN in Sprachgeschichte² 2003, Bd. 3, 2232)

1.1.2.1 Urgermanisch

Mit 'Urgermanisch' wird die Sprache des Zeitabschnittes bezeichnet zwischen Ausgliederung des (Prä-)Germanischen aus dem idg. Verband und der Ausbildung deutlicher dialektaler Unterschiede innerhalb dieser Sprache, die später zu den einzelnen germanischen Stammesdialekten führten und vielfach in den heutigen germanischen Sprachen noch erkennbar sind. Die Übergänge zu späteren Phasen wie Urnordisch oder Urwestgermanisch sind fließend und nicht scharf festzulegen. Von 'Urgermanisch' ist 'Gemeingermanisch' zu trennen. Dieser letztere Terminus sollte sprachlichen Merkmalen vorbehalten bleiben, die allen germanischen Sprachen oder Dialekten eigen sind, ganz gleich, zu welcher Zeitebene sie gehören. Aus grundsätzlichen Erwägungen ist anzunehmen, dass bereits das Urgermanische von Isoglossen durchzogen war, die im Laufe der Entwicklung noch dichter wurden, aber zumindest bis in die frühe römische Kaiserzeit die Verständigung zwischen benachbarten Gruppen nicht behinderten, also den Charakter des Urgermanischen als eines „geschlossenen primären Kontinuums", das von den benachbarten keltischen bzw. baltischen Kontinua klar abgegrenzt war (SEEBOLD 1998, 112 ff.), nicht beeinträchtigten.

Beim Germanischen sind wir – im Gegensatz zum Indogermanischen – nicht allein auf die Rekonstruktion von Formen angewiesen.

1.1.2.1.1 **Germanische Lehnwörter in anderen Sprachen:** Eine wichtige Quelle sind germ. Lehnwörter in benachbarten Sprachen (s. a. u. 1.1.3.6.2), v. a. im Finnischen: Sie zeigen meist altertümlichere Formen, als sie uns aus den germ. Einzelsprachen überliefert sind, indem sie z. B. noch die vollen, noch nicht abgeschwächten urgerm. Endsilben aufweisen (KRAHE/MEID 1969, Bd. 1, 24), vgl.:

finn. *rengas* 'Ring' aus germ. **hrengaz* (got. *hriggs*, ahd. *hring*); finn. *kuningas* 'König' aus germ. **kuningaz* (ahd. *chuning*).

Früher war man der Meinung, dass Wörter wie finn. *kana* 'Huhn' (vgl. got. *hana* 'Hahn') oder *pelto* 'Acker' (vgl. ahd. *feld*, vorgerm. **pelh*$_2$*-to-m* 'Feld') noch vor der germ. Lautverschiebung entlehnt seien. ÖHMANN erklärt diese Formen jedoch durch Lautsubstitution (1954, 13 ff.; s. a. FROMM 1957/58).

Auch im Lat. finden sich Germanismen; so gebrauchen röm. Autoren seit dem 2. Jh. v. Chr. (meist pluralisch) das Subst. *brācas* (als Akk. Pl.) zur Bezeichnung der 'Hosen' nordischer und orientalischer Völker; diese Form setzt (über keltische Vermittlung) ein germ. **brôk-* voraus, das heute noch in nl. *broek* und engl. *breeches* '(Knie-)Hose' weiterlebt (ahd. *bruoh*; noch bei Hans Sachs als *bruch*). Andere germ. Bezeichnungsexotismen finden sich bei Autoren, die über Germanien und die Germanen schreiben, z. B.: Caesar (*ūrus* 'Auerochse', *alces* 'Elch'); Tacitus (*framea* 'eine Art Speer', vgl. ahd. *brame* 'Stachel', noch in *Brombeere*; *glēsum* 'Bernstein', vgl. nhd. *Glas*; *barditus* 'Schlachtgesang', vgl. anord. *bardi* 'Schild'); Plinius d. Ä. (*ganta* 'Gans', verwandt mit lat. *anser*, *sāpo* 'Schminke aus Talg, Asche und Pflanzensäften zum Rotfärben der Haare vor dem Kampf', vgl. engl. *soap*, nhd. *Seife*; s. a. *Talg*); u. a.: *flado* 'Fladen', *harpa* 'Harfe', *medus* 'Met', *rūna* 'Rune' etc. (BACH 1965/1970, 56).

Auch Namen können aufschlussreich sein: z. B. zeigt die Form *Suēvī* bzw. *Suēbī* noch urgerm. *ē*, erst seit dem 6. Jh. begegnet die westgerm. Lautung *Suābī*.

1.1.2.1.2 **Runen:** Eine zweite gemeingermanische Quelle sind Runeninschriften (DÜWEL 2008, 83; HAARMANN 1990, 458–465): In Anlehnung an alpine Schriften (der Räter, Illyrer, Veneter) entwickelten die Germanen – nicht zum alltäglichen Gebrauch, sondern zu kultischen Zwecken – ihre spezifische Runenschrift, die in einer älteren Form aus 24 (in jüngeren, nordischen bzw. angelsächsischen Varianten aus 16 bzw. 28 oder 33) Lautzeichen besteht und nach den ersten sechs davon (analog zum *Alphabet*, d. h. 'Abece') *Fuþark* genannt wird.

Abb. 1: Germanisches Runenalphabet („Futhark")

Obwohl auch die ältesten der (ungefähr 220 erhaltenen) meist sehr kurzen (24-Runen-Futhark-)Inschriften (auf Steinen, Waffen, Amuletten u. ä.) überwiegend erst aus Zeiten stammen, als die germanischen Stämme bereits deutlich distinkt waren, ist das Runen-Germanische doch noch so archaisch, dass es Licht auf einen älteren, urgermanischen Zustand werfen kann. Eine solche Runen-Inschrift ist die auf dem Helm von Negau (heute Zenjak, Slowenien), entstanden um die Zeitenwende (oder früher; KRÜGER 1978, 111 und 361). Sie lautet: *HARIGASTITEIWA*. Die Interpretationen weichen im Detail voneinander ab; klar ist aber, dass am Anfang ein zweigliedriges Kompositum steht, das aus den Stämmen *hari-* 'Heer' und *gasti-* 'Gast' gebildet ist (vgl.

FRIFRIDIL

DU

F[A]T[O] MIK[L]

L L

Abb. 2: Liebesinschrift von Bülach
Z. 1: 'Friedel' (mit kosender Reduplikation der ersten Silbe), Z. 2: 'du',
Z. 3: 'fasse mich' + „verschlüsselte L-Rune" (linksläufig, hochgestellt), Z. 4: Zwei L-Runen (linksläufig) für 'Lauch' bzw. '(G)lied'.

Linksläufig auch die *F*-Runen in Z. 1 und 3 sowie die *K*-Rune am Ende von Z. 3; die *L*-Rune steht in der Runenmagie für *LAUKAZ* 'Lauch' (Symbol für Fruchtbarkeit, magisches Aphrodisiacum). Man beachte die Schreibungen *T* und *K* für die im Alemannischen des 7. Jh. gewiss schon als Reibelaute gesprochenen Konsonanten *ss* und *ch* (die in der Runenschrift nicht vorgesehen sind), andererseits die Verwendung von *d* in *fridil* und *du* statt der historisch erwartbaren *þ*-Rune (a. u. 2.3.3.1 und 2).

NEDOMA 1995). Eine andere berühmte Runen-Inschrift trägt eines der beiden Goldhörner von Gallehus (Dänemark, um 400); sie kann wegen Unterschieden zum Gotischen nicht mehr als urgermanisch i. e. S. gelten, wird aber (von PENZL 1989a, 93 und 87) doch als „natürliche Ursprache aller nordgermanischen und westgermanischen Dialekte" gesehen: *EKHLEWAGASTIZ:HOLTIJAZ:HORNA:TAWIDO* 'Ich, Hlewagast, der Holting [also: 'Sohn/Einwohner von *Holt*'], verfertigte das Horn'. Aus dem beginnenden 7. Jh., also bereits „aus alamannischer Frühzeit" (a. u. 1.1.2.1.2) stammt die „Liebesinschrift" auf der in einem Frauengrab gefundenen Scheibenfibel von Bülach (Zürich), deren erotische Anspielungen auch die geheimschriftliche Funktion der Runen exemplifizieren können. (Zur Interpretation im Einzelnen s. KLINGENBERG 1976.)

1.1.2.2 Charakteristika des Germanischen

Die Unterschiede des Germanischen zur idg. Vorstufe gehören allen sprachlichen Ebenen an. Hier können nur die wichtigsten Punkte kurz behandelt werden. Für Weiteres sei verwiesen auf RINGE 2006 und NERI 2009. Auf den Versuch, die Phänomene relativ zueinander oder gar absolut zu datieren, wird wegen des großen Unsicherheitsfaktors hier meist verzichtet. So kann auf die Frage, ob eine bestimmte Neuentwicklung zur Ausgliederung des Germanischen aus dem Indogermanischen beitrug oder in dem bereits selbständigen Urgermanischen, teils gar erst in Einzeldialekten, eintrat, nicht immer eingegangen werden.

1.1.2.2.1 Morphologie:

Reduktion der Kategorien: Abbau des Duals, Synkretismus der Kasus Dativ, Ablativ, Lokativ, letztlich auch des Instrumentals (der nur im ältesten Westgermanisch erhalten ist).

a) **Substantiv:** Aufgabe der durch Akzent- und damit Ablautwechsel definierten Nominalklassen (s. o. 1.1.1.5.6) zugunsten von durch den Stammauslaut differenzierten Klassen:

idg.		germ. (got)
**g*$^{u̯}$*ém-ti-s* ('das Kommen')	→	(ga-)*qumþ-s*
**g*$^{u̯}$*m̥-téi̯-s*	→	(ga-)*qumþ-ais*
* *g*$^{u̯}$*m̥-téi̯-ei̯*	→	(ga-)*qumþ-ai*

Man sieht: Im Germanischen ist der Wurzelablaut aufgegeben zugunsten der verallgemeinerten Schwundstufe; die Betonung bleibt konstant auf der Anfangssilbe; durch die partielle Reduktion der Endsilbenvokale ergibt sich eine neue Segmentierung, die keine unmittelbare Fortsetzung der bisherigen sein kann. Statt wie bisher zwischen Wurzel, Suffix und Endung kann nun lediglich zwischen Stamm und Endung unterschieden werden. Die Umgliederungen sind in anderen Klassen ähnlich; man vgl. auch urgerm. Nom. **dagaz* ('Tag'), Gen. *dagas/is*, Dat. *dagai* < idg. **d*^{h}*óg*$^{u̯h}$*-o-s*, **d*^{h}*óg*$^{u̯h}$*-o-so/-e-so*, **d*^{h}*óg*$^{u̯h}$*-o-i* (idg. Lokativ). Hier ist bei den germanischen Formen eine eindeutige Segmentierung nicht möglich; es zeigt sich im Germanischen deutlicher als im Indogermanischen das typische Verhalten flektierender Sprachen: keine eindeutige Segmentierbarkeit; soweit man trotzdem segmentiert, keine 1:1-Zuordnung von Ausdruck und Inhalt.

b) **Adjektiv:** Es entwickelt sich eine Differenzierung von starkem (indefinitem) und schwachem (definitem) Adjektiv, durch die Übernahme pronominaler Endungen beim starken (N. Sg. m **gōdaz*, f. *gōdō*, n. *gōda* ‘ein guter’) und Übertritt zu den *n*-Stämmen beim schwachen (N. Sg. m **gōdō̄*, f. *gōdǭ*, n. *gōdō̄* ‘der gute’) Adjektiv (zuletzt McFadden 2003 [2009]). Eine funktional ähnliche Differenzierung von unbestimmtem und bestimmtem Adjektiv entwickelte sich im benachbarten Balto-Slavischen, allerdings mit ganz anderen Mitteln: Dort wurde das bestimmte Adjektiv durch Suffigierung eines Pronomens markiert. Damit wird zwischen Balto-Slavisch und Germanisch ein typisches Sprachbundphänomen greifbar: gleiche Funktion – unterschiedliche Ausdrucksmittel. Es handelt sich somit um eine erst nachidg. entwickelte Ähnlichkeit zwischen zwei bereits eigenständigen Sprachgruppen.

c) **Verb:** Das sehr komplexe idg. Verbalsystem wurde im Germanischen radikal vereinfacht. Es schwinden – teilweise in vorschriftlicher Zeit, teils zur Zeit der ersten Schriftzeugnisse –: Dual (Numerus); Injunktiv und Konjunktiv (Modus; der germ. ‘Konjunktiv’ setzt den idg. Optativ fort); Imperfekt und Aorist (Tempus/Aspekt); Mediopassiv (Diathese).

Somit bleiben:

Person:	1.–3.
Numerus:	Singular und Plural
Modus:	Indikativ, Optativ, Imperativ
Tempus:	Präsens, Perfekt
Diathese:	Aktiv

Dieser Minimalbestand wird in den germanischen Einzelsprachen durch periphrastische Neubildungen wieder erweitert.

Innerhalb der erhaltenen Kategorien erfolgen weitere Veränderungen, am wichtigsten im Bereich der Tempusstämme. Dort bleiben von den zahlreichen Prs.-Stamm-Typen, die unmittelbar von der Wurzel aus gebildet wurden, fast ausschließlich diejenigen übrig mit *e*-Vollstufe in der Wurzel und Themavokal *-e/o-*, also der Typ **b^{h}ér-e-ti* ‘trägt’. Andere Typen, wie etwa athematische Wurzelverben (**g$^{u̯h}$én-ti* ‘tötet, schlägt’), Nasalpräsentien (**k̂l̥-n-éu̯-ti* ‘hört, vernimmt’), reduplizierte Präsentien (**d^{h}é-d^{h}oh$_1$-ti* ‘legt, stellt, macht’), *-sk̂e/o*-Präsentien (**g^{u}m̥-sk̂-é-ti* ‘geht, kommt’), werden abgebaut und durch Neubildungen, meist nach dem Muster des Haupttyps **b^{h}ér-e-ti*, ersetzt. Diese Vereinfachungen stellen eine erhebliche Systematisierung der Vielfalt indogermanischer Präsensbildungen dar. Gleichzeitig entwickelt sich das indogermanische Perfekt vom Zustands- zum Vergangenheitstempus (starkes Präteritum) und ersetzt so Imperfekt und Aorist. Da das indogermanische Perfekt im Singular *o*-Vollstufe und im Plural Schwundstufe der Wurzel hat, ergeben sich, gewissermaßen ‘von selbst’, die Ablautreihen des Germanischen; allerdings bleiben gewisse Schwierigkeiten bzw. Besonderheiten der Herleitung im Plural des Präteritums der 4. und 5. Reihe sowie der 6. Reihe als ganzer. (Schwierig zu erklären ist auch die 2. Sg. Ind. des starken Präteritums auf *-i* mit Ablautstufe des Plurals im Westgermanischen, z. B. ahd. *zugi* ‘du zogst’ zu *ziohan* ‘ziehen’. Möglicherweise liegt der Rest eines thematischen Aorists vor, der nachuridg. gebildet wurde, aber im Urgermanischen schon wieder ausstarb.) Als Beispiel des ‘Normalfalles’ diene ein Verb der zweiten Reihe: idg. **b^{h}eu̯d^h-* ‘aufmerksam werden’:

	idg.	got.
3. Sg. Ind. Prs.	**bʰéu̯dʰ-e-ti*	> *biudiþ*
3. Sg. Ind. Perf.	**bʰe-bʰóu̯dʰ-e*	> *bauþ*
3. Pl. Ind. Perf.	**bʰe-bʰudʰ-mé*	> *budum*

Im Zuge dieser Systematisierungen erhalten auch die denominalen und deverbalen, sog. ‘schwachen’ Verben, die zunächst weder über Aorist noch über Perfekt verfügten, ein Präteritum, das periphrastisch gebildet wurde mit dem deverbalen Adjektiv (später Partizip II) auf *-tó-* und Formen des Verbs **dʰeh*$_1$ ‘legen, stellen, tun’, z. B. got. *frawardidedun* ‘sie zerstörten’ (zu *frawardjan* ‘zerstören’) < **frawardidą dēdun* ‘sie machten [etwas] zerstört’ mit haplologischem Schwund der Endsilbe des Verbaladjektivs. (Sog. ‘schwaches Präteritum’; vgl. RASMUSSEN 1999, 597 ff.; RINGE 2006, 166 ff. Die gelegentlich anzutreffenden Auffassungen, die Paradigmen der schwachen Verben seien als ganze, also einschließlich ihres Präsensstammes, eine germanische Neuentwicklung und die Periphrase des schwachen Präteritums bestehe in ihrem ersten Teil aus einem Infinitiv – got. *sokidedun* ‘sie suchen-taten’ –, sind nicht haltbar.) Eine letzte und kleine Gruppe der Verben bilden die Präterito-Präsentien, z. B. got. *wait* ‘ich weiß’ (< idg. **u̯óid-h*$_2$*e*), *witum* ‘wir wissen’ (< idg. **u̯id-mé*). Auch diese gehen auf idg. Perfektformen zurück, bei denen sich aber funktional die Zustandskomponente gegenüber der Komponente ‘abgeschlossen’ durchgesetzt hat. Sie können intern nach den Ablautreihen 1–6 eingeteilt werden und bilden den Grundstock der heutigen Modalverben.

d) **Verbalnomina:** Das Germanische kennt einen Infinitiv (got. *baíran* ‘tragen’), der ein idg. Verbalnomen (**bʰér-o-no-* ‘das Tragen’) fortsetzt, sowie zwei Partizipien (got. *baírand-* < **bʰér-o-nt-* ‘tragend’; *baúrana-* < **bʰr̥-o-nó-* ‘getragen’; bei schwachen Verben mit Dentalsuffix gebildet: *nasida-* < **nos-i-tó-* ‘gerettet’).
Beide Partzipien setzen idg. Verbaladjektive fort, aber die klare Verteilung des Nasal- und des Dentalsuffixes auf die Passiv-Partizipien der starken bzw. schwachen Verben ist eine speziell germanische Regelung.

1.1.2.2.2 **Lautstand:** Hier können nur die wichtigsten Daten und Entwicklungsprozesse dargestellt werden:

a) **Verschlusslaute,:** Das idg. System wurde durch die **germanische Lautverschiebung** (im Folgendem nach ihrem Entdecker der Einfachheit halber gelegentlich ‘Grimm’ genannt) in seiner Substanz massiv umgestaltet; allerdings blieben dabei die phonologischen Oppositionen intakt. Der Beginn dieser Lautverschiebung wird aus verschiedenen Gründen nicht vor 500 v. Chr. datiert. (Die Lehnwörter germ. **χanapa-* ‘Hanf’, got. *paida* ‘Leibrock’, aus der gleichen, vermutlich skythischen, Quelle wie gr. *kánnabis*, *baítē*, dürften kaum vor 500 v. Chr. ins Germanische gelangt sein und haben die Lautverschiebung mitgemacht.) Da kaum anzunehmen ist, dass die Sprachentwicklung seit der Ausbreitung des Indogermanischen ab ca. 3000 v. Chr. stillgestanden hatte (man beachte, dass germ. **reiki̯a-* ‘Herrschaft’, *reiks* ‘Herrscher’, *andbahts* ‘Diener’ bereits vor Grimm aus dem Keltischen entlehnt wurden in einer Lautgestalt, die bereits spezifisch keltische Weiterentwicklungen der idg. Lautgestalt voraussetzt, und trotzdem im Germanischen noch der Lautverschiebung unterlagen. Man wird nicht annehmen, dass, während im Keltischen der idg. Sprachstand weiterentwickelt wurde, die Entwicklungen im Germanischen stillgestanden hätten. Man vgl. MOTTAUSCH 2011, der urgermanische Akzentänderungen beschreibt, die vor Grimm und Verner eingetreten sein müssen.), stellt diese Lautverschiebung entgegen einer häufig geäußerten Annahme nicht den Prozess dar, der das Germanische aus der idg. Grundsprache herausgelöst hätte, sondern es dürfte sich um eine Entwicklung handeln, die **innerhalb eines bereits selbstständigen Germanisch** abgelaufen ist.

Betroffen von der Lautverschiebung ist das aus dem Indogermanischen stammende Verschlusslautsystem (s. 1.1.1.5.1), das aus 15 Lauten besteht. Da im Germanischen als einer Kentum-Sprache (s. 1.1.1.2.3d) Palatale und Velare zusammengefallen sind und sich unterschiedslos weiterentwickelt haben, werden diese Laute in der folgenden Darstellung zur Vereinfachung nicht auseinandergehalten. Die einzelnen Vorgänge sind durchnummeriert, damit die folgenden Beispiele besser zugeordnet werden können

1) stimmlos	a) *p*	> *f*		2) stimmhaft	a) *b*	> *p*
	b) *t*	> *þ*			b) *d*	> *t*
	c) *k*	> *χ*			c) *g*	> *k*
	d) *k*$^{u̯}$	> *χ*$^{u̯}$			d) *g*$^{u̯}$	> *k*$^{u̯}$
3) stimmhaft-aspiriert	a) *b*^{h}	> *ƀ*				
	b) *d*^{h}	> *đ*				
	c) *g*^{h}	> *g*				
	d) *g*$^{u̯h}$	> *g*$^{u̯/ƀ}$				

Es folgen Beispiele (entnommen aus Ringe 2006, 93 ff.):

1a) idg. *****p***l̥*h*$_1$*nós* 'voll' (ai. *pūrṇás*, lit. *pìlnas*) > urg. *****f****ullaz* (got. ***f****ulls*, ae. ***f****ull*)
idg. **su̯é****p****nos* 'Schlaf' (ai. *svápnas*) > urg. **swe****f****naz* (an. *svefn*, ae. *swefn*)

1b) idg. *****t****réi̯es* 'drei' (ai. *tráyas*, gr. *treĩs*, lat. *trēs* > urg. ***þ****rijiz* (ahd. ***d****rī*)
idg. **b*^{h}*réh*$_2$***t****ēr* 'Bruder' (ai. *bhrā́tā*, lat. *frater*) > urg. *brō****þ****ēr* (ahd. *bruo****d****er*, got. *bro****þ****ar*)

1c) idg. *****k****óri̯os* 'Abteilung' (air. *cuire* 'Kompanie'; lit. *kãrias* 'Armee') > urg. **χarjaz* 'Armee' (got. ***h****arjis*, ahd. ***h****eri*)
idg. **dé****k̂****m̥* 'zehn' (ai. *dáśa*, lat. *decem*) > urg. **teχun* (got. *taí****h****un*, ahd. *ze****h****an*)

1d) idg. *****k***$^{u̯}$*óteros* 'welcher von zweien' (gr. *póteros*, ai. *kataráḥ*) > urg. **χ*$^{u̯}$*aþeraz* (got. ***ƕ****aþar*, ***hw****æþer*)
idg. **lei̯****k***$^{u̯}$*ō* 'lasse zurück' (gr. *leípō*, ~lat. *re-linquo*) > urg. **līχ*$^{u̯}$*ō* (got. *lei****ƕ****a*, ahd. *lī****h****u* 'leihe')

Stimmlose Verschlusslaute werden nicht verschoben, wenn sie das letzte Glied einer Mehrfachkonsonanz bilden, aus der durch Verschiebung eine Folge von Reibelauten entstünde; vgl.

a) idg. **sp****r̥****d*^{h} 'wetteifern' (ai. *spr̥dh-*) > urg. **spur****đ*** 'Rennen' (got. *spaúrds*)
b) idg. **h*$_1$*es****t****i* 'ist' (lat. *est* usw.) > urg. **is****t****i* (got. *is****t***)
c) idg. **pis****k****-* 'Fisch' (lat. *~piscis*) > urg. *fis****k****az* (got. *fis****k****s*, ahd. *fis****c***)
d) idg. **nok*$^{u̯}$***t****-* 'Nacht' (ai. *nakt-*, lat. *noct-*) > urg. **naχ****t****-s* (got. *nah****t****s*, ahd. *nah****t***)

2a) idg. **g*^{h}*rei̯****b*** 'greifen' (lit. *griẽbti*) > urg. **grī****p****aną* (got. *grei****p****an*, ahd. *bi-grīfan*)

2b) s. o. * ***d****ék̂m̥* (1c)
idg. **h*$_1$*e****d****-* 'essen' (ai. *ad-*, gr. *édein*, lat. *edere*) > urg. *e****t****aną* (got. *i****t****an*, ahd. *eʒʒan*)

2c) idg. _*__ĝ__ómb^{h}os_ ‘Zahn(reihe)’ (ai. _jámbha-_, gr. _gómphos_) > urg. _*__k__ambaz_ ‘Kamm’ (an. _**k**ambr_, ae. _**c**amb_)
idg. _*i̯u__g__óm_ ‘Joch’ (ai. _yugám_, lat. _iugum_ u. a. m.) > urg. _*ju__k__ą_ (got. _ju__k___, ahd. _jo__h___)

2d) idg. _*__g__^{u}ih$_3$u̯ós_ ‘lebendig’ (ai. _jīvás_, lat. _vīvus_, lit. _gývas_) > urg. _**k**^{u}ik^{u}az_ (an. _**kv**ikr_, ahd. _**qu**ek_)
idg. _*h$_1$re__g__^{u}os_ ‘Dunkelheit’ (ai. _rájas_, gr. _érebos_) > urg. _*ré__k__^{u}az_ (~got. _ri__q__is_)

3a) idg. _*__b__^{h}éreti_ ‘bringt’ (ai. _bhárati_, lat. _fert_) > urg. _**ƀ**iriđi_ (got. _**b**aíriþ_, ahd. _**b**irit_)
s. o. _*ĝóm__b__^{h}os_ (2c), _*__b__^{h}réh$_2$tēr_ (1b)

3b) idg. _*__d__^{h}éh$_1$ti-_ ‘das Stellen’ (~ gr. _thésis_, av. _-dāti-_) > urg. _*__đ__ēdiz_ ‘Tat’ (got. _-__d__eþs_, ahd. _**t**āt_)
idg. _*mé__d__^{h}i̯os_ ‘mittlerer’ (ai. _mád^{h}yas_, lat. _medius_, gr. _mésos_) > urg. _mi__đ__jaz_ (got. _mi__d__jis_, ae. _mi__dd___)

3c) idg. _* __ĝ__^{h}ans-_ ‘Gans’ (vgl. gr. _khḗn_, lit. _žąsìs_) > urg. _**g**ans-_ (ae. _**g**ōs_, ahd. _**g**ans_)
idg. _*u̯é__g__^{h}eti_ ‘transportiert’ (ai. _váhati_, lat. _vehit_) > urg. _wi__g__iđi_ (ahd. _wi__g__it_)

3d) idg. _*__g__^{uh}ed^{h}i̯eti_ ‘fragt, bittet’ (av. _jaiδiieiti_ ‘bittet’, air. _guidid_, gr. _théssasthai_ ‘bitten’ (Inf.)) > urg. _**ƀ**iđjiđi_ (got. _**b**idjiþ_, ahd. _**b**itit_)
idg. _*sen__g__^{uh}-_ ‘singen’ (gr. _omphḗ_ ‘göttliche Stimme’) > urg. _*sin__g__^{u}aną_ (got. _sin__gg__-__w__an_, ahd. _sin__g__an_)
idg. _*snei̯__g__^{uh}-_ ‘schneien’ (gr. _neíphein_ ‘schneien’ (Inf.), altlat. _nivit_ (3. Sg. Prs.), lit. _sniẽgas_, got. _snaiws_ ‘Schnee’) > urg. _*snī__w__iđi_ ‘schneit’ (ahd. _sniu__u__it_)

Verners Gesetz und Grammatischer Wechsel:
Die nach 1a–d entstandenen stimmlosen Reibelaute blieben im Anlaut immer erhalten, im In- und Auslaut aber nur dann, wenn der damals noch weitgehend erhaltene idg. Akzent auf dem Vokal der vorausgehenden Silbe lag. Waren diese Bedingungen nicht erfüllt, wurden die stimmlosen Reibelaute stimmhaft (Verners Gesetz oder einfach ‘Verner’, vgl. jetzt SCHAFFNER 2001) und fielen mit den aus 3a–d entstandenen _ƀ_, _đ_, _g_, _g_^{u} zusammen. Die Regel betraf alle stimmlosen Reibelaute, also auch das seit idg. Zeit vorhandene _s_. Aus diesem entstand ein stimmhaftes Allophon _z_, das durch die später eintretende Akzentverlagerung (s. u.) phonologisiert wurde:

a) idg. _*se__p__tḿ̥_ ‘sieben’ (ai. _saptá_, lat. _septem_) > urg. _se__ƀ__un_ (got. _sibun_, ae. _seofon_)
b) idg. _*teu̯__t__éh$_2$_ ‘Volk’ (osk. _touto_, lit. _tautà_) > urg. _þeu__đ__ō_ (got. _þiuda_)
c) idg. _*su̯e__k__rúh$_2$_ ‘Schwiegermutter’ (ai. _śvaśrū́s_) > urg. _*swe__g__ru_ (ahd. _swigar_)
d) idg. _*le-li__k__^{u}-mé_ ‘wir haben verlassen’, 1. Pl. Perf. > urg. _*li__g__^{u}um_ (ahd. _liwum_)
e) idg. _*snu__s__ós_ ‘Schwiegertochter’ (gr. _nyós_, lat. _nurus_ > urg. _*snu__z__ō_ (ahd. _snura_, ae. _snoru_)

Da die Position des idg. Akzentes zwischen verschiedenen Kategorien vielfach wechselte, konnten innerhalb eines Paradigmas Formen mit Wirkung von Verner und andere ohne diese Wirkung nebeneinanderstehen; vgl. z. B. ahd. ‘ziehen’: _zio__h__an_ – _ziu__h__u_ – _zo__h___ – _zu__g__um_ – _gizo__g__an_ (in den idg. Vorstufen des Prät. Pl. und des Part. II stand der Akzent auf der letzten Silbe: Verner, ansonsten auf der vorletzten Silbe: kein Verner). Sobald nun Kategorien mit und solche ohne Wirkung von Verner in einem grammatischen Verbund nebeneinanderstehen, spricht man von **grammatischem Wechsel**. Weitere Beispiele: _kie__s__en_ – _erko__r__en_, _gedei__h__en_ – _gedie__g__en_, _schnei__d__en_ – _geschni__tt__en_, _sie__d__en_ – _geso__tt__en_.

b) **Weitere häufig auftretende Laut- und andere Entwicklungen** (s. auch REICHERT 2003, 168):

ba) Schwund der Laryngale, teils unter Beeinflussung der Nachbarlaute,

bb) Zusammenfall der idg. Kurzvokale idg. *a, o, ə* (bei Schwund eines Laryngals induzierter Sprossvokal) zu germ. *a*,

bc) Zusammenfall der idg. (teils durch Laryngalwirkung entstandenen) Langvokale *ā, ō* zu germ. *ō*,

bd) silbische Nasale und Liquide (*n̥, m̥, l̥, r̥*) entwickeln *u* als Sprossvokal und werden dabei selbst konsonantisch: idg. **h_2m̥b^hi* ‘beiderseits’ (gr. *amphí*) > urg. *umbi*.

be) Nach Abschluss der Wirkung von Grimm und Verner entwickelte sich ein neuer, expiratorischer Wortakzent auf der ersten Wortsilbe, der den beweglichen, phonologisch relevanten idg. Akzent ablöste. Er erfasste die einfachen Wörter und alle bis dahin gebildeten Komposita (*Ántwort, Úrlaub*). Dagegen behalten später gebildete Komposita die Akzentstellen ihrer Grundwörter bei (*ertrágen, verstéhen, Ertrág, Verstánd*).

bf) Dieser neu entwickelte Wortanfangsakzent führt zu lautlichen Reduktionen der Endsilben, die allerdings zum größten Teil nach der urgermanischen Periode eintreten und dialektal bis heute nicht zum Abschluss gekommen sind. Auch die Umlautwirkungen dürften mit dem neuen Akzent im Zusammenhang stehen, sind aber ebenfalls weitgehend nachurgermanisch.

bg) Zunahme der *n*-Stämme bei Personenbezeichnungen, z. B. got. *swaíhra* ‘Schwiegervater’ zu idg. *o*-Stamm **su̯éḱuro-* oder got. *qino* ‘Frau’ zum idg. **eh_2*-Stamm **g^{u}éneh$_2$-*.

1.1.2.2.3 **Veränderungen im Wortschatz** (FALK/TORP 1979): Lexikalische Neuerungen sind zahlreich und schwer zu systematisieren. Sie erscheinen in Lebensbereichen wie Viehhaltung (*Hengst, Ross, Kalb, Farre/Färse, Schaf, Lamm, Hahn/Huhn/Henne, Weide/weiden*), Ernährung (z. B. *Braten/braten, Dotter, Fleisch, Herd, Rost/rösten, sieden, Speck*), Handwerk(zeug) (z. B. *Axt, dengeln, Harke, Hechel, Zwirn, Leder, Netz, Reuse, Tau*), Recht (z. B. *Volk, Adel, Ding, Sache, Friede, Fehde, Krieg*), Kampf und Waffen (z. B. *Spieß, Schild, Helm, Bogen, feige, ringen, fliehen, zwingen*); archaische, sonst wieder verschwundene Germanismen (‘Teutonismen’) gerade dieses Sinnbezirks haben sich übrigens bis ins moderne Deutsch in den der Bildung nach ebenfalls typisch germanischen zweigliedrigen Personennamen (des Typs *Adolf* < ‘Adel + Wolf’, *Hermann* < ‘Heer + Mann’) erhalten, z. B. *Hilde-, Hadubrand* ‘Kampf + Schwert’, *Brün-/Kriemhild*[*e*] ‘Brünne/Helm + Kampf’, *Hedwig, Hildegund* ‘Kampf + Kampf’, *Gunter* < *Gundahari* ‘Kampf + Heer’, *Ludwig* ‘kampfberühmt’).

Genetisch unterscheiden lassen sich Veränderungen im ererbten idg. Wortschatz von der Integration fremdsprachlicher Lehn- oder Substratwörter.

Veränderungen im ererbten idg. Wortbestand:

Der ererbte Wortbestand ist im Germ. durch Neubildungen aus vorhandenen (idg.) Wortfamilien ausgebaut worden. So lebt in *Zimmer* (vgl. lat. *domus* u. a.) zwar der idg. Ausdruck, nicht aber die Bedeutung von *Haus* fort, der seinerseits auf die urgerm. Neubildung **hūsa-* übertragen wurde. Deutlichster Grund für die Bildung neuer Bezeichnungen sind zivilisatorische Fortschritte, wie etwa beim metallverarbeitenden, nicht uridg. *Schmied* (verwandt nur mit gr. *smílē* ‘Schnitzmesser’); ähnlich sind zwar *Wagen* und *Deichsel, Rad, Achse* und *Nabe* alt (uridg.), nicht jedoch die (vergleichsweise moderne) *Speiche*, die die Germanen mit einem allenfalls dem lat. *spīca* ('Ähre', eigentlich 'spitzes Stück') entsprechenden Wort bezeichneten. Freilich konnten auch vorhandenen Ausdrücken bei sachlicher Veränderung des Bezeichneten quasi neue Bedeutungen „unterschoben" werden, wie im Fall von (z. B.) anord. *sax* ('kurzes Schwert, Messer', dazu s. o.), was mit lat. *saxum* 'Stein, Fels' verwandt ist und wohl auf ein vormetallzeitliches Schneidegerät (idg. Wurzel **sekH-*, vgl. *Sense, Säge*) zurückführt (als dessen Träger sich die *Sachsen* bezeichnen). Ein Grund für die Bildung neuer Bezeichnungen konnte Tabu-Vermeidung sein, wie z. B. im Fall des *Blutes* (vielleicht das 'Hervorquellende', vgl. lat. *fluere* 'fließen') oder des *Bären* (wie *Biber* eigentlich 'der Braune'), dessen 'wirklichen' idg. Namen (wie lat. *ursus*, gr. *árktos*) sich die alten Germanen offenbar ebenso auszusprechen scheuten wie die Slaven (vgl. russ. *medved* 'Honigfresser'). Generell werden auch schon in germ. Zeit wachsendes Bedürfnis nach semantischer Differenzierung (z. B. im Bereich der Farben: von *grün* und *blau*, des Geschmacks: von *bitter* und *sauer*, vgl. *süß, hantig*) und nach abstrakten Allgemeinbegriffen (wie *Baum, Tier, Rind, Schwein*) relevante Faktoren beim Ausbau des Wortschatzes gewesen sein.

Lehn- und Substratwörter:
Ein gewisser Anteil des gemeingerm. Wortschatzes lässt sich nicht auf uridg. Wurzeln zurückführen. Unter dem Vorbehalt etymologischer Lücken hat man auch darin Spuren der Sprache(n) jener Bevölkerung vermutet, die sich mit eindringenden Indogermanen zu den späteren Germanen vermischt habe. Besonders Ausdrücke aus bestimmten Sinnbezirken wie Seefahrt (*Schiff, Boot, Kiel, Segel, schwimmen*), Kriegsführung (*Waffe, Schwert*) oder Fischbezeichnungen (*Hering, Aal, Karpfen*) könnten (nach HUTTERER 1990, 65 f.; vorsichtiger SEEBOLD 1998, 109) diesem **Substrat** zuzurechnen sein.

Deutlicher erkennbar sind Entlehnungen aus dem **Keltischen**, die auch das Kulturgefälle zwischen Kelten und Germanen widerspiegeln. Metalle wie *Eisen* (ahd. *isarn*) und *Lot* ('Blei', vgl. *löten*) dürften die Germanen von der kelt. La-Tène-Kultur (5.–1. Jh. v. Chr.) kennengelernt haben (der die Hallstattkultur, ca. 800–400 v. Chr., vorausgeht), später vielleicht auch den Umgang mit *Runen* (vgl. air. *rún* 'Geheimnis'). Für rechtliche und gesellschaftliche Institutionen hat das Germanische auffallend viele Bezeichnungen (Bedeutungen) aus dem Keltischen entlehnt (oder mit dem Kelt. gemeinsam, s. POLOMÉ 1972, 64 ff.), etwa *Eid, Geisel* (*Erbe, frei*). Besonders oft genannte Beispiele sind *Amt* (ahd. *ambahti* 'Amt', kelt. *ambactus* 'Dienstmann, Höriger') und *Reich* (ahd. *rihhi* 'Reich', got. *reiks* 'Herrscher', kelt. **rigs* 'König', vgl. *Vercingetorix* u. ä.). 'Deutsche' Ortsnamen wie *Worms, Mainz, Solothurn, Bregenz, Linz, Wien* lassen sich aus dem Kelt. erklären und belegen die räumliche Präsenz der Kelten. Auch das Adjektiv *welsch*, das auf den Namen der bei Caesar erwähnten kelt. *Volcae* zurückgeht und von den Germanen auf alle Kelten und nach deren Romanisierung auf alle Romanen: *Wallonen, Welschland, Walnuss* (= welsche Nuss) übertragen wurde (z. B. ahd. *walahisk*), belegt diese Verbindung.

Zum lexikalischen Einfluss des Lateinischen s. u. 1.1.3.6.1.

1.1.2.2.4 Zusammenfassung

Nach dem Zerfall der regional begrenzten uridg. Spracheinheit ab ca. 3000 v. Chr. bildete sich im Raum von Nord- und westlicher Ostsee das Germanische, indem die eingesessene Bevölkerung von idg. Zuwanderern deren Sprache übernahm. Das führte zu erheblichen strukturellen Änderungen der übernommenen idg. Grundsprache: Die Kategorienvielfalt von Nomen und Verb wurde stark abgebaut; an Neuentwicklungen kamen zunächst nur das schwache Adjektiv und das schwache Präteritum dazu. Durch die germanische Lautverschiebung und Verners Gesetz wurde der ererbte Konsonantismus in seiner Substanz zwar stark verändert, jedoch blieben ungeachtet dessen die strukturellen Oppositionen im Wesentlichen erhalten. Entwicklungen im Wortschatz zeigen einerseits Weiterbildungen idg. Wortgutes, andererseits spiegeln sie Kontakte zu den südlichen Nachbarn der Germanen wider.

1.1.3 Germanische Stämme und Stammessprachen

Spätestens seit der sogenannten 'Völkerwanderung' (für die Romanen übrigens: 'Barbareninvasion'), in der einzelne Germanenstämme historisch fassbar werden, ist nicht mehr mit einer einheitlichen gemeinsamen Sprache zu rechnen (s. SEEBOLD 1998a): In der nun auch vereinzelt einsetzenden schriftlichen Überlieferung sind die germ. Stammessprachen bereits mehr oder weniger deutlich distinkt, auch wenn noch eine weitgehende gegenseitige Verstehbarkeit sowie eine (z. B. in der **Heldensage** fassbare) kulturelle Zusammengehörigkeit bestanden haben dürften.

Herkunft und (angesichts der belegten Vermischungen freilich prinzipiell fragwürdige) Genealogie (Homogenität, Identität) der Germanenstämme, deren Namen teilweise in heutigen National-, Regional- und Dialektbezeichnungen weiterleben, sind aus den antiken Zeugnissen nicht immer eindeutig eruierbar. (Dazu ausführlich TIMPE 1998). Geographisch hat man (mit K. MÜLLENHOFF) **Ost-** (1.1.3.1) und **Nord-** (1.1.3.2) von **Westgermanen** unterschieden, wobei allerdings deren Einheit bestritten und zugunsten einer weiteren Differenzierung von **Nordsee-** (1.1.3.3) und **Südgermanen** i. e. S. (1.1.3.4) aufgegeben wurde (HUTTERER 1990; MARKEY 1976). Insofern auch bei diesen wieder zwei Untergruppen unterschieden werden, ergibt sich insgesamt eine Fünfteilung, die seit F. MAURER (1952, 135) quasi kanonisch ist, aber schon früher, z. B. von F. ENGELS (1952, 82 ff., bes. 93), ähnlich vorgenommen wurde. Die mannigfaltigen, wiewohl nicht gleichsinnigen Übereinstimmungen zwischen den Sprachen dieser Gruppen („Isoglossen“ 1.1.3.5) setzen diverse Zusammenhänge unter ihnen voraus, Entlehnungen (1.1.3.6) belegen auch Beziehungen zu nicht-germ. Sprachen.

1.1.3.1 Ostgermanen

Diese Bezeichnung fasst Stämme zusammen, die zeitweise in enger Verbindung zu den Nordgermanen (a. u.) im Gebiet von Oder und Weichsel ansässig waren (und deshalb auch „Oder-Weichsel-Germanen“ genannt werden), später jedoch von dort als „eine Art Wandergemeinschaft mit gegenseitig verstehbaren Sprachen“ (SEEBOLD 1998, 120) abzogen. Am wichtigsten wurden Goten, Burgunder und Wandalen.

Die **Goten**, deren Traditionskern ursprünglich sogar aus Südskandinavien stammt, wie die Toponymika *Gotland, Göteborg* belegen, zogen um 200 n. Chr. aus dem Oder-Weichsel-Gebiet in Richtung Schwarzes Meer ab und trennten sich dort in einen ost- und einen westgotischen Zweig.

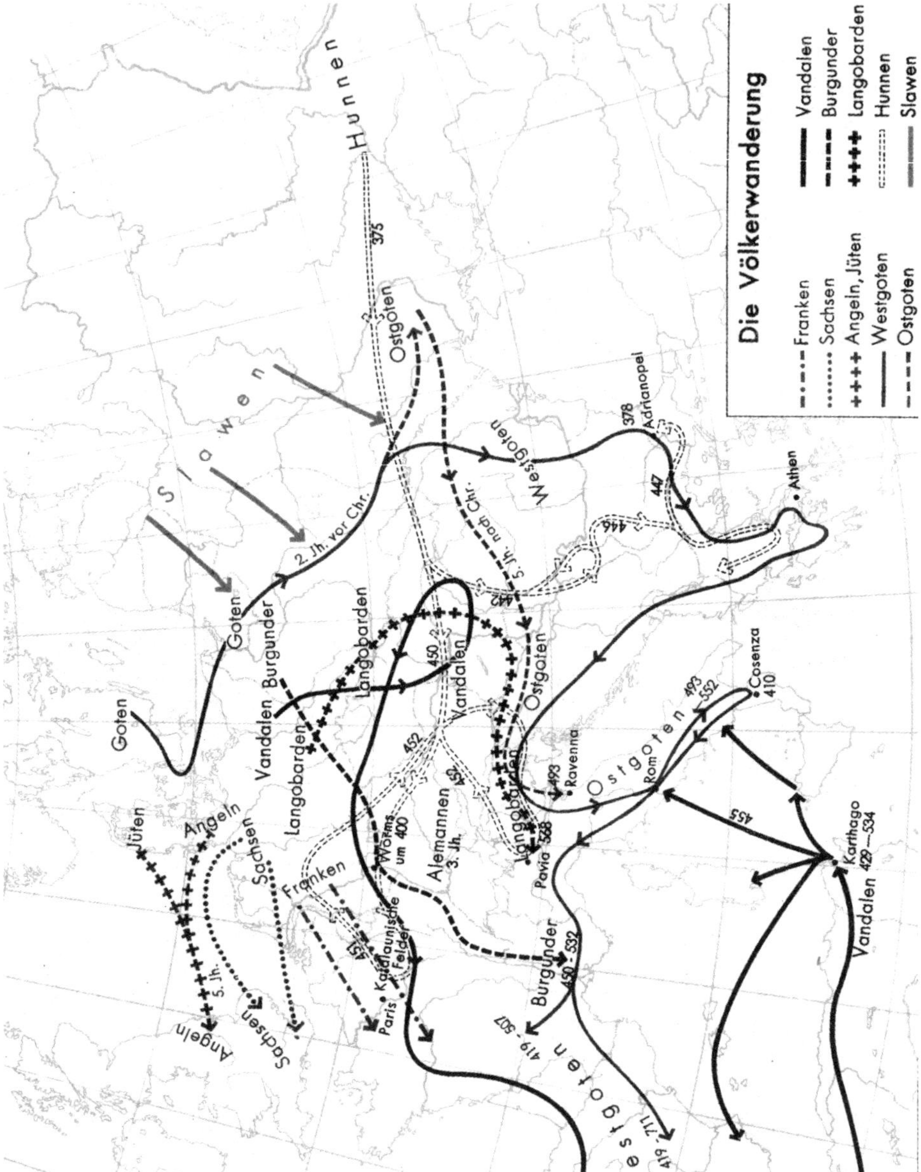

Karte 3: Völkerwanderung (aus: Atlas zur allgemeinen und österreichischen Geschichte. 3. Aufl. Wien [o. J.], 18)

Die Westgoten wurden im ausgehenden 4. Jh. wieder mobil und kamen über Byzanz, Griechenland und Rom (*Alarich*!) bis nach Aquitanien (*Waltharius*!) und auf die iberische Halbinsel, wo sie ein erst im 8. Jh. von den Arabern zerstörtes Königreich (der *Visigodos*) gründeten. Westgote war auch der arianische Bischof Wulfila (oder: Ulfila, 311–382 n. Chr.), Verfasser des ältesten (nicht-runischen) germanischen Texts, der in Hss. des 6. Jh. überlieferten gotischen Bibelübersetzung, für die er eine Alphabetschrift auf griechischer (und z. T. runischer) Grundlage entwickelte.

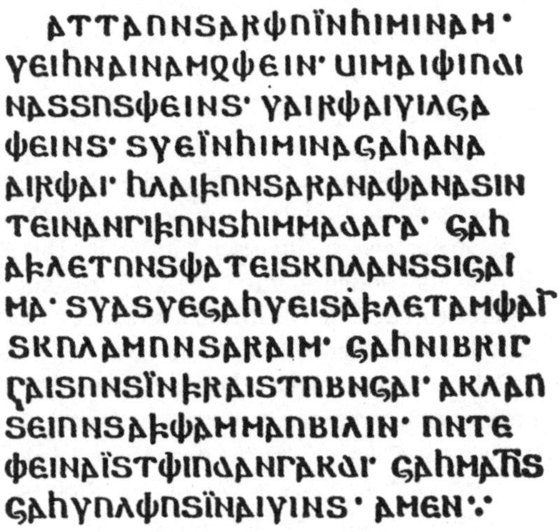

Abb. 3: Paternoster aus dem Codex Argenteus

Das „Paternoster" (Matth. 6,9–13) lautet hier z. B. (zeilengetreu nach dem „Codex argenteus", einer im 6. Jh. unter dem Ostgotenkönig Theoderich in Ravenna mit silberner Tinte auf purpurgefärbtem Pergament geschriebenen Handschrift) folgendermaßen:

Atta unsar þu in himinam:
weihnai namo þein. Qimai thiudi[-]
nassus þeins. Wairþai wilja
þeins, swe in himina jah ana
airþai. Hlaif unsarana þana sin[-]
teinan gif uns himma daga. Jah
aflet uns þatei skulans sijai[-]
ma, swaswe jah weis afletam þaĩ
skulam unsaraim. Jah ni brig[-]
gais uns in fraistubnjai, ak lau[-]
sei uns af þamma ubilin. Unte
þeina ist þiudangardi jah mahts
jah wulþus in aiwins. Amen.

Die **Ostgoten** kamen im 5. Jh. teils mit, teils vor den aus Asien eindringenden Hunnen (Attila = *Etzel!*) aus der südrussischen Steppe nach Westen und gründeten in Norditalien (unter Theoderich ['von Verona'] = *Dietrich von Bern*) ein kurzlebiges Königreich.

Ein gotischer Rest (**Krimgoten**) scheint nach Quellen des 17. Jh. (STEARNS 1989) im Süden Russlands verblieben zu sein.

Die **Burgunder** gründeten um 400 unter Gundahar (*Gunther* des Nibelungenlieds) im Rhein-Main-Gebiet (Worms) ein Reich, wurden jedoch 436 von Hunnen (in römischem Dienst) geschlagen und danach im Rhône-Gebiet angesiedelt. Ihr dortiges Königreich unterlag 534 den Franken, doch lebt ihr Name in *Burgund* (frz. *Bourgogne*) fort.

Die **Wandalen**, die sich im Karpatengebiet niedergelassen hatten, wichen vor den Goten nach Westen aus, überschritten (etwa gleichzeitig mit den Burgundern) den Rhein und zogen mit Sweben, Quaden und Alanen auf die iberische Halbinsel (*Andalusien!*), von wo aus sie (429 n. Chr.) sogar nach Nordafrika übersetzten und unter Geiserich ein kurzlebiges Reich (mit Karthago als Zentrum) gründeten.

1.1.3.2 Nordgermanen

Eine nord- (bzw. ostsee-)germ. Gruppe wird archäologisch um etwa 100 v. Chr. fassbar. Die *Schweden* sind als *Sviones* schon bei Tacitus (Kap. 44) bezeugt, die Dänen (als Nachfolger der abgezogenen Jüten) erst im 6. Jh. Die Nordgermanen behielten zwar während der (ost- und südgermanischen) Völkerwanderung noch ihre Sitze bei, wurden jedoch später (im 9. und 10. Jh.) als **Wikinger** und **Normannen** zum Schrecken der Meere (und Küstengebiete!). Von Norwegen aus besiedelten sie Island (und fuhren weiter bis Grönland und Amerika – *Vinland*?), im Osten kamen sie als **Waräger** (über russische Flüsse, das Schwarze bzw. Kaspische Meer) nach Konstantinopel, ja sogar bis Bagdad (SIMONS 1968, 126 f., HUTTERER 1990, 145). Europäische Herrschaften errichteten sie in der *Normandie* (von wo aus sie 1066 das schon früher von den Dänen heimgesuchte England eroberten) und auf Sizilien.

Die bis heute relativ geschlossene Gruppe der nordgermanischen Sprachen „kann als das alte primäre Kontinuum dieses Raums aufgefaßt werden“ (SEEBOLD 1998, 118) und ist sprachgeschichtlich insofern bedeutsam, als das Altnordische nicht nur in den (seit dem 4. Jh.) überlieferten Runendenkmälern, sondern auch noch in der erst nach 1000 n. Chr. entstandenen Literatur Islands („Edda“) eine archaische Stufe des Germanischen darstellt (ähnlich wie das Gotische); zur besseren Vergleichbarkeit hier allerdings das altisländ. „Paternoster“:

> *Fađir vor, sá þú ert á himnum. Helgist nafn þitt. Til komi þitt ríki. Verđ þinn vili, svo á jǫrđu sem á himni. Geff oss í dag vort dagligt brauđ. Og fyrirlát oss vorar skuldir, svo sem vér fyrirlátum vorum skuldu-nautum. Og inn leiđ oss eigi í freistni. Heldr frelsa þú oss aff íllu: þviat þitt er ríkit, máttr og dýrđum aldir alda.* (16. Jh., zit. nach HUTTERER 1990, 156.)

1.1.3.3 Nordseegermanen

Als „Nordseegermanen“, die – nicht unwidersprochen – auch mit den bei Plinius und Tacitus (Germ. Kap. 2) genannten **Ingwäonen** identifiziert und von – südgermanischen – Istwäonen und Irminonen (Herminonen) unterschieden bzw. mit ihnen zu „Westgermanen“ zusammengefasst worden sind, gelten Angeln, Sachsen, Jüten und Friesen. Sie bewohn(t)en die Gebiete an der Nordseeküste etwa bis an die heutige belgische Grenze. Von dort aus fielen **Angeln** und **Sachsen** (zusammen mit **Jüten**, die vielleicht von Nordgermanen aus ihren Stammsitzen nach Süden verdrängt worden waren) um 450 in dem von den Römern aufgegebenen (keltischen) Britannien ein und machten es zu *England* (vgl. auch *Sussex*, *Wessex* u. a.). Die alphabetschriftliche Überlieferung in angelsächsischer (ae.) Sprache beginnt (wie die der südgerm. Sprachen) erst im 8. Jh., die folgende westsächsische Paternoster-Übersetzung (zit. nach LOCKWOOD 1979, 154) stammt aus dem ausgehenden 10. Jh.:

Fœder ūre þū þe eart on heofonum: sī þīn nama gehālgod. Tōbecume þīn rīce. Geweorþe þīn willa on eorþan swāswā on heofonum. Ūrne dœghwāmlican hlāf sielle ūs tō dœge. And forgief ūs ūre gyltas swaswa wē forgiefaþ ūrum gyltendum. And ne gelœ̄de þu ūs on costnunge, ac ālīes ūs ofyfele.

Anders als Angeln und Jüten sind die Sachsen zum Teil auf dem Kontinent (heutiges Niedersachsen) zurückgeblieben und haben hier (u. a. nicht nach Süden abgewanderte Langobarden – a. u. – integrierend) ein Stammesherzogtum errichtet, das erst von Karl d. Gr. der fränkischen Herrschaft unterworfen und christianisiert wurde. Der Beginn der altsächsischen Überlieferung („Heliand") steht damit in Zusammenhang; in diesem noch in alliterierenden Stabreimversen abgefassten as. Bibelepos lautet das Paternoster poetisch so (V. 1602–1614):

Fadar is ûsa, firihô barnô,
*the is an them **h**ôhon **h**imilo rîkea,*
*ge**w**îhid sî thîn namo **w**ordu gehwiliku!*
***K**uma ûs tô thîn **k**raftag riki!*
***W**erđa thîn **w**illeo oƀar thesa **w**erold alla,*
*sô sama an **e**rđo sô thar **u**ppa ist*
*an them **h**ôhon **h**imilô rîkea!*
*Gef ûs **d**agô gihwilîkes râd, **d**rohtin the gôdo,*
*thîna **h**êlaga **h**elpa! endi alât ûs, **h**eƀenes ward,*
***m**anagoro **m**ên-skuldiô, al sô wi ôđrun **m**annun dôan.*
*Ne **l**ât ûs far**l**êdean **l**eđa wihti*
*sô forđ an irô **w**illeon, sô wi **w**irđige sind;*
*ak help ûs wiđar **a**llun **u**ƀilon dâdiun!*

Die schon von Tacitus in ihren heutigen Wohnsitzen bezeugten **Friesen** waren an der Eroberung Englands kaum beteiligt. Die ältesten friesischen Schriftdenkmäler stammen aus dem 13. Jh.

1.1.3.4 Südgermanen

Unter diesem Ausdruck werden hier die von Tacitus als **Istwäonen** (1.1.3.4.1) und **Irminonen** (Herminonen) (1.1.3.4.2) bezeichneten Stammesgruppen subsumiert, die man früher zusammen mit den Ingwäonen (s. o.) auch als „Westgermanen" zu bezeichnen pflegte. Für E. SCHWARZ (1951a, 42) bilden die beiden Gruppen das „Binnengermanische", mit SEEBOLD (1998, 118 f.) lassen sie sich als „sekundäres kontinentalgerm. Kontinuum" sehen, in dem trotz vorhandener „sprachliche[r] Unterschiede" die „gegenseitige Verstehbarkeit nicht beeinträchtigt" gewesen sein könne.

1.1.3.4.1 **Weser-Rhein-Germanen** (Istwäonen): Die Istwäonen sind fast identisch mit den seit dem 3. Jh. zu **Franken** (wörtlich: 'Freie') konglomerierten nieder- und mittelrheinischen Kleinstämmen (wie: Brukterern, Batavern, Tungerern – den ursprünglichen *Germani* [s. o. 1.1.2] – u. a.). Überragende Bedeutung erlangen sie unter ihren überaus erfolgreichen Dynastien der Merowinger und Karolinger, die v. a. auf Kosten anderer Germanenstämme (Alamannen, Thüringer, Goten, Burgunder, Baiern, Langobarden,

Sachsen) das Frankenreich als Nachfolger der römischen Herrschaft installierten. Sie besiedelten das heutige Holland (dessen Nationalsprache, das Niederländische, auf niederfränkischer Grundlage beruht), Belgien (*Flamen!*) und Nord*frank*reich (wo Wort- und Namenschatz starke fränkische Einflüsse zeigen) sowie die heute fränkischen (d. h. die nördl. des Elsass entlang des Rheins und westl. davon sowie entlang des Mains bis Würzburg, Bamberg, Nürnberg gelegenen) und hessischen Dialektgebiete Deutschlands (a. u. 1.2.2.1) – letztere, weil zu den von den Franken schon früh integrierten Germanenstämmen auch die (istwäonischen) **Chatten** gehörten. Die seit dem 8./9. Jh. überlieferten altfränkischen Textzeugnisse gelten auch als Teil der dt. Überlieferung (selbst wenn sie westfränkisch sind wie z. B. das „Ludwigslied").

1.1.3.4.2 **Elbgermanen** (Irminonen): Zu den (nach ihrer mutmaßlichen Nachbarschaft im Elbegebiet zusammengefassten) Irminonen (Herminonen) rechnet man u. a. folgende südgermanische Stämme:

Sweben (deren Name in *Schwaben* noch heute weiterlebt): ursprünglich wohl die Semnonen, später auch andere Stämme wie die Quaden, die unter Ariovists Führung im heutigen Elsass (bei Mühlhausen) schon gegen Caesar gekämpft hatten und später in der Völkerwanderung zum Teil mit den ostgerm. Wandalen (s. o.) auf die iberische Halbinsel zogen und (411) in deren Nordwesten ein (585) von den Westgoten (s. o.) unterworfenes Königreich gründeten.

Sweben (Semnonen) waren auch die **Alamannen,** ein seit dem 3. Jh. (als Angreifer des römischen Limes) bezeugter Großstamm, in dem wohl auch (um die Zeitwende in das Maingebiet vorgestoßene) Quaden und Markomannen aufgegangen sind, sofern diese nicht später (6.–8. Jh.) noch (im Fall der Quaden) nach Böhmen, Mähren Oberungarn bzw. (im Fall der Markomannen) bis an den Alpenrand vordrangen. Das Königreich der Alamannen im Südwesten des heutigen deutschen Sprachraums wurde um 500 von den Franken erstmals besiegt, zum Teil wurden sie damals vom Gotenkönig Theoderich (s. o.) in der heutigen Schweiz angesiedelt; die endgültige, nicht widerstandslos erfolgende Integration der (bis ins 7. Jh. heidnischen) Alamannen ins fränkische Merowingerreich brauchte noch bis in die Karolingerzeit (8. Jh.). Aus dieser Zeit stammen auch die frühesten alemannischen Sprachdenkmäler (die als Teil der ahd. Überlieferung gelten; zu einer noch älteren Runeninschrift s. o. 1.1.2.1.2 und Abb. 2).

Die **Hermunduren,** denen sich u. a. nordseegermanische Angeln angeschlossen hatten, wanderten im 4. Jh. in das Gebiet des heutigen *Thüringen* ein. Ihr dortiges Reich wurde im 6. Jh. von den merowingischen Franken unterworfen.

Die **Langobarden**, deren „Urheimat" nach eigenem Stammesmythos die Landschaft Schonen gewesen sei, zogen um 400 aus dem Elbegebiet zuerst nach Pannonien und fielen im 6. Jh. von dort aus in Italien ein, das sie fast ganz eroberten und wo sie (568) ein Königreich mit Schwerpunkt in Oberitalien (daher: *Lombardei*) errichteten. Politisch wurden sie von Karl d. Gr. im 8. Jh. der fränkischen Herrschaft unterworfen, sprachlich im 10. Jh. endgültig romanisiert. Vom langobardischen Stammesdialekt gibt es (abgesehen von Rechtswörtern) keine schriftliche Überlieferung, doch hat er im (Wortschatz des) heutigen Italienischen Spuren hinterlassen.

Der jüngste (elbgermanische?) Stamm der **Baiern** ist „erst unter merowingischer Herrschaft aus verschiedenen Gruppen zusammengewachsen", wobei nach traditioneller Ansicht die „Hauptmasse“ durch „Einwanderer aus Nordböhmen“ (Quaden?, Markomannen?) gebildet worden sei, „doch haben auch andere Gruppen zur Stammesbildung beigetragen, Donausueben, Alamannen, ostgermanische Splitter (Skiren) und schließlich die [...] nicht unbeträchtlichen Romanenreste [...] sowie [...] illyrischen Breonen“ (LÖWE 1973, 52 f.). Das Hauptargument für die böhmische Herkunft der *Baiern* (die vereinzelt mit der wohl überzogenen Gegenthese eines angeblich aus Salzburger „Protoladinern“, also Alpenromanen gebildeten und erst sekundär alemannisierten Traditionskerns des bairischen Stammes bestritten worden ist) gründet sich auf die Etymologie ihres Namens (als lat. *Baiovarii* o. ä., seit dem 6. Jh. bezeugt und ein germ. **Baia-warjōz* voraussetzend), der – genauso wie *Böhmen* (lat. *Boiohaemum*) – auf *Boii*, die Bezeichnung eines (auch) dort siedelnden keltischen Stammes zurückzuführen ist (zu Einzelheiten s. REIFFENSTEIN 1987 und ROSENFELD 1987). Das Herzogtum der Baiern stand von Anfang an in einer gewissen Abhängigkeit von den Franken, deren Herrschaft es von Karl d. Gr. endgültig unterworfen wurde. Aus dieser Zeit stammen die ältest überlieferten (altbairischen) Schriftdenkmäler (als Teil der ahd. Überlieferung; s. dazu unten 1.2).

1.1.3.5 Sprachliche Übereinstimmungen

Die Beziehungen (Vermischungen) der germanischen Stämme und Stammesgruppen untereinander spiegeln sich in mannigfaltigen sprachlichen Gemeinsamkeiten (Isoglossen) zwischen den germ. Sprachgruppen, Einzelsprachen und Dialekten wider (vgl. BACH 1970, 84 ff.; MOSER 1969, 90 ff.; NIELSEN 1989; ROBINSON 1992), z. B.:

1.1.3.5.1 **Nord-/ostgermanische** Gemeinsamkeiten (aus der Zeit vor der Abwanderung der Ostgermanen/Goten am Ende des 2. Jh.) sind so ausgeprägt, dass diese beiden sprachlichen Gruppen als Nordostgermanisch oder Gotonordisch zusammengefasst und den übrigen (i. w. S. „südgermanischen“) Dialekten gegenübergestellt worden sind. Gotonordische Gemeinsamkeiten sind:

germ. *jj* > anord. *ggj* und got. *ddj* und germ. *ww* > *ggw*, vgl. aisl. *tve**gg**ia*, got. *twa**ddj**ê* ‘zweier’ (aber ahd. *zweio);* aisl. *try**gg**ve*, got. *tri**gg**wo* ‘der treue’ (aber ahd. *triuwa*); das Auftreten einer 4. Klasse sw. Verben auf *-nan*: vgl. aisl. *vak**n**a*, got. *gawak**n**an* ‘erwachen’ (aber ahd. *wahhēn*);

die Bewahrung der alten Endung der 2. P. Sg. Prät. der st. Verben, vgl. aisl., got. *gaf**t*** ‘du gabst’ (aber ahd. *gābi,* nur bei Präterito-Präsentia ist *-t* erhalten: ahd. *scal-t* ‘sollst’).

Solche Übereinstimmungen können aus anderer Sicht auch als „westgermanische“ Neuerungen erscheinen (a. u. 1.1.3.5.3).

1.1.3.5.2 **Nord-/west-**(Nord-, Nordsee-, Weser-Rhein-, Elb-)**germanische** Übereinstimmungen dürften auf nachbarliche Beziehungen zurückzuführen sein, an denen die Ostgermanen keinen Anteil hatten, z. B.:

germ. *ē* > *ā*, vgl. anord. *láta*, as. *lâtan*, ahd. *lāzzan* (aber got. *lêtan*);
germ. *e* > *i* nur vor *i*, *j* und *u* in der Folgesilbe und vor Nasal + Konsonant (während *ë* im Got. immer zu *i* geworden ist, vgl. anord., afries. *ëta*, ags., as. ***ë**tan*, ahd. ***ë**zzan*, aber got. ***i**tan* ‘essen’);
Rhotazismus germ. [z] (sth. *s*) > *r*, vgl. anord. *ey**r**a*, afries. *â**r**e*, as., ahd. *ō**r**a*, aber got. *au**s**o* ‘Ohr’;
Abbau der Reduplikationssilbe bei den ehemals reduplizierenden Verben, vgl. as., ags. ***h**êt*, ahd. *hiaz*, aber got. ***hai**hait* ‘ich hieß’;

Anlautend *fl-* (aus idg. *pl-*) gegenüber ostgerm. *þl-*, vgl. anord. ***flyyja***, as., ahd. ***fliohan***, aber got. ***þliuhan*** 'fliehen'.

Auf Gemeinsamkeiten, die das Nordische speziell mit dem (elbgerm.) Oberdeutschen verbinden, hat besonders F. MAURER (1952, 80 ff.) hingewiesen, u. a.:

Verzögerung des *i*-Umlauts (im Vgl. zum Nordseegermanischen, von wo aus dieser sich ausgebreitet habe);
Schwund von *w* in *wl-* und *wr-*, vgl. anord. *rægia*, ahd. *ruogen*, aber got. ***wrôhjan*** 'anklagen', ags. ***wrégan***, afries. ***wrôgia***, as. ***wrôgian*** 'verleumden' (*rügen*).

1.1.3.5.3 Exklusiv „**West**-"(Nordsee-, Weser-Rhein-, Elb-)germanische Merkmale sind folgende: Konsonantengemination (= Doppelung) vor *j* (gelegentlich auch vor *w, r, l, m, n*), vgl. ags. *sę**tt**an*, afries. *sę**tt**a*, as. *sę**tt**ian*, ahd. *sę**zz**en* (aber got. *sa**tj**an*, anord. *sę**tj**a* 'setzen'); as. *a**kk**er*, ahd. *a**ck**ar*, *a**cch**ar* (aber got. *a**kr**s*, anord. *a**kr*** 'Acker');
germ. *đ* (sth. dentaler Reibelaut) > *d* (generell, im Got. und Nord. nur teilweise), vgl. as. *bio**d**an*, ags. *béo**d**an*, afries. *bia**d**a* (ahd. *biotan*) (aber got. *biudan*, sprich [đ], anord. *bio**đ**a* 'bieten');
Schwund von auslautendem germ. *z* (sth. *s*; nordgerm. *r*, s. o.) > Ø, vgl. as., ags., ahd. *fisk* 'Fisch' (aber got. ***fisks,*** anord. *fisk**r);***
Ersatz der Form 2. P. Sg. Ind. Prät. der st. Verben auf *-t* durch eine andere Form mit *-i*, vgl. ahd. *gāb**i***, aber got. und anord. *gaft*; *-t* ist „westgerm." nur bei Präterito-Präsentien erhalten: z. B. ags. *þearft*, as. *tharft*, ahd. *darft* 'du darfst' (s. 1.1.3.5.1).
Besonderheiten in Wortschatz und Wortbildung, z. B.: „westgerm." Abstraktsuffixe *-heit*, *-schaft*, *-tum*, vgl. as. *magađhêd*, ags. *mægeđhád*, ahd. *magadheit* 'Jungfrauschaft'; ahd. *bruoderscaf* 'Bruderschaft'; *rīhtuom* 'Reichtum';
'Wasser' und 'Feuer' als *r*-Stämme: ahd., *wazz**ar**/fiu**r*** as. *wat**ar**/fiu**r**,* ae. *wœt**er**/fȳ**r*** (aber got. und anord. als *n*-Stämme: *wato, -**ins**/vat**n**/fō**n**, fu**ni***);
„westgerm." Wörter, z. B. *Baum, Ehe, Geist, Herd, klein, Messer, Nachbar, Schaf, Zorn.*

1.1.3.5.4 Gegenüber nordseegermanischen, „ingwäonischen" Gemeinsamkeiten (FRINGS 1957, 46 ff.) lassen sich auch **gotisch-hochdeutsche** Übereinstimmungen finden, wobei das (istwäonische) Fränkische zum Teil eine Mittelstellung einnimmt:
Germ. *n* vor stl. Reibelaut (*f, þ, s*) ist im Got. und Ahd. erhalten, im Anglofries. und As. dagegen (mit Ersatzdehnung des Vokals) geschwunden, vgl. got., ahd. *u**n**s* (aber ags., as. *ûs*) 'uns'; got. *a**n**þar*, ahd. *a**n**đer* (aber ags. ***ođer***, as. ***âđar***, ***ôđar*** 'ander');
Erhalt von germ. [z] (als got. *s*, ahd. *r*) im Auslaut einsilbiger Formen wie got. *mis, weis, ƕas*, ahd. *mir, wir (h)wër* (gegenüber ags. *me/mê, we/wê, hwâ*; as. *mi/mî, wi/wî, hwê/hwie* 'mir, wir, wer'; dementsprechend auch ahd. *dër* gegenüber as. *thê, the, thie*; im Fränk. ebenfalls vereinzelt Formen ohne *r*);
Pers.Pron. der 3. Pers. mask.: got. *is*, ahd. *ër* gegenüber ags., as. und afries. mit [*h-*] anlautend: *he* (u. ä.; ahd.-fränk. Kontaminationsform: *her*);
pronominale Adjektivformen, z. B. N. Sg. Neutr.: got. *blindata*, ahd. *blintaz* 'blindes', gegenüber endungslosen Formen im Ags., As.: *blind*;
drei verschiedene Verbalendungen im Plural gegenüber Einheitsplural: vgl. got. *niman, nimiþ, nimand*; ahd. *nëmamēs* oder *nëmēm, nëmet, nëmant* gegenüber einheitlichem ags. *nimađ.*

1.1.3.5.5 Es zeigt sich, dass keine der postulierten Dialektgruppen völlig für sich alleine steht; jede weist Beziehungen zu einer oder mehreren anderen Gruppen auf, die im Übrigen in ihrer Intensität zeitlich schwanken können. Wir haben also die Gliederung eines Sprachraumes nach der Wellentheorie (s. o. 1.1.1.3.2) vor uns, wie es für Räume, deren Bewohner in Kontakt bleiben, zu erwarten ist. Eine passende Darstellung, die das Wellenmodell um eine chronologische Dimension erweitert, bietet L. RÖSEL 1962, 120:

um 200 v. Chr.	Goten	+	Skand.	+	Engl.		Sachsen	+	Ahd.		
um 100 v. Chr.	Goten	– –	Skand.	+	Engl.		Sachsen	+	Ahd.		
um 0	Goten	– –	Skand.	– –	Engl.	– –	Sachsen	+	Ahd.	– –	Got.
um 200 n. Chr.	Goten		Skand.		Engl.	– –	Sachsen	– –	Ahd.		
um 500 n. Chr.	Goten		Skand.		Engl.	–	Sachsen	– – –	Ahd.		
um 800 n. Chr.			Skand.		Engl.	– – –	Sachsen	–	Ahd.		

Dabei bedeutet + enge Nachbarschaft, Gemeinschaft, gemeinsame Entwicklung; – ziemlich enge Nachbarschaft; – – weniger enge; – – – lockere Verbindung; Zeichenlosigkeit keinen Kontakt.

Abb. 4: Wellenmodell

1.1.3.6 Lehnbeziehungen

Verkehrsbeziehungen und kultureller Austausch mit nichtgerm. Völkern, die natürlich auch bestanden, führten zur Wort-Entlehnung sowohl in die wie auch aus den germ. Sprachen.

1.1.3.6.1 **Lehngut in germ. Sprachen:** Besonders starke Einflüsse empfingen die („west-")germ. Sprachen naturgemäß vom **Lateinischen** (vgl. DRUX 1984, 854 ff.; HILDEBRAND 1984, 358). Das hängt mit der Nachbarschaft zum romanisierten Gallien und mit der teilweisen Besetzung germ. (heute deutschsprachiger) Gebiete durch die Römer zusammen.

In ihren Kriegen gegen die Römer und in deren Söldnerdiensten wurden die Germanen mit Ausdrücken der römischen Militärorganisation bekannt. Das belegen z. B. die dt. Lehnwörter *Pfeil* (ahd. *pfīl* < *pīlum* 'Wurfspeer'), *Kampf* (ahd. *champf* < lat. *campus* 'Feld'), *Pfahl* (ahd. *pfāl* < lat. *pālus*, vgl. *Palisade*), *Straße* (ahd. *strāz(z)a* < spät-lat. (*via*) *strata* 'gepflasterter Weg'), *Meile* (ahd. *mīl(l)a* < lat. *mīlia*, Pl. zu *mille* '1000 [Schritt]') usw.

Von den Römern bekamen die Germanen, in deren Naturalwirtschaft es nur einen beschränkten Tauschhandel gab, auch erste händlersprachliche Ausdrücke wie (dt.) *kaufen*, *Kaufmann* (ahd. *koufōn*, *koufman* < lat. *caupo* 'Schenkwirt, Händler mit Speise und Trank'), *Pfund* (ahd. *pfunt* < lat. *pondō* zu *pondus*, wovon vielleicht auch *Pfand* als frühe Entlehnung stammt), *Münze* (ahd. *munizza* < lat. *monēta*), *Korb* (ahd. *korb* < lat. *corbis*), *Sack* (ahd. *sac* < lat. *saccus*) usw.

Die früher nur in Holzhäusern (oder winters – nach Tacitus, Germania cap. 16 – sogar in Erdhöhlen) hausenden Germanen lernten den römischen Steinbau samt dazugehörigen Fachausdrücken kennen, vgl. dt. *Mauer* (ahd. *mūra* < lat. *mūrus*), *Kammer* (ahd. *chamara* < lat. *camera*), *Keller* (ahd. *këllāri* < lat. *cellārium*), *Pfeiler* (ahd. *pfīlari* < lat. *pilārium*), *Fenster* (ahd. *fënstar* < lat. *fenestra*), *Kalk* (ahd. *kalc* < lat. *calx*, Akk. *calcem*) usw.

Überhaupt erreichten die Germanen erst durch die Übernahme römischer (romanischer) Alltagskultur (Hausgerät, Kleidung, Speisen u. ä.) ein gewisses zivilisatorisches Niveau, bezeugt durch die Lehnwörtlichkeit dt. Ausdrücke wie *Schrein* (ahd. *scrīni* < lat. *scrīnium*), *Karren* (ahd. *karro* < lat. *carrus*), *Kissen* (ahd. *chussī(n)* < lat. *coxīnus*), *Schemel* (ahd. *scamil* < lat. *scamillus*), *Spiegel* (ahd. *spiagal* < lat. *speculum*), *Socke* (ahd. *soc* < lat. *soccus*), *Sohle* (ahd. *sola* < lat. *sola*), *Küche* (ahd. *chuhhina* < lat. *coquīna*), *kochen* (ahd. *kochōn* < lat. *coquere*), *Kessel* (ahd. *kẹzzil* < lat. *catīllus*), *Schüsselchen* (ahd. *scuzzila* < lat. *scutella*), *Tisch* (ahd. *tisc* < lat. *discus*), *Semmel* (ahd. *sëmala, simila* < lat. *simila* 'feines Weizenmehl'), *Käse* (ahd. *kāsi* < lat. *cāseus*) usw.

Der Ackerbau wurde nach römischem Vorbild umgestellt, Garten- und Obstbau haben die Germanen wohl überhaupt erst von den Römern gelernt, wie viele einschlägige Lehnwörter belegen, etwa *Sichel* (ahd. *sihhila* < vulgärlat. **sicila*, wohl kontaminiert aus lat. *sēcula/sicilis* '[kleine] Sichel'), *Frucht* (ahd. *vruht* < lat. *fructus*), (*Dresch-*)*Flegel* (ahd. *flegil* < lat. *flagellum*), *Mühle* (ahd. *mulī[n]* < lat. *molīnae*), *Kohl* (ahd. *chōlo, kōl(i)* < lat. *caulis*), *Rettich* (ahd. *rātih* < lat. *rādix*, Akk. *rādicem*), *Kicher(erbse)* (ahd. *kihhira* < lat. *cicer*), *Kirsche* (ahd. *kirsa* < lat. *cerēsia*), *Pflaume* (ahd. *pfrūma* < lat. *prunum*, gr. *proūmnon*) usw. Unter den Neuerungen der Bodenkultur ragt der Weinbau hervor, den die Römer an Mosel, Rhein und Donau einführten; die Fachausdrücke des Weinbaus sind dementsprechend, so wie *Wein* (ahd. *wīn* < vulgärlat. *vīno*) selbst, zu einem Gutteil lat. Ursprungs, z. B. *Winzer* (ahd. *winzuril* < lat. *vinitor*), *Kelter* (ahd. *kẹlctra* < lat. *calcatura*), *Presse* (ahd. *p[f]ressa* < mlat. *pressa*), *Most* (ahd. *most* < lat. *mustum*) usw.

Auch Wörter (Begriffe) aus dem Bereich von Verwaltung und Rechtssprechung wurden aus dem Lat. entlehnt, z. B. *Kaiser* (ahd. *keisar* < *Caesar*), *Pfalz* (ahd. *pfalanza* < lat. *palantia* < *palātia*), *Zoll* (ahd. *zol(l)* < lat. *toloneum* < *telōnēum*), *Kerker* (ahd. *karkāri* < lat. *carcer*, woraus viel später erneut *Karzer*), *sicher* (ahd. *sihhur[i]* < lat. *sēcūrus* < *sē cūrā* 'sorglos').

Im 3.–5. Jh. übernahmen die Germanen unter griech. und röm. Einfluss die Siebentagewoche. Sie ist orientalischen Ursprungs und steht in Zusammenhang mit der babylonischen Sternkunde. Bei den Griechen und Römern wurde sie im 2. und 3. Jh. n. Chr. eingeführt. Dabei wurden die Wochentage mit den Namen der Planeten bezeichnet. Die germ. Wochentagsnamen sind zum Großteil Lehnübersetzungen dieser Namen, vgl.:

lat.	*germ.*
Solis dies	anord. *sunnu(n)dagr,* ags. *sunnandæg,* as. *sunnundag,* ahd. *sunnūntag* 'Sonntag'
Lunae dies (vgl. frz. lundi)	anord. *mánadagr,* ags. *món(an)dæg,* afries. *mōnendei,* ahd. *manatag* 'Montag'
Martis dies (vgl. frz. mardi)	ags. *tíwesdæg,* ahd. *zīostag* 'Ziutag', engl. *Tuesday* (Dienstag enthält Thingsus, einen niederrheinischen Beinamen des Mars)
Mercurii dies (vgl. frz. mercredi)	anord. *óđinsdagr* 'Odinstag', afries. *wônsdei* 'Wodanstag', engl. *Wednesday* (*Mittwoch* ist ahd. Euphemismus nach kirchenlat. *media hebdomas*)
Jovis dies (vgl. frz. jeudi)	anord. *þórsdagr* 'Thorstag', ahd. *donarestag,* engl. *Thursday* 'Donnerstag'
Veneris dies (vgl. frz. vendredi)	ags. *frīgedæg* 'Friggtag', ahd. *frīatag* 'Freitag'
Saturni dies	ags. *sætern(es)dæg,* afries. *saterdei,* engl. *Saturday* (Samstag, ahd. *sambaztag* hingegen aus vulgärgr. *sámbaton,* aus hebr. *schabbath* 'Sabbat, Ruhetag')

Den Weg dieser (und anderer) Entlehnungen (aus dem Westen in die Rheingebiete und aus dem Süden in den Donauraum) hat TH. FRINGS (1957, 21 ff.) nachgezeichnet.

Das relative Alter solcher Lehnwörter lässt sich im Deutschen einerseits daran erkennen, dass sie noch die 2. Lautverschiebung und/oder gewisse frühe vokalische Entwicklungen (wie die ahd. Diphthongierung) mitgemacht haben (z. B. dt. *Ziegel* < ahd. *ziagal*[*a*], im Gegensatz zu *Tiegel* < ahd. *tëgel*, beide – zu verschiedenen Zeiten! – aus lat. *tēgu-la*), andererseits daran, dass sie eine ältere lateinische Aussprache (mit [*k*-]) voraussetzen (wie etwa dt. *Kiste* < ahd. *kista* < lat. *cista* < gr. *kístē*, im Gegensatz zu *Zither* < ahd. *zitara* < lat. *cithara* < gr. *kithárā*; s. dazu generell BACH 1970, § 41,4; SCHIRMER 1969, 47 ff.; LANGNER/BOCK/BERNER 1987, 374 ff.).

Griechische Lehnwörter finden sich v. a. im (ostgerm.) Gotischen, in der Bibelübersetzung des Wulfila, z.B got. *drakmê* für gr. *drachmḗ* 'Drachme', *aípistaúlê* für *epístolē* 'Brief'; got. *aggilus* 'Engel', *aíkklêsjô* 'Kirche', *apaústaúlus* 'Apostel', *aípiskaúpus* 'Bischof' für gr. *ággelos, ekklēsía, apóstolos, epískopos*. Dt. Wörter wie *Engel, Bischof, Kirche* (ahd. *kirihha* < vulgär-gr. **kyriké*, Adjektiv zu *kyrios* 'Herr'), *Pfingsten* < ahd. *fimfchusti* lautverschoben aus gr. *pentekosté* wie *pfaffo* aus gr. *papas* 'Kleriker') zeigen jedoch, dass das Griech. (z. T. über das Lat.) auch auf „west-"germanische Sprachen eingewirkt hat (vgl. HOLZBERG 1984). Im Fall von (*der*) *Heide* scheint ein griech. (*tà*) *éthnē* durch got. Vermittlung (*haiþnō* fem.) ins Vor- (**haiþina-*) bzw. Ahd. (*heithin* u. ä.) und von hier in die anderen germanischen Sprachen (z. B. engl. *heathen*) gelangt zu sein.

1.1.3.6.2 **Lehngut aus germ. Sprachen:** Die germanischen Sprachen haben, abgesehen von Entlehnungen ins Finnische (s. o. 1.1.2.1.1), ihrerseits auch auf die **romanischen** Sprachen ausgestrahlt. Germ. Lehnwörter dürften durch den römischen Handel und durch germ. Söldner in römischen Diensten verbreitet worden sein, in der Hauptsache handelt es sich aber wohl um Reliktwörter in den Sprachen jener Gebiete, die von der Völkerwanderung betroffen waren (Frankreich, Italien, iberische Halbinsel); hier errichteten die Germanenstämme (meist: vorübergehende) Herrschaften und hinterließen, obwohl sie letztlich in der kulturell überlegenen, romanischsprachigen Bevölkerungsmehrheit aufgingen, in deren Sprache ein lexikalisches Superstrat, z. B. it./sp./ptg. *guerra* (demin. sp. *guérilla*), frz. *guerre*, 'Krieg' (vgl. ahd. *werra* 'Zank, Streit', dt. *Wirren*), it. *lotto*, ptg. *lote* '(An-)Teil', frz. *lot* 'Los' (engl. *lot*, ahd. *lōz*, vgl. auch *Lotterie*), frz. *garder*, it. *guardare*, sp./ptg. *guardar* 'bewachen' u. ä. (entsprechend engl. *ward*, dt. *warten* oder als Rückentlehnung aus dem Frz.: *Garde*).

Die Entscheidung, wann und aus welcher germ. Stammessprache solche Wörter ins Romanische entlehnt worden sind, ist oft schwierig, doch lassen sich Anhaltspunkte nach der geographischen Verbreitung und nach sprachlichen Kriterien finden, z. B. danach, dass das Got. (im Gegensatz etwa zum Fränkischen) im Allgemeinen keinen Umlaut kennt oder (anders als das Langobardische) an der 2. Lautverschiebung nicht teilgenommen hat. So gehen it. *albergo*, provenz. *alberc* 'Herberge' auf got. **haribaírgō* zurück, während frz. *héberger* 'beherbergen' von fränk. *heribergōn* (mit Umlaut) kommt. Westgot. *bandwô* 'Zeichen' wurde zu mlat. *bandum* 'Banner', it. *banda*, frz. *bande* 'Haufen, Streifen' (was im 17. Jh. als *Bande* ins Dt. kommt), westgot. *reikeis* 'reich' zu frz. *riche*. Ostgot. **laubjô* 'Laube' liegt vor in it. *lubbione* 'Loge, Galerie im Theater'; got. *nastilô* 'Bandschleife' in it. *nastro* 'Band'. An got. Ursprung ist v. a. zu denken, wenn ein Wort nur südlich der Pyrenäen und in Italien auftritt, nicht aber in Frankreich, vgl. it. *aspa, aspo, haspo* 'Haspel', span. und port. *aspa* (< got. **haspa, *haspô*); it. *rocca* 'Rocken', port. *roca*, span. *rueca* (< germ. **rukka*).

In den romanischen Ländern (Sprachen) gibt es auch **Personennamen** germ. Ursprungs, vgl. it. *Garibaldi, Garibaldo* < *Garibald* < *Gairibald* (Ger + kühn), *Gualtiero* < *Walthari* (Herrscher + Heer), *Rinaldo* < 'Reinwald' (got. *ragin* Rat + Herrscher); span. *Fernando* < westgot. *Friþunanþ* (Friede + Ruhm), *Rodrigo* < westgot. *Hrôþrîks* = *Roderich* (Ruhm + Herrscher).

Ziemlich häufig sind germ. **Ortsnamen**: So erinnern in Italien Namen wie *Marengo* an die Ostgoten (*-ingôs*), andere sind späteren, langobardischen Ursprungs (wie *Breda* < lgb. *braida* 'Breite, Ebene'). Viele frz. Ortsnamen sind germ. (fränkischer, westgotischer, burgundischer u. a.) Herkunft (wie z. B. *Rebais*, bezeugt a. 635 als *Resbacis* 'Rossbach', oder *Abinctun*, dessen *-tun* engl. *town*, dt. *Zaun* entspricht). In Spanien und Portugal weisen Ortsnamen wie *Gondomar* (aus dem germ. Personennamen *Guntmar*) auf Sueben und Goten hin.

Die germ. Sprachen haben auch bei der Aufspaltung des romanischen Sprachgebiets eine gewisse Rolle gespielt, z. B. in Frankreich bei der regiolektalen Differenzierung zwischen (fränkisch beeinflusster) *langue d'oïl* im Norden und südlicher *langue d'oc* (auch toponymisch verwendet: *Languedoc*) (Wartburg 1951; Bach 1970 § 56; Wolff 1971, 62 ff. und 146 ff.).

1.1.3.7 Zusammenfassung

In den Jahrhunderten nach der Zeitwende löste sich v. a. infolge massenhafter Migration germ. Stämme, Stammesteile und Stammesverbände („Völkerwanderung") die germ. Spracheinheit in deutlich distinkte Stammesdialekte auf. Zu ihrer Gruppierung sind, meist unter Berücksichtigung der bei Tacitus überlieferten antiken Dreigliederung, diverse Vorschläge gemacht worden, die überwiegend mit folgenden Gruppen rechnen:

1. Ostgermanen (Goten u. a.)
2. Nordgermanen (in Skandinavien)
3. Nordseegermanen (Tacitus' „Ingwäonen": Angeln, Sachsen, Friesen u. a.)
4. Weser-Rhein-Germanen („Istwäonen", im Wesentlichen: Franken)
5. Elbgermanen („Irminonen"; Alamannen, Baiern u. a. südliche Stämme, deren auffallendste sprachliche Gemeinsamkeit die zweite, „hochdeutsche" Lautverschiebung ist).

1 und 2 lassen sich – freilich nicht unbestritten – als „gotonordisch" zusammenfassen, die früher übliche Zusammenfassung von 3, 4 und 5 als „westgermanisch" ist nicht die einzig mögliche. Stattdessen können, so wie hier geschehen, 4 und 5 als „südgermanisch" i. e. S. verstanden werden. Zwischen den Dialekten der Gruppen 1 bis 5 gibt es mannigfaltige Übereinstimmungen, die als Folge der Zugehörigkeit zu einem gemeinsamen Kontinuum bis zum Beginn der Völkerwanderungszeit interpretiert werden können. Darüber hinaus sind die germanischen Stammesdialekte in spätantiker und frühmittelalterlicher Zeit aber auch aus dem Lateinischen (v. a. lexikalisch) stark beeinflusst worden und haben ihrerseits (als Superstrat) auf die entstehenden romanischen Sprachen eingewirkt.

1.2 Das Deutsch des Frühmittelalters (6.–11. Jahrhundert)

1.2.1 Historische, soziale und kulturelle Voraussetzungen

Die Völkerwanderung hatte zu vielfältigen Veränderungen innerhalb der germanischen Stammesverhältnisse geführt. Aus kleineren Einzelstämmen waren zunächst Großverbände entstanden, die mehr oder weniger fest zusammenhielten. Durch Überschichtungen, Tausch- und Handelsbeziehungen entstanden neue soziale und wirtschaftliche Gegebenheiten, die die Vereinigung der Stammesverbände beförderten. In diesem Prozess spielten die Franken, zunächst die Salier (aus dem Salland zwischen Zwolle und Deventer), eine führende Rolle. Nach kriegerischen Vorstößen über den Rhein nach Gallien und Spanien im 3. Jh., nach lange anhaltenden Auseinandersetzungen mit den Römern an Mittelrhein, Maas und Somme, nach Besitznahme der Gebiete an Mittelrhein und Mittelmaas durch ripuarische Franken und nach den Kämpfen des Salierfürsten Childerich, wohl eines Sohnes des sagenhaften Merowech, gegen Sachsen, Alemannen und Goten in Gallien, nach der Besiedlung der eroberten gallischen Gebiete mithilfe fränkischer Bauern und germanischer Kriegsgefangenen besiegte Chlodwig, der Sohn Childerichs, 486 die Römer und anschließend die Alemannen, unterwarf die in Südgallien siedelnden Burgunder, besiegte andere fränkische Herrscher und gewann so die Alleinherrschaft. Zur Sicherung der eroberten Gebiete nach innen und nach außen war es erforderlich, den Herrschaftsanforderungen entsprechende Einrichtungen zu schaffen: ein Königtum mit militärischem Gefolge und nachgeordnete Institutionen mit entsprechenden Verwaltungsämtern. Chlodwig gründete um 500 auf gallischem Boden das fränkische Reich (482–911: Reich der Merowinger und Karolinger). Durch das Frankenreich verlagerte sich das kulturelle und wirtschaftliche Zentrum Europas aus dem Mittelmeerraum in den germanisch-romanischen Norden. Die fränkische Kultur entwickelte sich auf germanischer und römischer Basis. Geistige Grundlage war das Christentum.

Ein wichtiges Datum in diesem Prozess war die Taufe Chlodwigs im Jahre 496. Damit wurde das Christentum de facto als Staatsreligion seit der Merowingerzeit festgelegt. Folge davon war, dass die Kirchenorganisation der weltlichen Obrigkeit zunächst zumindest in wichtigen Grundfragen nicht als Opposition gegenübertrat. Die Kirche im fränkischen Machtbereich war dem König unterworfen und damit vom Papst unabhängig. Um die Mitte des 8. Jh. wurde zwischen den Karolingern und der Römischen Kirche ein Bündnis geschlossen, durch das die fränkische Dynastie vom Papst legitimiert und dem Papst Schutz vor der Bedrohung durch die Langobarden zugesichert wurde. Hier entstand jene eigentümliche Verbindung von geistlicher und weltlicher Gewalt, die – nicht nur in Deutschland – das Mittelalter geprägt hat (zu den historischen Vorgängen im Frühmittelalter s. Prinz 2004, Schiefer 2005, Keller/Althoff 2008).

Die Einführung des Christentums bewirkte zugleich aber auch, dass in das Denken der Menschen im Frühmittelalter Inhalte der spätantiken Geisteswelt und deren Begriffssysteme eingingen. Damit verbunden waren tiefgreifende sprachliche Veränderungen in Wortschatz und Wortbildung im Zusammenhang mit dem komplizierten Aneignungs- und Einfügungsprozess von lateinisch geprägten Wortinhalten in deutsches Sprachgut. Anders als im Germanischen, wo Lehnwörter vor allem in den vielen Bereichen des praktischen Lebens aus dem römischen Kulturkreis aufgenommen worden waren (s. 1.1.3.6), wurden jetzt lateinische Lehnwörter durch Kirche und Klosterschulen vor allem in den Bereichen Kirchenleben und Schulwesen eingeführt.

Die Nachfolger Chlodwigs eroberten 531 mit Hilfe der Sachsen das Thüringerreich, 532 endgültig das Burgunderreich, besiegten 746 die Alemannen, 774 das Langobardenreich in Oberitalien, 794 die Baiern, 804 die Sachsen. Karl der Große vollendete, was seine Vorgänger begonnen hatten. Nach seinem Tode wurde das Großreich 843 mit dem Vertrag von Verdun in ein Altfranzösisch sprechendes Westreich, das spätere Frankreich, und ein Althochdeutsch sprechendes Ostreich, das spätere Deutschland, aufgeteilt, von denen jedes fortan seine eigenen Wege ging. Die „Straßburger Eide" (842) lassen bereits die sprachliche Trennung erkennen: Das westfränkische Heer sprach den Eid in Altfranzösisch, das ostfränkische Heer dagegen in althochdeutscher Sprache. Das zwischen beiden Reichen liegende Lothringen war ein Jahrtausend lang Gegenstand von Auseinandersetzungen zwischen Frankreich und Deutschland. In der östlichen Hälfte des fränkischen Großreiches entstanden alle wesentlichen Voraussetzungen für die Entwicklung eines deutschen Geschichts-, Kultur- und Sprachbewusstseins. Auf der Grundlage der Verfassung des Frankenreiches ergab sich für die deutschen Stämme eine Einteilung in Grafschaften unter fränkischen Grafen als wichtigsten königlichen Beamten für Gericht, Heer, Finanzen. In diesen Territorien wohnten durch Landnahme und Wanderung im Verlaufe von Jahrhunderten zusammengekommene Angehörige verschiedener germanischer Stämme zusammen, wobei ein bestimmter ethnischer Bestandteil in jeder Region vorherrschte (s. GÖTZ 2000). Die Bewohner verständigten sich mit Hilfe der Regionalmundarten, die aus älteren Stammessprachen entstanden waren und die in diesem Zeitraum die vorherrschende Verständigungsform bildeten.

Das oberste Gericht war das Hofgericht des Königs. Als oberster Beamter der Staatsverwaltung fungierte der Hausmeier. Es wurden Hofämter und entsprechende althochdeutsche Benennungen geschaffen, z. B. *marahscalc* 'Marschall' (eigentlich 'Pferdeknecht'), *skenko* 'Schenk, Kämmerer', ahd. *kamerâri* 'Kämmerer, Schatzmeister'.

Als das durch die königlich-dynastische Familie zusammengehaltene Karolingerreich zusammenbrach, nutzten die großen Grundherrschaften in den Reichsteilungskriegen des 9. Jh. die Situation, um sich Privilegien, die staatliche Befugnisse einschlossen, zu sichern und um ihre Lehen in Erbbesitz umzuwandeln. Schließlich entstanden – ähnlich wie im Merowingerreich – wieder Stammesherzogtümer, die das umfassende karolingische Reichsgebilde ablösten. Im 10. Jh. bildete sich das neue Machtzentrum der Ottonen heraus, die das (allerdings erst später so bezeichnete) Heilige Römische Reich (Deutscher Nation) gründeten. Ihrem Selbstverständnis nach waren die „deutschen" Herrscher des gesamten Mittelalters legitime Nachfolger der römischen Kaiser.

Durch den Einfluss des antiken Geistes- und Kulturerbes, besonders im Zusammenhang mit der Christianisierung und der Erschließung der christlich-religiösen Gedankenwelt, wurde diese Sprache durch Lehnwörter und Lehnbildungen angereichert. Es wurden Möglichkeiten erschlossen, bislang fremde Gedankeninhalte mit einer neuartigen Begriffssprache auszudrücken. Eine Reihe kirchenspezifischer Lehnwörter wie z. B. lat. *missa* > ahd. *missa* 'Messe', lat. *claustrum* > ahd. *klôstar* 'Kloster', lat. *cella* > ahd. *zella* '(Kloster-)Zelle', lat. *monachus* > ahd. *munich* 'Mönch', lat. *organum* > ahd. *organa* 'Orgel', lat. *signare* > ahd. *seganôn* 'das (Kreuz-)Zeichen machen, segnen', lat. *operari* > ahd. *opfarôn* 'opfern, Almosen geben' wurden direkt aus dem Lateinischen in die Volkssprache übernommen. Die Eindeutschung tragender Begriffe des Christentums war ein komplizierter Prozess, und es dauerte meist lange Zeit, bis eine der angebotenen Möglichkeiten allgemein gebräuchlich wurde.

So stehen beispielsweise für lat. *temptatio* 'Versuchung' u. a. die konkurrierenden Wörter *fâra, (bi)korunga, kostunga, bisuoh, ursuoh* und *ursuohunga* nebeneinander (s. GÖTZE 1999, 657). Keines davon hat sich im Althochdeutschen gegen die anderen durchgesetzt. Erst im Mittelhochdeutschen wurde *versuochunge* das weithin gebräuchliche Wort. Auch für den zentralen theologischen Begriff lat. *resurrectio* 'Auferstehung' waren im Althochdeutschen mehrere Übersetzungswörter im Gebrauch: *heilî, irstantanî, irstantnissi, irstantunga, urristî, urstant, urstenti, urstentî, urstentida, urstuodalî* (s. GÖTZE 1999, 573). Noch im Mittelhochdeutschen wurden mehrere Synonyme verwendet. Das Wort *Auferstehung* wurde erst durch Luther im ganzen deutschen Sprachraum gebräuchlich. Der Beginn dieses Prozesses wurde wesentlich durch Missionare gefördert, die vom Südosten her im Donauraum, vom Westen aus im Gebiet an Mosel und Rhein und von England kommend in allen Teilen des Ostfrankenreiches die Verbreitung des Christentums anstrebten.

Das Wort ahd. *priest(er)* wird mit den Aktivitäten galloromanischer Missionare in Verbindung gebracht. Es leitet sich von einem griechischen Wort, nämlich *presbyter*, her, muss aber über altfranzösische Vermittlung ins Deutsche gekommen sein, und zwar in einer Lautform, die frz. *prêtre* vorausging (s. KLUGE 2011, 363 f.). Im Zusammenhang mit der irischen Mission könnte ahd. *glocka* 'Glocke' entlehnt worden sein. Grundlage war vermutlich das altirische Wort *clocc*.

Einige neue Lehnwörter bezeichnen auch profane Gegenstände, so etwa ahd. *pfalinza* 'Palast, Pfalz' < lat. *palatium*.

Wichtig und folgenreich für die deutsche Sprach- und Kulturgeschichte war zudem die Tatsache, dass mit den Missionaren die Schriftkultur in den deutschen Sprachraum eingeführt wurde.

Irische Mönche, die die westlichen Teile des Reiches und dann auch Ostfranken, Alemannen und Baiern missionierten, schrieben in lateinischer Sprache. Vom 8. Jh. an fanden – zunächst ganz sporadisch – auch volkssprachliche Texte, vielfach auch nur einzelne Wörter in lateinischen Texten, den Weg aufs Pergament. Diese Schriftlichkeit wurde überwiegend von Mönchen in den Klöstern vor allem zur Vermittlung von Glaubensinhalten und Lehrsätzen der Kirche benötigt und genutzt. Dabei wurde eine Vielzahl abstrakter Wörter religiösen und philosophischen Inhalts geschaffen. Beispiele wären *bigin* 'Beginn, Ursprung' für lat. *origo, infleiscnissa* 'Fleisch-, Menschwerdung' für lat. *incorporatio*. Es entstanden philosophische Termini (z. B. *unentlich* für lat. *infinitus*), die neben abstrakten Wörtern aus Bibeltexten (wie *gidank* 'Gedanke, Denken, Sinn', *wîstuom* 'Weisheit, Einsicht, Erkenntnis, Wissenschaft', *kunst* 'Kenntnis, Wissen, Fähigkeit') eine ganz neue Denkweise ermöglichten. Wie kompliziert es war, diesen Prozess des Umdenkens zu bewerkstelligen, verdeutlichen auch die Benennungen der Wochentage (vgl. 1.1.3.6.1).

Eine wichtige Veränderung im poetischen Sprachgebrauch war die Einführung des Endreims in die althochdeutsche Dichtung. Mit den Bildungsbestrebungen Karls des Großen kam auch die christliche Missionsliteratur und -poesie als neuer Dichtungstyp zur Geltung. Dabei wirkte die spätantike christliche Hymnenpoesie als Vorbild. Fördernd wirkten auf diesen Prozess mehrere sprachliche Veränderungen dieses Zeitraumes, durch die die ererbte germanische Stabreimtechnik in Verfall geriet, so die Entwicklung der anlautenden Konsonantenverbindungen germ. *wl-, wr-, hl-, hr-, hw-* zu ahd. *l-, r-, w-*. Den alten Zustand bewahrt noch das stabreimende „Hildebrandslied":

gurtun sih iro suert ***a****ne/****h****elidos ubar* ***hr****inga do sie to* ***d****eru* ***h****iltiu ritun* 'sie gürteten sich ihre Schwerter um, die Krieger über die (Ring-)Panzer, als sie zum Kampf ritten' oder *heuwun harmlicco* ***hu****ittę scilti* 'sie zerschlugen erbittert weiße Schilde'. Auf einer etwas späteren Stufe hätte es *ringa* und (in althochdeutscher Variante) *wîȝe* geheißen. Aber damit wäre keine *h*-Alliteration und letztlich keine Stabreimdichtung mehr möglich gewesen.

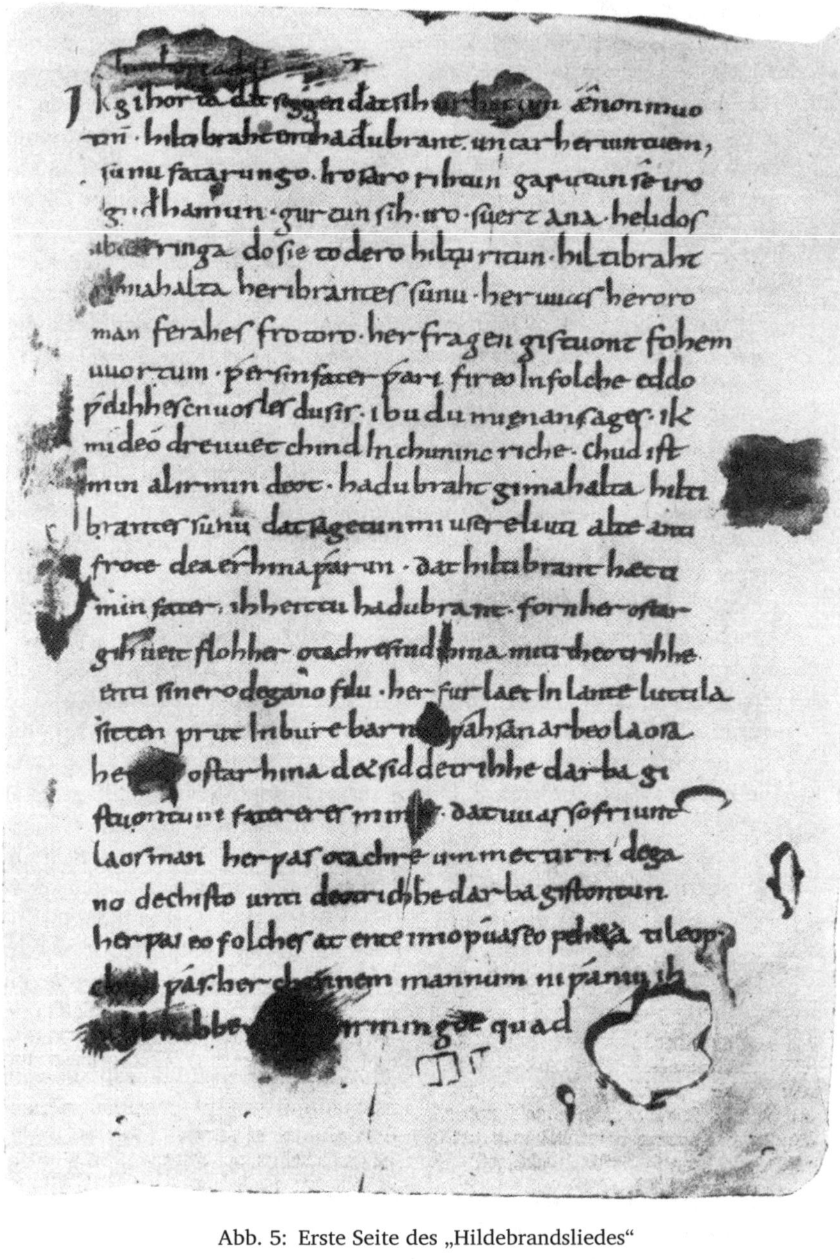

Abb. 5: Erste Seite des „Hildebrandsliedes"

Schon bald nach der Aufzeichnung des „Hildebrandsliedes“ und nach dem um 830 wohl in Fulda entstandenen, gleichfalls stabreimenden, in altsächsischer Sprache abgefassten „Heliand“ schuf Otfrid von Weißenburg um 870 sein „Evangelienbuch“, mit 7400 Langzeilen das einzige althochdeutsche Epos und damit die erste große Endreimdichtung in deutscher Sprache. Daneben haben sich aber auch mehrere kurze Endreimdichtungen erhalten, z. B. das „Ludwigslied“ (9. Jh.), das „Petruslied“ (9. Jh.), das „Georgslied“ (10. Jh.), dazu mehrere religiöse Traktate und kirchliche Gebrauchstexte (vgl. 1.2.4.4) als endreimende Dichtungen zur Seite (detaillierte Darstellung bei HAUBRICHS 1995). Dabei finden sich bei Otfrid vor allem in den vorderen Partien seines Christus-Epos immer noch Nachklänge des Stabreims, z. B.: *hûs inti hof* ‘Haus und Hof’, *houbit joh thie henti* ‘Haupt und auch die Hände’, *thiu uuorolt uuirdig thes ni uuas* ‘die Welt war dessen nicht würdig’, *Vuáhero duacho uuerk uuirkento* ‘kostbarer Tücher Werk wirkend’.

1.2.2 Das rekonstruierte vorliterarische Deutsch (6./7. Jahrhundert)

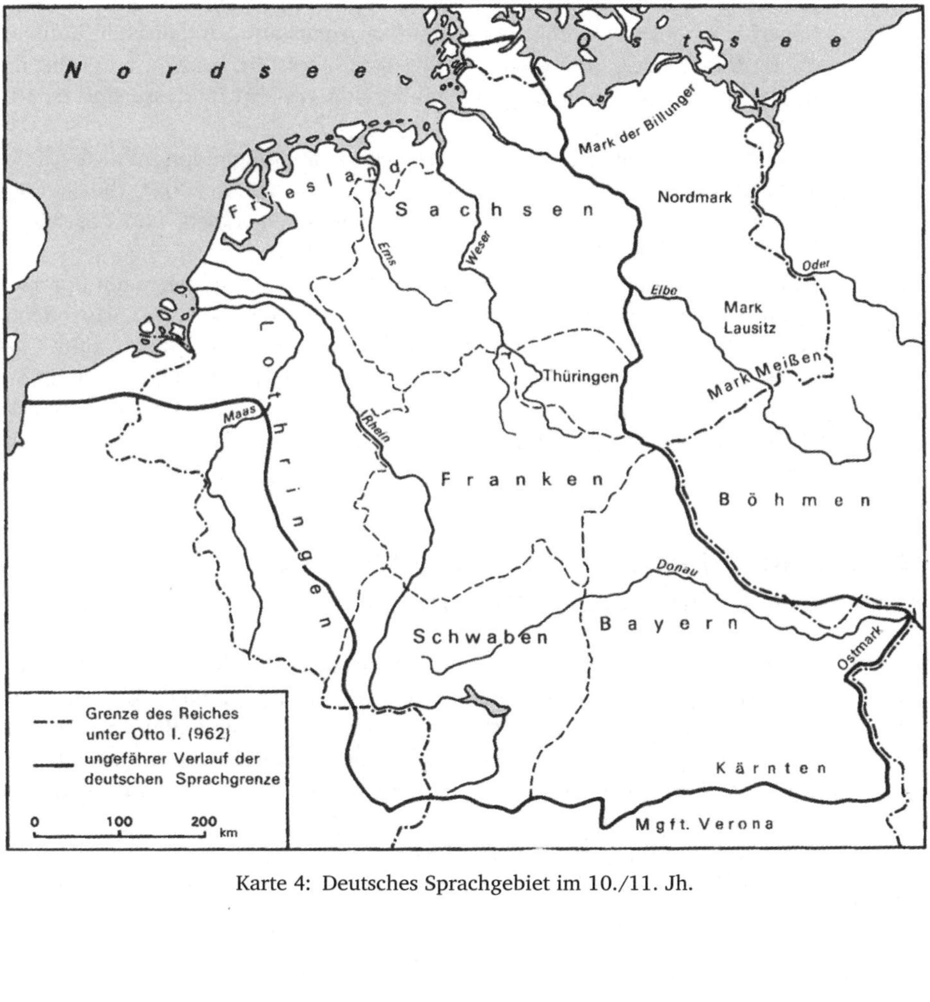

Karte 4: Deutsches Sprachgebiet im 10./11. Jh.

Die Herausbildung des Althochdeutschen beginnt nach dem Abschluss der Völkerwanderung mit dem Sesshaftwerden der Stammesverbände und Völkerschaften. Die wichtigsten Stammessprachen, aus denen das Deutsche allmählich entstand, waren das Fränkische, das Bairische, das Alemannische und das Sächsische (in Niedersachsen zwischen unterer Elbe und Niederrhein, Nordsee und Harz).

Während der Völkerwanderung hatten sich durch räumliche Umgruppierung und Zusammenschluss älterer ethnischer Verbände neue Einheiten herausgebildet. Zwar hatten diese Stämme viele sprachliche Gemeinsamkeiten aus dem Germanischen ererbt; dennoch unterschieden sie sich in vielen grammatischen und lexikalischen Details. Mit dem Begriff „Althochdeutsch“ wird nicht eine frühe Stufe des heutigen „Hochdeutschen“ im Sinne einer normierten und einheitlichen Standardsprache verstanden, sondern „Althochdeutsch“ ist ein Sammelbegriff für verschiedene frühmittelalterliche Stammesdialekte, die zwar in wesentlichen strukturellen Aspekten übereinstimmten, aber dennoch in zahlreichen grammatischen und lexikalischen Details auch divergierten.

Vom 5. bis zum 7. Jh., also schon längere Zeit, bevor in Klöstern die ersten althochdeutschen Wörter und Texte schriftlich festgehalten wurden, wurde ganz vereinzelt Volkssprachliches aufgeschrieben, allerdings noch nicht mit lateinischen Buchstaben in Pergamenthandschriften, sondern in Runenschrift auf beweglichen Gegenständen (Überblick bei DÜWEL 2008). Aus dem nachmals althochdeutschen Raum haben sich ca. 60 Runeninschriften erhalten, die trotz ihrer Kürze schon aufgrund ihres hohen Alters für die Sprachgeschichtsforschung von großem Interesse sind (s. NIEVERGELD 2009).

Weitere sehr frühe Schichten vor- oder frühalthochdeutscher Überlieferung sind archaische Rechtswörter (s. SCHMIDT-WIEGAND 2000, 2006), die in die lateinisch aufgezeichneten Stammesrechte Eingang gefunden haben, und das frühmittelalterliche Namenmaterial (s. GREULE/SPRINGER 2009).

Eine entscheidende Veränderung gegenüber den vorangehenden Sprachverhältnissen in germanischer Zeit ergab sich durch die Zweite oder (Alt-)Hochdeutsche Lautverschiebung, die vom Süden und Südwesten nach Norden ausstrahlte (vgl. Band II, 2.3.3.1). Alles in allem beeinflussten das Bairische und das Fränkische in diesem Zeitraum die sprachliche Entwicklung am stärksten, während das Alemannische und das (Nieder-)Sächsische aus mehreren, unterschiedlichen Gründen weniger aktiv mitgewirkt haben.

1.2.3 Die althochdeutsche Überlieferung des 8. bis 11. Jahrhunderts

Die schriftliche Fixierung des Althochdeutschen begann im späteren 8. Jh. Von einer Emanzipation der Volkssprache gegenüber dem Lateinischen als Kirchen-, Gelehrtensprache oder als Sprache der Politik und des Rechts kann allerdings noch keine Rede sein. Zwar wurde der schriftliche Gebrauch des Deutschen von Karl dem Großen insoweit gefördert, als er anordnete, dass elementare kirchliche Texte – z. B. Vaterunser und Glaubensbekenntnis – ins Deutsche übertragen und die Predigt vom Volk verstanden werden sollte. Dennoch war das Schreiben in der Volkssprache noch auf lange Zeit die Ausnahme. Ob der Bericht des Biographen Einhart zutrifft, demzufolge Karl den Auftrag gegeben hat, alte Heldenlieder zu sammeln und eine deutsche Grammatik zu verfassen, oder ob es sich um einen Topos handelt, ist umstritten (schon römische Kaiser wurden von ihren Biographen für ihre kulturellen Bemühungen gepriesen). Ebenso vage sind die Anhaltspunkte dafür, dass Karls Sohn Ludwig der Fromme die altsächsische „Heliand"-Dichtung angeregt haben könnte. Dass karolingische Herrscher Kenntnis von Dichtungen in ihrer Muttersprache hatten, darf allerdings als sicher gelten, denn Otfrid von Weißenburg widmete seine Evangeliendichtung Ludwig dem Deutschen (einem Enkel Karls des Großen). In eine Handschrift aus dessen Besitz ist auch das „Muspilli" eingetragen, ein merkwürdiges althochdeutsches Gedicht, in dem es um das Schicksal der Seele nach dem Tod und das Jüngste Gericht geht.

Den größeren Teil der volkssprachlichen Überlieferung der Karolingerzeit machen allerdings Übersetzungen, vor allem aber Glossen aus. Darunter versteht man erklärende Zusätze in althochdeutscher und altsächsischer Sprache, die gelegentlich dazu dienten, lateinische Wörter oder Textstellen leichter verständlich zu machen. Zentren der Übersetzungs- und Glossierungstätigkeit waren Klöster und bischöfliche Skriptorien, im bairischen Raum Regensburg (hier das Kloster St. Emmeram), Tegernsee, Mondsee, Freising, Salzburg, im Alemannischen St. Gallen, Reichenau und Murbach, im Ostfrän-

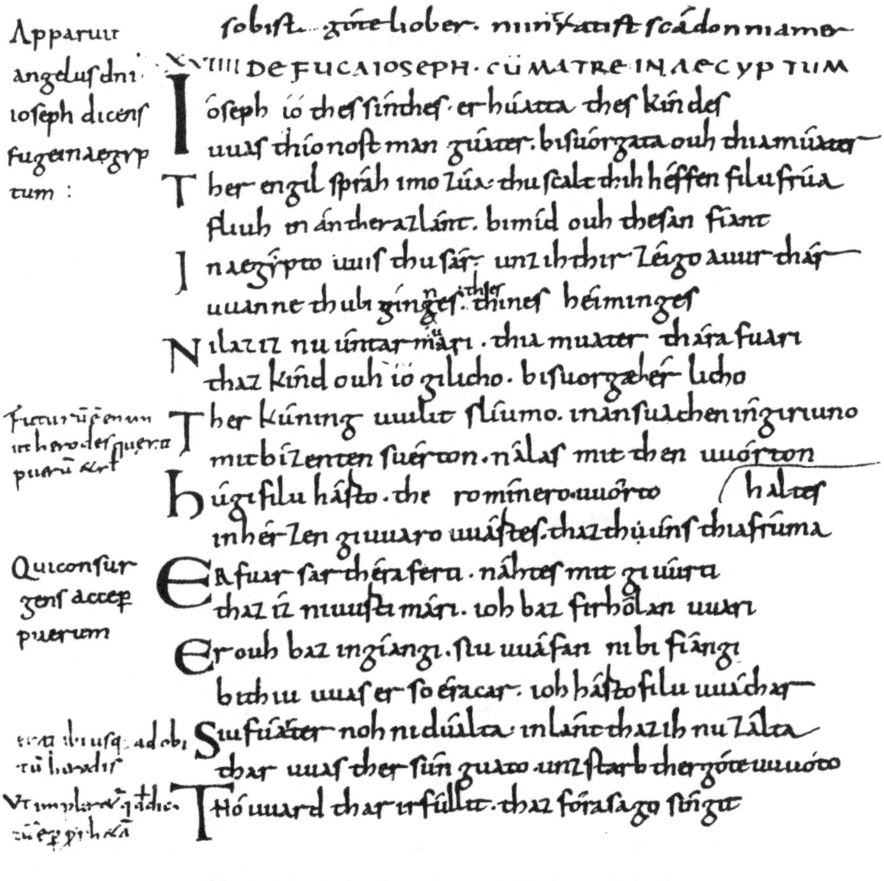

Abb. 6: Eine Seite der Wiener Otfried-Handschrift

kischen Würzburg und Bamberg und das Bonifatius-Kloster Fulda, im Rheinfränkischen Mainz, Weißenburg, Lorsch, im Mittelfränkischen Trier, Köln, Aachen und Echternach (s. Karten 5 u. 6).

Karte 5: Kirchliche Zentren als Stätten frühmittelalterlicher Literaturpflege

Jede dieser Schreibstätten hatte eine eigene sprachliche Norm, und die Mehrzahl der Schreiber brachte zusätzlich sprachliche Eigenheiten ein. Es ist daher auch kaum möglich, aus den in den einzelnen Skriptorien aufgezeichneten Texten gültige Schlüsse auf die Ausdehnung der einzelnen Dialektgebiete zu ziehen. So liegt zwar Fulda beispielsweise im rheinfränkischen Gebiet. Es wurde aber als ostfränkische Gründung angelegt, und der Schriftdialekt des umfangreichsten Fuldaer Textdenkmals, des „Tatian", ist im Wesentlichen ostfränkisch. Für den Schreibgebrauch wurde hier ein vergleichsweise einheitlicher Schriftdialekt geschaffen, der nicht mit der örtlichen Mundart übereinstimmte: Die Bewohner der Stadt Fulda im 9. Jh. sprachen mit Sicherheit ein anderes (Althoch-)Deutsch als dasjenige, das hinter den Klostermauern geschrieben wurde. Fulda lag zudem an der hochdeutsch-niederdeutschen Sprachgrenze, und so erklärt es sich, dass gerade hier das „Hildebrandslied" mit seiner eigentümlichen Sprachmischung niedergeschrieben wurde. Ganz offensichtlich hat ein Schreiber, der die altsächsische Sprache zwar (passiv) kannte, aber nicht (aktiv) konnte, versucht, den hochdeutschen (bairischen) Text ins Niederdeutsche umzusetzen (s. LÜHR 1982). Die Althochdeutsche Grammatik I formuliert es knapp und präzise so: „Ein einheitliches Ahd. oder gar eine ahd. Schriftsprache hat es nicht gegeben" (BRAUNE 2018, 11). Problematisch ist es auch, die volkssprachlichen Dialekte des frühen Mittelalters, aus denen sich im Laufe der Zeit das Deutsche, wie wir es heute kennen, entwickelt hat, schon als „deutsch" zu bezeichnen.

1.2.4 Wichtige sprachliche Neuerungen und Besonderheiten des Althochdeutschen

1.2.4.1 Lautliches

Die wohl markanteste Veränderung, mit der sich das Althochdeutsche am deutlichsten aus einem spätwestgermanischen Verband herauslöste, ist die Zweite oder Althochdeutsche Lautverschiebung (s. 2.3.3.1). Die in der Ersten Lautverschiebung entstandenen germanischen stimmlosen Verschlusslaute *p, t, k* wurden je nach ihrer Stellung im Wort unterschiedlich verändert. Auf verschiedene Weise betroffen waren auch die stimmhaften Pendants *b, d, g* (s. BRAUNE 2018, 174–177, 192–197, 216–220). Die Veränderungen erfolgten nicht gleichartig in allen Teilen des deutschen Sprachgebietes. Weitgehend durchgeführt wurde die Lautverschiebung nur im Oberdeutschen, und zwar im Bairischen und im Alemannischen. In den fränkischen Mundarten gibt es wesentliche Unterschiede hinsichtlich ihres Anteils an den durch die Lautverschiebung bedingten sprachlichen Veränderungen. Das Altniederdeutsche (Altsächsische) hat wie das Altniederfränkische, die Vorstufe des heutigen Niederländischen, an der Lautverschiebung nicht teilgenommen (s. KLEIN 2003). Das Kartenbild erweckt den Anschein, dass die Zweite Lautverschiebung im Oberdeutschen ihren Ausgang genommen hat und von dort nach Norden vorgedrungen ist. Je weiter sie sich vom oberdeutschen Ursprungsareal entfernte, desto mehr klang sie ab (zu anderen Erklärungsmodellen s. BRAUNE 2018, 117 f.).

Im Ergebnis dieser Entwicklung entstand eine deutlich erkennbare Trennung in ein hochdeutsches (oberdeutsches und mitteldeutsches) Gebiet, in dem die Veränderungen weitgehend (oberdeutsch) oder teilweise (mitteldeutsch) eingetreten sind, und in ein niederdeutsches Gebiet, in dem sie sich nicht durchgesetzt haben. Dadurch gilt

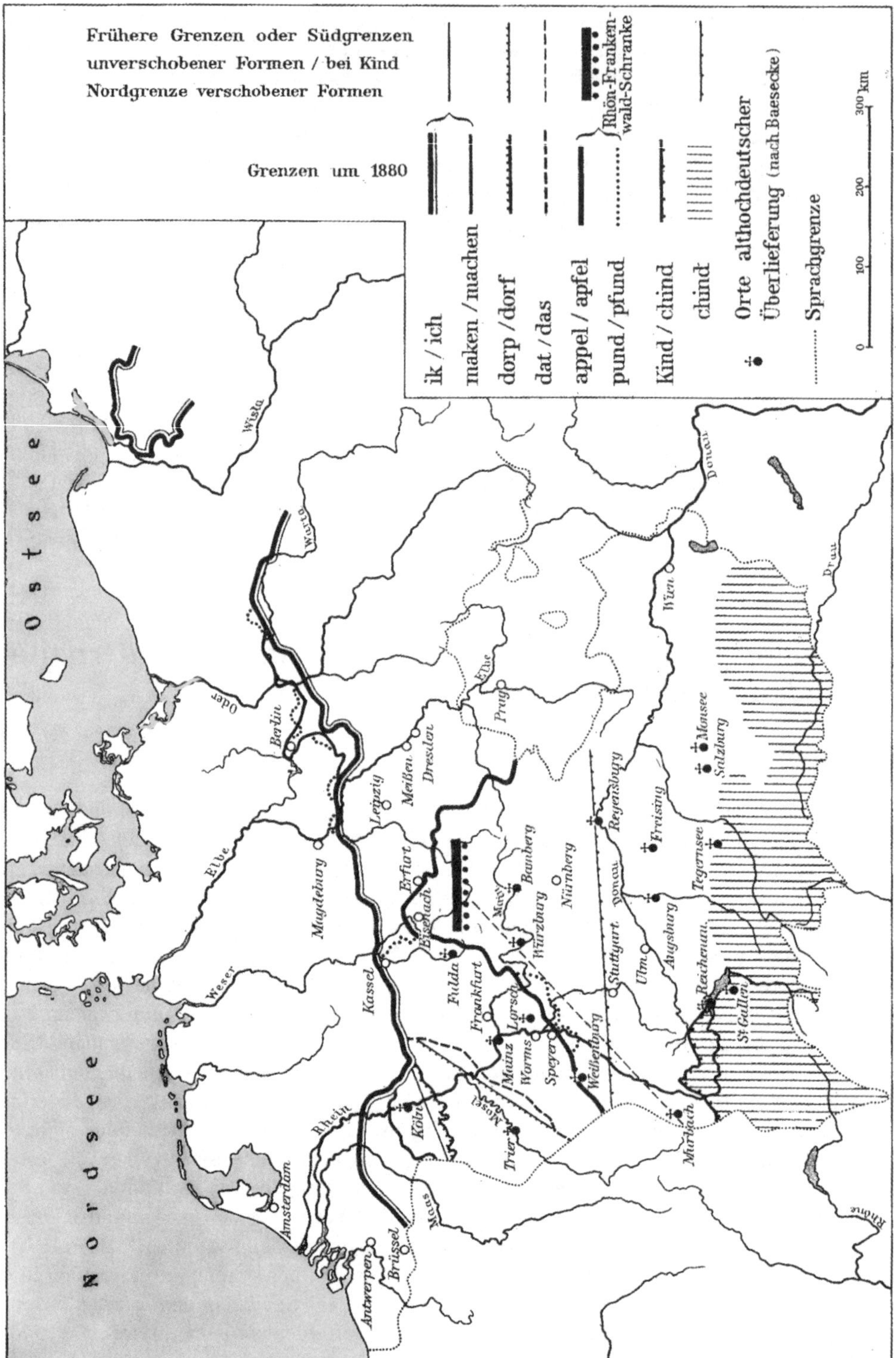

Karte 6: Lautverschiebungsstufen (Aufnahme um 1880)

diese Lautveränderung heute zugleich auch als eine der wesentlichsten Grundlagen für die Einteilung der Dialekte innerhalb des deutschen Sprachraumes.

Jeder Versuch, komplizierte, in Entwicklung befindliche Verhältnisse vereinfacht, schematisiert darzustellen, ist problematisch. Das gilt auch für die „klassische“ Einteilung der deutschen Dialekte, insbesondere in historischer Zeit, für die man auf ausschließlich schriftliche Quellen angewiesen ist.

Die Grenzlinie zwischen dem Hochdeutschen und dem Niederdeutschen, die *ik/ich-* bzw. *maken/machen*-Linie, gleicht wegen der ungleichmäßigen Ausbreitung der wichtigsten sprachlichen Neuerungen eher einem Linienbündel als einer Linie, und sie hat sich im Verlauf der Jahrhunderte wiederholt verlagert. Man spricht auch vom „Rheinischen Fächer“. Heute beginnt sie westlich von Krefeld, überschreitet bei Uerdingen den Rhein und verläuft dann weiter Richtung Wupper – Rothaargebirge – Vereinigung von Fulda und Werra zur Weser – Eichsfeld – Oberharz – Saalemündung – Mündung der Schwarzen Elster – Nordrand des Spreewaldes.

Ausgangspunkt und Entstehungsursache der (Alt-)Hochdeutschen Lautverschiebung sind trotz langer Diskussionen nach wie vor ungeklärt. Umstritten ist auch noch der Zeitpunkt des Beginns der Hochdeutschen Lautverschiebung, weil die Datierung aufgrund des Fehlens aussagekräftiger zeitgenössischer Quellen große Schwierigkeiten bereitet. Als Zeitansatz für die (Alt-)Hochdeutsche Lautverschiebung nimmt man das 6./7. Jh. an.

Die germanischen stimmhaften Reibelaute **ƀ, *đ, *g* werden vom 8. Jh. an in unterschiedlicher Abfolge zu den stimmhaften Verschlusslauten *b, d, g,* die im Oberdeutschen zu *p, t, k* weiterentwickelt werden. Vom 8. Jh. an wird auch das germanische **þ* (*th*) im gesamten deutschen Sprachgebiet schrittweise zu *d* verändert: *ther* > *der.*

Stark ausgeprägt ist – als Nachwirkung germanischer Verhältnisse – in althochdeutscher Zeit auch der grammatische Wechsel *f/b, d/t, h/g, h/w, s/r*. Deshalb stehen sich gegenüber: *heffen/gihaban* ‘heben/gehoben’, *snîdan/gisnitan* ‘schneiden/geschnitten’, *ziohan/gizogan* ‘ziehen/gezogen’, *fâhan/gifangan* ‘fangen/gefangen’, *lîhan/giliwan* ‘leihen/geliehen’, *kiosan/gikoran* ‘wählen/gewählt’.

Auch im Vokalismus gibt es zahlreiche Neuerungen, von denen hier nur die wesentlichsten und allgemeingültigen genannt werden können (Näheres in 2.2.1). Diese Einschränkung ist deswegen erforderlich, weil das althochdeutsche Lautsystem von Anfang bis Ende dieses Zeitraumes in ständiger Veränderung begriffen war, zum Teil mit sehr uneinheitlichen Erscheinungen in einzelnen Dialekten, zum Teil deshalb, weil die althochdeutsche Überlieferung nur lückenhaft ist.

Eine wesentliche Veränderung gegenüber dem Germanischen ist der sogenannte *i*-Umlaut. Unter dem Einfluss eines *i, î* oder *j* der folgenden Silbe wird germ. **a* zu ahd. *e*. Vor *ht, hs* und Konsonantenverbindungen mit *w* trat dieser Wandel zunächst allerdings nicht ein.

Althochdeutsche Beispiele:

	gast ‘Gast’	*gesti* ‘Gäste’
	lamb ‘Lamm’	*lembir* ‘Lämmer’
	lang ‘lang’	*lengiro* ‘länger’
aber:	*naht* ‘Nacht’	*nahti* ‘Nächte’
	maht ‘Macht’	*mahtîg* ‘mächtig’
	garawen ‘zubereiten’	*garawit* ‘bereitet zu’

Dieser Lautwandel, den das Deutsche mit dem Altnordischen und dem Altenglischen gemeinsam hat, ist auch auf einer Vorstufe des Norwegischen, Schwedischen usw. etwa zwischen 650 und 850 eingetreten. Im Deutschen wird er um die Mitte des 8. Jh. in der Schreibung sichtbar, im 9. Jh. hat er auf althochdeutschem Gebiet nahezu allgemeine Gültigkeit erreicht. Im Bairischen und im Alemannischen hat er sich aber nicht generell durchgesetzt (Weiteres in BRAUNE 2018, 82–86).

Der Umlaut *a* > *e* vor *i, ī, j* der Folgesilbe, der als Primärumlaut bezeichnet wird, ist vom 8. Jh. an nachzuweisen. Der sogenannte Sekundärumlaut deutet sich ab etwa 1000 in schriftlichen Quellen an. Damit wird sowohl der Wandel von zunächst nicht umgelautetem *a* > *ä* als auch der von *o* > *ö*, *u* > *ü*, *â*>*æ*, *ô* > *œ*, *û* > *iu*, *ou* > *öu*, *uo* > *üe* vollzogen. Beispiele: *mahtig* > *mähtig* 'mächtig', *oli* > *öl* 'Öl', *mâri* > *mære* 'berühmt', *ubil* > *übel*, *skôni* > *schœne* 'schön' (aber zugehöriges *skôno* > *schôn* 'schon' ohne Umlaut!), *lûten* > *liuten* 'läuten', *loufit* > *löuft* 'er läuft', *guotî* > *güete* 'Güte'.

Für das Germanische sind zwei phonetisch ungleiche lange ê-Laute (*$\hat{e}^1$ und *$\hat{e}^2$) anzusetzen. Während *$\hat{e}^1$ sich schon auf einer voralthochdeutschen Stufe zu langem *â gewandelt hatte, wurde in einer frühen althochdeutschen Phase *$\hat{e}^2$ > *ea* diphthongiert. Im weiteren Verlauf des Althochdeutschen wurde daraus *ia* und schließlich *ie*. Diese Diphthongierung breitete sich im 8./9. Jh. wie die von germ. **ô* > ahd. *uo* vom Rheinfränkischen nach Süden aus. Im Altsächsischen bleiben Längen meist erhalten. Beispiele:

got.	*hêr*	as.	*hêr*	ahd.	*hear* > *hiar* > *hier*	'hier'
got.	*fôtus*	as.	*fôt*	ahd.	*fuoȥ*	'Fuß'

Die Monophthongierung von germ. *ai* > ahd. *ê* ist bereits im 7. Jh. nachweisbar. Da sie im Altsächsischen generell eingetreten ist, im Fränkischen, Alemannischen und Bairischen dagegen nur in der Stellung vor germ. *h, w, r,* liegt die Annahme nahe, dass sie sich vom Norden her über das deutsche Sprachgebiet ausgebreitet hat. Es könnte sich aber auch um (teilweise) übereinstimmende Prozesse aufgrund einer gleichartigen Ausgangslage handeln. Beispiele:

	got.	*air*	as. *êr*	wie ahd. *êr*	'eher, früher'
		maiza	as. *mêro*	wie ahd. *mêro*	'mehr'
		aiweins	as. *êwig*	wie ahd. *êwîn, êwig*	'ewig'
aber:		*stains*	as. *stên*	gegenüber ahd. *stein*	'Stein'
		hails	as. *hêl*	gegenüber ahd. *heil*	'heil, gesund'

Die Monophthongierung von germ. **au* > *ô* ist erst im späteren 8. Jh. nachweisbar. Beispiele:

	got.	*dauþus*	as. *dôd*	wie ahd. *tôd*	'Tod'
		laus	as. *lôs*	wie ahd. *lôs*	'los'
aber:		*haubiþ*	as. *hôbid*	gegenüber ahd. *houbet*	'Haupt'
		augô	as. *ôga*	gegenüber ahd. *ouga*	'Auge'

Auch hier ist nicht mit Sicherheit auszumachen, ob es sich um ein Vordringen des Lautwandels von Norden nach Süden handelt oder um Polygenese. Dass die Zweite Lautverschiebung von Süden nach Norden, die Monophthongierungen der germanischen Diphthonge dagegen von Norden nach Süden vorgedrungen sein sollten, lässt sich schwer vereinbaren (zu Einzelheiten der althochdeutschen Mono- und Diphthongierung vgl. BRAUNE 2018, 58–65, 66–74).

1.2.4.2 Formenbestand

Auch im Formenbestand gab es zahlreiche Neuerungen. Hier ist vor allem die Entstehung des Artikels zu nennen. Das Demonstrativpronomen ahd. *der, diu, daz* wird im Althochdeutschen auch als bestimmter Artikel und als Relativpronomen gebraucht; in seiner demonstrativen Funktion wurde es durch die erweiterte Nebenform *dëse(r)* – *dësiu/disiu* – *ditz* ersetzt. Der unbestimmte Artikel entstand aus dem Numerale *ein*. Der Gebrauch des Artikels nimmt in althochdeutscher Zeit immer mehr zu, aber oft fehlt er auch noch. Aus dem Substantiv *man* 'Mensch' wurde ein Indefinitpronomen *man* entwickelt, das zwar oft noch die Grundbedeutung erkennen lässt, doch wurde das Pronomen gelegentlich schon in seiner heutigen Verwendung verwendet wie z. B. im „Hildebrandslied" *dar man mih eo scerita* 'wo immer man mich (in einer Kampfformation) einordnete'.

Neben die analytischen Umschreibungen des Perfekts und des Plusquamperfekts mit *haben* und *sein* und des Passivs mit *sein* oder *werden* tritt zum Ausdruck des Zukünftigkeit nun auch die Umschreibung *sollen* (*ih scal lesan* 'ich werde lesen'). Auch *wollen* und *müssen* werden in dieser Funktion verwendet. Das heute gebräuchliche *werden*-Futur entstand allerdings erst in spätmittelhochdeutscher Zeit.

In alledem zeigt sich eine Verstärkung der bereits im Germanischen erkennbaren Tendenz zum analytischen Sprachbau. Dies ist zugleich verbunden mit dem langsamen Abbau des vielfältigen synthetischen Formenbaus im Germanischen. So wird die alte Endung *-mês* der 1. P. Pl. Präs. Ind. aufgegeben und seit dem 9. Jh. durch die entsprechenden Formen des Konjunktivs ersetzt: *habemês* > *habên* 'wir haben', *ziohemês* > *ziohên* 'wir ziehen'. Im Numerussystem wird der alte Dual aufgegeben; Otfrid verwendet ihn, gestützt durch *zwei*, noch in der 1. Person: *ist únker zueio wésan ein* 'es ist unser beider ein Wesen', d. h. 'wir beide haben ein und dasselbe Wesen'.

In der Deklination der Substantive wird bis zum 10. Jh. der Instrumental aufgegeben; er wird durch präpositionale Fügungen mit *durch, mit, von* ersetzt. Das „Hildebrandslied" belegt in einem Vers beides: *spenis mih mit dinem wortun, wili mih dinu speru werpan* 'du lockst mich mit deinen Worten, willst mich mit deinem Speer zu Fall bringen'; *mit dinen worten* ist eine Präpositionalphrase, *dinu speru* Instrumental. Eine weitere Reduktion der Deklinationsformen wird dadurch erreicht, dass Nominativ und Akkusativ zusammenfallen, vgl. Nom. Sg. got. *dags*, Akk. Sg. *dag* und Nom. Pl. *dagôs*, Akk. Pl. *dagans*, aber im Althochdeutschen Nom. und Akk. Sg. *tag*, Nom. und Akk. Pl. *taga* 'Tag' (s. BRAUNE jetzt 2018, 249 f.).

1.2.4.3 Wortbildung und Wortschatz

In der Wortbildung werden im Althochdeutschen die ererbten Bildungsweisen Komposition, Präfigierung und Suffigierung fortgeführt und weiterentwickelt.

Bei den Komposita werden unter formalen Gesichtspunkten Bildungen mit und ohne Fugenelement unterschieden. Althochdeutsche Beispiele für Komposita ohne solches Element zwischen den Konstituenten sind beispielsweise *gûdhamo* 'Kampfhemd, Rüstung', *chunincriche* 'Königreich', *irmindeot* 'Volk' (alle aus dem „Hildebrandslied"); weitere: *gasthûs* 'Gasthaus, Herberge', *strîtspil* 'Wettrennen', *wazzerfart* 'Wasserlauf', *figboum* 'Feigenbaum'. Unterschiedliche Fugenelemente enthalten z. B. *tag-e-lon* 'Tagelohn', *tag-a-stërn/tag-o-stërno/tag-a-stërno* 'Morgenstern', *wëg-e-fart* 'Reise', *spil-o-man* 'Spielmann', *tag-es-lieht* 'Tageslicht', *wint-es-brût* 'Windsbraut', *oug-en-lieht* 'Augenlicht', *sunn-ûn-lioht* 'Sonnenlicht', *sunn-ûn-tag* 'Sonntag', *stërn-en-fart* 'Sternenlauf' und *lenz-in-manôth* 'Frühlingsmonat, März'.

Durch Präfigierungen wird eine Vielzahl von Bedeutungsnuancen vor allem bei häufig verwendeten Verben ermöglicht. Das Verb *faran* wird bereits als Simplex in einer Reihe von Bedeutungsnuancen verwendet: 'fahren, (vorbei)gehen, (sich) begeben, weggehen, reisen, (umher)ziehen, laufen, fliegen, treiben, sich bewegen, fortschreiten, fließen, daherfahren, hervorgehen, auffahren, weichen, gelangen, dringen, ergehen, verlaufen, geschehen, zugehen, (vor)kommen, sich verhalten, handeln, vergehen, entschwinden, ausgehen (von)'. Dazu sind etwa 30 Präfixbildungen mit unterschiedlichen Bedeutungsmodifikationen belegt (vgl. Ahd. Wb. III, 570–617), so beispielsweise mit *aba-* 'weggehen, entschwinden', *ana-* 'angreifen', *thana-* 'von dannen fahren, fortziehen', *gi-* 'wandeln, geschehen', *hara-* 'herabsteigen', *widar-* 'entgegenfahren, zurückkehren; weggehen', *zi-* 'zergehen, vergehen, zugrunde gehen', *zuofaran* 'herzufahren' (und weitere). Der Großteil davon ist nur oder hauptsächlich in den Schriften Notkers von St. Gallen belegt.

Im Bereich der nominalen Wortbildung spielt Präfigierung insgesamt eine geringere Rolle als bei den Verben (HENZEN 1965, 98–102). Beispiele gibt es dennoch. Die unterschiedliche Wortbetonung bei nominalen und verbalen Präfixbildungen führte dazu, dass sich die gleichen Präfixe ungleich entwickelten. Während Nominalpräfixe betont waren (z. B. ahd. *úrloub*), galt bei den Verben Stammbetonung (z. B. *irlóuben*). Deshalb stehen Wörter wie nhd. *Úrlaub* und *erláuben* nebeneinander, ohne dass sich dem heutigen Sprecher der einstige Zusammenhang noch erschließen würde. Das (betonte) *ur-* geht wie das (unbetonte) *er-* auf dasselbe germanische Präfix **uz-* zurück.

Ein häufiger nominaler Bildungstyp sind die Kollektiva mit *gi-* wie *gibirgi* 'Gebirge' (zu *bërg* 'Berg') oder *giknihti* 'Dienerschaft' (zu *knëht* 'Knecht').

Bei zahlreichen nominalen Wortbildungen, die Präfixe enthalten, liegt jedoch indirekt verbale Präfigierung vor, weil es sich um nominale Weiterbildungen von Präfixverben handelt. Beispiele sind *gibiotâri* 'Gebieter', *gibot* 'Gebot' (zu *gibiotan* 'gebieten'), *irbarmunga* 'Erbarmung' (zu *irbarmên* 'erbarmen'), *irhabanî* 'Erhabenheit' (zu *irheffen* 'erheben').

Die Präfixbildung ist bei den Verben am stärksten ausgeprägt. Die am häufigsten verwendeten althochdeutschen Präfixe sind *bi-* (z. B. *bifindan* 'befinden, erkennen'), *ir-* mit der Variante *ar-* (z. B. *ir-/arkennen* 'erkennen'), *fir-* mit der Variante *far-* (z. B. *fir-/fargëban* 'vergeben'), *gi-* mit der Variante *ga-* (z. B. *gi-/galoubôn*), *int-* mit der Variante *ant-* (z. B. *int-/antfindan* 'empfinden') und *missi-* mit der Variante *missa-* (*missituon* 'sündigen', wovon wiederum *missitât* 'Missetat' abgeleitet ist).

Weitaus größere Veränderungen als bei Komposition und Präfixbildung gibt es im Bereich der Suffixableitungen. Hier wurde eine Um- und Neugestaltung des ererbten Systems erreicht. Die alten Suffixe *-unga, -nissi, -ôt(i), -i, -idi/-ida* und *-t* wurden fortan zur Bildung von Abstrakta genutzt, vor allem für die Vielzahl der religiösen, ethisch-moralischen und philosophischen Begriffsbezeichnungen: *reisunga* und *rëhhenunga* 'Ordnung', *widermezzunga* 'Vergleich, Gleichnis'; *finstarnessi* 'Finsternis'; *gihaltnissa* 'Erlösung'; *waltesôd* 'Herrschaft'; *lihhisôd* 'Heuchelei, Dünkel', *strîtisôd* 'Auseinandersetzung', *sûftôd* 'Seufzen, Seufzer'; *hwassî* 'Schärfe, Scharfsinn'; *ferflohtinî* 'Verstrickung'; *hertida* 'Härte, Festigung'; *bihaltida* 'Beachtung'.

Bei den Adjektiven wurden die alten Suffixe *-isk* und *-ig/-ag* für viele Neubildungen verwendet: *himilisk* 'himmlisch, göttlich', *judeisk* 'jüdisch', *heimisk* 'heimatlich', *-antlâȝig* 'gnädig' (zu *antlâȝ* 'Vergebung'), *ôdmuotig* 'demütig' (zu *ôdmuoti* 'Demut').

Eine bedeutsame Bereicherung der Wortbildungsmöglichkeiten kam dadurch zustande, dass ursprünglich selbständige Wörter zu Suffixen wurden. Bei den Substantiven sind dies vor allem *heit*, *scaf(t)* und *tuom*, die in althochdeutscher Zeit zugleich auch noch als selbständige Lexeme verwendet wurden: *heit* 'Person, Persönlichkeit, Gestalt', *scaf* 'Beschaffenheit, Ordnung, Plan', *tuom* 'Urteil, Gericht' (vgl. engl. *doom*). Bei einigen Bildungen wie *kindheit* 'Kindheit', *fiantscaf(t)* 'Feindschaft, Zwietracht, Kampf' oder *wîstuom* 'Weisheit, Einsicht, Erkenntnis; Wissenschaft, Kenntnis' ist deshalb kaum zu entscheiden, ob es sich für das damalige Sprachgefühl (noch) um ein Kompositum handelt oder (schon) um eine Ableitung.

Bei den Adjektiven vollzieht sich Ähnliches. Adjektive auf *-îg/-ig/-ag*, *-isk* und *-i* (wie *einig* 'einzig', *burtîg* 'gebürtig', *einougi* 'einäugig', *einmuoti/einmuotig* 'einmütig', *frônisk* 'herrlich, heilig') und die auf *-în* gebildeten Stoffadjektive *guldîn, hârin 'hären', hulzîn* 'hölzern', *marmorîn* sowie mit *-bâr(i), -haft, sam(a)* und *-lîh* setzen schon voralthochdeutsche Bildungstypen fort. Erst in Ansätzen greifbar sind Adjektive auf *-bâri*. Dieses Suffix leitet sich von einem ablautenden Stamm des Verbs *bëran* 'tragen' her. Die damit gebildeten Adjektive haben deshalb zunächst die Bedeutung 'tragend, bringend'. Ein Beispiel ist *egebâri* 'schrecklich'. Das zugrundeliegende Lexem ist *egî* 'Furcht, Schrecken'. Die „wörtliche“ Bedeutung ist also 'Schrecken bringend'. Im Neuhochdeutschen werden mit *-bar* vor allem deverbale Adjektive (wie *essbar, lesbar*) gebildet. Diese Entwicklung bahnt sich aber erst allmählich im Mittelhochdeutschen an (s. FLURY 1964).

Das Suffix *-haft* hat die ursprüngliche Bedeutung 'verhaftet, gebunden'. Ein Adjektiv *êrhaft* (zu *êra* 'Ehre') hat also zunächst die Bedeutung 'mit Ehre verbunden', folglich 'ehrwürdig', *sigihaft* (zu *sigu* 'Sieg') bedeutet 'mit Sieg verbunden', also 'sieghaft' (s. HENZEN 1965, 207 f.).

Das Suffix *-sam* (etymologisch zu engl. *same*) bedeutet 'gleichend, -artig'. Für ein Adjektiv *arbeitsam* (von *arbeit* 'Mühsal, Leid, Qual') ist deshalb eine ursprüngliche Bedeutung 'wie eine Qual', also 'quälend' anzusetzen (nhd. *arbeitsam* ist nicht direkt auf das gleich aussehende althochdeutsche Adjektiv zurückzuführen). Ebenso bedeutet *fridusam* (zu *fridu* 'Friede') 'dem Frieden gleichend', also 'friedlich' (s. MÖLLMANN 1994).

Adjektive auf *-lîh* sind im Althochdeutschen zahlreich belegt (für das Gotische sind nur vereinzelte entsprechende Bildungen nachweisbar). Dieses Suffix leitet sich von germ. **lîk-* 'Gestalt, Aussehen' her. Ein Adjektiv ahd. *lioblîh* (zu *liob* 'lieb') bedeutete also 'ein liebes Aussehen habend' und folglich 'lieblich', entsprechend *armalîh* 'von armem Aussehen'. Häufig wurden Adverbien auf *-lîhho* gebildet, ohne dass daneben ein *-lîh*-Adjektiv belegt war. Das lässt darauf schließen, dass sich *-lîhho* schon früh als Adverbialsuffix verselbständigt hatte. Ein Beispiel aus dem „Hildebrandslied“: *heuwun harmlicco huittę scilti* 'sie zerschlugen erbittert weiße Schilde' (s. SCHMID 1998).

Auch andere Zweitkonstituenten sind im Althochdeutschen bereits in der Entwicklung zu Suffixen, so etwa *-lôs* in *ruahhalôs* 'nachlässig' (zu *ruohha* 'Sorge, Fürsorge, Sorgfalt') oder *brôtelôs* 'brotlos, hungrig', *erbelôs* 'ohne Erben' und *-muoti* (zu *muot* 'Gesinnung') in *einmuoti* 'einmütig', *fastmuoti* 'beharrlich, ausdauernd' (zu *fast* 'fest').

Maskuline Nomina agentis alten Typs mit *-o* wie z. B. *boto* 'Bote' (zu *biotan* 'bieten') und *sprëhho* '(Gesetzes-)Sprecher' (zu *sprëhhan* 'sprechen') werden als feste Bestandteile des Wortschatzes zwar beibehalten, teilweise aber auch durch Bildungen mit dem Lehnsuffix *-âri* verdrängt. Statt *sprëhho* wird beispielsweise *sprëhhâri* neu gebildet. Neubildungen erfolgen seit althochdeutscher Zeit fast nur noch mit *-âri*, z. B. *predigâri* 'Prediger' (zu *predigôn* 'predigen'), *trinkâri* 'Trinker, Säufer' (*zu trinken* 'trinken'). Bei den zugehörigen Feminina wird das Suffix *-a* durch *-âra* abgelöst. Das feminine Pendant zu älterem *skrîbo* 'Schreiber' war *skrîba* 'Schreiberin'. Neben *klagâri* 'Kläger' (zu *klagôn* 'klagen') konnte *klagâra* 'Klägerin' gebildet werden (s. WEINREICH 1971).

Den größten Teil der althochdeutschen Literatur machen Übersetzungen aus, und selbst ein poetischer Text wie Otfrids Evangelienbuch steht unter dem Einfluss der christlichen, und das heißt der lateinischen theologischen Terminologie (s. FUSS 2000). Das führte dazu, dass eine ganze Reihe neu zu schaffender Termini nach lateinischen Strukturmustern gebildet wurde (s. BETZ 1974). Beispiele dafür sind ahd. *einsidilo* 'Einsiedler' (nach lat. *monachus*), *gimeinida* 'Gemeinschaft' (nach *communio*), *giwizzan* 'Gewissen' (nach *conscientia*), *bijiht* 'Bekenntnis, Gelöbnis' (nach *confessio*), *armhërz* 'barmherzig' (nach *misericors*; unter Einfluss von ahd. *irbarmen* 'erbarmen' wurde daraus *(er)barmhërzig*).

Um die Jahrtausendwende, am Ende der althochdeutschen Periode, schuf Notker von St. Gallen († 1022) in seinem Übersetzungs- und Kommentierungswerk eine eigene philosophische und theologische Terminologie in Äquivalenz zu seinen lateinischen Quellen (s. COLEMAN 1964, JAEHRLING 1969, SEHRT 1962). Beispiele sind *fore(ge)wizzeda* 'Voraus-, Vorherwissen', *furedâht* 'Voraussicht', *gagansiht* 'Beziehung', *gagansihtigo* 'in Form einer Beziehung', *hogezunga* 'Sinnen, Gedanke', *houbethafti* 'Hauptgrund, Ursprung', *kehugida* 'Gedächtnis, Erinnerung', *irhugida* 'Gedenken, Erinnerung', *gejiht* in der speziellen Bedeutung 'Aussage, Bejahung; Prämisse', *bechenneda* 'Erkenntnis, Einsicht; Begriff; Kennzeichen' u. a.

Vielfach wurden ältere Wörter mit neuer Bedeutung verwendet. So bezeichnete germ. *þinga* die Volksversammlung aller Freien, die über Krieg und Frieden entschieden, die den Heerführer oder den König wählte und auf der Recht gesprochen wurde. Diese Bedeutungen sind zwar im Althochdeutschen noch fassbar, aber ahd. *thing* bedeutete auch 'Ding, Sache, Gegenstand, Angelegenheit; Wesen; Verhältnis, Lage, Stellung; Grund, Ursache, Art und Weise; Wichtigkeit' (heute stimmt *Ding* in ganz verallgemeinerter Verwendung mit *Sache* überein (s. KARG-GASTERSTÄDT 1958). In *gedungener Mörder* oder *dingfest machen* klingen Reste der alten Bedeutung noch nach.

Die Bereicherung des Wortschatzes durch eigenständige Bedeutungsveränderungen und durch Lehnübersetzungen wurde begleitet vom Bedeutungs- und Bezeichnungswandel alter deutscher Wörter durch Einfluss vom Lateinischen her. So bezeichnete ahd. *hella* 'Hölle', das zum Verb *hëlan* 'hehlen, verbergen' zu stellen ist, etwas im Verborgenen Liegendes (heute gibt es mancherorts noch den Flurnamen *Hölle*). Unter christlichem Einfluss wurde das Wort auch als Bezeichnung für den unter der Erde liegenden und deshalb verborgenen Aufenthaltsort der Verdammten verwendet. Damit wurde das Bedeutungskonzept von lat. *infernum* 'Unterwelt, Hölle' übernommen. Ahd. *(h)riuwa* bedeutete zunächst 'Leid, Trauer, Schmerz, Unglück, Klage'. Unter dem Einfluss von lat. *contritio* 'Zerknirschung, Reue' erhielt es die Bedeutung, die es letztlich bis heute behalten hat. Ahd. *buoza* bedeutete ursprünglich 'Besserung, Wiedergutmachung' ohne religiöse Konnotation und veränderte unter dem Einfluss von lat. *satisfactio*, das selbst zunächst 'Genugtuung, Rechtfertigung' bedeutete und erst im Mittellateinischen im christlichen Sinne von 'Buße' verwendet wurde, seine Hauptbedeutung. Die gegenwartssprachlichen Wörter *Lückenbüßer* (seit dem 16. Jh. belegt) und *Bußgeld* bewahren noch Reste der ursprünglichen Bedeutung.

Im gesamten Wortbestand vollzogen sich bedingt durch die tiefgreifenden Wandlungen in allen Lebensbereichen in althochdeutscher Zeit vielfältige Veränderungen. So verschwanden im Verlauf dieses Zeitraumes heidnische Wörter wie *alah* 'Tempel' und *wîh* 'Heiligtum, Hain, Tempel'. Das Adjektiv *wîh*, von dem auch *Weihe* und *weihen* abgeleitet sind, lebte in der Bedeutung 'heilig' (substantiviert 'Heiliger, Christus') fort. Es ist auch im Wort *Weihnachten* (aus mhd. *ze den wîhen nahten* 'in den heiligen Nächten') enthalten. Weitere Lexeme, die mit dem vorchristlichen, heidnischen Kult in Verbindung standen, wurden unter christlichem Einfluss nicht mehr weiterverwendet. z. B. *zëbar* 'Opfer(tier)', das indirekt noch in *Ungeziefer* (ursprüngliche Bedeutung wohl 'unreines, nicht zum Opfer geeignetes Tier') fortlebt, *bluostar* 'Opfer', *bigalan* 'magisch besingen, beschwören', das noch im zweiten „Merseburger Zauberspruch" vorkommt (*thu beguol en Sinthgunt, Sunna era suister; thu beguol en Friia, Uolla era suister; thu biguol en Uuodan, so he uuola conda* 'da beschwor ihn (gemeint ist das am Fuß verletzte Pferd) Sinthgunt [und] Sunna, ihre Schwester; da beschwor ihn Freia [und] Volla, ihre Schwester; da beschwor ihn Wotan, wie [nur?] er es gut vermochte'). Ein aus dem Germanischen ererbtes Wort für 'vornehme Frau', vielleicht auch 'weibliche Gottheit', ist *itis*. Es kommt im ersten „Merseburger Zauberspruch" vor (*Eiris sazun Idisi, sazun hera duoder* 'einst saßen Idisen, saßen hier und dort'). Es wurde durch *frouwa* 'vornehme Frau, Herrin', die feminine Entsprechung zu *frô* 'vornehmer Mann, Herr', verdrängt, das seinerseits zunehmend durch ahd. *hêriro* mit den Varianten *hêrôro* und *hêr(r)o* ersetzt wurde. Es ist der substantivierte Komparativ von *hêr* 'alt, ehrwürdig, ranghoch' und als solcher wahrscheinlich eine Nachahmung von lat. *senior*.

Schon aus diesen wenigen ausgewählten Beispielen wird deutlich, dass in althochdeutscher Zeit viele Möglichkeiten zur Wortschatzerweiterung genutzt wurden.

Starke Erweiterung erfuhr der althochdeutsche Wortbestand durch die Integration von lateinischen Lehnwörtern (grundlegend BETZ 1974). Schon in vorliterarischer Zeit waren einige Lehnwörter aus dem Griechischen und Lateinischen möglicherweise durch gotisch-arianische Missionare ins Oberdeutsche gekommen (zur Problematik vgl. FEULNER 2004, 2005), z. B. ahd. *fimfchusti* 'Pfingsten' (aus gr. *pentekoste* (*hemera*), eigentlich 'der 50. Tag (nach Ostern)', ahd. *sambaȝtag* 'Samstag' (über eine „vulgärgriechische" Variante *sambaton* zu gr. *sabbaton*, dieses aus hebr. *šabbât*), ahd. *pfaffo* < gr. *papas* 'Geistlicher' (die abschätzige Bedeutung von *Pfaffe* ist neuzeitlich). Auch ahd. *tiufal* 'Teufel' mit verschiedenen Laut- und Schreibvarianten (aus lat. *diabolus*, das seinerseits aus gr. *diabolos* 'Verwirrer, Verleumder' entlehnt ist) gehört zu dieser frühen Lehnwortschicht, die von der Zweiten Lautverschiebung betroffen worden ist und folglich schon vor deren Eintreten ins Voralthochdeutsche übernommen worden sein muss. Die jüngere Schicht bilden fast ausschließlich aus dem Lateinischen stammende Wörter aus den Bereichen Gottesdienst, (Kloster-)Schule, kirchliche und öffentliche Verwaltung.

Althochdeutsche Beispiele aus dem kirchlichen Bereich sind *altâri* 'Altar' (aus *altare*), *chôr* (aus *chorus*), *missa* mit der Variante *mëssa* 'Messe' (aus *missa*), *organa* 'Orgel' (aus *organum*), *predigôn* 'predigen' (aus *praedicare*), *abbat* 'Abt' (Entlehnungsgrundlage ist der Akk. *abbat-em*). Ahd. *kapel(l)a* 'Kapelle' geht auf lat. *cap(p)ella* zurück, ein Diminutivum zu *cappa* 'Kapuzenmantel'. Als *cap(p)ella* wurde zunächst ein kleines Kirchlein in der französischen Stadt Tour bezeichnet, in dem ein Mantel (eben die *capella*) des hl. Martin aufbewahrt wurde. Von dieser Reliquie wurde die Bezeichnung metonymisch auf das sie beherbergende Gebäude übertragen. Im weiteren Verlauf wurden dann auch andere ähnliche kleine Bethäuser und Gebetsräume in Pfalzanlagen so genannt.

Zum Bereich der Klosterschule gehören beispielsweise die althochdeutschen Wörter *skrîban* 'schreiben' (aus *scribere*), ahd. *grif(f)el* 'Griffel' (aus lat, *graphium*, das seinerseits aus dem Griechischen kommt), *tabel(l)a* 'Tafel' (aus *tabula*; eine Neuentlehnung im 17. Jh. führte zu *Tabelle*), *briaf* 'Brief' (aus *breve* 'kurzes Schreiben, Urkunde'), *tincta* 'Tinte' (aus *aqua tincta* 'gefärbtes Wasser'), *skuola* 'Schule' (aus *scola*), *meistar* 'Meister, Lehrer' (aus *magister*).

Frühmittelalterliche Klöster betrieben einen wesentlich umfangreicheren und fortschrittlicheren Land- und Gartenbau, als es auf den Dörfern üblich und überhaupt möglich war. Eine Reihe von importierten Kulturpflanzen trägt lateinische Namen, weil die frühe Klosterkultur nördlich der Alpen letztlich spätantike mediterrane Vorbilder hatte. Althochdeutsche Bezeichnungen aus diesem Bereich sind beispielsweise *bira* oder *pira* 'Birne' (aus *pira*), *lilia* 'Lilie' (aus *lilia*, dem Pl. von *lilium*), *rôsa* 'Rose' (aus *rosa*), *fiol* 'Veilchen' (aus *viola*), *lavendula* 'Lavendel' (dieses zu lat. *lavare* 'waschen' wegen der Verwendung als Zusatz für Bäder), *lat(t)ucha* 'Lattich' (aus *lactuca*), *petarseli* 'Petersilie' (aus *petrosilium, petrosillum*), *salbeia* 'Salbei' (aus *salvegia*).

Entlehnte Termini der profanen althochdeutschen Verwaltungssprache sind z. B. *zirk* 'Kreis, Umkreis, Gebiet' (aus *circus* 'Kreis'), *corôna* 'Krone, Kranz' (aus *corona*), *fogat* 'Richter, Rechtsbeistand' (aus lat. *advocatus*; eigentlich 'Herbeigerufener'; im Frühneuhochdeutschen neu entlehnt als *Advokat*). Ein besonderes Kapitel der althochdeutschen Verwaltungssprache ist die Festlegung der Monatsnamen, die Karl der Große seinem Biographen Einhard zufolge angeordnet hat. Dabei wurden die lateinischen Benennungen durch volkssprachliche ersetzt. Einhard schreibt: *Et de mensibus quidem januarium uuintarmânôth, februarium hornung, martium lentzimânôth, aprilem ôstarmânôth maium uuinnemânôth, junium brâchmânôth, julium heuuimânôth, augustum aranmânôth, septembrem uuitumânôth, octobrem uuindumemânôth, novembrem herbistmânôth, decembrem heilagmânôth appellavit* 'und von den Monaten nannte er den Januar Wintermonat, den Februar Hornung, den März Lenzmonat, den April Ostermonat, den Mai Weidenmonat, den Juni Brachmonat, den Juli Heumonat, den August Erntemonat, den September Holzmonat, den Oktober Weinlesemonat, den November Herbstmonat, den Dezember Heiligmonat'.

1.2.4.4 Zu den Textsorten

Die vom 8. bis zum 11. Jahrhundert aufgezeichneten Texte decken, obwohl sie durchwegs von Geistlichen in Kloster- oder Domskriptorien niedergeschrieben worden sind, bereits ein breites inhaltliches Spektrum ab (s. SCHWARZ 2000, BRAUN 2017). Das Althochdeutsche Lesebuch (BRAUNE 1994) und weitere Anthologien (SCHLOSSER 2004, MÜLLER 2007) dokumentieren eine weit gefächerte Thematik. Die einzelnen Texte behandeln unterschiedliche Thematiken mit sehr verschiedenen inhaltlichen und sprachlichen Gestaltungen. Der Großteil des Überlieferten ist im weitesten Sinne religiös; aber auch Profanes wurde gelegentlich niedergeschrieben. Das Spektrum reicht, was den Umfang angeht, von Kurztexten, die als Lückenfüller auf leer gebliebenen Stellen in lateinischen Handschriften eingetragen wurden, bis zu Otfrids Großepos, was die Themen betrifft, von Predigt und Traktat über Historisches bis hin zur Magie.

Mit dem „Hildebrandslied" und den „Merseburger Zaubersprüchen" werden mündlich tradierte Texte in stabreimender Versform aus älterer Zeit festgehalten. Die Markbeschreibungen, die zahlreichen Schenkungsurkunden, die „Straßburger Eide", das

Bruchstück der „Lex Salica“, das „Trierer Capitulare“ (eine interlineare Übersetzung des Kapitels VI der „Capitula legibus addenda“ Ludwigs des Frommen und Lothars von 818) sind Zeugnisse für die früheste Rechts- und Verwaltungssprache.

Die Glossen (einzelne volkssprachliche Worteinträge in lateinischen Handschriften) und Glossarien (alphabetisch oder sachlich sortierte lateinisch-deutsche „Wörterbücher“) führen in den Wissenschafts- und Schulbetrieb des Frühmittelalters. Am häufigsten glossiert ist natürlich die Bibel und innerhalb der Bibel wiederum der Psalter (s. HELLGARDT 2001). Zahlenmäßig folgen die Schriften des Papstes Gregors des Großen. Die häufig ad hoc eingetragenen volkssprachlichen Glossen zeigen aber auch, welche antiken (z. B. Vergil, Horaz) und damals „modernen“ Autoren (z. B. Alkuin, Hrabanus Maurus) studiert worden sind (einen Überblick über den gegenwärtigen Stand der Glossenforschung gibt das Handbuch von BERGMANN/STRICKER 2009; sämtliche bisher bekannten Handschriften, die althochdeutsche oder altsächsische Glossen enthalten, sind in BERGMANN/STRICKER 2005 verzeichnet; Nachträge und Ergänzungen bereits in NIEVERGELT 2011). Vereinzelt finden sich auch Einträge, die einen kurzen Blick in das Alltagsleben der Klosterschüler erlauben, etwa dann, wenn man an einem Blattrand den Eintrag liest *anges ist tir morgene coram magistro* ‘morgen hast du wieder Angst vorm Lehrer’.

Notkers von St. Gallen philosophische Schriften stellen den bereits erstaunlich gut gelungenen Versuch dar, eine althochdeutsche Wissenschaftsterminologie im Bereich der „septem artes liberales“, der „sieben freien Künste“, nämlich Grammatik, Rhetorik, Dialektik („Trivium“) und Arithmetik, Geometrie, Musik, Astronomie („Quadrivium“), zu schaffen. Allerdings hatte schon gegen Ende des 8. Jahrhunderts ein hervorragender Übersetzer einen theologischen Traktat des Bischofs Isidor von Sevilla († 636) über die göttliche Trinität und die Natur Christi in ein gewandtes, von lateinischen syntaktischen Strukturen weitgehend emanzipiertes Althochdeutsch übertragen und gleichzeitig eine eigene theologische Fachterminologie entwickelt (s. KROTZ 2002).

Gebete, Beichten, Glaubensbekenntnisse, Predigten sowie Übersetzungen und Erklärungen des Vaterunsers sind Texte für das religiöse Alltagsleben (eine Zusammenstellung solcher Texte enthält der „Weißenburger Katechismus“), während mit dem Christus-Epos Otfrids und dem altsächsischen Gegenstück „Heliand“, der nur fragmentarisch überlieferten altsächsischen „Genesis“ und einigen Kleindichtungen wie „Christus und die Samariterin“ oder der poetischen Paraphrase des Psalms 138 biblische Stoffe in der Volkssprache für ein gehobenes Laienpublikum aufbereitet wurden. Die lateinisch-althochdeutsche Evangelienharmonie, die nach ihrem syrischen Urheber als „Tatian“ bezeichnet wird, stand im Dienste der philologischen Textkritik der Karolingerzeit. Die zeilengetreue Ausgabe von ACHIM MASSER 1994 lässt das Konzept der Übersetzer und den Bezug der althochdeutschen Textkolumnen auf die lateinischen sichtbar werden.

Außer dem „Hildebrandslied“, dem einzigen Zeugnis vorchristlicher, altgermanischer Heldendichtung in althochdeutscher Sprache, hat auch das endreimende „Ludwigslied“ einen individuellen Protagonisten. Es wurde kurz nach dem Sieg Ludwigs III. über die Normannen bei Saucourt (881) verfasst. Dichtungen wie das „Petruslied“ und das „Georgslied“ weisen in den Bereich der Heiligenverehrung. Das lateinisch-althochdeutsche „De Heinrico“, dessen historische Bezüge nicht ganz geklärt sind, handelt vom Friedensschluss zweier Herrscher. Das „Wessobrunner Gedicht“ und das „Muspilli“ handeln vom Anfang bzw. dem Ende der Welt. Beide weisen noch den alten

Stabreim auf. Im „Muspilli“ sind jedoch bereits Endreimspuren auszumachen. In Teilen handelt es sich auch um eine Bußpredigt in Versform.

Der tradierten (lateinischen) Textsorte „Urkunde“ stehen die Markbeschreibungen aus Hammelburg (heute bayrisches Unterfranken) und Würzburg nahe.

Ganz archaisches Althochdeutsch wird greifbar in volkssprachlichen Rechtstermini, die sich in den auf Latein niedergeschriebenen frühmittelalterlichen Volksrechten („Lex Salica“, „Lex Ribuaria“, „Lex Alemannorum“, „Lex Baiuvariorum“, „Lex Saxonum“, „Lex Frisonum“, „Lex Thuringorum“) finden. Sie wurden zwischen dem 6. und 9. Jahrhundert verfasst (s. HAUBRICHS 1995, 152–156). Von Bedeutung vor allem für die früheste Überlieferung des Althochdeutschen sind auch Orts- und Personennamen in lateinischen Texten (hierzu GEUENICH 1992, SCHMIDT-WIEGAND 2000, 2006).

1.2.4.5 Frühe Bezeugungen des Wortes ‘deutsch’

Das Althochdeutsche war, wie bereits gesagt, keine einheitliche Sprache, nicht im schriftlichen und erst recht nicht im mündlichen Gebrauch. Die bereits genannten Dialekte und Dialektgruppen lassen sich zumindest annähernd aus den schriftlichen Aufzeichnungen der Klöster und Kanzleien in den einzelnen Gebieten ermitteln, sofern sie nicht in lateinischer Sprache abgefasst sind. Die einzelnen Stämme und Stammesverbände waren zwar durch die Franken – meist zwangsweise – einem Reichsverband einverleibt worden, aber das Fränkische war nicht die allgemeinverbindliche und allgemeingebräuchliche Sprache innerhalb dieses Reichsgebildes. Auch nach der Teilung in ein fränkisches Ost- und ein Westreich im Jahre 840 änderte sich nichts Grundlegendes an diesen Verhältnissen, und es dauerte noch lange, ehe sich – zuerst in den Köpfen der Eliten – ein Bewusstsein dafür entwickelte, dass die Menschen in diesem Reichsverband trotz aller dialektalen Unterschiede letztlich doch eine gemeinsame und verbindende Sprache verwendeten. Erst in mittelhochdeutscher Zeit werden Verwendungen des Wortes *diutisch* ‘deutsch’ greifbar, die darauf schließen lassen, dass man es nun auch als Bezeichnung für Sprache, Leute und Land verwendet hat (den Forschungsstand referiert REIFFENSTEIN 2003).

Der Ursprung des Wortes reicht jedoch viel weiter in die Vergangenheit zurück. Zunächst tritt es in lateinischen Quellen auf. So berichtet der päpstliche Nuntius und Bischof von Amiens in Nordfrankreich, Georg von Ostia, im Jahre 786 dem Papst Hadrian I. von zwei Synoden, die er in England abgehalten hatte. Die Beschlüsse der ersten Synode waren in der zweiten verlesen worden, und zwar *tam latine quam theodisce, quo omnes intellegere possunt* ‘sowohl lateinisch wie auch *theodisce* (d. h. in der Volkssprache), damit alle es verstehen könnten’. Der italienische Bischof Georg meinte um die Mitte des 8. Jahrhunderts mit *theodisce* also die Volkssprache in England. Der Gegensatz zum Latein ist klar ersichtlich. Ein zweiter Beleg stammt aus dem Jahre 813. Anlässlich einer Synode in Tours weist Karl der Große die Geistlichen darauf hin, dass die Predigten in *rusticam Romanam linguam aut theodiscam, quo facilius cuncti possint intellegere, quae dicuntur* ‘in romanischer Volkssprache oder der des germanischen Volksteils, damit alle um so leichter verstehen, was gesagt wird’, zu halten seien. Die Begründung für die Forderung nach Verwendung der Volkssprache ist in beiden Textstellen gleich, aber die mit *theodisce* benannten Sprachträger unterscheiden sich. Nun sind damit eindeutig die Bewohner der Osthälfte des Reiches, aus der später Deutschland hervorgehen sollte, gemeint. Die Einwohner der Westhälfte, des späteren Frankreichs, sprechen *rusticam Romanam linguam* ‘die landläufige romanische Sprache’.

Ein weiterer Beleg ähnlicher Art stammt aus dem Jahre 842. Die beiden Söhne Ludwigs des Frommen, Ludwig der Deutsche und Karl der Kahle, die das Ost- und das Westreich erhalten hatten, verbündeten sich gegen ihren älteren Bruder Lothar, den Herrscher über das Mittelreich (nach ihm ist *Lothringen* benannt). Sie besiegelten dieses Bündnis vor ihren Heeren durch einen Eid, den jeder der beiden in der Sprache des anderen Heeres vortrug: *Ludhuuicus romana, Karolus vera teudisca lingua iuraverunt* 'Ludwig schwor in romanischer, Karl aber in deutscher Sprache'. Die Heere sollten verstehen, was der verbündete Herrscher von der anderen Seite sagte. Die beiden Heere legten den Schwur jeweils in ihrer eigenen Sprache ab. In jedem Teil des Reiches gab es also damals eine eigene Sprache, so dass man einander nicht verstand (s. GEUENICH 2000). Die *romana lingua* des Westreiches ist das Altfranzösische, die *theudisca lingua* des Ostreiches muss eine fränkische Mundart des Althochdeutschen, wohl das Rheinfränkische gewesen sein. Die beiden Herrscher selbst schworen sozusagen „übers Kreuz" in der Sprache der Krieger des Bruders, um von denen verstanden zu werden.

Ein weiteres Beispiel stammt aus dem Jahre 788. Anlässlich einer Reichsversammlung der *Franci et Baioarii, Langobardi et Saxones* wird der Baiernherzog Tassilo zum Tode verurteilt, weil er (angeblich) ein Verbrechen begangen hatte, *quod theodisca lingua harisliz dicitur* 'das in der Volkssprache harisliz genannt wird'. Dieses *harisliz* lässt sich am besten mit 'Heerspaltung' wiedergeben, etwas freier (und anachronistisch) vielleicht mit 'Fahnenflucht'. Dieser Beleg ist insofern aufschlussreich, als *theodisca lingua* hier – möglicherweise! – als stammesübergreifende, gemeinsame und übergeordnete Sprachform verstanden werden kann. (Tassilo wurde schließlich zu Blendung und lebenslanger Klosterhaft in Kremsmünster „begnadigt".)

Auch in der lateinischen Vorrede zum „Heliand" ist von *theudisca lingua* die Rede. Otfrid von Weißenburg verwendet in der lateinischen Widmung seines Werkes an den Erzbischof Luitbert von Mainz mehrfach *theodisce* (neben *franzisce*) mit Bezug auf die Sprache der zu übersetzenden Werke.

Erst im frühmittelhochdeutschen „Annolied" vom Ende des 11. Jahrhunderts wird das Wort *diutisch* sowohl auf die Sprache als auch auf Land und Leute angewandt. Aussagekräftige Kontexte sind die ... *diutischin sprechin* 'die Deutsch sprechen' – *diutische man* 'deutsche Männer', *diutischi liudi* 'deutsche Leute' – *diutische lant* 'deutsche Lande', in *diutischemi lande* 'in deutschem Land', *zi diutischimo lande* 'zum deutschen Land'. Hier wird also von deutscher Sprache und nicht mehr von Fränkisch, Bairisch, Langobardisch und Sächsisch gesprochen, obwohl einzelne Stämme – Franken, Swaven, Peiere, Sahsin, Duringe – in diesem Werk genannt werden. In der „Kaiserchronik" (um 1150) wird *in Diutisk lant* 'in deutsches Land' geschrieben. Die Zusammenschreibung *Deutschland* setzt sich erst im 16. Jh. endgültig durch.

Das Wort *deutsch* geht zurück auf ein älteres Adjektiv **þeodisk* 'zum Volk gehörig', das von germ. **þeudô-* 'Volk' abgeleitet ist. In den ältesten schriftlichen, in lateinischer Sprache abgefassten Belegen wird es als ein aus dem Germanischen entlehntes Wort verwendet, um zunächst die Volkssprache gegenüber dem Lateinischen, der Amtssprache der weltlichen und geistlichen Oberschicht, dann aber auch das Germanische gegenüber dem Romanischen zu kennzeichnen. Das Wort **þeudo-* ist in vielen aus dem Germanischen ererbten Eigennamen enthalten: *Dietrich, Dietmar, Dietlind, Detlev,* auch in Ortsnamen wie *Detmold,* ebenso in frz. *Thionville*/dt. *Diedenhofen.* Die englische Bezeichnung für das Niederländische, nämlich *Dutch,* ist etymologisch gesehen nichts anderes (vgl. zusammenfassend KLUGE 2001, 194 f.).

1.3 Das Deutsch des Hochmittelalters (1050–1250)

1.3.1 Die Zeit der Ottonen und Salier: Entstehen eines volkssprachlichen Selbstbewusstseins

Um das Jahr 1000 oder kurz danach bekommt das volkssprachige Textieren eine neue Qualität; der berühmte St. Gallener Mönch Notker III. mit dem Beinamen Labeo oder Teutonicus (etwa 950 bis 1022) drückt diese neue Qualität in einem Brief an den Bischof Hugo II. von Sitten aus:

Scio tamen quia primo abhorrebitis quasi ab insuetis. Sed paulatim forte incipient se commendare vobis et praevalebitis ad legendum et ad dinoscendum, quam cito capiuntur per patriam linguam quae aut vix aut non integre capienda forent in lingua non propria.
(Ich bin mir zwar bewusst, dass Ihr zunächst davor [d. h. vor volkssprachigen Texten] zurückschrecken werdet wie vor etwas Ungewohntem. Aber nach und nach werden sie Euch belieben, und Ihr werdet sie zu lesen vermögen und erkennen, wie schnell man in der Muttersprache begreift, was man in einer fremden Sprache kaum oder nicht völlig erfassen kann.)
(Zit. nach SONDEREGGER 1970, 83, hier auch die Übersetzung.)

Notker übersetzt also, vornehmlich Werke aus dem kirchlichen Bereich, in die Volkssprache, weil diese schon allein dadurch ihren Eigenwert habe, dass sie das Verstehen ganz wesentlich erleichtere, wenn nicht überhaupt ermögliche. Er nimmt Rücksicht auf ein Publikum, das des Lateinischen nicht von vornherein mächtig ist.

Dieser grundlegende Wandel in der Funktion der Volkssprache geht einher mit einem ebenso fundamentalen Wandel in der Reichsidee: Die Krönung Karls des Großen zum römischen Kaiser war eine *renovatio imperii,* also eine Erneuerung des römischen Reiches, während die Ottonen für sich eine *translatio imperii,* eine Übertragung auf das deutsche Reich, in Anspruch nehmen. Dementsprechend legt sich Otto II. (deutscher König 961, römischer Kaiser 967, gestorben 983) den Titel *Imperator Romanorum augustus* zu, während sich noch sein Vater Otto I. der Große bloß *Imperator augustus* nannte. Man besinnt sich damals in vielfacher Hinsicht des Eigenwertes, was eben nicht ohne Auswirkung auf das kulturelle Leben bleibt.

Selbst wenn auch noch in der Zeit der Salier, die auf die Ottonen folgen (erster salischer König ist Konrad II., 1024–1039, die Dynastie erlischt 1125 mit Heinrich V.), volkssprachige Texte sehr selten sind, so bereitet sich in diesem Zeitraum der wesentliche literatursoziologische Wandel vor, der die hochmittelalterliche Situation, die, wie wir sehen werden, vor allem durch ein laikales Selbstbewusstsein gekennzeichnet ist, erst ermöglicht: Schon früh begegnen Autoren, die „sich selbst als Laien zu erkennen“ geben (Frau Ava, der Arme Hartmann, Heinrich von Melk), obschon sie geistliche Literatur schreiben und aus diesem Grund wohl in enger „Verbindung zu geistlichen Lebensformen“ stehen (KARTSCHOKE 1990, 217). Dennoch, der Dichter des „Ezzoliedes“ (1. Hälfte 12. Jh.) wendet sich explizit an 'Herren': *Nû wil ih iu herron/heina wâr reda vor tuon* (WAAG/GERNENTZ 1970, 59); in der „Rede vom heiligen Glauben“ des Armen Hartmann (Mitte 12. Jh.), der sich selbst den Ungelehrten zurechnet (*Ich unde andre tumben*; MAURER 1965, 580), werden Ungelehrte explizit in 'deutscher Sprache' adressiert (*von dem selben glouben woldich sprechen,/besceidenliche rechen//mit dutiscer zungen/ze lere den tumben.* MAURER 1965, 573); Heinrich von Melk (2. Hälfte

12. Jh.), der sich selbst einen Laien nennt (*wir leien*; MAURER 1970, 315), zielt auch in seinem Gedicht „Von des todes gehugede“ auf Laien (*dar an ist aller min gedinge,/daz ich werltlichen liuten/besceidenlichen muoze bediuten/ir aller vreise unt ir not.* MAURER 1970, 303); auf diese Weise tun diese Autoren kund, dass sie, im Gegensatz zur althochdeutschen Literatur des 9. und 10. Jh., den klösterlichen Umkreis verlassen haben, wenngleich es nicht zu rekonstruieren ist, wer oder was mit solchen Bezeichnungen wie ‚Laie' gemeint ist.

Die drei soeben genannten Texte werden in Handschriften mit lateinischen Texten, möglicherweise als Blattfüllsel, eingetragen. Gegen das Ende des 12. Jh. entstehen dann Sammelhandschriften mit deutschen Texten, z. B. die „Wiener Handschrift“ (cod. Vind. 2721), die Werke deutscher Bibelepik („Altdeutsche Genesis“, „Jüngerer Physiologus“, „Altdeutsche Exodus“) enthält, oder die berühmten Sammelhandschriften aus Millstatt und Vorau, die schon weit umfangreicher sind (in der Vorauer Handschrift steht auch die „Kaiserchronik“) – dies alles ist ebenfalls ein Indiz für das weiter gestiegene Prestige der Volkssprache. Auch wenn es für mittelalterliche Texte, zumal für früh- und hochmittelalterliche, schwer ist, zwischen ‚geistlichem' und ‚weltlichem' Inhalt zu unterscheiden, so ist doch bemerkenswert, dass eben die Vorauer Handschrift neben den bibelepischen auch historische Texte aufgenommen hat, wenngleich der heilsgeschichtliche Charakter des Ganzen nicht zu übersehen ist.

In diesem Zusammenhang steht auch das „Alexanderlied“ des Pfaffen Lambrecht, das ebenfalls durch die Vorauer Handschrift überliefert ist. Der Autor nennt sich im Prolog mit Namen und betont seinen Stand (*pfaffe* ist im mittelalterlichen Deutsch „allgemeine Bezeichnung des Weltgeistlichen ohne verächtlichen Nebensinn, der erst seit der Reformation aufkommt“; PAUL 1992, 645), man möchte annehmen, dass er sich vom ‚Mönch' bewusst abheben will: *Diz lît, daz wir hî wurchen,/daz sult ir rehte merchen./Sîn gevuoge ist vil reht./Iz tihte der phaffe Lambret* (LAMBRECHT 2007, 54). Zudem weist der Pfaffe Lambrecht darauf hin, dass sein Werk auf eine französische Vorlage, also nicht mehr auf eine lateinische, zurückgehe: *Alberich von Bisinzo/der brâhte uns diz lît zuo./Er hetez in Walhisken getihtet,/nû sol ich es euh in Duotisken berihten* (ebd.). Immer noch aber stellt der Pfaffe Lambrecht sein Werk unter das geistliche Motto *vanitatum vanitas*, wodurch die schon erwähnte heilsgeschichtliche Funktion des ganzen Textes deutlich herausgestellt wird; dennoch ist diese Erzählung „nicht von einer weltfeindlichen Haltung bestimmt, sondern von der Bewunderung für die Taten des großen Makedonenkönigs, der sich von Jugend auf als vorbildlicher Herrscher bewährt“ (BUMKE 1990, 65). Daran lässt sich gut ein geändertes Publikumsinteresse ersehen: Der Autor, selbst noch ein Geistlicher, schreibt für Laien, die nicht mehr ausschließlich an geistlicher Thematik interessiert sind.

Ähnlich ist auch das „Rolandslied“ des Pfaffen Konrad, entstanden um 1170, zu sehen. Der Autor stellt sich und seine Arbeitsweise im Epilog vor: *Ob iu daz liet gevalle,/sô gedencket ir mîn alle./ich haize der phaffe Chunrât./alsô ez an dem buche gescribin stat/in franzischer zungen,/sô hân ich ez in die latîne betwungen,/danne in die tiutische gekêret* (KONRAD 1993, 608). Der Pfaffe Konrad nimmt also seinen Stoff aus dem französischen Chanson de geste, übersetzt es, soweit man ihm trauen darf, zunächst ins (vertraute?) Latein und erst dann in seine Muttersprache, und macht, im Gegensatz zu seiner Quelle, die „Kreuzzugsidee [...] zum ideologischen Fundament der Handlung“ (NELLMANN 1985, 123), also wiederum ein geistlicher Autor, der weltliches Publikum ansprechen will.

Mit diesen Texten aber haben wir den salischen Zeitraum verlassen.

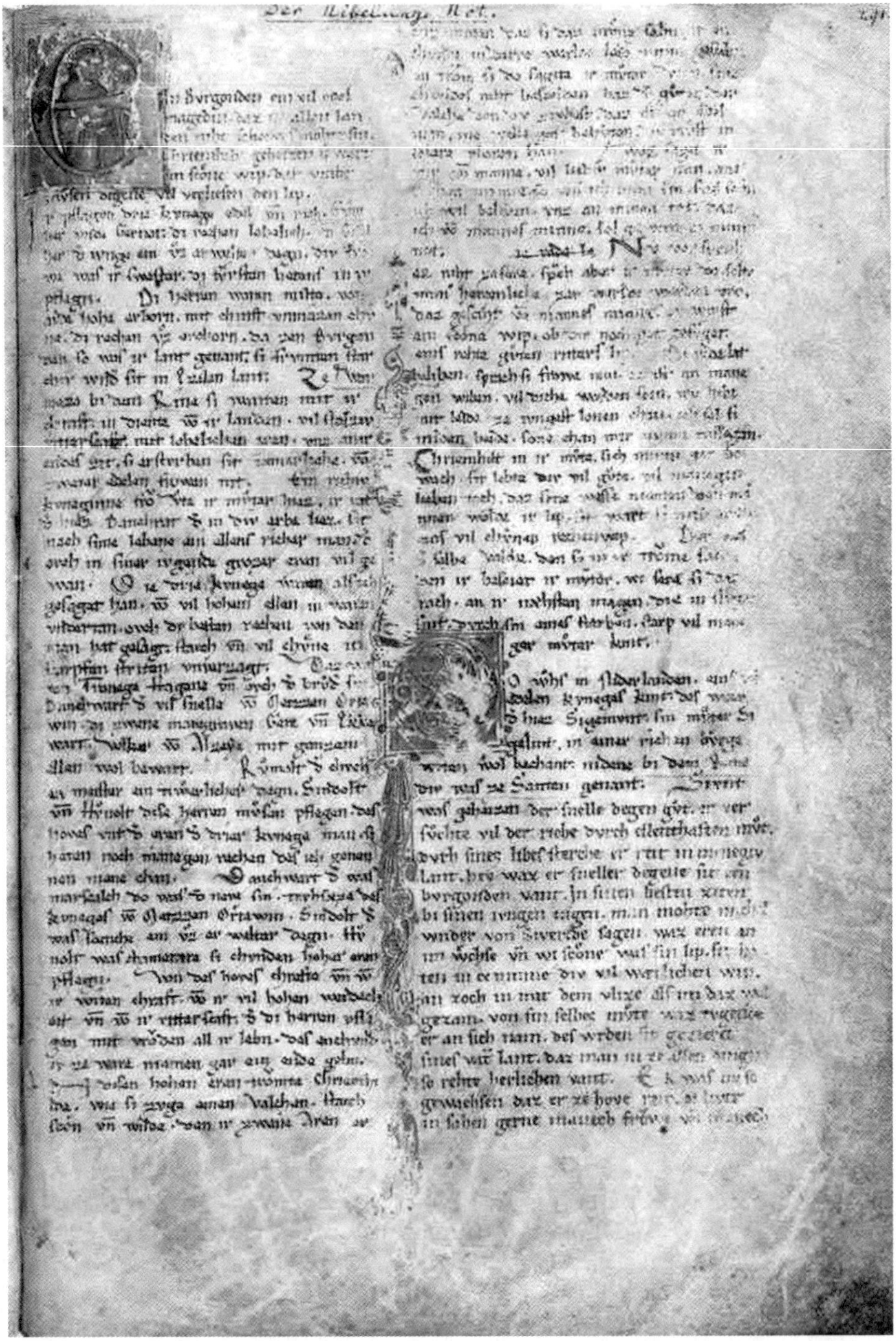

Abb. 7: Die erste Seite des „Nibelungenliedes“ in der St. Galler Nibelungenhandschrift B (Cod. Sang. 857) aus Nibelungenlied 2003

1.3.2 Staufische Klassik: Die höfische Dichtersprache

Das „Nibelungenlied“ (Ausgabe: Nibelungenlied 2007), ein Heldenepos, das in der heute gültigen Form zwischen ca. 1180 und 1210 entstanden ist, schildert in der 1. Aventiure (vgl. auch Abb. 7) den Hof der Burgunderkönige, an dem auch Kriemhild mit ihren drei königlichen Brüdern lebt:

Ze Wormez bî dem Rîne si wonten mit ir kraft.
in diente von ir landen vil stolziu ritterscaft
mit lobelîchen êren unz an ir endes zît. (Str. 6)

Zu den ‘Rittern’, die an diesem Hofe dienen, gehören

Dancwart der was marscalch, dô was der neve sîn
truhsæze des küneges, von Metzen Ortwîn.
Sindolt der was scenke, ein ûz erwelter degen.
Hûnolt was kameræ re. si kunden hôher êren pflegen. (Str. 11)

Diese Verse spiegeln das Resultat eines historischen bzw. gesellschaftlichen Wandels wider: Im frühen Mittelalter wurde die ‚Herrschaft‘ kaum an festen Residenzorten ausgeübt; das geschah vielmehr in Form einer ‘Reiseherrschaft’, das heißt „in der Form, daß der Herrscher selber, zusammen mit seinem Hof, ständig im Land herumzog und auf den Stationen seines Reiseweges Recht sprach und die Großen des Landes um sich versammelte“ (Bumke 1990, 30). Von der zweiten Hälfte des 12. Jh. an wurden immer mehr Residenzen und Regierungssitze ortsfest, so wurde, um eines der frühesten Beispiele zu erwähnen, 1156 Wien Residenz der Babenberger. Auf diese Weise entstanden in den einzelnen Territorien Hauptstädte mit zentraler Verwaltung, was auch den wirtschaftlichen Aufschwung förderte. Gleichzeitig bildeten sich an den 'sesshaft gewordenen' Residenzen ‚Höfe‘ heraus, die Zentren gesellschaftlichen und kulturellen Lebens wurden.

Der „Nibelungen“-Dichter, um zu unserem literarischen Beispiel zurückzukehren, erwähnt eine Reihe hervorragender Männer, die am Wormser Hof leben, und er hebt die Inhaber der vier ‚Hofämter‘ mit ihren Funktionen eigens hervor: Der ‚Marschall‘ (ahd. *mar[ah]scalc* 'Pferdeknecht'), ursprünglich der Aufseher des fürstlichen Trosses, ist, modern ausgedrückt, für die Logistik, also für das Transport- und Militärwesen zuständig; der ‚Truchsess‘ (ahd. *truh[t]sæzo* ‚Mitglied der *truht*, der Gefolgschaft, dann auch Vorsteher der *truht*‘) steht als oberster ‚Beamter‘ an der Spitze der Hofverwaltung (in anderen Quellen auch ‚Seneschall‘ genannt); der ‘(Mund-)Schenk’ kümmerte sich um die Versorgung des Hofes mit Lebensmitteln; und der ‚Kämmerer‘ war der Chef der Finanzverwaltung. Auch in anderen Texten der Zeit kommen diese Hofämter vor, etwa im „Parzival“: *dô nam mîn hêr Gâwân/vier werde riter sunder dan,/daz einer kameraere/und der ander schenke waere,/und der dritte truhsaeze,/und daz der vierde niht vergaeze,/ern waere marschalc* (Wolfram 1981, 666,23 ff.).

Für die Literaturgeschichte sind die hochmittelalterlichen Höfe von besonderer Bedeutung: Zum einen waren manche von ihnen literarische Zentren, so der Wiener Hof, an dem u. a. Reinmar, Walther von der Vogelweide und Neidhart wirkten, für Lyrik oder der Thüringer Hof für Epik. Die Autoren konnten hier, manchmal über längere Zeit hinweg und ohne allzu große finanzielle Sorgen, arbeiten. So berichtet der erste höfische Epiker im Deutschen, Heinrich von Veldeke (nach 1184, vor 1190), über die abenteuerliche Geschichte seines Äneas-Romans:

dô si der lantgrâve nam [d. h. als der Landgraf von Kleve heiratete), *dô wart das bûch* [i. e. der unvollendete Äneas-Roman] *ze Cleve verstolen/einer frouwen, der ez was bevolen./des wart diu grâvinne gram/dem grâven Heinrich, der ez nam/unde ez dannen sande/ze Doringen heim ze lande./dâ wart daz mâre dô gescriben/anders dan obz im wâr bliben,/daz mach man sagen vor wâr./sint was daz bûch niun jâr/meister Heinrîche benomen,/daz her dar nâch niht mohte komen,/unz her quam ze Doringen in daz lant,/dâ her dem phalinzgrâven vant/von Sassen, der im daz bûch liez/unde ez in volmachen hiez:/wander ins bat und im ez riet,/her ne hete ez volmachet niet./he mûste ez ouch tûn/dorch lantgrâven Lodewîges sun./volmachen herz ouch began/dorch den phalenzgrâven Herman/von der Nûwenborch bi der Unstrût* [i. e. Neuenburg an der Unstrut] *,/want diu rede dûhte in gût/und daz getihte meisterlîch.* (VELDEKE 1986, 353,4 ff.)

Der thüringische Landgraf Hermann ist – auch das geht aus den obigen Versen hervor – ein Kenner von Literatur, er kann die Qualitäten des Veldeke'schen Werkes sehr wohl beurteilen. Wir sehen an dieser Stelle, dass sich an den Höfen Gruppen trafen, die dann wohl auch das Publikum der höfischen Literatur waren, das sich als ausgesprochen feinsinnig, kunstvoller Gestaltung gegenüber als überaus aufgeschlossen präsentierte. Gerade die so genannte ‚hochhöfische Literatur' erforderte ein Publikum, das imstande war, die hochartifizielle sprachstilistische Gestaltung zu ästimieren.

Die hochmittelterliche Gesellschaft war streng hierarchisch gegliedert. Bei Freidank, einem gelehrten Dichter, der um 1230 eine Spruchsammlung unter dem Titel „Bescheidenheit" (d. h. ‚Bescheidwissen') schrieb, „wohl ein Zwischenständler (ein clericus ohne Weihen)" (NEUMANN 1980, 898), findet sich eine Dreigliederung der Gesellschaft, die an die drei Stände (Lehr-, Wehr- und Nährstand) der Antike erinnert: *Got hat driu leben geschaffen:/gebûre, ritter und pfaffen* (FREIDANK 1872, V. 27,1). Derartige Formeln finden sich durch das ganze Mittelalter hindurch, manchmal auch differenzierter als bei Freidank. In seiner berühmten Predigt „Von zehen kœren der engele unde der kristenheit" berichtet der Franziskaner Berthold von Regensburg (Mitte 13. Jh.), dass die Christenheit in zehn Stände unterteilt sei (*zehen leie liute*): *Die êrsten daz sint die pfaffen, die die kristenheit leren sullent; daz ander sint eht geistliche liute* [Ordensleute]; *daz dritte sint werltlîche rihter, herren und ritter, die da witwen unde weisen schirmen sullent.* Nach dieser Dreiergruppe, die den Lehr- und den Wehrstand umfasst, lässt Berthold eine Sechsergruppe mit dem Nährstand folgen: die erste Gruppe davon *daz sint alle die gewant wirkent, swelher leie gewandes die liute bedürfent;* die zweite Gruppe, *daz sint alle die mit îsenînen wâfen arbeitent unde wirkent;* die dritten *daz sint alle die mit kouf umbe gênt;* die vierte Gruppe sind die Handwerker, die für die Nahrung sorgen, *daz sint alle die dâ ezzen unde trinken veil habent;* danach kommen als fünfte Gruppe die Bauern, *daz sint alle die daz ertrîche bûwent, sie bûwen wîn oder korn;* schließlich kommen die Heilkundigen, *daz sint alle die mit erzenîe umbe gênt.* Diese sechs ‚Chöre' spiegeln bereits ein Gutteil der städtischen Bedürfnisse wider (die damals noch jungen Bettelorden predigten vor allem in den Städten und mussten daher auf die Lebenserfahrungen des dortigen Publikums eingehen, und die Städte waren dabei, die führenden wirtschaftlichen und kulturellen Zentren zu werden und die Höfe in dieser Funktion abzulösen). Der zehnte ‚Chor' ist *uns kristenliuten aptrünic worden,* wie auch der zehnte Engelchor *von dem obern himelrîche aptrünic wart und alle samt ze tiuveln wurden* (BERTHOLD VON REGENSBURG 1965, 140 ff.).

Berthold von Regensburg betont immer wieder, dass die Menschen in diese ‚Chöre' von Gott geordnet worden seien; diese Auffassung beherrscht die Gesellschaftslehre des Mittelalters. Auch der spätmittelalterliche Tiroler Dichter Oswald von Wolkenstein (1376/78–1445) spricht noch davon, dass jeder Mensch in seinem gottgewollten

Stand (mhd./frnhd. *orden* < lat. *ordo*) bleiben und dort wirken müsse: *Ach welt, wie hertikleich du trabst!/noch alles dort vor gottes schein,/geleich der kaiser als der babst,/ain jeder in dem orden sein,/Die fürsten, graven, ritter und knecht,/ir burger, pawren, all vermeldt,/chardnal, pischof, prelaten slecht,/all gaistlich, weltlich, hört und secht:/recht tun wer güt in diser welt.* (OSWALD 1987, 113,37 ff.)

In der Literatur der Zeit begegnen Beispiele dafür, dass der, der seinen ‚Orden' verlässt, kriminalisiert und bestraft wird. Das bekannteste Beispiel dafür ist die Verserzählung „Helmbrecht" Wernhers des Gartenæres (2. Hälfte 13. Jh.), in der der Vater in langen Dialogen seinen Sohn warnt, (Raub-)Ritter werden zu wollen: *nû volge mîner lêre,/des hâstu frum und êre;/wan selten im gelinget,/der wider sînen orden ringet./dîn ordenunge ist der phluoc.* (WERNHER 2002, 287 ff.)

In all diesen Ständelehren (s. dazu HEINEMANN 1967–70) kommen in irgendeiner Form die ‚Ritter' vor. „Das Aufkommen dieser Formel [gemeint ist die Trichotomie ‚Geistliche, Ritter, Bauern'] wird heute meistens als Indiz dafür gewertet, daß zu diesem Zeitpunkt die Ausbildung des niederen Adels, wenigstens in Frankreich, so weit fortgeschritten war, daß man terminologisch einen adligen Kriegerstand von der in der Landwirtschaft tätigen Bevölkerung abgrenzen konnte." (BUMKE 1986, 39.) Mit anderen Worten: „Unterhalb der Gruppe der adeligen Dynastien rekrutierte sich der Territorialadel aus Familien, die erst im hohen und späten Mittelalter aus der Unfreiheit [...] aufgestiegen sind. Ursache dieses sozialen Aufstiegs der Ministerialen", die in den historischen Quellen ganz unterschiedlich genannt werden (*servientes, meliores, familiares, ministeriales*) und „die zunächst unfreie Diener in gehobenen Positionen waren, war ihre Unentbehrlichkeit in der Ausübung besonders qualifizierter Funktionen", zunächst vor allem „als berittene Berufskrieger im Dienst kirchlicher und weltlicher Grundherrschaften" (HANNIG 1990, 354).

Dies alles sind die sozialen Voraussetzungen dafür, dass sich an den Höfen eine spezielle Laienkultur entwickeln konnte. Während in den frühmittelhochdeutschen Epen noch Kleriker (man beachte die Dichternamen ‚Pfaffe Lamprecht' und ‚Pfaffe Konrad') für ein Laienpublikum schrieben, äußert sich in den Werken der sog. höfischen Literatur ein ausgeprägtes laikales Selbstbewusstsein. Heute nimmt man sogar an, dass die Selbstcharakterisierung des Erzählers in Wolframs von Eschenbach „Parzival" *ichne kan decheinen buochstap* (WOLFRAM 1981, 115,27) auf eine kulturtypologische Zuordnung des Erzählers/Autors zur Gruppe der volkssprachlich gebildeten Laien zielt (HUBER 1996, 182; RAUTENBERG 2000, 1299). Dieses Bewusstsein hat auch die Sprachform der Dichtungen geprägt: Es handelt sich um die höfische Dichtersprache. Diese Dichtersprache „setzt sich mit Hartmann von Aue, Gottfried von Straßburg, Wolfram von Eschenbach, dem Nibelungenlied-Dichter, Heinrich von Morungen, Reinmar von Hagenau und Walther von der Vogelweide durch, deren Werke für ihre Zeit wie für die neuzeitlichen Beurteiler seit den Romantikern unbestritten die Gipfelleistungen der deutschen mittelalterlichen Epik und Lyrik darstellen" (PAUL 1998, 13).

Die höfischen Dichtersprache ist vor allem in drei Bereichen charakterisiert: im Wortschatz (1), im Stil (2) und in den Reimen (3).

(1) **Wortschatz:** Im „Gregorius" Hartmanns von Aue wird ein junger Mann von seinem sterbenden Vater belehrt:

sun, nû wis gemant/daz dû behaltest mêre/die jungesten lêre/die dir dîn vater tœte./wis getriuwe, wis stœte,/wis milte, wis diemüete,/wis vrevele mit güete,/wis dîner zuht wol behuot,/den herren starc, den armen guot./die dînen soltû êren,/die vremeden zuo dir kêren./wis den wîsen gerne bî,/vliuch den tumben swâ er sî./vor allen dingen minne got,/rihte wol durch sîn gebot.

(HARTMANN 2011, 244 ff.)

In diesen Versen wird geradezu ein ritterlicher Verhaltenscodex, eine höfische ‚Ideologie' sichtbar, die auch die Wortbedeutungen beeinflusst, wenn nicht gar geprägt hat: ***zuht*** z. B., deren Bewahrung Hartmann sehr ans Herz legt, ist, als Wortbildungstyp gesehen, ein Verbalabstraktum mit dem alten *-ti*-Suffix, also eine Ableitung vom Verbum *ziehen* (ahd. *ziohan*) und bedeutet sowohl die Tätigkeit als auch das Ergebnis des Aufziehens/Erziehens. In der höfischen Literatur – das obige Beispiel belegt dies – wird mit diesem Substantiv die „Bildung des Geistes und Herzens, d. h. feine Lebensart, Höflichkeit, Anstand; Bescheidenheit, Selbstbeherrschung" (SARAN/NAGEL 1975, 218) bezeichnet.

Zahlreiche Wörter erhalten auf diese Weise eine textgattungsspezifische Bedeutung, die sie in Werken anderer Gattungen nicht haben: Im „Welschen Gast" Thomasins von Zerklaere, einem umfangreichen Lehrgedicht (entstanden 1215/1216), werden Frauen gewarnt: *Wil sich ein vrowe mit **zuht** bewarn,/si sol nicht âne hülle varn* (THOMASIN 1965, 451 f.); hier also bezeichnet *zuht* bloß das Schamgefühl, das durch Erziehung erworben worden ist. In anderen Kontexten kann auch die Wortbildungsbedeutung ‚das Ziehen' vorkommen: *er zogte'n* [*den Bart*] *ungefuoge daz er vil lûte schrê./**zuht** des jungen heldes diutet Albrîche wê* (NIBELUNGENLIED 2010, 497,3 f.); das Verbalabstraktum *zuht* dient der zusammenfassenden Wiederaufnahme der vorausgehenden verbalen Prädikation.

Der Wortschatz bzw. seine Verwendung ist also stark gattungsgebunden; das kann auch „bei ein und demselben Dichter Bedeutungsdifferenzierungen hervorrufen: *stoltheit* hat in der „Servatius-Legende" Heinrichs von Veldeke die Bedeutung ‚Vermessenheit, Frevel', während in seiner „Eneide" das Wort im Sinne von ‚Tapferkeit, edles Wesen' gebraucht wird" (BENTZINGER 1990, 65).

Die Formulierung der Lehre im „Gregorius" beruht auf dem richtigen Verhalten in teilweise gegensätzlichen Situationen: Arme – Reiche, Weise – Dumme, Bekannte – Fremde. Es geht also um das Erreichen der *mâze*, der „höfische[n] Mitte", die „die normative Grundlage jeder anderen Tugend" (EHRISMANN 1995, 128 und 130) bildet.

In eine ganz andere Situation führt uns Wernher der Gärtner: Der junge Helmbrecht kommt das erste Mal, nachdem er sich den Raubrittern zugesellt hat, nach Hause und begrüßt seine Familie mit den niederländisch oder niederdeutsch klingenden Worten *vil liebe sœte kindekîn,/got lâte iuch immer sœlec sîn* (WERNHER 2002, 717 f.), und etwas später sagt er zu seinem Vater *dêûs sal!* (ebd., 726). In diesen Versen erfahren wir vom höheren Prestige des Niederländischen und des Französischen, wobei zum „sozialen Prestige des Feudaladels" überhaupt „die – manchmal allerdings auch nur vermeintliche – Kenntnis von Fremdsprachen" gehörte (BENTZINGER 1990, 60), was eben der junge Helmbrecht gerne nachahmt. Seine Schwester will er mit dem pseudolateinischen Gruß *gratia vester*! (ebd. 722) beeindrucken, zu seiner Mutter *sprach er sâ/bêheimisch: „dobra ytra!"* (ebd., 727 f.).

Dieses Verhalten des jungen Bauern, der nicht mehr Bauer, sondern ‚Ritter' sein will und nur Raubritter geworden ist, verblüfft auch die Menschen, mit denen er spricht, mit seinen Eltern, mit seiner Schwester und mit dem *vrîman* (‚Großknecht'):

si sâhen beide einander an,
beide daz wîp und der man.
diu hûsfrou sprach: „herre wirt,
wir sîn der sinne gar verirt.
er ist niht unser beider kint:
er ist ein Bêheim oder ein Wint.“
der vater sprach: „er ist ein Walh.
mîn sun, den ich got bevalh,
der ist ez niht sicherlîche
und ist im doch gelîche.“
dô sprach sîn swester Gotelint:
„er ist niht iuwer beider kint.
er antwurt mir in der latîn:
er mac wol ein phaffe sîn.“
„entriuwen“, sprach der vrîman,
„als ich von im vernomen hân,
sô ist er ze Sahsen
oder ze Brâbant gewahsen.
er sprach ‚liebe sœte kindekîn‘:
er mac wol ein Sahse sîn.‘ (WERNHER 2002, 729 ff.)

Die Bauern Wernhers sind sehr wohl imstande, die Sprachen, in denen sie angesprochen werden, zu erkennen. Die Mutter vermutet, dass es sich um einen ‚Böhmen' (Tschechen) oder einen ‚Windischen' (Südslaven, am ehesten: einen Slowenen) handelt. Der Vater spricht von einem ‚Walchen/Welschen', also einem Romanen, in unserem Fall einen Franzosen. Die Schwester nimmt an, dass die merkwürdige Person ein ‚Pfaffe', ein Weltgeistlicher (vgl. oben) ist, während der *vrîman* auf einen ‚Sachsen' (heute: Niedersachsen) oder ‚Brabanter' (heute: Niederländer) tippt. Es sind dies die Regionen, die für das adelige Publikum des dritten Viertels des 13. Jh. als prestigeträchtig galten.

Der Einfluss des Französischen manifestiert sich im „Helmbrecht“ auch noch auf eine andere Weise. Der Vater ermahnt seinen Sohn eindringlich, sich angemessen zu benehmen: *êre dîne muoter unde mich* (757) sowie *sprich ein wort tiutschen* (759). Doch der junge Helmbrecht reagiert nur noch arroganter:

„Ei wat snacket ir gebûrekîn
und jenez gunêrte wîf?
mîn parit, mînen klaren lîf
sol dehein gebûric man
zewâre nimmer gegrîpen an.“ (WERNHER 2002, 764 ff.)

Darauf wird der Vater sehr ernst:

Des erschrac der wirt vil sêre.
dô sprach er aber mêre:
*„bistu**z** Helmbreht, mîn sun,*
ich siude ***dir*** *noch hînte ein huon*
und brâte ***dir*** *aber einez:*
daz rede ich niht meinez.
*und bistu**z** niht Helmbreht, mîn kint,*
sît ***ir*** *ein Beheim oder ein Wint,*
so ***vart*** *hin zuo den Winden!* (WERNHER 2002, 769 ff.)

Wenn der Vater seinen Sohn anspricht, dann duzt er ihn: ‚Wenn **du** Helmbrecht, mein Sohn bist, dann koche ich **dir** noch heute Abend ein Huhn.' Dann: ‚Und wenn **du** nicht Helmbrecht, mein Kind, bist, wenn **Ihr** ein Böhme oder ein Windischer seid, dann **geht** hin zu den Windischen.' Der Autor nutzt hier auf eindrucksvolle Weise die Möglichkeit, das ‚Du' als eine Anrede der Nähe im Gegensatz zum ‚Ihr', einer Anredeform, die Distanz – hier auch wörtlich gemeint – einzusetzen. Man kann beobachten, dass sich die „*du-ir*-Konvention um und nach 1200" völlig durchgesetzt hat. Ursprünglich gab es im Deutschen nur das ‚Du', bei Otfrid von Weißenburg begegnet das ‚Ihr' als *Pluralis reverentiae* in einer Adresse an Bischof Salomo, den Lehrer Otfrids: *thaz* ***ir*** *mih lertut harto* ‚dass **Ihr** mich so vorzüglich gelehrt habt'. „Im 11. und 12. Jh. nimmt die *ir*-Verwendung fast kontinuierlich zu […]. Geistliche Erzählliteratur, auch die sog. Spielmannsepen bleiben eher beim *du*, Erzählstoffe aus lat. oder französischen Vorlagen vermitteln offensichtlich eine starke Hinwendung zum Höflichkeitspronomen *ir*." (BESCH 2009a, 120.) Dieser Befund legt den Schluss nahe, dass das *ir* seine ‚Höflichkeits-' und ‚Distanzfunktion' unter dem Einfluss des französischen Anredepronomens *vos*, neufranzösisch *vous* bekommen hat (weitere Beispiele bei STRICKER/BERGMANN/WICH-REIF 2012, 171 ff.).

Die höfische Kultur Frankreichs war der in Deutschland weit voraus, und der niederländische Sprachraum, besonders Brabant und Flandern, fungierte als Vermittler-Landschaft französischer Kultur ins Deutsche (es ist deshalb auch kein Zufall, dass der erste höfische Dichter, der im deutschen Sprachraum wirkte, der Maasländer Heinrich von Veldeke war). Deshalb kommen in der deutschen höfischen Literatur einige Entlehnungen aus dem Niederländischen vor (z. B. *dörper*, das eine Lehnübersetzung von frz. *vilain* ist; *ors* für das (Kampf-)Pferd, das als metathetische Form von ‚Ross' zu erklären ist; *blîde* 'froh', *bäneken* '[sich] umhertummeln'). Der Lyriker Neidhart charakterisiert das Sprachverhalten eines ‚dörperlichen' Galans mit seinen flämischen Wörtern: *mit siner rede er vlæmet* (NEIDHART 1999, 82,2).

Doch durch „tiefgreifenden Kulturtransfer" (WEGERA/SCHULTZ-BALLUF/BARTSCH 2011, 84) sind die Entlehnungen aus dem Französischen in deutschen höfischen Texten weitaus zahlreicher. Im „Tristan" Gottfrieds von Straßburg wird das geradezu zu einer Stilmanier; auf die Bitte, noch ein Lied zu singen, reagiert Tristan: *„mû voluntiers!"* [sehr gerne] *sprâch Tristan./rîlîche huob er aber an/einen senelîchen leich als ê/de la cûrtoise Tispê* [von der vornehmen Thisbe]*/von der alten Bâbilône* (GOTTFRIED 1984, 3613 ff.). Die meisten dieser ‚Fremdwörter' (s. dazu zusammenfassend ÖHMANN 1974) sind mit dem Ende der hochhöfischen Literatur wieder verschwunden, eine Reihe davon ist in den Alltagswortschatz übergegangen: z. B. *Abenteuer, Turnier, Lanze, Panzer* ('Rüstung'), *Reim, Flöte, Stiefel, Lampe, Teller, Preis, tanzen, prüfen, falsch, klar, fein*. TELLING (1987, 98 ff.) führt insgesamt 185 Wörter auf, die im „13./14. Jh. aus dem Französischen ins Deutsche gekommen seien und sich bis in die Gegenwart erhalten hätten. Allerdings müsste bei jedem einzelnen Wort geklärt werden, auf welchen Wegen es in die deutsche Sprache gelangt ist; Telling nennt auch Wörter wie *Parlament*, das im 13. Jh. im Mittelhochdeutschen in der ursprünglichen Bedeutung 'Unterredung, Versammlung' verwendet wurde, dann nahezu ausstarb und schließlich im 17. Jh., „nachdem die Bedeutung der Volksvertretung in England gewachsen war", erneut „ins Deutsche entlehnt" wurde „(ist also eine Entlehnung aus dem Englischen in latinisierter Lautform)" (KLUGE/SEEBOLD 2011, 684).

Daneben gelangen auch einige Wortbildungsmorpheme aus dem Französischen ins Deutsche: Das Suffix *-ier(en)* geht auf frz. *-er/ier* zurück (mhd. *galopieren/walopieren* 'galoppieren' ← afrz. *galoper*, mhd. *punieren* 'gegen jmdn. anrennen' ← afrz. *punier*). Die Herkunft des Suffixes *-lei*, das im gegenwärtigen Deutsch nicht mehr produktiv ist (vgl. erhaltene Formen wie *derlei, zweierlei, mancherlei, keinerlei*), ist noch nicht restlos geklärt; es begegnet als selbständiges Substantiv schon im 12. Jh. in der Bedeutung

'Art, Weise' und ist im 13. Jh. weitgehend morphemisiert (*maneger leie, aller leie*). Sehr früh wird das Suffix *-erîe* (gegenwartssprachlich *-erei*), das dem altfranzösischen Morphem *-erie* (vgl. afrz. *chaccerie* 'Jagd', das vom Verbum *chacier* abgeleitet ist) gleicht, mit deutschen Wortbildungsbasen kombiniert (*raserîe, kouferîe, vrezzerîe*).

Stil: „In der erzählenden mhd. Dichtung tritt das Wort *rede* immer wieder als Terminus technicus für poetische Darbietungsformen auf. Es hat den Anschein, als entspräche dies etwa unserer Verwendungsweise von 'Text', und es liegt nahe, den häufigen Gebrauch des Wortes *rede* als Anzeichen von Ubiquität der Rhetorik zu werten." (HUFELAND 1985, 1195.) Dem Einfluss der aus der Antike tradierten und immer aufs Neue gepflegten Rhetorik ist es wohl zu danken, dass die deutsche Sprache vor allem durch die höfische Dichtung zur vollendeten Kunstsprache wurde. Die Autoren mussten ein hohes Maß an Bildung, welche damals zu einem großen Teil lateinische Bildung war, erworben haben, und auch das Publikum dieser Literatur muss, wie schon angedeutet, imstande gewesen sein, diese Formkunst zu rezipieren und zu ästimieren. Gottfried von Straßburg, der in einer ‚Dichterschau' einen Überblick über seine zeitgenössischen Kollegen bietet, lobt z. B. an Hartmann von Aue, *wie er mit rede figieret/der âventiure meine!/wie lûter und wie reine/sîniu cristallînen wortelîn/beidiu sint und iemer müezen sin!* (GOTTFRIED 1984, 4626 ff.). Er lobt damit die rhetorische Gestaltung, die sich auch und gerade bei Gottfried, einem *Poeta doctus*, immer wieder manifestiert: *der edele senedaere/der minnet senediu maere./von diu swer seneder maere ger,/der envar niht verrer danne her./ich wil in wol bemaeren/von edelen senedaeren,/die reine sene tâten schîn:/ein senedaere unde ein senedaerin,/ein man ein wîp, ein wîp ein man,/Tristan Isolt; Isolt Tristan.* (GOTTFRIED 1984, 121 ff.)

Reimtechnik: Vor allem bei den höfischen Dichtern lässt sich beobachten, dass in den Reimen Formen gesucht werden, die nicht nur in ihrem eigenen Dialekt akzeptabel klingen, und solche vermieden werden, die Hörern aus anderen Dialekten unrein oder gar unakzeptabel vorkommen (s. vor allem ZWIERZINA 1900/1901). Diese Literatursprache, die zumindest ansatzweise überregionale Geltung beanspruchen kann – aber eben nur als Sprache der höfischen Literatur, somit „die mehr oder minder mundartferne, überlandschaftliche Sprachform literarischer Texte" (KLEIN 1985, 1) –, erweist sich „als eine Mischung von alem. und ofrk. Lautstand" (PAUL 1998, 14).

Davor und daneben hat es auch noch weitere Literatursprachen gegeben, und zwar auf mitteldeutscher Basis (s. dazu KLEIN 1985). Doch die ‚hochdeutsche Literatursprache' muss großes Prestige erreicht haben, sodass sich Autoren aus anderen Regionen für ihren abweichenden Reimgebrauch entschuldigen. Albrecht von Halberstadt, der um 1200 (1190 oder 1210) Ovids „Metamorphosen" bearbeitet, schickt seinem Werk eine *Captatio benevolentiae* voran: *Der sîn sinne an ditze bûch/zu rechte hât gevlizzen,/der er ist sult ir wizzen:/enweder dirre zweier,/weder Swâp noch Beier,/weder Dürinc noch Franke./Des lât û sîn zu danke,/ob ir fundet in den rîmen,/die sich zeinander lîmen,/valsch oder unrecht:/wan ein Sachse, heizet Albrecht,/geboren von Halberstadt,/û ditze bûch gemachet hât/von latîne zu dûte.* (Zit. nach SOCIN 1888, 106 f.) Für Heinrich von Veldeke war die Existenz mehrerer Literatursprachen eine Chance: „Durch den Klever Diebstahl" seines noch unvollendeten Äneas-Romans (s. o.) „war er gezwungen, sein Gedicht im thüringischen Gebiet der md. Literatursprache zu vollenden. Nur von der Neuenburg aus, nur über mittel(hoch)deutsche Abschriften und Umschriften konnte es weiterwirken und seinen Siegeszug antreten und den Dichter aus den sanften Landschaften an der Maas zum Vater der höfischen Dichtung in Deutschland werden lassen." (DE SMET 1990, 387.)

Die höfische Dichtersprache darf allerdings nicht, trotz aller Bemühungen um überlandschaftliche Geltung, als Vorstufe der neuhochdeutschen Schriftsprache angesehen werden. Mit dem Ende der höfischen Literatur verliert auch diese Sprachform ihre Funktion und Geltung. Zudem darf die Einheitlichkeit dieser Sprache nicht überschätzt werden. Die modernen Ausgaben mhd. Literatur geben nämlich in keiner Weise den Schreibstand der Handschriften wieder: sie ‚normalisieren' (s. u.). Diese Weise der Edition geht auf Karl Lachmann zurück, der annahm, dass die Sprache der mhd. Dichter „bis auf wenige mundartliche Einzelheiten ein bestimmtes unwandelbares Hochdeutsch" gewesen sei (LACHMANN 1876, 161).

Dass dem nicht so war, zeigt sich, wenn man moderne Editionen mit den Handschriften vergleicht. Die zu Beginn des Abschnitts 1.3.2 zitierten Strophen 6 und 11 entstammen der Fassung B des „Nibelungenlieds", die vor allem durch die St. Galler Nibelungenhandschrift, die von der Wissenschaft die Sigle B erhalten hat und die wohl im zweiten Viertel des 13. Jahrhunderts entstanden ist (GROSSE 2007, 988), repräsentiert wird; ein Faksimile der entsprechenden Seite aus der Hs. B findet sich auf S. 80 (Abb. 7). Die Langverse des Nibelungen-Textes sind nicht wie in der Ausgabe voneinander abgesetzt, sondern höchstens durch Punkte voneinander getrennt; bisweilen sind auch die Halbverse durch Punkte markiert. Die Strophenanfänge sind durch relativ kleine einzeilige Initialen, die in derselben Farbe wie der ‚normale' Text geschrieben sind, gekennzeichnet. Die Strophen 6 und 11 lauten demnach in B:

Ze Wormeze bi dem Rîne ſi wonten mit ir chraft. in diente vō ir landen. vil ſtolziv ritterſcaft. mit lobelichen eren. vnz an ir endeſ zit.

Danchwart d^s^ waſ marſcalch do waſ d^s^ neve ſin. trvhſæze deſ kvnegeſ vō Metzzen O^e^rtewin. Sindolt d^s^ was ſcenche ein v̊z er welter degn. Hv̊nolt waſ chamerære ſi chvnden hoher eren pflegn.

Zum schon skizzierten Erscheinungsbild kommen noch zahlreiche Kürzel. Der Zirkumflex als Längenzeichen fehlt fast völlig, ebenso eine moderne Interpunktion. Als *s*-Minuskel begegnet hier nur das (lange) Schaft-*s* (*ſtolziv ritterſcaft*), während das runde *s* in der Form der Majuskel (*Sindolt*) vorkommt. Das runde Minuskel-*s* wird im Laufe der Schreibgeschichte Signal für den Auslaut einer Silbe oder eines Wortes. Im Folgenden wird auf die Unterscheidung der beiden *s*-Typen verzichtet.

Ein ähnliches Bild wie in der „Nibelungen"-Handschrift B bietet sich bei anderen Texten; hier sei noch ein kleines Stück aus Hartmanns von Aue „Iwein" vorgeführt. Zunächst die moderne ‚kritische' Ausgabe (HARTMANN VON AUE 1968, V. 257 ff.; vgl. dazu auch N. R. WOLF 1989a und WEGERA 2000):

ir mugt mir deste gerner dagen:
wan ichn wil iu deheine lüge sagen.
Ez geschach mir, dâ von ist ez wâr,
(es sint nû wol zehen jâr)
daz ich nâch âventiure reit.

In der „Iwein"-Handschrift B (UB Gießen Hs. Nr. 97, s. Abb. 8), die schon kurze Zeit nach dem „Iwein" entstanden ist und aus dem Schwäbischen stammt, lauten diese Verse:

ir mvgt mir deste gerner dagen.
vvan ichn wil iv deheîne lv̊ge sagen.
Ez geschach mir davon ist ez war.
ez sint nv wol zehn iar.
daz ich nach aventivre reit.

In der westmitteldeutsche Handschrift A (UB Heidelberg, Cod. Pal. Germ. 397), um die Mitte des 13. Jh. geschrieben, sieht diese Stelle ganz anders aus; schon äußerlich fällt auf, dass in A die Verse nicht abgesetzt sind:

Ir moget mir deste gerner dagen. Ih in wil Iv necheine lugene sagen. Iz gescach mir daz is war issin nu. wal zen iar. Daz ih nah auenturen reit.

Die Unterschiede sind vielfach:
- Die mittelalterlichen Handschriften kennen, wie schon gesagt, keine Interpunktion in modernem Sinne. Ebenso fehlen in den Handschriften die diakritischen Zeichen wie der Zirkumflex als Kennzeichnung der Vokallänge; vergleichbare Zeichen kommen bisweilen vor, eine Regel lässt sich indes kaum erkennen. Das, was in den Editionen begegnet, stammt von den Herausgebern, die vor allem mit den Interpunktionszeichen eine nicht unerhebliche Interpretationsarbeit leisten (müssen), die das Textverständnis des modernen Lesers erleichtert, aber auch ganz wesentlich steuert: Das Komma nach dem Teilsatz *Ez geschach mir* deutet an, dass die syntaktische Einheit *dâ von ist ez wâr* als ein untergeordneter Satz zum Vorausgehenden anzusehen ist (die Verbstellung gäbe hier, in einem Verstext mit seinen eigenen Regeln, keinen Hinweis, wir haben hier ebenfalls Verbzweitposition): ‘deshalb ist es wahr’, sodass der ganze Vers folgendermaßen zu verstehen ist: ‘Es passierte mir, weshalb ich mich für die Wahrheit dessen, was ich jetzt erzähle, verbürgen kann’. Der Nebensatz wird mit einen Komma abgeschlossen, wodurch deutlich wird, dass die Parenthese den *daz*-Satz kommentiert.
- Nicht jede Handschrift setzt die Verse ab, wie das die „Iwein“-Hs. B macht (vgl. auch das Faksimilie in Abb. 8). Die Hs. A – der obige Abdruck versucht, dies nachzuahmen – kennzeichnet, allerdings nicht immer ganz korrekt, die Versenden nur durch Punkte, die in der Hs. B als zusätzliches Signal am Zeilenende stehen.
- Die Längenkennzeichnung erleichtert uns sicherlich das Lesen; bei entsprechenden Kenntnissen ist es nicht schwer, den Langmonophthong/*y:*/, der graphisch durch <*iu*> wiedergegeben wird, durch den gegenwartssprachlichen Diphthong </*eu*/> zu ersetzen: ***iu*** – ***eu***(*ch*) oder *aventiure* – ***Abenteuer***, wobei die eventuellen semantischen Differenzen zwischen einem mittelhochdeutschen Wort und seinen neuhochdeutschen Kontinuanten hier nicht berücksichtigt sind.
- Die „Iwein“-Handschriften B und A bieten im Wesentlichen denselben Wortlaut; graphisch indes zeigen sich viele Unterschiede: Die Handschrift B schreibt den Vokal/*u*/ gerne als <*v*>: *mvgt, iv, nv, aventivre*, auch mit übergeschriebenem *o* (*lv̊ge*), wobei dann nicht mehr zwischen dem Vokal und dem Reibelaut/*v*/graphisch geschieden wird. Auch der Umlautvokal </*ü*/> wird mit demselben Diakritikum geschrieben wie der Diphthong/*uo*/. Eine Intention des ‚normalisierten Mittelhochdeutsch’ ist es also auch, das phonologische Orthographieprinzip, d. h. eine 1:1-Entsprechung von Phonem und Graphem, möglichst ideal zu realisieren. Die Phoneme, die sich aus dem ‚normalisierten Mittelhochdeutsch’ erschließen lassen, sind unter dem Gesichtspunkt idealtypische Phoneme einer (abstrakten) Langue, die historisch so nie realisiert worden war, der aber als einer idealtypischen Variante ein gewisser Realitätsgehalt nicht abgesprochen werden kann. Allerdings gehen die graphischen Variationsmöglichkeiten, die die mittelalterliche Schreibe generell kennzeichnen, vollkommen verloren; somit spiegeln die gängigen Ausgaben der mittelhochdeutschen Texte kaum das tatsächliche Erscheinungsbild eines mittelalterlichen Textes wider.

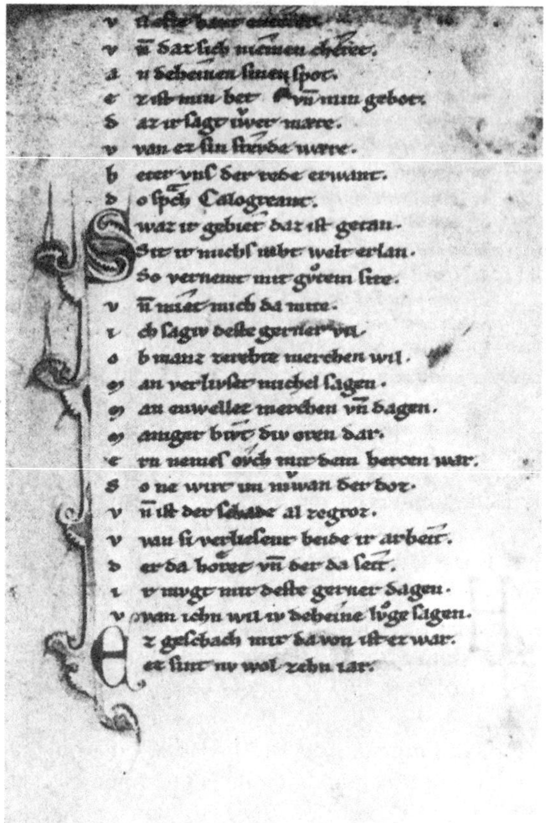

Abb. 8: Eine Seite der Gießener Iwein-Handschrift B

- Gleichfalls berücksichtigen normalisierte Ausgaben die Tatsache, dass es im Mittelalter möglich und üblich war – es gab noch kein Urheberrecht und keine Theorie vom schöpferischen Genie des Dichters –, Texte zeitlich und räumlich/dialektal zu aktualisieren (s. dazu N. R. WOLF 1991), nicht. Ein mittelalterlicher Text ist ein dynamisches Gefüge, das als Aktualisierungsangebot an Rezipienten unterschiedlicher Art anzusehen ist; normalisierte Ausgaben schaffen einen statischen Text, der in dieser Gestalt nie existiert hat. Die „Iwein"-Hs. A – um zum Textbeispiel zurückzukehren – transponiert den ursprünglich alemannischen Text ins Westmitteldeutsche: Der Modalverbform *mvgt* entspricht *moget*, der Umlaut in *aventiure* wird nicht gekennzeichnet: *auenturen*; das Personalpronomen *Iv* hingegen ist diphthongisch geschrieben. <*i*> steht häufig für <*e*> in schwachtoniger Position: die Negationspartikel *in* für normalmhd. *en*. Ob die Graphkombination *sc* in *gescach* nur eine graphische Variante ist oder auf eine andere, ältere lautliche Realisierung (etwa: [*sk*] anstelle von [ʃ]) schließen lässt, muss unentschieden bleiben.

Insgesamt zeigen schon diese wenigen Verse, dass das Mittelhochdeutsche durch eine große graphische Vielfalt charakterisiert ist, die noch kaum hinreichend beschrieben resp. erforscht ist.

1.3.3 Zu weiteren Varietäten des Mittelhochdeutschen

Die höfische Dichtersprache ist deshalb so stark hervorzuheben, weil, wie schon angedeutet, die einflussreichsten Dichter sich ihrer bedienen und die Überlieferung gerade deren Texte bis in die Gegenwart tradiert hat. Daneben gibt es eine geistliche Dichtung, deren Autoren sich nicht an die strengen Regeln in Reim und Stil halten (müssen). Von der Mitte des 12. Jh. an wird die Prosa als sprachliche Form immer wichtiger (vgl. u. 1.4.1). Schließlich können wir uns gut vorstellen, dass es noch weitere schriftliche und mündliche Varietäten gegeben hat, von denen allerdings kaum etwas überliefert ist. Gabriele Schieb hat dies in einer „sprachlichen Pyramide des hochmittelalterlichen Deutschs" dargestellt, die die Schichtung des Geschriebenen und des Gesprochenen anschaulich zeigt (Schieb 1969, 148 f.):

Eine Sonderstellung nimmt das **Jiddische** ein: „Als Nebensprache der Juden in Deutschland entstanden, rückte das Jiddische zu ihrer Hauptsprache auf, schuf eine wertvolle, verzweigte Literatur, die in der zweiten Hälfte des XX. Jh. allgemein anerkannt wurde." (Weissberg 1988, 24.) Als ältestes erhaltenes Denkmal gilt ein Zweizeiler, der im „Wormser Maxser" (hebräisch *Machsor* ‚Festgebetsbuch') vom Jahr 1272/73 überliefert ist:

gut tac im betage ('ein guter Tag widerfahre dem') *swær dis maxsor in bejss haknessess* ('Synagoge') *trage* (zit. ebd., 45).

Bereits hier manifestieren sich die unterschiedlichen sprachlichen Bestandteile, aus denen sich das Jiddische zusammensetzt und von denen der deutschstämmige der beherrschende, aber nicht der chronologisch erstrangige ist (Kiefer 2000, 1399); „Das Eindringen des Mittelhochdeutschen ins primäre Hebräische und die Übernahme deutscher Sprachstrukturen" (Weissberg 1988, 46) werden deutlich sichtbar. Die Entstehungszeit und die Entstehungsumstände des Jiddischen sind noch nicht endgültig erforscht. Wahrscheinlich führte die Ghettoisierung der Juden im 13. Jahrhundert und die damit verbundene Isolierung zur Ausformung eines eigenen Idioms, das neben der deutschen Grundstruktur wichtige hebräische Elemente, aber auch romanische und slawische Bestandteile enthält. Als Schriftsystem dient das Hebräische.

1.4 Das Deutsch des Spätmittelalters (1250–1450)

1.4.1 Umgestaltung der kommunikativen Verhältnisse

Im späten Mittelalter tritt eine Reihe von fundamentalen Änderungen in den kommunikativen Verhältnissen wirksam zutage; diese Änderungen nehmen ihren Anfang sicherlich schon im Hochmittelalter, wenn nicht sogar früher, doch ihre Wirkung wird in sich stets verstärkendem Maße von der Mitte des 13. Jahrhunderts an spürbar.

Hier ist zunächst einmal die Entwicklung der Stadt zu nennen. Bereits im hohen Mittelalter, viel stärker dann im späten Mittelalter verlagert sich die wirtschaftliche und kulturelle Potenz in die Städte. Die Ursachen dafür sind vielfältig, von der Geschichtswissenschaft aber noch nicht hinreichend geklärt, in unserem Zusammenhang indes nicht so wichtig. Für uns von Bedeutung ist der sprunghafte Anstieg der Zahl der Städte in der Zeit von 1200 bis 1500 in ganz Mitteleuropa: von etwa 250 auf rund 3000. Man darf dabei nicht glauben, dass alle Städte große Bevölkerungsansammlungen sind; ganz im Gegenteil, das Gros der Städte ist ziemlich klein, nur einige wenige kommen auf mehrere tausend Einwohner.

Nahezu jede Stadt hat ihre eigene Geschichte. Eine Reihe von Städten wie Mainz, Trier, Worms, Köln, Augsburg, Regensburg, Aachen oder Speyer haben ihre Ursprünge in Römersiedlungen. Andere wieder entwickeln sich aus befestigten Bischofssitzen oder Pfalzorten, in deren Schutz Marktsiedlungen der Kaufleute entstehen. Landesherren nutzen die aufblühende Wirtschaftskraft der Städte, um ihre eigene Macht zu festigen und zu verstärken. Sie lassen, häufig an Schnittpunkten wichtiger Handelswege, geradezu planmäßig Städte anlegen; die deutsche Ostkolonisation (s. weiter unten) geht zu einem wesentlichen Teil in Form von gezielten Städtegründungen vor sich.

Ihre besondere Bedeutung erhält die Stadt dadurch, dass sie Markt ist: Vielfältigste Berufsgruppen treffen sich dort aus vielfältigsten Interessen. Auf diese Weise werden die Städte Orte eines reichhaltigen kulturellen Lebens. In den städtischen Kommunikationsgruppen spielen Lateinkenntnisse keine oder höchstens eine untergeordnete Rolle. Vom 13. Jh. an lassen sich die neuen Bettelorden der Franziskaner und Dominikaner in den Städten nieder, die vor allem durch die Predigt eine spezielle Art der Seelsorge treiben und damit besondere literarische Formen anregen. Außerdem werden die Städte in zunehmendem Maße Schul- und Bildungszentren. Da gibt es, häufig von alters her, Lateinschulen, die in der Regel Domschulen oder Stiftsschulen waren, „aber schon in der Stiftsgründung lag meist auch bürgerliche Bildungspoiitik“ (Klötzer 1983, 48). Daneben spielen immer mehr „die spätmittelalterlichen Pfarr-, Parochial-, Trivial- oder Lateinschulen“ eine Rolle, „deren Leitung nach längerem Kampf um die Schule zwischen Kirche und Bürgerschaft weitgehend in die Hand des jeweiligen Stadtregiments gelangt war, weshalb sie vielfach auch als Stadt- oder Ratsschulen bezeichnet werden“ (Endres 1983, 173 f.).

Mit dem Handel geht das Geld- und Kreditwesen einher. „Die Ausbildung des Kreditwesens hat Lese- und Schreibkenntnisse zur Voraussetzung.“ (Pirenne 1971, 122.) Die Kaufleute und Handwerker schicken ihre Kinder zunächst in Lateinschulen; doch stellt sich bald heraus, dass ihnen „weniger an lateinischer Grammatik gelegen“ ist „als an den für ihre Buchhaltung und Korrespondenz notwendigen Fähigkeiten im Lesen, Schreiben und Rechnen“ (Peters 1983, 272).

Für solche Schulen werden dann auch deutsche Fibeln geschrieben, die älteste stammt aus Augsburg aus den Jahren um 1490 (s. KIEPE 1983). Diese enthält Merksätze wie *Adam Schlosser sol xi Guldin vmb korn*, die dann variiert werden (andere Namen, Zahlen, Münzsorten oder Waren). Auf diese Weise wird solch eine Fibel „ein kleiner Spiegel städtischen Handelslebens im Spätmittelalter“ (KIEPE 1983, 459), und gleichzeitig spiegelt sie die Ziele eines solchen Schulunterrichts. Für dessen Wirkung und den Geltungsbereich des Deutschen bleibt festzuhalten, dass auf diese Weise kaum die Fähigkeit und das Bedürfnis, Bücher zu lesen, vermittelt werden kann. Aufschlussreich aber ist, dass die Augsburger Fibel elementare Kulturtechniken zuvörderst anhand von kommerziellen Mustersätzen vermittelt und nicht, wie die *Admonitio generalis* Karls des Großen, die Kenntnis von Gebeten vorschreibt. Städtischer Schulbildung dieser Art geht es eben um lernen *sin schuld vff schriben vnd låsen.*

Die Augsburger Fibel ist, wie gesagt, nur das früheste Beispiel für diese neue volkssprachige Textart, die wiederum nur ein Indiz aus vielen für die überaus wichtige sprachgeschichtliche Stellung ist, die der Stadt im späten Mittelalter zukommt. Für das Funktionieren städtischen Lebens ist „die Schriftlichkeit unerläßlich. Das bedingt zugleich eine tätige Förderung der Ausbildungsmöglichkeiten und eine gewisse Vorrangstellung im Schulwesen überhaupt. Es sind die Städte, in deren Kanzleien bzw. Schreibstuben sich am ehesten gewisse regionale Schreibkonventionen herausbilden und verfestigen. Zugleich stehen viele dieser Städte in überregionalen Beziehungen und werden im Geschäftsverkehr mit anderen Schreibkonventionen bekannt bzw. konfrontiert.“ (BESCH 1972, 464 f.) So wie sich Schriftlichkeit und Schule gegenseitig bedingen, so stehen städtisches Schreibwesen und überregionaler Schreibsprachausgleich (s. auch unten 1.4.2 und 4.2.1) in einem wechselseitigen Verhältnis.

Die Tatsache, dass das Geschäftsleben in einer Stadt nicht ohne Schriftlichkeit funktioniert, dass z. B. Verträge bevorzugt schriftlich abgeschlossen werden, macht eine eindeutige Benennung der beteiligten Personen notwendig. Bis ins hohe Mittelalter herrschte, soweit dies die Urkunden, aber auch die ‘belletristische Literatur’ belegen, die ‘Einnamigkeit’ vor: Personen werden mit ihrem Taufnamen benannt. Hartmann von Aue stellt sich in seinem „Iwein“ vor: *er was genant Hartman/und was ein Ouwære* (HARTMANN 2008, Iwein 28 f.); ähnlich auch in seinem „Armen Heinrich“: *der was Hartman genant,/dienstman was er ze Ouwe* (HARTMANN 2008, 4 f.). In der „Mannessischen Liederhandschrift“, die vor allem durch ihre Dichterminiaturen berühmt geworden ist und vermutlich in der ersten Hälfte des 14. Jh. in Zürich entstanden ist, steht über dem Bild die zweinamige Überschrift *Her Hartman vō Owe* (MANESSE-HS. 2012), die Herkunftsbezeichnung in den beiden Werken ist zum Namenzusatz geworden, der Stand des Namenträgers wird ebenfalls genannt (*Her*). Auch im „Nibelungenlied“ begegnen mehrere solcher Zusätze, die sich unterschiedlich klassifizieren lassen (nach KUNZE 1999, 58):

- Hinweis auf die Verwandtschaft des Namenträgers: *Sîvrit der Sigemundes sun, Dancwart Hagenen bruoder*;
- Herkunft des Namenträgers: *Sîvrit von Niderlant*;
- Beruf, Stand des Namenträgers: *der herre Sîvrit, Dancwart der marschalch*;
- persönliche Merkmale des Namenträgers: *Sîvrit der recke, Dancwart der vil snelle.*

Mit derartigen Zusätzen „beginnt der entscheidendste Einschnitt unserer Namengeschichte: der Übergang von der Einnamigkeit zur Zweinamigkeit“ (KUNZE 1999, 59). Von einem ‘echten’ Familiennamen können wir aber nur sprechen, wenn mehrere Mitglieder einer Familie, etwa Geschwister, denselben Namen tragen und wenn der Name innerhalb der Familie vererbt wird; dann ist auch der Weg zur ‘amtlichen Verwendung’ dieses neuen Namenteils nicht mehr weit, der Familienname wird z. B. in Urkunden oder anderen amtlichen und geschäftlichen Dokumenten verwendet. So heißt es in Urkunden aus der sächsischen Stadt Grimma: 1292 *Heinricus Diues*

1297 *Heinricus dictus Dives*, 1308 *Johannes Molendinarius, Heinricus Carnifex*, 1327 *Nicolaus Pellifex*. Angaben wie *dictus*, in deutschsprachigen Urkunden *genant*, deuten an, dass der Beiname noch nicht als Familienname angesehen werden kann. In Grimma finden sich in den spätmittelalterlichen Stadtbüchern von 1292 an Familiennamen unterschiedlichen Typs (NAUMANN 2000; die Schreibung der Namen ist vereinheitlicht):

- 126 Familiennamen, die aus Taufnamen entstanden sind: *Heinrich, Albrecht, Dietrich, Siegfried*;
- 81 Herkunftsnamen nach Völkern und Örtlichkeiten: *Bauersdorf, Brunswig, Brunswiger, Dresden, Blankinwald*;
- 13 Bildungen mit *von* meist bei, teilweise ehemaligen, Besitzern feudaler Großgüter: *von Amlungishain, von Belgern*;
- 137 Berufsnamen: *Bäcker, Fleischhauer, Mercator/Kaufmann, Krämer, Richter, Schneider, Schreiber*;
- 132 Übernamen: *Große, Starke, Schnabel, Hoffelich*.

Derartige Beobachtungen lassen sich an zahlreichen anderen Orten auch machen. Es lässt „sich insgesamt sagen, daß die Zweinamigkeit (und in ihrer Folge der Brauch, Familiennamen zu führen) im Schrifttum süd- und westdt. Städte Anfang 12. Jh. sichtbar wird, dort im 13. Jh. zur Massenerscheinung anwächst, nach Norden und Osten fortschreitet und Anfang 15. Jh. im wesentlichen vollzogen ist“ (KUNZE 1999, 61).

Wichtig ist des Weiteren die Vergrößerung des deutschen Sprachraums durch die Ostkolonisation. Damit bezeichnet man einen längeren, in mehreren Phasen verlaufenden Prozess, dessen erste Ansätze in die Zeit der Karolinger zurückreichen. Die Linie Elbe-Saale bildete 843, also zur Zeit des Vertrags von Verdun, die Ostgrenze des Fränkischen Reichs, trennte das ‘Altland’ vom ‘Neuland’. In verschiedenen Schüben, vor allem aber vom 12. bis zur zweiten Hälfte des 14. Jh. wird nun das Gebiet östlich der alten Grenze besiedelt. Dabei ist die ‘Stoßkraft’ in den Osten im ausgehenden Hochmittelalter und Spätmittelalter besonders stark. Wie schon angedeutet, werden auch im Neuland die Städte wichtig: „Neben dem fortgesetzten Landesausbau und Rodungsvorgängen, neben der beschleunigten Verstädterung, schritt nun – oder: sprang vielmehr die Siedlungsbewegung im Osten voran, wurden auch hier Städte gegründet und privilegiert, planmäßig Dörfer angelegt.“ (LEUSCHNER 1975, 117.)

Die Städte werden auch im Neuland zu wirtschaftlichen Zentren. Denn eine Stadt wird häufig „mit einer Anzahl zugehöriger Dörfer zugleich geplant und nach dem gleichen Rechte besiedelt“ (KROESCHELL 1972, 211). Damit ist die ökonomische und rechtlich-organisatorische Infrastruktur geschaffen. Aufgrund ihrer Marktfunktion treten die Städte untereinander in regen Kontakt und stehen damit vor der Notwendigkeit, überregional zu kommunizieren.

Die Ostkolonisation bewirkt zweierlei: Zum einen wird der deutsche Sprachraum gewaltig ausgeweitet, zum andern erreicht der sprachliche Verkehr eine neue Qualität, sowohl im Schriftlichen wie auch im Mündlichen. Die Städte als immer neue Form des Zusammenlebens gewinnen an Bedeutung. Und: Das politische und wirtschaftliche Gewicht verlagert sich in den Osten; diese Tendenz wird durch die Hausmachtpolitik der Habsburger und der Luxemburger verstärkt. Auf dem Boden des Neulands entstehen auch zwei bedeutsame Territorien: das der (Hohen-)Zollern und das der Wettiner.

Diese historischen Voraussetzungen waren für dialektgeographisch orientierte Sprachhistoriker wie Theodor Frings und seine Schüler Ansatzpunkt für weitreichende und wirkungsvolle Thesen. Ausgehend vom Material und von Karten des Deutschen Sprachatlas, kam Frings zu dem Ergebnis, dass „der mittelalterliche Osten an Saale,

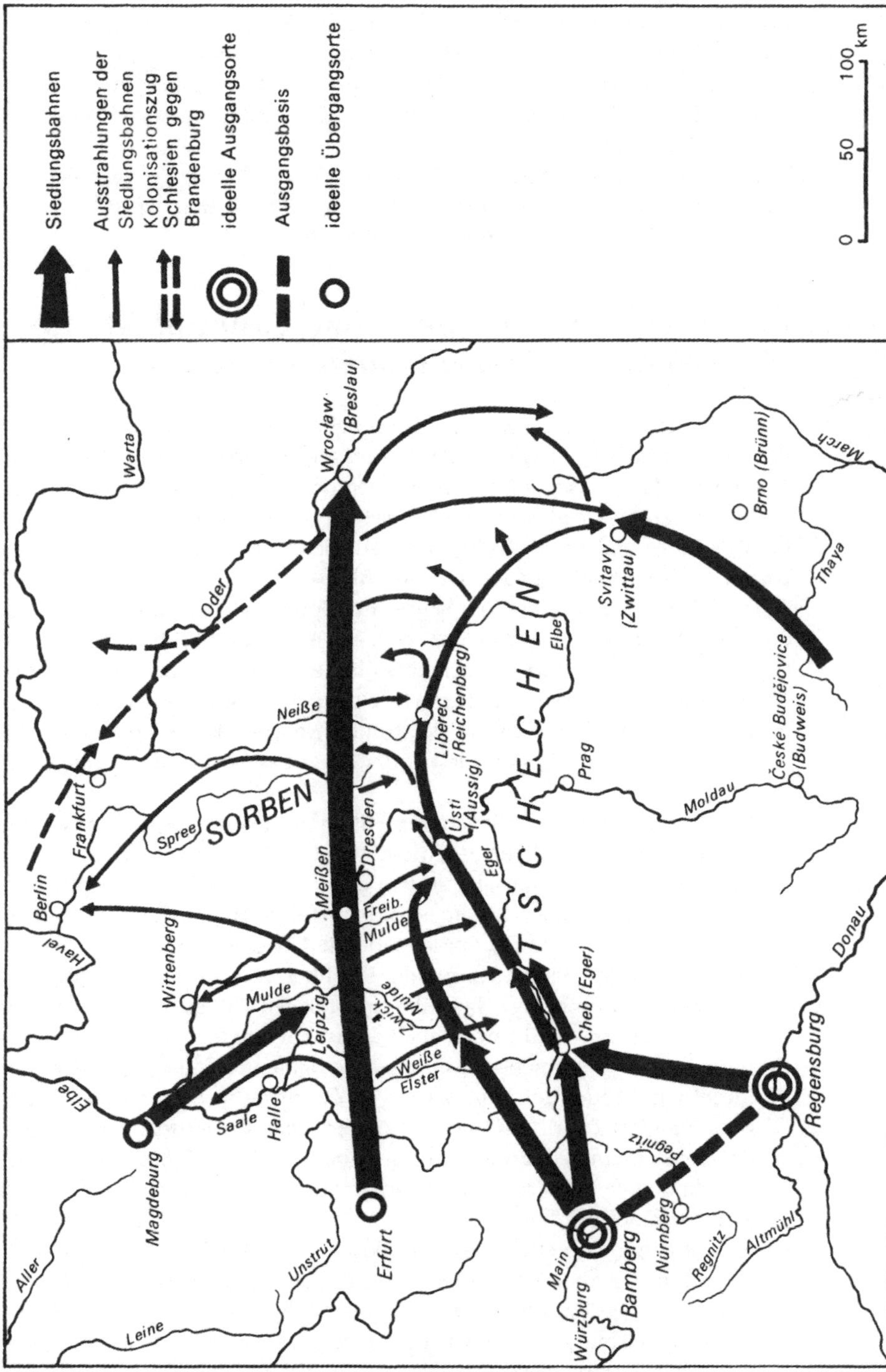

Karte 7: Mitteldeutsche Siedlungsbahnen etwa 1100–1500
(aus FRINGS 1956, 270 und 1957, 131)

Elbe, Oder von drei Siedelbewegungen mit drei klar erkennbaren Ausgangssituationen ergriffen worden“ sei: „eine niederdeutsche Bewegung der Linie Magdeburg-Leipzig, eine mitteldeutsche Bewegung der Linie Erfurt-Leipzig-Breslau, eine oberdeutsch-mainfränkische Bewegung der Linie Bamberg-Meißen-Dresden“ (FRINGS 1957, 43). (Vgl. die Karte 7.)

Aufgrund der Siedlermischung habe sich auf der Ebene der gesprochenen Mundart eine „koloniale Ausgleichssprache“ (FRINGS 1956, 4) herausgebildet, die auch Züge der neuhochdeutschen Schriftsprache aufweise.

1.4.2 Kommunikationsgruppen und Funktiolekte im späten Mittelalter und in der frühen Neuzeit

Es ist geradezu ein Gemeinplatz der Sprachgeschichtsschreibung, dass es in unserer Periode (ebenso wenig wie in den vorausgegangenen) eine kodifizierte einheitliche Grammatik der Volkssprachen, somit auch des Deutschen nicht gibt. Gerade eine solche Grammatik wäre aber ein wichtiges Fundament einer Einheitssprache. Deshalb ist im Mittelalter und in der frühen Neuzeit nichts davon festzustellen. Das tatsächlich gesprochene Frühneuhochdeutsch besteht aus einer Reihe – heute nur noch teilweise zu rekonstruierender – regional begrenzter Sprachen (der Terminus „Dialekt“ wird in diesem Zusammenhang vermieden, weil er – zumindest nach dem Verständnis für die Gegenwartssprache – immer auch eine überdachende Standardsprache voraussetzt).

Vergleichbares begegnet im Bereich schriftlicher Sprachverwendung. Auch hier gibt es im späten Mittelalter und in der frühen Neuzeit „keine Kommunikationsgemeinschaft“ (GIESECKE 1980, 41). Diese Situation hat zwei einander bedingende Ursachen:

- Es fehlt ein überdachendes Kommunikationsmedium im Sinn einer Standardsprache mit den notwendigen Funktiolekten. Die Vereinheitlichung einer Sprache, ein intralingualer Sprachausgleich, wie er für die Entstehung der neuhochdeutschen Schriftsprache kennzeichnend ist, bringt stets auch eine funktiolektale Differenzierung mit sich, weil ja die Sprache die vielfältigsten Situationen bewältigen muss. Und umgekehrt: Eine Kommunikation über verschiedene Regionen und soziale Gruppen hinweg bedarf, bei aller stilistischen Differenzierung, der Vereinheitlichung. Zugleich – und gerade auch das ist ein eminent komplexer Vorgang – benötigt eine Einheitssprache für die überregionale und intergruppale Kommunikation Mittel zur Abstraktion, und zwar von der jeweiligen Situation. In unserem Zeitraum fungiert zwar Latein noch als überdachende Kultursprache, doch übernimmt das Deutsche in verstärktem Ausmaß und zunehmend Funktionsbereiche vom Latein, und auch dafür müssen die pragmatischen und (text-)grammatischen Regeln erst erarbeitet werden.
- Es gibt keine einheitliche Grund-Bildung etwa durch allgemeine Schulpflicht. Im Gegenteil: Einzelne Interessengruppen haben ihre eigenen Bildungsinstitutionen: „Die Kirche besitzt ihre Domschulen [und ihre Klosterschulen. NRW]; das städtische Handelsbürgertum versucht, daneben städtische Lateinschulen einzurichten; die ärmeren städtischen Schichten setzen das Recht auf private deutsche Schreibschulen durch; für Adelige gibt es eine gesonderte Unterweisung in den ritterlichen Tugenden und je nach Rang eine private Hofmeistererziehung. Die Bevölke-

rung auf dem Lande lernt ebenso wie die Handwerker bei der Arbeit von den Eltern bzw. Handwerksmeistern." (GIESECKE 1980, 41.) Jede dieser Institutionen wacht lange Zeit sorgfältig und eifersüchtig darüber, dass das von ihr tradierte, ihr eigene und für sie spezifische Wissen auch bei ihr bleibt. Neue Techniken z. B. „werden als „Arkanum", als Geheimnisse der Zunft einer Stadt gehütet" (BAUER/MATIS 1988, 97). In Schulverträgen und Ratsbeschlüssen werden die Rechte der einzelnen Schultypen ziemlich eng definiert. Ein Lübecker „Vertrag wegen der deutschen Schreibschulen" vom 6. August 1418 legt fest, *dat scryveschole synt ghenomet, dar men allenen schal leren kinderen lesen unde scryven in dem dudeschen und anders nerghen ane* (MÜLLER 1885, 36). Und der Rat der Stadt Konstanz erlässt am 17. April 1499 eine „Verordnung betreffs des Domschulmeisters und der deutschen Schreiber":

> *Die rät hiessent do ze mal mit den tütschschribern reden und den gepieten an ein püss, daz sy kein kind, knaben, die zu jn gesetzt werdent, kain kind noch latinisch buch jn jren hüsern nit leren sond, wen das aller burger und lüten kind, die latin und tütsch lernen wend, das tün sond in der schul* (ebd., 123). Ähnliche Verfügungen werden u. a. in Braunschweig 1420 und 1479, in Hamburg 1456 und in Memmingen 1511 getroffen.

Aus diesen Gründen können wir also nur eine Reihe von Kommunikationsgruppen beobachten (vgl. dazu N. R. WOLF 1987, 218), wobei wir uns aus naheliegenden Gründen auf das, was durch schriftliche Überlieferung gesichert ist, beschränken müssen. Dabei spielt die diskursive Prosaliteratur hier eine besonders wichtige Rolle. Die Schriftlichkeit und die neuen, ursprünglich lateinischen 'Diskurswelten' bewirken nämlich in der Volkssprache „eine Verschiebung vom Deiktischen zum Definitorischen" (SCHLIEBEN-LANGE 1988, 14), was wiederum die weitergehende Verschriftlichung erleichtert und zu einer Verselbständigung der Schrift(lichkeit) führt. Schriftlich fixierte Texte bekommen ihre eigene Dignität, woran dann mit Beginn der 'Massenproduktion' von Büchern vor allem auch die Buchdrucker (und später die Verleger) interessiert sind. Auf diese Weise wandelt sich die Sprachgemeinschaft zu einer Schriftgemeinschaft, und diese drängt auf Vereinheitlichung der Sprachform(en). „Erst als Schriftgemeinschaften tendieren die Sprachgemeinschaften dazu, stabile Grenzen zu definieren, und dazu, Literatur- und Nationalsprache zu identifizieren." (SCHLIEBEN-LANGE 1988, 14.) Und in diesem Bereich lässt sich im späten Mittelalter eine Reihe von Kommunikationsgruppen, denen man auch sprachgeschichtliche Wirkung zusprechen kann, feststellen:

- Fachleute verschiedenster (in der Regel manueller) Tätigkeiten (z. B. Handwerker, Kaufleute, Jäger, Chirurgen);
- Schulen verschiedenen Typs (städtische Schreibschulen, kirchliche Lateinschulen, Artistenfakultäten);
- Autoren und Publikum einer speziellen 'popularisierenden' Wissensliteratur verschiedenster Wissensgebiete;
- unterschiedliche religiöse Gemeinschaften,
- Wissenschaftler im engeren Sinn;
- ein publizistisches Publikum (Reformation, Bauernkriege) vom Beginn des 16. Jahrhunderts an.

Aus dieser Übersicht wird deutlich, dass die Volkssprache in den einzelnen Gruppen eine jeweils unterschiedliche Rolle spielt bzw. dass das Verhältnis von Latein und Volkssprache in jeder Kommunikationsgruppe anders ist. Dementsprechend bekommen einzelne Textarten gerade für die Geschichte der deutschen Sprache besondere Bedeutung (z. B. Urkunden, Wissensliteratur, Bibel, um nur einige hervorstechende Exempel zu nennen).

Wie schon angedeutet, kommt vor allem in der immer stärker werdenden Prosa das Zukunftsweisende deutlich zum Ausdruck, in der Prosa liegt die sprachgeschichtliche Zukunft. Von der „Gebrauchssituation" (KUHN 1980, 78) der Texte ausgehend, wollen wir unter 'Literatur' alle „'geordneten' Texte" des Mittelalters verstehen, „d. h. das Schrifttum schlechthin außer dem urkundlichen, soweit es sich auf bloße Rechtsverbindlichkeit beschränkt" (RUH 1985, 263). Unter diesem pragmatischen Gesichtspunkt können wir demnach zwei große Varietätenklassen unterscheiden:

(1) Kanzlei-/Geschäftssprachen und
(2) literatursprachliche Funktiolekte.

(1) Kanzlei-/Geschäftssprachen: Der geradezu plötzliche Übergang von der lateinischen zur deutschen Urkundensprache um die Mitte des 13. Jahrhunderts hat zur Folge, dass das Deutsche rechtsfähig wird. Zwar war das Deutsche immer schon Rechtssprache, d. h. Sprache der mündlichen Rechtshandlung, gewesen, doch die schriftliche Fixierung war dem Latein vorbehalten gewesen. Rechtsfähigkeit der Volkssprache meint also, dass man dem Deutschen die Fähigkeit zuspricht, Rechtsverbindliches auch schriftlich festzuhalten. Die Urkunde ist zur „Beobachtung bestimmter Formen" verpflichtet und kann nur so als „ein Erzeugnis des Rechtslebens" (BRANDT 1992, 82) anerkannt werden. Und in all diese normierten Funktionen wächst das Deutsche hinein. Somit bedeutet die Ablösung des Lateinischen „nichts Geringeres als die Entthronung einer reich ausgebildeten, ihrer Nachfolgerin an Prägnanz und Korrektheit zunächst weit überlegeneren Sprache" (KIRCHHOFF 1957, 287). Und durch „das Auftreten der Volkssprache in den Urkunden erhalten die universale geistige Einheit des Mittelalters und mit ihr die Anwendung der lateinischen Sprache eine Einbuße" (NEWALD 1942, 497).

Die Ursachen dieser „Revolution in der Geschichte der deutschen Rechtssprache" (BOESCH 1968, 5) sind, obgleich sicherlich von „elementarer Macht" (HENZEN 1954, 67), immer noch nicht eindeutig geklärt. Man wird „die Gründe für den Gebrauch der deutschen Sprache in einem komplexen Zusammenhang von sozialen Veränderungen während des 13. Jhs. suchen, die ein verstärktes und von einem größeren Personenkreis ausgehendes Sicherheitsbedürfnis im Rechtsverkehr und damit zusammenhängend auch andere Formen des Rechtswesens (eine verstärkte Schriftlichkeit) nach sich tragen" (SCHULZE 1975, 13). Also: Sowohl soziale Wandlungen wie die immer stärker werdende Beteiligung von Gruppen, die nicht Latein beherrschen, als auch kulturell-juristische Vorgänge wie die schnell zunehmende Verschriftlichung zahlreicher Lebensbereiche, vor allem, wie schon erwähnt, des städtischen Geschäftslebens, und schließlich die selbstbewusstere Haltung gegenüber der eigenen Sprache haben ihren Teil beigetragen. „Auch die führende Rolle der Städte und des ökonomisch und kulturell weit fortgeschrittenen Südwestens stimmen zu diesem Bild." (HANS MOSER 1985, 1400.)

Damit ist auch die geographische Dimension dieses Vorgangs angedeutet: Denn der „Übergang zur deutschen Geschäftssprache vollzog sich nicht auf dem ganzen deutschen Sprachgebiet gleichzeitig oder zufällig“ (HENZEN 1954, 68). Am frühesten begegnen die deutschen Urkunden im Südwesten des deutschen Sprachraums. Die deutsche Urkunde „verbreitet sich dann – grob gesprochen (das niederrhein. Zentrum Köln eilt voraus) – von Westen nach Osten und von Süden nach Norden“ (HANS MOSER 1985, 1399).

Die oben erwähnte Territorialisierung brachte es auch mit sich, dass die Residenzen der Landesherren zu Verwaltungszentren ausgebaut wurden. Und damit bildeten sich Kanzleien aus „in dem Maße, wie diese [scil. die weltlichen und geistlichen Fürsten] seit dem 15. Jh. zur Territorialhoheit aufstiegen“ (CLAVIS 1966, 128). Und mit wachsender Selbständigkeit müssen auch größere Städte wie Basel, Freiburg, Straßburg, Mainz, Frankfurt, Köln, Augsburg, Nürnberg, Erfurt bereits im 14. Jh. Kanzleien mit differenzierterem Arbeitsgang einführen.

Es liegt nahe, nicht nur Urkunden in der Volkssprache abzufassen, sondern dieses Idiom auch auf andere Geschäftsbereiche, somit auf andere Textarten zu übertragen. Dadurch kann der Eindruck entstehen, dass die „sprachformenden Kräfte des Frnhd. [...] nicht mehr Hofkunst und Fest [wie im hohen Mittelalter. NRW], sondern Verwaltung, Wirtschaft und Recht“ (SKÁLA 1985, 1776) sind. Es bilden sich also ‘Geschäftssprachen’ heraus, die nicht nur ‘Urkunden’ im engeren Sinne verbalisieren. Kanzleien sind eben nicht nur „Beurkundungsstellen“, sondern die „Zentralstellen der Landes- und Stadtverwaltung für das gesamte Schreibwesen“ (EGGERS 1969, 23).

Kanzleien müssen – dies klang schon an – auch überregional kommunizieren. Es überrascht deshalb nicht, dass der „Ausgleich der Schreibnormen“ um 1500 „auf kanzleisprachlicher Ebene“ (HANS MOSER 1978, 54) schon weit gediehen ist. Davon zeugt auch Luthers berühmtes Dictum: *Ich rede nach der sächsischen Canzeley, welcher nachfolgen alle Fürsten und Könige in Deutschland; alle Reichsstädte, Fürsten-Höfe schreiben nach der sächsischen und unsers Fürsten Canzeley, darum ists auch die gemeinste deutsche Sprache. Kaiser Maximilian, und Kurf. Friedrich, H. zu Sachsen etc. haben im römischen Reich die deutschen Sprachen also in eine gewisse Sprache gezogen.* Luther nennt hier, sicherlich nicht aus Zufall, zwei große Kanzleien, die die deutschen Schriftdialekte „in eine gewisse Sprache gezogen“ haben (BESCH 1967, 363). Und gerade für Kanzleien, die ja häufig „sprachsoziologisch eine hohe Ebene“ repräsentieren (KETTMANN 1969, 279) gilt, dass die „Schriftdialekte [...] von selbst immer mehr ineinander[fließen]“ (HENZEN 1954, 89). Dies trifft nicht nur auf die von Luther genannten Großkanzleien zu. In der Jenaer Ratskanzlei, um ein Beispiel einer Stadt zu nennen, bemühen sich die Schreiber „auffällig, die Schreibsprache von der als grobmundartlich empfundenen kolonialen Ausgleichssprache bäuerlicher Siedler freizuhalten“ (SUCHSLAND 1968, 246).

Auf diese Weise werden die Kanzleien auch schreibsprachliche Vorbilder. Niclas von Wyle z. B. drückt am Ende seiner „Translationen“ (1478) sehr deutlich die normierende bzw. beispielgebende Funktion der Kanzleien aus:

Item so ist vnsers landes tútsche biß her gewesen zereden zwúschen dir vnd mir zwúschen ẃch vnd vns. zwúschen jm vnd mir. Dar für wir yetz o̊sterrychesch sprechen zwúschen din vnd min zwúschen úwer vnd vnser zwúschen sin vnd min. Item vnd als die fúrsten vnser landen bisher pflegen haben ain andern zeschryben vnd noch des merentails tůnt/ẃwer lieb. heben yetz etlich schriber an flemisch dar für zeschriben úwer liebde [...] *Und rinisch geet fúr gǎt vnd steet fúr stǎt* [...] *so haben sich vnser våtter vnd dero altfordern in schwăben yeweltñ her bis vf vns gebrucht in Irem reden vnd schriben des diptongons .ai. für .ei. [...] Aber yetz garnâch in allen schwebischen cantzlien der herren vnd stetten schribent die schriber ei für ai [...] Yetz ist aber ain núwes gougelspiele entstanden dz man in vil cantzlien vnd schriberyen pfligt zuschriben zway .n. da des ainen gnůg wer vnd das ander ẃberfüssig ist [...] Vnd mich wündert dz etlich Statt schriber mir bekant: sólichs von jren substituten lyden tůnt/so bald sy etwas núwes sechen uß ains fúrsten cantzlie usgegangen* (MÜLLER 1882, 15 f.).

Niclas von Wyle macht die Kanzleien für Modetorheiten in der Orthographie verantwortlich und wirft den Schreibern vor, dass sie sinnlose Neuerungen *gebruchent wie die affen* (weitere Äußerungen über die Vorbildlichkeit von Kanzleien in dem entsprechenden Kapitel bei JOSTEN 1976, 144 ff.).

Zu Beginn des 16. Jh. ist dann die sprachhistorische Bedeutung der Kanzleien „im wesentlichen erfüllt" (HANS MOSER 1978, 56). Die führende Rolle übernimmt der Buchdruck (darüber s. unten mehr).

Territorialisierung und die rege überregionale Kommunikation bringen es mit sich, dass sich im späten Mittelalter eine Reihe von überregionalen Schreibsprachen herausbildet:

- Auf der Basis von ostoberdeutschen und ostmitteldeutschen Schriftdialekten entsteht spätestens im 15. Jh. eine 'osthochdeutsche' Schreibsprache, die schon einen weitgehenden (Schreib-)Sprachausgleich zeigt und als noch nicht realisiertes 'Archi-System', das sich aus mehreren Subsystemen konstitutiert, angesehen werden kann. Auch hier spiegelt sich die wachsende politische und wirtschaftliche Bedeutung des Ostens des deutschen Sprachgebiets.
- Im Wirtschafts- und Herrschaftsgebiet der deutschen Hanse entwickelt sich vom 14. Jahrhundert an eine **mittelniederdeutsche** Schreibsprache, die bis ins 16. Jh. als Verkehrsprache im europäischen Norden, also weit über den eigentlichen (niederdeutschen) Sprachraum hinaus, dient. Mit dem Niedergang der Hanse verliert diese Sprachform stetig an Bedeutung, bis im 17. Jh. der Vorrang des Hochdeutschen entschieden ist. Die Hanse als Organisation regt auch einen fundamentalen Umschwung in der Kommunikation ihrer Kaufleute an: Im Zuge der Verschriftlichung von Recht, Verwaltung und Wirtschaft kam es zur Einführung der Buchführung im Handelsgeschäft. Aus dem wandernden Fernhändler wurde der sesshafte Kaufmann (vgl. PETERS 2000, 1498; s. auch 1.4.3).
- Bereits im 13. Jh. entsteht eine Verkehrssprache der reichen flandrischen und brabantischen Städte, das **Mittelniederländische**, manchmal auch 'Dietsch' genannt. Aus ihm entwickelt sich das Niederländische als eine selbständige Nationalsprache.

(2) Literatursprachliche Funktiolekte: Wie schon dargelegt, übernimmt im Bereich der 'Literatur' die Form der Prosa die führende Funktion. Mit der zunehmenden Verschriftlichung ist „eine stärkere Rezeption von ursprünglich durch die Kirche verwalteten Inhalten und Techniken verbunden" (DINZELBACHER 1987, 11). Zu einem großen Teil leistet die Prosa-Literatur eine „volkssprachliche Popularisierung der lateinischen Schrift-Tradition" (KUHN 1980, 78), wobei 'Popularisierung' meint, „daß die Möglichkeit und Bereitschaft, deutsch zu schreiben, zu lesen (und vorgelesen zu hören) in allen Kulturgebieten so breit geworden ist, daß Quantität in Qualität umschlagen kann insofern, als daraus ein generelles schriftliches Rezeptions-Verlangen hervorgeht" (ebd., 79). Daraus erklärt sich, dass, im Vergleich zur vorausgegangenen

Periode, überaus viele Lebens- oder Sachbereiche von volkssprachiger Prosa verbalisiert werden, dass also die Volkssprache zahlreiche Domänen vom Lateinischen übernimmt, was wiederum zu einer erweiterten funktiolektalen Differenzierung des Deutschen führt. (S. auch 1.4.4.)

In zwei Kapiteln, gewissermaßen in zwei Fallstudien, sollen jetzt zwei Phänomene, die soeben erwähnt worden sind, ausführlicher dargestellt und auch problematisiert werden. Diese beiden 'Fallstudien' erhalten auf diese Weise exemplarischen Charakter.

1.4.3 Der Sonderfall im Norden: Niederdeutsch und die Hansesprache

1.4.3.1 Grundlagen

Durch die Zweite Lautverschiebung (s. 2.3.3.1) entwickelt sich der (ober-)deutsche Sprachtyp, der im Unterschied zum traditionellen niederdeutschen Sprachtyp im Bereich der Obstruenten durch die zusätzliche Affrikatenreihe gekennzeichnet ist. Dazu kommen weitere Charakteristika des Niederdeutschen, etwa die *r*-losen Pronomina wie *he* 'er', *wi* 'wir', *gi* 'ihr' oder in obliquen Kasus *mi* 'mir' und *thi/di* 'dir' (HOLTHAUSEN 1921, 113, § 326); auch hier nimmt das Niederdeutsche eine Zwischenstellung zwischen dem (Ober-)Deutschen und dem Englischen ein, wo wir ebenfalls keine *r*-haltigen Pronomina finden: *he, we, you* (diese Pronominalform war ursprünglich nur 2. Pl.) oder *me*. Ganz ähnlich verhält sich das Niederländische, das ebenfalls den 'nördlichen' Typus verkörpert.

So gesehen kann man sagen, dass das Niederdeutsche nicht den deutschen, sondern einen eigenen Sprachtypus verkörpert, also zunächst nicht eine Varietät „jener Sprache" ist, „deren jüngstes Stadium das heutige Deutsch ist" (BRAUNE/REIFFENSTEIN 2004, 1). Sowohl für das (Alt-)Niederländische (bzw. Altfränkische) als auch für das (Alt-)Niederdeutsche (bzw. Altsächsische) ist im frühen und im hohen Mittelalter die Ausgangslage dieselbe: Beide 'Sprachen' haben die Chance, jeweils eigene Standardsprachen zu werden; im Laufe der (Sprach-)Geschichte kann nur das Niederländische diese Chance nutzen.

Dennoch bildet sich im Norden ein großes niederdeutsches Sprachgebiet heraus, das sich im Zuge der Ostkolonisation (s. 1.4.1) mehr als verdoppelt. Aus dem gesamten norddeutschen 'Altland' gehen Bauern in den Osten, um das Land dort urbar zu machen. Dadurch entstehen die ostniederdeutschen Dialekte, etwa Mecklenburgisch, Brandenburgisch, Pommersch oder Niederpreußisch. Gerade auch im niederdeutschen Sprachraum werden zahlreiche neue Städte gegründet und es entstehen spezielle niederdeutsche Stadtrechtsfamilien; dies hat auch zur Folge, dass die städtischen Schreiber aus den Mutterstädten in die Tochtergründungen geholt werden und damit die Schreibsprache(n) im 'Neuland' ganz wesentlich bestimmen.

Karte 8 zeigt deutlich, dass auch der rezente Stand durch die zwei Großräume Oberdeutsch und Niederdeutsch gekennzeichnet ist. Dazwischen liegt das Mitteldeutsche, das ja ebenfalls durch die Ostkolonisation an arealer Geltung stark zugenommen hat. Dies alles trifft ganz ähnlich für das 13. Jahrhundert zu, auch wenn man weiß, dass die Grenze zwischen Mittel- und Niederdeutsch weiter südlich verlaufen ist als heute (vgl. BISCHOFF 1957). Martin Luthers Geburtsstadt Eisleben lag zu seiner Zeit noch im

Niederdeutschen, während es heute zum Mitteldeutschen gehört. Der Franziskanerprediger Berthold von Regensburg (s. 1.3) thematisiert als Erster den sprachlichen Gegensatz zwischen Süden und Norden:

Ir wizzeit wol, daz die niderlender unde die oberlender gar ungelîch sint an der sprâche und an den siten. Die von Oberlant, dort her von Zürich, die redent vil anders danne die von Niderlande, von Sahsen, die sint ungelîch an der sprâche. (BERTHOLD 1965, 250 f.)

Das Mitteldeutsche kann als Übergangsgebiet zwischen den beiden Kernarealen des Ober- und des Niederdeutschen angesehen werden; d. h., dass Merkmale eines Kernraums in Richtung des anderen Kernraums abnehmen, während die sprachlichen Merkmale des anderen Kernraums kontinuierlich zunehmen. Auf diese Weise wird gerade ein Phänomen wie der Rheinische Fächer erklärbar, der ja das Ab- und Zunehmen sprachlicher Merkmale deutlich zeigt. Zudem können in solchen Übergangsgebieten 'Misch-' oder 'Kontaktformen' entstehen. Schon im ahd. „Tatian", der im Kloster Fulda entstanden ist, begegnet als Personalpronomen der 3. Sgl. Mask. die Form *her*, die sich sowohl vom oberdeutschen *er* als auch vom niederdeutschen *he* als Kontaminationsform herleitet. Diese Form wird heute noch im nordbayerischen Mittelgebirge Rhön (SUF 2008, Karte 92) und darüber hinaus gesprochen.

1.4.3.2 Mittelniederdeutsch und die Sprache der Hanse

Entsprechend der (Grimm'schen) Periodisierung des Hochdeutschen (s. Kapitel 0) in die drei Perioden Alt-, Mittel- und Neuhochdeutsch wird auch das Niederdeutsche gegliedert:

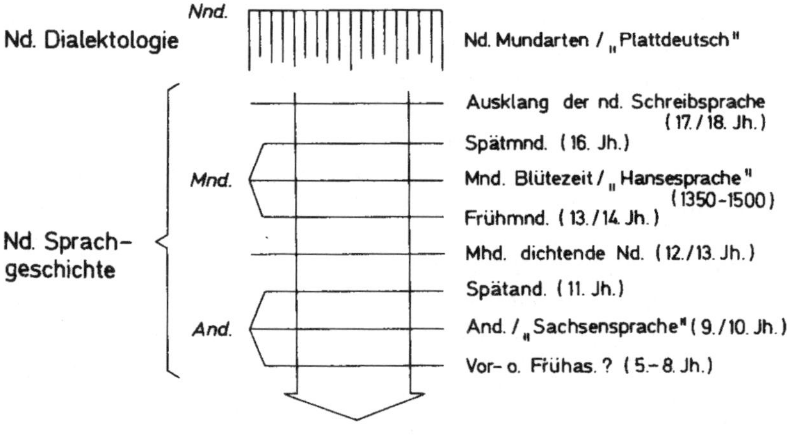

Abb. 9: Sprachgeschichtliche Periodisierung des Niederdeutschen (aus SANDERS 1982, 29)

Das Altniederdeutsche, herkömmlich auch Altsächsisch genannt, ist, ähnlich dem Althochdeutschen, durch klösterliches Schrifttum auf uns gekommen; es handelt sich ebenfalls um Glossen und religiöse Gebrauchstexte. Dazu kommt ein Bibelepos, der altsächsische „Heliand" (1. Hälfte 9. Jh.): Der Titel stammt von Johann Andreas Schmeller, dem ersten Herausgeber dieses Textes. Das Wort *heliand*, das eine Lehnprägung im Anschluss an lat. *salvator* ist, entspricht als Partizipialbildung dem hochdeutschen *Heiland*; es ist im Text mehrfach belegt, z. B.: *The scal Hêliand te namon/êgan mid eldiun* (HELIAND

1965, V. 266 f.) ['Er soll den Namen Heiland führen bei den Völkern'; GENZMER 1966, V. 266 f.] Im Gegensatz zu Otfrids „Evangelienbuch" ist der „Heliand" nicht in Endreimen, sondern in alliterierenden Langversen geschrieben und knüpft somit an die germanische Dichtungstradition an, die sich auch in der Handlungsführung und der Figurenkonstellation manifestiert.

In die Zeit von 1350 bis 1500 setzt Sanders die „Blütezeit" des Mittelniederdeutschen und nennt die „Hansesprache" als Beispiel dieser Blütezeit. In der Zeit davor begegnen „zuerst aufzeichnungen allgemeiner natur in stadtrechten, landfrieden, münzverträgen und schiedsverträgen" (LASCH 1974, 3); dazu kommen größere Rechtstexte, so der „Sachsenspiegel" Eikes von Repgow, und historische Texte wie die „Sächsische Weltchronik". Eike von Repgow, „der zwischen 1209 und 1233 in sechs Urkunden unter den Zeugen aufgeführt wird" (SCHMIDT-WIEGAND 1980, 400), nennt in einer paargereimten Vorrede sein Werk *Spegel der Sassen* (EIKE 1984, V. 178), wobei 'Spiegel' im hohen und vor allem im späten Mittelalter „häufig als titel von büchern lehrhaften inhaltes verwandt" (HEYNE 1905, 2235) wird; 'Spiegel' bezeichnet ein „verbreitetes didaktisches Genre meist nichtfiktionaler Texte, die den Anspruch erheben, ein Stück der Wirklichkeit abzubilden oder ein ideales Sollen getreu zu entwerfen" (STÖRMER-CAYSA 2003, 467). Der 'Rechtsspiegel', den Eike seinen eigenen Angaben gemäß zunächst auf Lateinisch abgefasst und dann *an dudisch* (EIKE 1984, V. 277) übertragen hat, ist eine Zusammenstellung des überkommenen Rechts: *Dit recht hebbe ek selve nicht irdacht,/it hebbet van aldere an unsik gebracht/Unse guden vorevaren* („Dies Recht habe ich mir nicht selbst ausgedacht. Es ist uns vielmehr seit alters von unseren rechtschaffenen Vorfahren überliefert worden.") (Übers. von RUTH SCHMIDT-WIEGAND, EIKE 1984, V. 151 ff.)

Die „Sächsische Weltchronik" ist ein Prosawerk, das 1260/75 entstanden ist: „Ihrem ganzen Zuschnitt nach stellt die 'SW', deren Darstellung sich mit dem Wechsel vom 12. zum 13. Jh. vermehrt den norddt.-dänischen Verhältnissen zuwendet, wohl die bedeutendste Zusammenschau der Welt-, Reichs-, Kirchen- und Landesgeschichte dar, die von der volkssprachlichen Historiographie des MAs hervorgebracht wurde." (HERKOMMER 1992, 476 f.) Auch dieser Text hat wie der „Sachsenspiegel" eine große und lang anhaltende Wirkung gehabt und auch den ganzen deutschen Sprachraum bis ins Oberdeutsche erfasst. Während die Schreibsprachen der zahlreichen Handschriften der „Sächsischen Weltchronik" noch nicht ausreichend beschrieben sind (vgl. HERKOMMER 1992, 484 f.), lässt sich die Sprachform des „Sachsenspiegels" als „Elbostfälisch" bestimmen, das durch eine Reihe von Merkmalen des Mitteldeutschen gekennzeichnet ist. Dies ist jedoch kein Hinweis auf eine überregionale schreibsprachliche Form, sondern kennzeichnend für das frühere Mittelniederdeutsch: Eikes Wortschatz entspricht „dem Sprachgebrauch" bzw. „der Mundart seiner Heimat" (SCHMIDT-WIEGAND 1980, 404 f.).

Diese Art des schriftlichen Sprachgebrauchs ändert sich grundsätzlich in der „mittelniederdeutschen Blütezeit", vor allem in der Sprache der Hanse. Mit *Hanse* bezeichnet man heute eine „corporative vereinigung norddeutscher, seehandel treibender kaufleute [...], die sich nach und nach zu einem politischen bunde erweiterte" (HEYNE 1877, 463). In dieser Bedeutung begegnet das Wort in (mittel-)lateinischer Form in einer Urkunde des englischen Königs Heinrich III. vom Jahre 1266: *ad instanciam ducis Brunsviciensis mercatoribus ipsius ducis de Hamborch concedimus* [...] *ut habeant hansam suam per se ipsos per totum regnum in perpetuum* (zit. HEYNE 1877, 463). Hier ist von

Kaufleuten aus Hamburg die Rede, denen gestattet wird, eine ‘Hanse’ in London zu haben. Nach Auskunft von KLUGE/SEEBOLD (2011, 393) hat *hansa/hanse* im Alt- und Mittelhochdeutschen die Bedeutung „(Krieger-)Schar, während im Mittelniederdeutschen die Bedeutung „Handelsgesellschaft“ aktuell wird. Zunächst handelte es sich um einen Zusammenschluss von mehreren Kaufleuten („Kaufmannshanse“), „in der Folge, etwa Mitte des 14. Jahrhunderts, wurde daraus ein [...] Bund von Städten“ (SANDERS 1982, 127); 1358 wurde das Syntagma „*düdesche hense* zum Namen des norddeutschen Städtebundes“ (KLUGE/SEEBOLD 2011, 393). *düdesche hense* ist dabei ein wirtschaftspolitischer Begriff für einen Zusammenschluss, der schon längere Zeit existiert hatte (vgl. GRAICHEN/HAMMEL-KIESOW 2011, 117). „Im 15. Jahrhundert umfasst die *düdesche hense* rund 70 aktiv an den hansischen Angelegenheiten teilnehmende und circa 130 von diesen vertretene kleinere Städte, die zwischen Zaltbommel an der Rheinmündung im Westen und Dorpat (Tartu/Estland) im Osten und zwischen Visby auf Gotland im Norden und der Linie Köln – Breslau (Wrocław) – Krakau im Süden liegen. Die Hauptstützpunkte des hansischen Handels sind die Kontore in Nowgorod, Bergen, Brügge und London sowie 44 Faktoreien (kleinere Niederlassungen) von Litauen bis Portugal.“ (GRAICHEN/HAMMEL-KIESOW 2011, 119.)

Das Einflussgebiet und der Kommunikationsraum der Hanse sind sowohl durch unterschiedliche, vor allem niederdeutsche Dialekte als auch durch unterschiedliche Sprachen gekennzeichnet. In einer solchen Situation sowie mit der „zunehmend gegliederte[n] Verwaltung“, mit dem „Ausbau der Arbeitsteilung“ und der „Ausdehnung der kommunikativen Distanzen“ wachsen die Anforderungen an eine einheitliche Sprachform sowie an die „schriftlichen Realisate“ (MEIER/MÖHN 2000, 1471) dieser Sprache, die sich in hoher Zahl als „Organisationsliteratur“ (MEIER/MÖHN ebd.) manifestieren. Es geht um die Regelung interner und externer Abläufe. Ein eindrucksvolles Beispiel dafür sind ‘Rechnungsbücher’, deren Textmuster zunächst aus dem Lateinischen übernommen, dann ins Niederdeutsche übersetzt wird, wobei als ursprüngliche „Buchungsperspektive“ (TOPHINKE 1999, 242) *x is schuldich z* beibehalten wird. Diese adjektivische Konstruktion ändert sich zu einem Satz mit einem handelnden Ich (*ik hebbe vorkoft*) und schließlich zu einer präzisen Differenzierung geschäftlicher Aktivitäten: *ik hebbe lent, ik hebbe mede dan, ik hebbe koft*, ... (TOPHINKE 1999, 243).

Die Hansesprache ist keine Einheitssprache im Sinne etwa der neuhochdeutschen Schriftsprache, sondern ebenfalls (s. die Bemerkungen zur mittelhochdeutschen Dichtersprache) ein ‘Funktiolekt’, sie ist die „Verwaltungssprache der Hanse“ und „übernationale Handels- und Geschäftssprache“ (PETERS 2000, 1501). „Die Verwaltungssprache wurde hauptsächlich von der Lübecker Ratskanzlei getragen [...] Von Lübeck wurden Abschriften an die einzelnen Städte gesandt.“ (Ebd.) Die Hansesprache ist auch in dem Sinne keine Einheitssprache, als sie auch graphematisch-orthographisch nicht völlig einheitlich ist: „Die Schreibsprache der Kontore ist in Nowgorod eher lübisch-nordnd., in London und Brügge eher westf.-westlich gefärbt.“ (Ebd.) Mit anderen Worten: Eine überregionale Sprachnorm setzt sich auch im Bereich der Hanse dann durch, wenn es um einen weiteren Kommunikationsradius geht, während regionale Kommunikation nur eine regionale Sprachform erfordert.

Im 16. Jahrhundert verliert die Hanse ihre Bedeutung, die Umbrüche der Zeit um 1500 haben auch diese Wirkung. Ebenso beeinträchtigen die konfessionellen Auseinandersetzungen den Städtebund. Die Territorien und deren Fürsten versuchen mit allen Kräften ihre Einflussbereiche auch auf Kosten der Handelsstädte auszudehnen. Der Niedergang der Hanse ist also durch mehrere Faktoren bedingt. Auf diese Weise wird die 'einheitliche' Geschäftssprache weitgehend überflüssig. Dazu kommt, dass in den gebildeten Oberschichten das Niederdeutsche an Prestige verliert und durch eine ostmitteldeutsche Schreibsprache ersetzt wird. WILLY SANDERS (1982, 154) zitiert den „Magdeburger Pastor Georg Torquatus, der zwischen 1567/74 ein lateinisches Annalenwerk verfaßte (gedruckt 1760)“, in dem festgestellt wird, dass „allerorts die Meißnische Sprache“ herrsche, „während nicht lange vor unserer Zeit hier die sächsische [d. i. die niederdeutsche. NRW] Sprache die Vorherrschaft behauptet hat“. Dieser

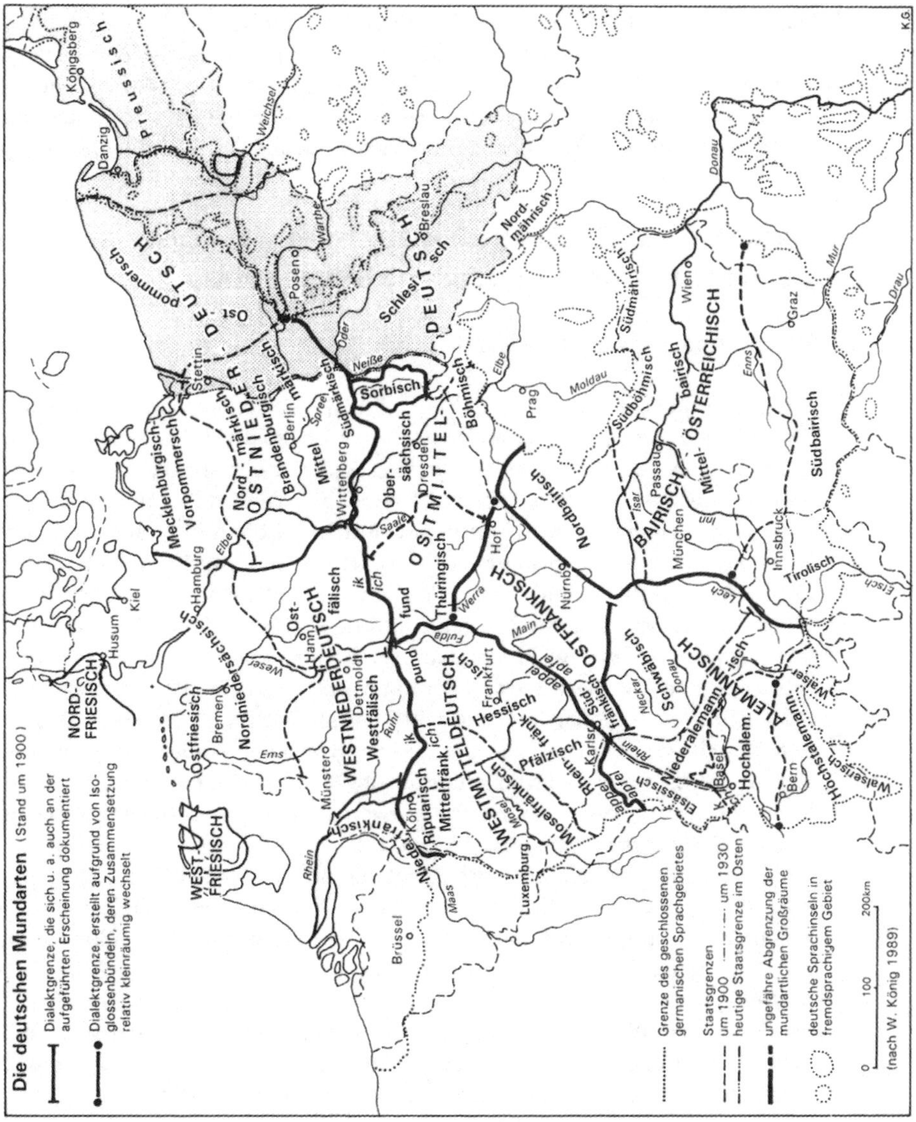

Karte 8: Die deutschen Mundarten

Schreibsprachwechsel – um einen solchen handelt es sich zunächst – habe begonnen, „seitdem die höchsten Stellen in der Kanzlei Räte und Schreiber erhielten, die die Sprache des oberen Deutschland sprachen und dem Hofstaat der früheren Bischöfe folgten" (ebd.). Auch das Prestige der unterschiedlichen Sprachformen wird von Torquatus angesprochen: „Indem unsere Landsleute Sitten und Redeweise der Höflinge annahmen, begannen sie allmählich ihr unkultiviertes Niederdeutsch abzulehnen." (Zit. SANDERS 1982, 154 f.) Schließlich führt Torquatus noch „die norddeutschen Studenten" an, „die an den benachbarten mitteldeutschen Universitäten Wittenberg und Leipzig mit ihren Studien 'auch die Meißnische Sprache (vorzüglich unter dem Einfluß von Luther) hinzulernten'" (SANDERS 1982, 155). Über das Niederdeutsche schiebt sich das Hochdeutsche, vor allem das Ostmitteldeutsche (vgl. dazu 1.5.1 und 1.5.2) als überregionale Prestigevarietät, wodurch das Niederdeutsche zu einem Dialekt bzw. einer Dialektgruppe 'degradiert' wird. Der weitere Weg des Niederdeutschen ist, wie das Modell von Willy Sanders etwas pointiert demonstriert, nicht mehr Gegenstand der Sprachgeschichte, sondern der (diachronen) Dialektologie.

1.4.4 Fallstudie: Mystische Sprachverwendung zwischen Literatur- und Wissenschaftssprache

1.4.4.1 Brautmystik von Beginen

Literatursprachliche und geschäftssprachliche Varietäten sind im literarischen und sprachlichen 'Leben' des späten Mittelalters nicht so distinkte Sprachformen, wie es die Terminologie nahelegen könnte. Die sog. 'Sprache der Mystik' kann als Beispiel dafür dienen. 'Mystik' bezeichnet zunächst eine religiöse Erfahrung, und zwar die „Erfahrung einer unmittelbaren Einheit mit dem Göttlichen", dann aber auch die „Literatur, die von einer solchen Erfahrung handelt" (LANGER 2000, 653). Mystik als Erfahrung ist „zumeist ein Seelenereignis", ein „ganzheitlich vereinigendes Gewahrwerden u[nd] Erleben des Absoluten in unmittelbarer Intuition" (HAAS 2009, 595). Die Mystik vergangener Epochen wird „wahrnehmbar" (ebd.) und kommunizierbar, indem sie aufgeschrieben und auf diese Weise Literatur wird. Schon im 12. Jahrhundert „erhält die Frau eine neue, in mancher Hinsicht zentrale Stellung" (WEHRLI 1980, 621). Dies äußert sich vor allem auch in der „Frömmigkeit der Frauen", die „als Religiosen zu Vermittlerinnen einer geistlichen Erfahrung und Praxis" werden, „die unmittelbarere, kühnere Ausdrucksformen sucht als die von gelehrten Geistlichen getragene Monastik und frühe Scholastik" (WEHRLI 1980, 622).

Vor allem die „religiöse Frauenbewegung der Beginen" gab „Impulse für neue Formen der Mystik", die „mit der monastischen Betonung der Weltflucht [...] brach und erneut Wert darauf legte, daß der mystische Kontakt mit Gott allen Christen", nicht nur den lateinisch-klerikal gelehrten, „zugänglich war" (MCGINN 2009, 590). Auf diese Weise konnten sich auch Frauen, die ohne Zweifel gebildet, aber nicht (lateinisch) gelehrt waren, dieser „Lebensform" (HAAS 2009, 595) zuwenden. Sie konnten dabei auch an biblische literarische Vorbilder anschließen, so besonders an das „Hohelied", eine Sammlung von Liebesgedichten im „Alten Testament".

Um 1160 schreibt ein unbekannter Autor das „St. Trudperter Hohelied", „die früheste rein volkssprachige, vollständige Auslegung des Hohenliedes aus dem Mittelalter" (OHLY 1995, 1089). Das Ich in diesem Text gibt sich in der Rolle eines Seelsorgers, der „zu seinen ihm anvertrauten Klosterfrauen spricht" (RUH 1993, 24). Der Autor „will sein Buch als 'Spiegel' für die Bräute des Herren, die Nonnen, verstanden wissen" (RUH 1993, 27; über 'Spiegel' als Textgattung s. 1.4.3.2); er gibt Anweisungen zur Ausführung und zum Verständnis einer geistlichen „*sponsus-sponsa*-Beziehung" (RUH 1993, 25):

Nû gêt zuo ir iuncvrouwen,/ir dâ nie mit girde gekusten./nû singet ir schoenesten,/ir der welte mit vlîze nie gesunget./iuwer brüste werdent von gote gehalsen,/wan si nie nehein man bevie./nû singet ir liebesten,/wan ir nie heiser enwurdet von welticheme sange.
(Nun tretet herzu, ihr Jungfrauen, ihr niemals mit Begier Geküssten. Nun singet, ihr Schönsten, die ihr nie mit Hingabe an die Welt gesungen habt. Eure Brüste mögen von Gott geliebkost werden, da sie nie ein Mann berührte. Nun singet, ihr Liebsten, da ihr von weltlichem Gesang nie heiser wurdet.) (HOHELIED 1998, 11,5 ff.; Übersetzung von FRIEDRICH OHLY ebd.)

Dieser Text gilt als „Auftakt der volkssprachlichen Mystik in der deutschen Literatur" (RUH 1993, 22); wir können sogar vom Auftakt der Frauen- oder Brautmystik sprechen. Die *Unio mystica* wird von den Frauen mit deutlich erotischem Vokabular und der Terminologie des (zeitlich nachfolgenden) Minnesangs als eine Liebesbeziehung ausgedrückt, die in einer *brûtlouft*, einer 'Hochzeit' (HOHELIED 1998, 13,4) gipfelt, eine solche *brûtlouft* führt *ze êlicher unde ze rehter wineschefte* (zu einer ehelichen und rechten Liebesgemeinschaft; HOHELIED, 13,12 f.). In diesem Sinn ist das „St. Trudperter Hohelied" *ein lêre der minneclichen gotes erkennüsse* (eine Lehre der liebenden Gotteserkenntnis; HOHELIED 1998, 145,12). Die *minne* ist demnach ein Weg der wahren Erkenntnis „nach der Formel *amor ipse intellectus est*" (OHLY 1998, 1253). In diesem Sinn wird Mystik eine Lehre, die der Fachterminologie bedarf.

Dies wird bei Mechthild von Magdeburg, der bedeutendsten deutschen Mystikerin des 13. Jahrhunderts, noch viel deutlicher. Um 1207 geboren, wurde sie 1230 Begine, d. h. Mitglied einer Vereinigung frommer, klosterähnlich lebender Frauen, in Magdeburg und um 1270 ins Zisterzienserinnenkloster Helfta bei Eisleben aufgenommen. Ihr Werk „Das fließende Licht der Gottheit" gilt als „Modellfall mystischen Schrifttums in der Volkssprache" (RUH 1993, 250). Ihr Seelsorger, der Dominikaner Heinrich von Halle, „hat die auf losen Blättern von ihr etwa seit der Jahrhundertmitte niedergeschriebenen Revelationen [...] redigiert" (WEHRLI 1980, 625). Mechthilds Sprache war das Elbostfälische, ein niederdeutscher Dialekt mit zahlreichen mitteldeutschen Einsprengseln. Doch ist ihr Werk nicht im Original erhalten, sondern nur in einer alemannischen, einer „oberrheinische[n], 1343/45 in Basel entstandene[n] Umschrift" (RUH 1993, 252), die vollständig nur in einer Handschrift, die aus dem Nachlass einer Basler Begine stammt, auf uns gekommen ist (vgl. NEUMANN 1987, 261).

Mechthild informiert die Leser über den Beginn ihrer Visionen: *Ich unwirdigú súnderin wart gegrůsset von dem heiligen geiste in minem zwǒlften jare* (Ich unwürdige Sünderin wurde in meinem zwölften Lebensjahr [...] vom Gruß des Heiligen Geistes [...] getroffen; MECHTHILD 2010, 228; Übersetzung von GISELA VOLLMANN-PROFE ebd.). In der höfischen Dichtung des hohen Mittelalters bietet der Gruß „in Wort und Gestik einen festen Bestandteil des kurialen Begrüßungszeremoniells"; er war „mit Kuß, Niederknien, Sichverneigen oder Umarmung verbunden" (EHRISMANN 1995, 83). Das „vielfach formulierte Ziel" des Minnedienstes „war der *gruoz* [...] als *lôn*", der „die Hingabe der [geliebten] Person" (ebd., 84) einschloss, obwohl sie in der Minnelyrik zwar erbeten, aber nur im Tagelied als einem 'Genre objectif' erreicht wurde. Bei Mechthild ist der Heilige Geist der Grüßende, was bedeutet, dass das Ich das sich sehnende, der Heilige Geist das sich hingebende Subjekt ist.

Dementsprechend begegnen bei Mechthild „geistliche und höfische Beiwörter" *suͤze, edele, minneclich, liep, wunneclich, schoͤne, saͤlic, lustlich, luter* (NEUMANN 1993, X), alles wertende Adjektive aus dem Referenzbereich der höfischen Minne. Und da sich mit Minne immer auch Emotionen verbinden, werden solche Adjektive häufig auch in Steigerungskomposita verwendet: *allerschoͤnest, allerwúnneclichest, herzeliebest, allersaͤligest, alminnende, allibende, úberhere, úbersuͤze, vilbekaͤme, vilsaͤlic* (ebd.).

Das erste Kapitel des VI. Buchs des „Fließenden Lichts" hat die Überschrift *Wie ein prior oder ein priorinne oder ander prelaten sich soͤllent halten gegen iren untertane* (Wie sich ein Prior oder eine Priorin oder andere Prälaten gegenüber ihren Untergebenen verhalten sollen; MECHTHILD 2010, 418). Auf Bauabsichten von 'Brüdern' sollen die 'Prälaten' reagieren:

> *Wellent dine brůder hoch buwen, da solte heileklich wenden und sprich alsus: „Eya vil lieben brůdere, wir wellen der heiligen drivaltekeit buwen einen wunnenklichen palast in únserer sele mit dem zimber der heligen schrift und mit den steinen der edelen tugenden. Der erste stein des erlichen palastes, da der ewige got ane ende sine minnelustlichen brut inne trúten sol nach siner creftigen wollust und nach ir smekenden gerunge,* [...]"
> (Wollen deine Brüder großartig bauen, sollst du das im Geiste der Frömmigkeit abwenden und so sprechen: „O vielgeliebte Brüder, wir wollen der Heiligen Dreifaltigkeit einen herrlichen Palast in unserer Seele errichten mit dem Bauholz der Heiligen Schrift und mit den Steinen der edlen Tugenden. Der erste Stein des herrlichen Palastes, in dem der ewige Gott seine liebesselige Braut lieben wird, wie es seiner machtvollen Lust und ihrem empfangenden Begehren entspricht, [...]") (MECHTHILD 2010, 422).

Die Mystikerin sieht sich vor der Notwendigkeit, bislang noch nie formulierte, versprachlichte Erfahrungen auszudrücken. Der Sprache, dem spätmittelalterlichen Deutsch, entstehen neue Referenzbereiche. Die Mystikerin schafft aufgrund ihrer neuen Erfahrungen neue Begriffe, die für das Verbalisieren der Visionen versprachlicht werden müssen. Für solch einen Vorgang gibt es drei Verfahrensweisen: Wortbildung, Metaphorisierung oder Entlehnung aus einer anderen Sprache.

In den Minne-Partien des „Fließenden Lichts" ist die Metaphorisierung die vorherrschende Begriffsbildungsmethode. Wörter aus dem Minnebereich werden, wie schon gesagt, in den Referenzbereich der Unio mystica übertragen. Die Vereinigung der Liebenden ist das Konzept, das die individuelle Erfahrung der religiösen Unio verstehbar und kommunizierbar macht. Dazu kommt, dass solche Erfahrungen narrativ oder teilweise narrativ in Minnehandlungen stilisiert werden, wobei die religiösen Prinzipien keineswegs negiert werden:

> *Des morgens in dem suͤssen tǒwe, das ist die besclossen innekeit, die erst in die sele gat, so sprechent ir kamerere, das sint die fúnf sinne: „Vrǒwe, ir soͤllent úch kleiden." „Liebe, wa sol ich hin?" „Wir han das runen wol vernomen, der fúrste wil úch gegen komen in dem tǒwe und in dem schoͤnen vogelsange. Eya vrǒwe, nu sument nút lange!" So zúhet si an ein hemede der sanften demuͤtekeit und also demuͤtig, das si under ir nit mag geliden; dar úber ein wisses kleit der luteren kúschekeit und also reine, das si an gedenken, an worten noch an beruͤrunge nút me mag geliden, das si bevlekken moͤge.*
> (Des Morgens im süßen Tau – das ist die heimliche Vertrautheit, die die Seele zuerst berührt –, da sagen ihre Kämmerer, nämlich die fünf Sinne: „Herrin, Ihr sollt Euch ankleiden!" „Ihr Lieben, wo soll ich hin?" „Wir haben das heimliche Flüstern deutlich gehört: Der Fürst will Euch entge-

genkommen im Tau und bei schönem Vogelgesang. O Herrin, nun haltet Euch nicht lang auf!" Da zieht sie das Hemd der sanften Demut an – so demütig, daß sie nicht dulden will, daß etwas niedriger sei als sie; darüber das weiße Kleid der lauteren Keuschheit – so rein, daß sie keine Gedanken, keine Worte und keine Berührung mehr ertragen kann, die sie beflecken würden.)
(MECHTHILD 2010, 58.)

Der höfische Minnesang ist zum größten Teil männliche Rollenlyrik: Ein männliches Ich sehnt sich nach der Geliebten, nach ihrem *gruoz* oder nach ihrer Berührung. Im „Fließenden Licht" kann ein weibliches Ich diese Aufgaben übernehmen:

So singet si denne: „Userweltes liep, ich geren din; du nimest und gibest mir vil mange herzensweri. Joch han ich von dir unsúneliche not; swenne du, herre, gebútest, so wird ich von mir erlost."
(So singt sie denn: „Auserwähltes Lieb, ich verlange nach dir; du nimmst und gibst mir zahllose Herzensqualen. Fürwahr, du bereitest mir unsichtbare Not! Wenn du, Herr, es gebietest, dann werde ich von mir erlöst.") (MECHTHILD 2010, 70.)

Auf diese Weise bekommen Frauen, zumindest in dieser Art von Literatur, eine neue Rolle zugewiesen. Dabei fällt auf, dass die Frau mit dem höfischen Ausdruck *vrouwe*, der männliche Partner mit *herre* angesprochen wird. Die Distanz zwischen Mensch und Gott „ist bei Mechthild im Gespräch – nicht in ihrer theologisch gesteuerten Spiritualität!" – aufgehoben, und zwar erstmalig in unmittelbar-rückhaltloser Formgebung, wie sie wohl nur einer Frau möglich ist." (RUH 1993, 257.)

HANS NAUMANN (1993, XI) hat auf einen weiteren Stilzug der Sprache des „Fließenden Lichtes" aufmerksam gemacht, der sich z. B. in folgendem Zitat (MECHTHILD 2010, 366) manifestiere:

Die lúhtende **bluͤjunge** ir schoͤnen ǒgen	Das leuchtende Erblühen ihrer schönen Augen
und	und
dú geistliche schoͤni irs megtlichen antlites	die geistige Schönheit ihres jungfräulichen Antlitzes
und	und
dú vliessende suͤssekeit irs reinen herzen	die sich verströmende Liebenswürdigkeit ihres reinen Herzens
und	und
dú wunnenkliche spilunge ir edelen sele.	das herrliche Glänzen ihrer edlen Seele

Diese kurze Textstelle ist durch vier Abstraktbildungen gekennzeichnet, und zwar zwei Verbalabstrakta mit dem Suffix *-ung* (*bluͤjunge, spilunge*) und zwei Adjektivabstrakta, davon eines mit dem Suffix *-i/-e* (*schoͤni*), das andere mit *-keit* (*suͤssekeit*). Die beiden Verbalabstrakta sind hier Nomina actionis, in der gegenwartssprachlichen Übersetzung durch Infinitivkonversionen wiedergegeben; sie drücken Vorgänge aus. Im Gegensatz dazu dienen die beiden Adjektivabstrakta dazu, Eigenschaften und Zustände zu nominalisieren. Gemeinsame Eigenschaft all dieser Abstrakta ist es, Prädikationen in Sätze einzubetten und dadurch die Informationen im jeweiligen Satz zu kondensieren. Das mystische Erlebnis ist derart komplex, die mystische Erfahrung muss in solchen Formulierungen verdichtet werden. Der Kern der Prädikation hat die Subjekte der Basisprädikation, die Vorgangs- oder Zustandsträger realisieren, als genitivische Satzgliedteile an sich gebunden. Diese nominalisierten Prädikationen sind noch durch pränukleare Adjektive attribuiert. Und diese vier Nominalgruppen sind zusammen das Subjekt eines umfassenden Satzes, wobei diese vier Nominalgruppen zusammenfassend wieder aufgenommen werden:

*Die lúhtende bluͤjunge ir schoͤnen oͮgen und dú geistliche schoͤni irs megtlichen antlites und dú vliessende suͤssekeit irs reinen herzen und dú wunnenkliche spilunge ir edelen sele – **dise vier ding** zugen sich zesamene* [...]
(Das leuchtende Erblühen ihrer schönen Augen und die geistige Schönheit ihres jungfräulichen Antlitzes und die sich verströmende Liebenswürdigkeit ihres reinen Herzens und das herrliche Glänzen ihrer edlen Seele – ***diese vier Dinge*** vereinigten sich [...])

Mit anderen Worten: Neue Inhalte suchen und finden ihre neuen Formen. Zwar waren die Möglichkeiten der Wortbildung schon seit Längerem vorhanden, doch werden diese von nun an auf ganz andere, vielfältige Weise genutzt. Es kann allerdings nicht behauptet werden, dass die Zunahme von Abstraktbildung gerade in spekulativ-mystischen Texten, etwa bei Meister Eckhart (darüber gleich mehr), auf das Wirken Mechthilds von Magdeburg zurückzuführen ist. Dazu ist schon die Überlieferung viel zu schmal, sodass nicht auf eine reichhaltige Rezeption ihres Schaffens geschlossen werden kann. Das „Fließende Licht" ist allerdings ein eindrucksvolles Zeugnis dafür, dass einerseits die unterschiedlichsten „Quellenbereiche" wie „die Bibel, insbesondere das Hohelied, die Liturgie, Predigten, Gespräche mit Geistlichen, dazu die höfische und die volkstümliche Literatur" (BRUNNER 2010, 292) zur Bewältigung mystischen Erlebens herangezogen wurden und zum Ausbau bestimmter sprachlicher Modelle führten.

1.4.4.2 Die ‚andere' Theologie der spekulativen Mystik

In der spekulativen Mystik, wie sie vor allem von dominikanischen (männlichen) Theologen gepflegt wurde, steht nicht mehr das autobiographisch geschilderte mystische Erlebnis im Mittelpunkt, sondern vielmehr die theologische Ver- und Bearbeitung des Erlebten und Erdachten. Die auf uns gekommenen Schriften des Dominikaners Meister Eckhart (~1260–1328) gelten als „Höhepunkt der theologisch-spekulativen Mystik" (BRUNNER 2010, 293). Einige Daten aus der Biographie (nach STEER 1980) sollen die fundierte Ausbildung, die Meister Eckhart erhalten hat und die auch die wesentlichen Charakteristika seiner Sprache begründen kann, demonstrieren: Mit ungefähr 15 Jahren tritt er ins Dominikanerkloster Erfurt ein und bekommt zunächst dort die damals übliche Ausbildung. Er wird ans Studium generale der Dominikaner in Köln und dann nach Paris geschickt, wo er bei einem zweiten Aufenthalt als Magister Theologiae wirkt. Er übernahm Leitungsaufgaben in seinem Orden, war wieder in Paris, dann in Straßburg, schließlich in Köln, „trotz schwachem Zeugnis doch wohl als Magister am dortigen Studium generale" (STEER 1980, 328). 1326 initiiert der Kölner Erzbischof ein Inquisitionsverfahren, das schließlich zur Verurteilung einzelner Sätze führte. Als die Verurteilungsbulle „am 27. 3. 1329 erschien, war Eckhart nicht mehr am Leben" (STEER 1980, 329).

Eckhart hat also eine traditionelle scholastische Ausbildung bekommen, und er war als Magister im akademischen Bereich tätig. Der Namenszusatz *Meister*, eine Entlehnung des lat. *magister*, wird schon im 8. Jh. „am fränkischen Hof als Titel und in der Bibel für den Lehrer der Religion und Weisheit (insb. für Christus)" gebraucht; von da aus wird das Wort auch auf Personen aufgewendet, die „Wissenschaft und Kunst" (PAUL 2002, 651) beherrschen und lehren. Meister Eckhart ist also die Bezeichnung sowohl für einen akademischen Lehrer als auch für einen hervorragenden Theologen. Allerdings, die Sprache der Theologie wie jeder Wissenschaft war im Mittelalter und in der frühen Neuzeit Latein. Von Eckhart sind lateinische und deutsche Werke erhalten. Daraus lässt sich schließen, dass die lateinischen Schriften vom 'traditionellen' Theologen, vom akademischen Wissenschaftler stammen, während die deutschen Schriften Ergebnisse einer anderen, einer nicht-akademischen Theologie sind. Dem entspricht auch, dass Predigten, insgesamt 86, nur auf Deutsch überliefert sind. Dass es sich hier um eine wie immer geartete 'andere' Theologie handelt, davon zeugt auch die Tatsache, dass die inkriminierten Sätze, die in der Verurteilungsbulle zitiert sind, „überwiegend den dt. Trakten und Predigten" (STEER 1980, 329) entstammen. 'Andere' Theologie bedeutet indes nicht, dass nur die lateinisch formulierte orthodox ist; es handelt sich vielmehr um ein unterschiedliches Publikum: Mit seinen volkssprachigen Werken, vor allem auch mit seinen Predigten wendet sich Eckhart an Laien, die nicht lateinisch gelehrt sind; gerade die Ungelehrten bedürfen der Belehrung (s. STEER 1986, 49 f.).

Durch die 'andere' Theologie wird die deutsche Sprache auch Sprache der theologischen Reflexion und Spekulation; das volkssprachige Publikum ist kein wissenschaftliches Publikum. Wir kommen daher zu einer neuen Funktion der Volkssprache: Für ein neues, bislang noch nicht intendiertes Publikum wird die Volkssprache das Medium der Wissensvermittlung. Die mystische(n) Erfahrung(en) und die spekulative Theologie machen das Deutsche zu einer speziellen Vermittlungsfachsprache, die – natürlich – auch zahlreicher (neuer) Begriffe bedarf. Während es bei Mechthild von Magdeburg die komplexen intensiven Erfahrungen waren, die zu sprachlichen Kondensierungsmitteln führten, ist es jetzt die Absicht, spekulative Theologie und Philosophie einem ungelehrten Publikum zu vermitteln. So gesehen, wird die neue, 'andere' Theologie Meister Eckharts bzw. deren Texte zu einer Art 'Wissensliteratur' (s. oben 1.4.2).

In diesen Kontext sind auch die Predigten zu stellen. Es handelt sich hier keineswegs um irgendwelche Niederschriften von mündlich präsentierten Texten, sondern um überarbeitete und für bestimmte Zwecke, etwa für die Tischlektüre in monialen Kreisen redigierte Texte, die wie Predigten strukturiert sind, die immer mit einem (lateinischen) Bibelzitat beginnen und von diesem ausgehend ihre jeweilige 'Lehre' entwickeln (vgl. RUH 1978). Ziel solcher 'Predigtbücher' ist es also, ebenfalls Wissen oder Gewissheiten zu vermitteln.

Der Anfang der berühmten Predigt „Misit dominus manum suam" kann dies gut exemplifizieren:

Misit dominus manum suam et tetigit os meum et dixit mihi etc. Ecce constitui te super gentes et regna. 'Der herre hat gesant sine hant und hat berüeret minen munt und hat mir zuogesprochen.'
Swenne ich predige, sô pflige ich ze sprechenne von abegescheidenheit und daz der mensche ledic werde sîn selbes und aller dinge. Ze dem andern mâle, daz man wider îngebildet werde in daz einvaltige guot, daz got ist. Ze dem dritten mâle, daz man gedenke der grôzen edelkeit, die got an die sêle hât geleget, daz der mensche da mite kome in ein wunder ze gote. Ze dem vierden mâle von götlicher natûre lûterkeit – waz klârheit an götlicher natüre si, daz ist unsprechelich. Got ist ein wort, ein ungesprochen wort.
('Der Herr hat seine Hand ausgestreckt und hat berührt meinen Mund und hat zu mir gesprochen' <Jer. 1,9>.
Wenn ich predige, so pflege ich zu sprechen von Abgeschiedenheit und daß der Mensch ledig werden soll seiner selbst und aller Dinge. Zum zweiten, daß man wieder eingebildet werden soll in das einfaltige Gut, das Gott ist. Zum dritten, daß man des großen Adels gedenken soll, den Gott in die Seele gelegt hat, auf daß der Mensch damit auf wunderbare Weise zu Gott komme. Zum vierten von der Lauterkeit göttlicher Natur – welcher Glanz in göttlicher Natur sei, das unaussprechlich. Gott ist ein Wort, ein unausgesprochenes Wort.)

(ECKHART 1993a, 564; Übersetzung von JOSEF QUINT.)

Dem Text vorangestellt ist ein Zitat aus dem Alten Testament in lateinischer Sprache; es handelt sich in der Regel um Zitate aus der „Vulgata", der Übersetzung des Kirchenvaters Hieronymus (Ende 4. Jh.), die lange Zeit die maßgebliche Bibel-Version des lateinischen Christentums war. Darauf wird das lateinische Zitat ins Deutsche übersetzt. Dieses Zitat hat mehrere Funktionen: Es ist vom alttestamentlichen Propheten Jeremias genommen und wurde in der Epistel zur „Vigil der Geburt Johannes des Täufers (23. Juni)" (LARGIER 1993a, 1061) gelesen; der Prediger stellt sich damit in eine doppelte Traditionskette, in die des Propheten und in die Johannes des Täufers, des Wegbereiters Christi. Des Weiteren formuliert dieses Zitat die Kontaktaufnahmen Gottes mit seinem Prediger, weshalb Gottes Hand auch den Mund des Predigers berührt hat.

Daraufhin eröffnet Eckhart „die Predigt mit einer Einleitung, die in Umrissen sein Predigtprogramm skizziert" (LARGIER 1993a, 1061). Schon in dieser kurzen Textpassage wird deutlich, dass Eckhart in seinen „programmatischen Auslassungen über das mystische Einigungserlebnis Termini" verwendet, die „aus der mystischen Denk- und Vorstellungswelt" (QUINT 1964, 132) stammen und zu einem wesentliche Teil Abstraktbildungen sind: *abegescheidenheit, edelkeit, lûterkeit, klârheit.* In der Lehre Eckharts sind dies tatsächlich „Termini" bzw. Begriffe, um die „Eckharts Lebenslehre" (RUH 1996, 338) kreist. Einen ähnlichen Stilzug, die gehäufte Verwendung von Abstrakta, finden wir an zahlreichen Stellen in Eckharts Werk, z. B. im Traktat *„Daz buoch der goetlîchen troestunge*":

> *Von dem êrsten sol man wizzen, daz der wîse und wîsheit, wâre und wârheit, gerehte und gerehticheit, guote und güete sich einander anesehent und also ze einander haltent: diu güete enist noch geschaffen noch gemachet noch geborn; mêr si ist gebernde und gebirt den guoten, und der guote, als verre sô er guot ist, ist ungemachet und ungeschaffen und doch geborn kint und sun der güete. Diu güete gebirt sich und allez, daz si ist, in dem guoten; wesen, wizzen, minnen und würken giuzet si alzemâle in den guoten, und der guote nimet allez sîn wesen, wizzen, minnen und würken von dem herzen und innigesten der güete und von ir aleine. Guot und güete ensint niht wan ein güete al ein in allem sunder gebern und geborn-werden; doch daz gebern der güete und geborn-werden in dem guoten ist al ein wesen, ein leben. Allez, daz des guoten ist, daz nimet er beidiu von der güete und in der güete. Da ist und lebet und wonet er.*
>
> (Zum ersten muß man wissen, daß der Weise und die Weisheit, der Wahre und die Wahrheit, der Gerechte und die Gerechtigkeit, der Gute und die Gutheit aufeinander Bezug nehmen und sich wie folgt zueinander verhalten: Die Gutheit ist weder geschaffen noch gemacht noch geboren; jedoch ist sie gebärend und gebiert den Guten, und der Gute, insoweit er gut ist, ist ungemacht und ungeschaffen und doch geborenes Kind und Sohn der Gutheit. Die Gutheit gebiert sich und alles, was sie ist, in dem Guten: Sein, Wissen, Lieben und Wirken gießt sie allzumal in den Guten, und der Gute empfängt sein ganzes Sein, Wissen, Lieben und Wirken aus dem Herzen und Innersten der Gutheit und von ihr allein. Der Gute und die Gutheit sind nichts als *eine* Gutheit, völlig eins in allem, abgesehen vom Gebären einerseits und Geboren-Werden anderseits; indessen ist das Gebären der Gutheit und das Geboren-Werden in dem Guten völlig *ein* Sein, *ein* Leben. Alles, was zum Guten gehört, empfängt er von der Gutheit in der Gutheit. Dort ist und lebt und wohnt er.) (ECKHART 1993b, 232 f.)

Der Anfang dieser Textstelle ist gekennzeichnet von der Opposition und dem gleichzeitigen Zusammenspiel zweier Wortbildungsmodelle: Adjektivkonversion zur Personenbezeichnung (*der wîse, der wâre, der gerehte, der guote*) und Adjektivabstraktum (*wîsheit, wârheit, gerehticheit, güete*). Die abstrakten Begriffe repräsentieren die „perfectiones generales" und „ihr Verhältnis zu ihren Trägern" (LARGIER 1993b, 755). Drei der Begriffe werden mit *-heit*-Ableitungen, einer mit einem *-e*-Derivat benannt. Die gegenwartssprachliche Übersetzung verwendet in allen Fällen *-heit*-Bildungen, da

Güte im Gegenwartsdeutschen die Bedeutung „edle, hilfreiche, großherzige Gesinnung“ (WAHRIG 2011, 656) hat. Die abstrakten Begriffe betreffen die „*perfectiones generales*“ (LARGIER 1993b, 755). Ganz gleich, ob Eckhart diese Bildungen geschaffen oder sie dem allgemeinen Sprachgebrauch entnommen hat, von Bedeutung ist, dass diese Abstrakta in diesem Kontext notwendig sind; sie werden in diesem Kontext zu Fachwörtern der ‘anderen’ Theologie. Im darauffolgenden Text wird als weiteres Wortbildungsmodell die Infinitivkonversion genutzt: *allez sîn wesen, wizzen, minnen und würken*, um verbale Prozesse substantivisch auszudrücken.

JOSEF QUINT (1964, 146), der schon in den 30er Jahres des 20. Jh. die heute noch gültige kritische Edition begonnen hat, spricht von einer großen Zahl von „mystischen Bildungen κατ’ ἐξοχὴν“ und zählt auf:

„-*heit*(-*keit*)-Bildungen von Substantiven“:
gotheit, menschheit, manheit, kintheit, wesenheit, nihtheit, vaterheit, zîtheit, wunderheit, vilheit,

„von Adjektiven“:
ersticheit, veterlicheit, sunlicheit, blôzheit, innicheit, îtelkeit, êrberkeit, widerwerticheit, untœtlicheit, unwandelbercheit, einformicheit, wesenlicheit, lîdelicheit, gîtecheit, kleinlicheit, ursprunclicheit, geisticheit, grôzheit, grundelôsicheit, inwendicheit, gevellicheit, isticheit, lebelicheit, gropheit, nemelicheit, materielicheit,

„von Partizipien“:
beslozzenheit, îngeslozzenheit, abegescheidenheit, vergezzenheit, geschaffenheit, verborgenheit, genantheit, ûzgeursprungetheit, gewordenheit, ungewordenheit, verworfenheit, îngedrucketheit, entgozzenheit, îngevlozzenheit, unverstandenheit,

„von Pronomina“:
iresheit, sinesheit, dinesheit, selbesheit,

„von Zahlwörtern“:
drîheit, einheit.

„Ebenso radikal wird nun aber durch das Abstraktsuffix -*unge* alles Tun, Werden, Geschehen entkonkretisiert“

begrîfunge, behaltunge, bewegunge, îndrückunge, erfüllunge, entblœzunge, entgeistunge, anhaftunge, însliezunge, zesamenbindunge, entgiezunge, inblîbunge, schouwunge, anschouwunge, bildunge, înbildunge, betrahtunge, besitzunge, zuosammenhellunge, beroubunge, inwertwürkunge, invliezunge.

In den beiden Textproben aus Eckhart’schen Schriften sind auch mehrere Wörter bzw. Wortbildungen mit Negationszeichen aufgefallen. So heißt es in der Predigt *Misit dominus*: *waz klârheit an götlicher natûre si, daz ist* ***unsprechelich****. Got ist ein wort, ein* ***ungesprochen*** *wort.* Und in dem Traktat „*Daz buoch der goetlîchen troestunge*“ lesen wir: *diu güete* ***enist noch*** *geschaffen* ***noch*** *gemachet* ***noch*** *geborn*, des Weiteren: *der guote* [...] *ist* ***ungemachet*** *und* ***ungeschaffen*** sowie: *Guot und güete* ***ensint niht*** *wan ein güete.* Es scheint dem mystischen Theologen einfacher zu sein, zu sagen, dass etwas nicht oder nicht so ist, als davon zu sprechen, dass etwas ist und wie es ist. „Die Mystiker verstehen ihr Sprechen als scheiternden Versuch, die Erfahrung der Einheit auszudrücken, zugleich aber als Antwort auf das Sprechen Gottes.“ (LANGER 2000, 654.)

Es kommt also zu zahlreichen „Neuschöpfungen und Umbildungen“ (QUINT 1964, 143), in Sonderheit zu Ableitungen mit negierenden Affixen; etwa (s. ebd.):

Mit dem Präfix *un-*:

unbegrîfelich, unbedâht, unbedenklich, unbekant, unbekantlich, unberüerlich, unbeweglich, unendelich, ungemenget, ungemischet, ungenatûret, ungeschaffen, ungescheiden, ungesihtic, ungestücket, ungeteilet, ungeworden, unmæzic, unmæzlich, unteillich, unwandelbære, unwandelhaftic, unwandellich, unwesenlich, unzallich.

Im Referenzbereich von Sprache und Erkenntnis: *unverstentlich, unsprechelich, unûzsprechelich, ungesprochen, ungewortet.*

Mit dem Suffix *-los*:

wortelos, wiselos, bildelos.

Negiert wird auch mit Bildungen, die ausdrücken, dass etwas zu viel ist für eine 'normale', will sagen: alltagssprachliche 'Verwortung':

überweselich, übersprechelich, überswebende, überswenkec, überswenclich.

Figurae etymologicae, also rhetorische Figuren, die „Paronyme (von demselben Wortstand abgeleitete Wörter)" (HARJUNG 2000, 192) verwenden, zeugen von dem Bemühen, negierend zur Erkenntnis und zum Sprechen darüber zu kommen:

unwortlich wort, ungenante ungenantheit, unbegriffene unbegrifelicheit.

„Insbesondere die volkssprachliche Mystik geht nicht von einem Gegenüber von Sprache und Transzendenzerfahrung aus, sondern versteht die Sprache als Medium, in dem sich die Transzendierung der Sprache als Repräsentationssystem vollzieht." (LANGER 2000, 654.)

1.4.4.3 Sprachgeschichtliche Folgerungen

Die deutsche Sprache bekommt durch die Mystik eine neue Funktion. In der spekulativen 'Variante' wird diese neue Funktion auch bedacht und reflektiert. Eckharts „sermo mysticus hat einen proleptisch-vorausnehmenden Charakter; Ziel seines Predigens ist nicht der Bericht individueller mystischer Erfahrung, sondern deren Ermöglichung und Erweckung als deren Preisgabe zugunsten der Absolutheit mystischer Erfahrung als solcher." (HAAS 1973, 260.) Mystische Erfahrung, im Wesentlichen die Erfahrung der *Unio mystica*, „weiß, daß sie gezwungen ist, sich selber auszusagen, ja die Unmöglichkeit, sich selber auszusagen vermelden muß" (HAAS 1979, 29). Mystisches Sprechen ist somit ein Paradox. Der Mystiker muss sich einerseits mitteilen: *Wêre hie nieman gewesen, ich müeste sie* [die Predigt] *disem stocke* [diesem Opferstock] *geprediet hân*! (ECKHART 1857, 181.) Andererseits erreicht der *Sermo mysticus*, indem er getan wird, seine Grenzen: *Got ist ein wort, ein ungesprochen wort* [...] *Got ist gesprochen und ungesprochen* [...] *Alsô sprichet der vater den sun ungesprochen unde belibet doch in ime* [...] *gotes ûzganc ist sin înganc* (ECKHART, zit. QUINT 1964, 132). Deutsch wird zur Sprache der theologischen Reflexion, allerdings der 'anderen' Theologie.

Mechthild von Magdeburg schreibt ihre Erfahrungen auf Deutsch nieder, weil ihr die literate lateinische (Aus-)Bildung fehlt. Sie greift deshalb auch auf volkssprachliche literarische Formen wie den Minnesang zurück, um ihre Erfahrungen der Unio mystica zu kommunizieren. Welchen Einfluss der klerikale Redaktor ihrer Schriften und welche Wirkung die Änderung des Dialekts hat, kann nicht beurteilt werden. Meister Eckhart bedient sich der deutschen Sprache wohl deshalb, weil das Lateinische durch die Scholastik begrifflich weitgehend festgelegt ist. Deswegen greift er auch vorwiegend zur literarischen Form der Predigt, die ebenfalls offener und flexibler ist als der lateinisch vorgeformte Traktat. Die Mystiker greifen auch deshalb zur Volkssprache, weil Latein als die Sprache der Wissenschaft diese spezifisch mystische Funktion nicht so leicht übernehmen kann.

Wir können also von einem mystischen 'Funktiolekt' sprechen, in dem die Sprache die neue Funktion, neue Erfahrungen und Erkenntnisse auszudrücken, bekommen hat; und diese neue Funktion hat dann auch ganz 'konkrete' Folgen: „Ein Sprachgebrauch, der intentional das aufhebt, worauf Sprache ihrer Natur nach angelegt ist, muß in extremer Weise dem Mißverständnis ausgesetzt sein, da ihre grundsätzliche Uneigentlichkeit, nur durch besondere Sprachformen wie das Paradox oder die Tautologie signalisiert, nicht vor dem Eigentlich-Nehmen bewahren kann.“ (Ruh 1978, 595.)

Dennoch hat die Forschung eine sprachgeschichtliche Wirkung der deutschen scholastischen Prosa auf die mystische Sprache vermutet. Nach Otto Zirker (1923), der aufgrund der Lemmata in Lexers „Mittelhochdeutschem Handwörterbuch“ eine große sprachschöpferische Tätigkeit der deutschen Mystiker erweisen wollte, weist Wolfgang Stammler (1953) auf die mittelhochdeutsche Übersetzung der „Summa Theologica“ des Thomas von Aquin hin, „die ein Zeitgenosse Meister Eckharts angefertigt hat. Hier finden wir nicht nur viele bisher für Eckhart'isch erklärte Neuprägungen wieder, sondern darüber hinaus eine erkleckliche Anzahl bisher unbekannter theologischer und philosophischer Fachausdrücke.“ (Stammler 1953, 22.) Die dominikanischen Mystiker hätten durch ihre Predigttätigkeit diesen Wortschatz kennengelernt und nach dessen Muster „einzelne Worte für ihre mystischen Bedürfnisse neu geprägt oder in neuer Bedeutung gebraucht“ (ebd.). Stammlers Auffassung ist z. T. geradezu Handbuchmeinung geworden: „Man war bislang gewohnt, die Sprache der deutschen Mystik und ihre gesamte theologische Terminologie als eine originale Leistung zu betrachten. Da wir jetzt aber […] auch die Sprache deutscher scholastischer Werke vergleichen können, zeigt es sich, daß die theologischen Fachausdrücke in den scholastischen und mystischen Schriften zum großen Teil identisch sind. Die deutsche Scholastik aber übersetzt aus lateinischen Quellen. Begriffe, die sich in ihr finden, müssen also als Lehnübersetzungen [besser: Lehnbildungen. NRW] aus dem Lateinischen betrachtet werden. Mithin ist zwischen lateinischer Scholastik und deutscher Mystik in diesen Übersetzungen ein Bindeglied entdeckt worden, und mancher deutsche Fachausdruck, den man bislang als von Mystikern frei geschaffen ansah, erweist sich nun als Übersetzungswerk deutscher Scholastiker.“ (Eggers 1965, 185.)

Dagegen spricht die Überlieferungslage, die es nicht erlaubt, scholastische Übersetzungen vor dem 14. Jh. anzunehmen. Der früheste derartige Text ist die Übersetzung der „Summa Theologica“, deren Handschrift wohl aus der 2. Hälfte des 14. Jh. stammt. Zudem hat auch die deutsche Scholastik keine eigene Fachsprache; die Terminologie variiert von Text zu Text. Wie kann also die Mystik von etwas beeinflusst sein, was es in der vorausgesetzten Art gar nicht gegeben hat? Dennoch greifen von Heusinger/von Heusinger den Ansatz von Stammler auf, sprechen allerdings nicht von Prätexten, sondern von allgemeinen Diskursen: „Das Latein des religiösen Diskurses hat über das Deutsch der Predigt und die Sprache der Mystik einen systematischen Einfluß auf die Organisation deutscher Abstraktsuffixe ausgeübt, die noch heute bei Neubildungen üblich ist.“ (von Heusinger/von Heusinger 1999, 59.) Die lateinischen Suffixe -*(a)tio* (deverbal → deutsch -*ung*) und -*itas* (deadjektivisch → deutsch -*heit*/-*keit*) seien hier modellbildend gewesen. Ein solcher Einfluss scheint durchaus plausibel, direkt, d. h. mit philologischen Mitteln, nachweisen lässt er sich nicht.

Die Problematik wird auch deutlich, wenn wir in die umgekehrte Richtung blicken: Die dominikanische Mystik hätte dem Thomas-Übersetzer „einen stattlichen Bestand wichtiger scholastischer Termini in deutschem Sprachgewand anbieten können: unser Übersetzer gebraucht aber keinen einzigen Eigenbegriff der Mystik Eckharts und seiner Zeitgenossen" (RUH 1951, 344).

Als Folgerung aus all dem ergibt sich „für die gesamte Literatur der deutschen Scholastik: Sie steht neben der deutschen Mystik, ist gleichzeitig mit ihr entstanden, aber [...] terminologisch von ihr geschieden." (STEER 1981, 27.) Bei diesem Stand der Forschung und des Wissens kann nur eine These gewagt werden: Scholastik und Mystik, zwei Bereiche, die nebeneinander hergehen, haben zwar keine identische Terminologie, wohl aber weitgehend identische Bildungsmuster für ihre Terminologien. Diese Bildungsmuster können teilweise ererbt sein – sie begegnen in Ansätzen schon im Althochdeutschen –, teilweise können sie in beiden Bereichen vom Lateinischen, gewissermaßen als Katalysator, beeinflusst sein. Scholastik und Mystik tragen dazu bei, Wortbildungsmuster produktiv zu machen. Insofern sind Scholastik und Mystik voneinander nicht zu trennen.

Der Unterschied zwischen diesen beiden Bereichen liegt auf einer anderen Ebene: Die deutsche Scholastik ist Übersetzungsliteratur in verschiedenen möglichen Formen. Volkssprachliche mystische Texte sind zunächst in der Mehrzahl deutsche 'Originalwerke'. Wie schon angedeutet, führen sowohl Translate als original volkssprachige Texte, die in Buchform überliefert sind, zur ebenfalls buchförmig tradierten 'Wissensliteratur', deren Aufgabe es ist, „ursprünglich lateinisch gefaßte[s] Buchwissen an ein immer größeres, dabei besonders auch neues, d. h. volkssprachiges Publikum" (BRENDEL/FRISCH/MOSER/WOLF 1997, 1) besonders im Rahmen der „Literatur-Explosion" (KUHN 1980, 78) bzw. „Bildungsexplosion" (SCHNELL 1978, 79) zu vermitteln. In allen Fällen geht es darum, dass neue Begriffe in neuen Kontexten durch Wörter benannt werden; hier spielen die Wortbildungsmöglichkeiten des Deutschen die grundlegende Rolle.

1.5 Das Deutsch der frühen Neuzeit (1450–1650)

1.5.1 Das neue Medium: der Buchdruck

Das späte Mittelalter ist ein Zeitalter rasanter technologischer Entwicklungen. Dies (natürlich nicht nur dies) führt auch zu einer steigenden Nachfrage nach Lektüre. Das mühsame Abschreiben von Hand kann trotz einiger Ansätze zu relativer 'Massenproduktion' – man denke an den in der Forschungsliteratur oft erwähnten Hagenauer Lehrer Diebold Lauber, der Handschriften mit „über 20 Spezialisten für das Abschreiben, Illustrieren, Initialen-Malen, Rubrizieren, Binden und Angestellten für Werbung und Vertrieb" (VON POLENZ 2000, 117) geradezu in 'Fließbandtechnik' herstellen ließ) – dem steigenden Bedarf nicht gerecht werden. In dieser Situation bedeutet die Erfindung des Mainzer Patriziers Johannes Gutenberg, mit auswechselbaren Metalllettern Texte geradezu beliebig vervielfältigen zu können, um 1450 den Beginn einer neuen Ära. „Die revolutionären Folgen der Erfindung des Buchdrucks auf dem Gebiet der Kultur- und Geistesgeschichte können nicht hoch genug eingeschätzt werden […]. Es handelt sich nicht nur um die Ablösung eines Schriftträgers durch einen anderen, sondern um eine Vervielfachung der Möglichkeiten, mittels eines Mediums Gedankengut zu verbreiten.“ (MAZAL 1975, 123.)

Die neue Technik erhält als neues Medium aufgrund ihrer speziellen kommunikativen Möglichkeiten ihre eigene Dynamik, die sich auf viele sprachliche und kommunikative Bereiche auswirkt und deshalb besondere Relevanz im sozialen Leben bekommt.

Gottes wort
bleibt ewig.

Biblia/ das ist/ die
gantze Heilige Sch-
rifft Deudsch.
Mart. Luth.
Wittemberg.
Begnadet mit Kür-
furstlicher zu Sachsen
freiheit.
Gedruckt durch Hans Lufft.

M. D. XXXIIII.

Abb. 10: Titelblatt der Luther-Bibel von 1534

Dies gilt vor allem für die Form des gedruckten Buches, das sich, ganz anders als der vorausgegangene handgeschriebene Kodex, zu einem besonderen ‘Superzeichen’ entwickelt, in dem mehrere Textelemente und Zeichensysteme zusammenwirken: Erst das gedruckte Buch enthält ein Textelement wie das Titelblatt. Dadurch, dass der Buchdruck Bücher für den Markt herstellt und auf die Distribution durch den Markt angewiesen ist, bedarf es eines größeren Kaufanreizes, der u. a. durch das Titelblatt erzeugt werden soll. Die erste vollständige Bibelübersetzung Martin Luthers von 1534, um ein Beispiel zu nennen, enthält ein kunstvoll gestaltetes Titelblatt (Abb. 10), in dessen Zentrum der Titel steht:

Biblia/das ist/die gantze Heilige Schrifft Deudsch.

Darunter steht der Name des Übersetzers, wobei beide Namenteile abgekürzt sind: *Mart. Luth.*; der Drucker, der ja auch der Verleger ist, dürfte sich sicher gewesen sein, dass der Name des Übersetzers so bekannt ist, dass auch die abgekürzte Version ihre Wirkung nicht verfehle. Darauf folgen der Hinweis auf die kurfürstliche Privilegierung und schließlich der Hinweis *Gedruckt durch Hans Lufft.* Abgeschlossen wird der sprachliche Teil durch die Jahreszahl *M. D. XXXIIII.* Dieser textliche Teil des Titelblattes ist von einer detailreichen bildlichen Darstellung, die zahlreiche Architekturelemente mit einem deutlichen Oben und Unten enthält, eingerahmt. Oben befindet sich noch ein Schild mit dem Spruch *Gottes wort bleibt ewig.* Der Titeltext ist zudem auf ein aufgerolltes Tuch gedruckt, das unten von Engeln gehalten und befestigt wird. Oft haben bedeutende Künstler an solchen Titeleien mitgewirkt.

Das neue Medium ermöglicht es vor allem, dass zahlreiche und völlig identische Exemplare eines Textes hergestellt werden können. Während Abschriften von Kopisten in den meisten Fällen von den Vorlagen mehr oder weniger stark abwichen, kann es nunmehr eine ‘verbindliche’ Textgestalt geben. Luther z. B. beklagt sich nicht selten über die Eigenwilligkeit von Setzern, die seine Texte orthographisch verändern. In einer Zeit, in der es kein Urheberrecht gibt, versucht Luther zu verhindern, dass seine Texte unautorisiert nachgedruckt und dabei nicht bloß verändert, sondern geradezu verfälscht werden, indem er die „Luther-Rose“ einführt (s. Abb. 11):

Abb. 11: Luther-Rose (aus Reinitzer 1983, 146)

Dieses Zeichen, das der Urheberschaft geradezu religiöse Geltung verleihen soll, besteht aus zwei Teilen: links in einem Wappenschild ein Lamm, aus dessen Hals Blut in einen Kelch fließt, mit einer Auferstehungsfahne; rechts in einem Kreis die Rose im engeren Sinn, in deren Mitte sich ein Kreuz in einer herzförmigen Fläche befindet; außerhalb des Kreises die Initialen *M* und *L*.

Auch die Zeitgenossen haben sehr schnell erkannt, dass das neue Medium es ermöglicht, auf aktuelle Ereignisse schnell und in großer Zahl zu reagieren. Die Zeitgenossen bewerten dies alles unterschiedlich, Befürworter und Gegner finden im neuen Leitmedium das, was sie dort zu finden hoffen. Gleichwohl, es entstehen neue Textsorten, die vor allem den Bedingungen des neuen Leitmediums gehorchen: Textsorten wie Flugblätter und Flugschriften, in der Folge Vorläufer bzw. Vorformen von Zeitungen, die zur raschen Reaktion geradezu geschaffen sind und damit ein großes Publikum erreichen wollen. Es entsteht in der Folge eine öffentliche Diskussion und somit auch eine öffentliche Meinung, die sich dadurch konstituiert, dass sich eine bestimmte Meinung als die herrschende gegenüber konkurrierenden Meinungen durchsetzen kann.

Es sind spezielle Bedingungen, die die Ausbreitung des Buchdrucks fördern (Angaben nach MAZAL 1975, 124 f.; vgl. auch die Übersichten von CORSTEN 1983, 10 und 12). In den Handelsstädten sind der Absatzmarkt, aber auch die Möglichkeiten der Kapitalbeschaffung wesentliche Motoren; so lassen sich in Straßburg 1458/59, Augsburg 1468, Nürnberg 1469/70, Ulm 1473, Basel 1468, Köln 1464/65, Lübeck 1473 und in Leipzig 1481 Drucker nieder. In Bischofsstädten begünstigt der Bedarf an liturgischen Büchern die Ansiedlung von Offizinen: Bamberg 1458/59, Merseburg 1473, Breslau 1475, Würzburg 1479, Passau 1480, Meißen 1483, Eichstätt 1483/84, Regensburg 1485, Münster 1485, Freising 1487. Auch Universitäten zogen Drucker an, wenngleich in geringerem Maße: Rostock 1476, Ingolstadt 1484, Heidelberg 1485, Freiburg 1490 (?). In der Folge breitet sich der Buchdruck weiter aus, sowohl über das Sprachgebiet hinweg als auch an den einzelnen Orten.

Mit der Ausbreitung des Buchdrucks geht eine Erhöhung der Buchproduktion Hand in Hand (Zahlen nach SCHWITALLA 1983, 6): „Von 1513 bis 1517 wurden jährlich durchschnittlich 105,4 Bücher gedruckt“ (ebd., gemeint sind hier deutschsprachige Bücher). In den folgenden Jahren steigt, mit Ausnahme von 1521, die Zahl stetig:

Druckjahr	Zahl der gedruckten deutschen Bücher	Steigerung auf Prozent
1518	146	139 %
1519	252	239 %
1520	571	542 %
1521	523	496 %
1522	677	642 %
1523	944	896 %

Dabei ist zu bedenken, dass ursprünglich lateinische Texte bei weitem überwiegen. Doch auch das ändert sich schnell. „Der Anteil deutscher Schriften an der Produktion der Drucker steigt von etwa 1/20 im Jahr 1500 auf 1/3 im Jahr 1524.“ (WEHRLI 1980, 969.) Es liegt nahe, dass diese Produktionserweiterung auch soziale Auswirkungen hat. Immer mehr Menschen kommen in den Besitz von Büchern. Da Drucker „nicht auf Bestellung“ arbeiten (CORSTEN 1983, 22), müssen sie sich nach den Bedürfnissen des

Marktes richten. Es kommt geradezu zu Spezialausgaben für 'pauperes', wobei – wie in der Gegenwart – in der Ausstattung gespart wird (vgl. ALTMANN 1981).

Das neue Medium Buchdruck wäre kein neues Medium, wenn es nur die schnelle und zahlreichere Reproduktion des Althergebrachten bewirkte. „Faktoren wie größere Verbreitungsmöglichkeiten, neuer Autor-Adressatenbezug, schnelle Rückkoppelung (Kritik, mehrfache Neuauflagen möglich), schnellerer Informationsfluß und bessere Möglichkeit der wissenschaftlichen Datensammlung" (KÄSTNER/SCHÜTZ/SCHWITALLA 2000, 1615) haben ihre Wirkung auf Textproduktion und Leserinteresse. Die Reformation wäre ohne Buchdruck in der Form, wie sie ablief und wirkte, nicht denkbar gewesen. Die Zahl der deutschen Drucke schnellt „seit dem Auftreten Luthers sprunghaft in die Höhe" (ENGELSING 1973, 26). Ereignisse wie Reformation und Bauernkrieg bringen ihrerseits wieder eine Flugschriftenwelle mit sich: 1517 erscheinen 13 Flugschriften, sieben Jahre später 299, das bedeutet eine Steigerung auf 2300% (vgl. SCHWITALLA 1983, 6, Anm. 2). Es wird offenkundig, dass auf diese Weise „neue Kommunikationsbedürfnisse entstehen, in welchen die deutsche Sprache neue Funktionen und Existenzformen" (HARTWEG 1985, 1417) entwickelt.

Mannigfach sind Äußerungen von Zeitgenossen zum neuen Medium, zustimmende wie ablehnende. Positiv wird häufig die Schnelligkeit, mit der von nun an Bücher produziert werden können, vermerkt. Doch eben dieses Merkmal wird auch negativ gesehen: Johannes Trithemius (1462–1516) z. B., Abt des Benediktinerklosters Sponheim bei Bad Kreuznach und später des Schottenstifts in Würzburg, verfasste 1494 eine Schrift „De laude scriptorum"; reichlich spät versucht er, den Gang der Geschichte aufzuhalten:

> *Qui autem a scribendi studio cessat propter impressuram, verus amator scripturarum non est.* [...] *Scriptis enim codicibus nunquam impressi ex equo comparan-tur; nam orthographiam et ceteros librorum ornatus impressura plerumque negligit. Scriptura autem maioris industrie est.* ('Wer aber vom Schreibeifer des Druckes wegen abläßt, der ist kein wahrer Freund der Schrift [...] Denn Drucke werden den handgeschriebenen Codices gegenüber niemals als gleichwertig erachtet werden, zumal der Druck häufig die Rechtschreibung und die übrige Buchausstattung vernachlässigt. Auf eine Handschrift wird einfach mehr Fleiß verwandt.' (TRITHEMIUS 1970, 64, von dort auch die Übersetzung.)

Es dürfte auch eine Ironie der Geschichte sein, dass Trithemius sein „Lob der Schreiber" drucken ließ, um seine Einschätzung der neuen Technik weiter und schneller verbreiten zu können. – Eine gute Übersicht und Kommentierung von zeitgenössischen Äußerungen bietet GIESECKE (1991).

Noch nicht eindeutig geklärt ist die Rolle des Buchdrucks bei der Entstehung der neuhochdeutschen Schriftsprache, beim schreibsprachlichen Ausgleich also. Zwei konträre Meinungen können dies belegen:

- „Die Drucker hatten ein geschäftl. Interesse daran, daß ihre Bücher in den verschiedensten dt. Gegenden verstanden, gelesen und damit verkauft werden konnten. Das ließ sich jedoch nur ermöglichen, wenn ihnen ausgesprochen mundartl. Züge fernblieben. Daher gingen sie beizeiten aus auf einen Ausgleich, eine Vereinheitlichung der Sprache [...]." (BACH 1970, 254.)
- Dagegen hat sich vor allem SCHIROKAUER (1957, 894) gewandt: „Wenn nun aber der rhein. Drucker seinen auswärtigen Kunden zuliebe einen ostmd. Lautstand wählt, entfremdet er sich nicht seiner eignen Landsleute? Wird er sein Entgegen-

kommen für den anonymen Leser in Augsburg so weit treiben, den Nachbarn vor den Kopf zu stoßen?“ Schirokauer rechnet mit einem Kompromiss, mit einer „Mischung“, wobei die Mischung je nach erwartetem Markt (zu Hause oder Export) verschieden ausfallen dürfte.

Die germanistische Forschung hat Schirokauers Thesen lange Zeit kaum beachtet. Die neue Buchforschung hingegen kann manche seiner Annahmen bestätigen (vgl. das zusammenfassende Referat HARTWEGs 1985, 1419 ff.). Man wird, besonders auch angesichts der für heutige Verhältnisse kleinen Auflagen, eher mit regional begrenzten Märkten rechnen, auch wenn einzelne Bücher in weit(er) entfernte Orte kommen und dort sogar Vorlagen für Nachdrucke in konkurrierenden Offizinen werden können.

Drucker oder Drucke können Vorbildfunktion haben und so normbildend wirken. Wenn dies der Fall ist, dann ist es aber nicht irgendein Drucker mit irgendeinem Text, dann kann auch die Zahl von Druckern in einer Sprachlandschaft bzw. von Drucken aus einer Sprachlandschaft eine wichtige Rolle spielen. Entscheidende Hinweise dazu, die bislang noch zu wenig gewürdigt und berücksichtigt worden sind, stammen von VIRGIL MOSER (1951, 301 ff.), der folgende Stadien feststellt:

(1) Nach etwa 1470 lag „das ganze Schwergewicht auf westobd. Boden (in Straßburg, Basel, Augsburg und Nürnberg)“.
(2) Nach 1525 verlagert sich dieses Schwergewicht „unter der Wucht der Reformation und von Luthers Schrifttum entscheidend nach dem md. Nordosten (in das noch zweisprachige md.-ndd.) Wittenberg“.
(3) Um 1570 beginnt der „Verfall der obd. Druckersprachen“. Sie gleichen sich zunächst aneinander an, das Alemannische z. B. übernimmt die „neuen Diphthonge“; „dann Fortschreiten zum Md., besonders durch die Aufgabe der gemobd. Diphthonge“. Der „Schwerpunkt der schriftsprachlichen Bewegung“ verschiebt sich „entschieden nach dem Westen“, besonders nach Frankfurt; das Omd. verliert seinen Einfluss, nicht zuletzt nach dem Tod Luthers und „mit der endgültigen Einstellung des offiziellen Bibeldrucks“ in Wittenberg. Gleichzeitig geht der niederdeutsche Norden zur „omd. gefärbten Schriftsprache über“.
(4) Nach 1620 verlagert sich das Schwergewicht „durch das Auftreten der Schlesier“ sowie durch die Bedeutung des Leipziger Buchdrucks „wiederum nach Osten“, wobei der schriftsprachliche Ausgleich „zwischen md. Osten und Westen (und damit letzten Endes auch mit Teilen Oberdeutschlands) [...]“ näherrückt.

1.5.2 Die Reformation: Deutsch wird Heilige Sprache

Es ist unstrittig, dass die Reformation auf die Geschichte der deutschen Sprache einen großen Einfluss gehabt hat. Doch, zumindest sprachgeschichtlich, wahrscheinlich auch überhaupt geistesgeschichtlich gesehen, ist die Reformation nicht etwas grundsätzlich Neues, sondern vielmehr eine konsequente Fortsetzung und ein konsequenter Höhepunkt spätmittelalterlicher Tendenzen. Dennoch sind die Folgen der Reformation wichtig, für die Entwicklung der deutschen Sprache nicht zu überschätzen: Deutsch wird Sprache der Bibel, der Liturgie und des theologischen Disputes.

Gerade das Bibelübersetzen ist im Mittelalter ein besonderes Problem. Wenngleich es zu einem völligen Verbot, die Bibel in eine Volkssprache zu übersetzen, nie gekommen ist, verhalten sich einzelne Bischöfe ziemlich restriktiv. Die Angst vor Ketzereien ist so groß, dass noch Hieronymus Emser (1478–1527) im Jahre 1523 seine Kritik an Luther unter den Titel stellt: *Auß was grund vnnd vrsach Luthers dolmetschung/vber das nawe testament/dem gemeine man billich vorbotten worden sey* (zit. nach MUSSELECK 1981, 24).

Das Ergebnis dieser Situation ist, dass aus der Zeit vor der Reformation zwar zahlreiche Bibelübersetzungen, hingegen nur ganz wenige übersetzte Vollbibeln mit den kanonischen Büchern in der kanonischen Reihenfolge vorliegen. Dagegen aber gibt es eine große Zahl von Texten, die den Charakter biblischer 'Wissensliteratur' haben, also Bücher sind, die nach mittelalterlichem Verständnis biblisches Wissen in seiner Gesamtheit oder in bestimmten Teilbereichen nach bestimmten Konzepten ordnen und darbieten; solche Wissensbücher sind verschiedene Teile der Bibel, Plenarien, Perikopenbücher und Evangelienharmonien. Den Charakter von 'Wissensliteratur' belegt die Tatsache, dass im späten Mittelalter „der Psalter von überragender Bedeutung ist, denn er enthält nach patristischer und mittelalterlicher Ansicht die gesamte Theologie in komprimierter Form" (KIRCHERT 1984, 64). So wurden auch einzelne Bibelteile gedruckt, bevor es zu Vollbibeln kam.

Übersetzte Vollbibeln sind handschriftlich nicht (mehr?) überliefert, erst der Buchdruck schafft hier eine neue Situation. Die oberdeutschen Bibeldrucker, die alle von der vor dem 27. Juni 1466 gedruckten „Mentelin-Bibel" ausgehen (vgl. dazu jetzt am besten REINITZER 1987), halten sich in ihrem Wortlaut aber eng ans Lateinische: Sie wollen, auch in ihren späteren Überarbeitungen, die sich etwas vom übermächtigen Vorbild des nahezu kanonisierten Vulgata-Textes lösen, zum geoffenbarten lateinischen Text hinführen, sind „also für den Gebrauch durch Kleriker und keineswegs für die Privatlektüre von Laien bestimmt" (STACKMANN 1984, 20).

Die niederdeutschen Bibeltexte gehen über eine Übersetzung hinaus, indem sie Zitate aus dem im Mittelalter weitverbreiteten Bibelkommentar („Postillae perpetuae in Vetus et Novum Testamentum" oder „Postilla litteralis super Biblia") des Nikolaus von Lyra als Glossen bieten. Der Lübecker Druck von 1494 erläutert dieses Vorgehen:

> *Vnde hierumme vppe dat sick een iewelik minsche deste bet behelpen moghe in velen steden desses bokes. der dunker vnde vnvorstentlik sint. is ghesettet een sterneken. vnde een teken bi dat sterneken aldus ghemaket * to enem teken der scrift. de na dem sterne volghet bet an dat teken alzo ghemaket den text de dar vor steit vorluchtet. vnde is ghenamen vt des werdighen vnde hoghelereden meisters des postillatoers scrift. ghenomet Nicolaus de lyra.* (BIBELFRÜHDRUCKE 1976, 676.)

Auf diese Weise wird die Bibelübersetzung zum Bibelkommentar und zur biblischen Wissensliteratur, und auf diese Weise können sich auch nach mittelalterlichem Verständnis die Übersetzungen vom kanonisierten lateinischen Vorbild lösen: Die Lübecker Bibel, die „aufgrund ihrer sprachlichen Qualität, ihrer kunstvollen Illustrationen sowie der Substanz der theologischen Glossen eine Sonderstellung" innehat, gilt auch „als höchst beachtliches Stück Literatur" (SCHWENCKE 1987, 978 f.). Insgesamt also gilt, dass die spätmittelalterlichen Vollbibeln „aufwendig und in wenig volksnaher Sprache" verfasst sind; sie sind „keine 'Volksbücher', doch wohl nützliche Hilfen zum Verständnis der Vulgata" (ERBEN 1985, 34).

In diesem Zusammenhang ist Luthers Bibelübersetzung und damit auch seine besondere Leistung zu sehen: Er ist der Erste, der eine Vollbibel ins Deutsche übersetzt und dabei bestrebt ist, ein für alle lesbares Buch zu schaffen. Dazu hat er Deutsch den traditionellen drei heiligen Sprachen (Hebräisch, Griechisch und Latein) gleichgestellt. Aus einer Theologie der Bibel folgert er eine Theologie der Sprache, die er sehr ausführlich in seinem Sendschreiben „An die Ratherren aller Städte deutsches Lands, daß sie christliche Schulen aufrichten und halten sollen“ (1524) erläutert:

> *Und last uns das gesagt seyn, Das wyr das Euangelion nicht wol werden erhallten on die sprachen. Die sprachen sind die scheyden/darynn dis messer des geysts stickt. Sie sind der schreyn, darynnen man dis kleinod tregt.* [...] *Ja wo wyrs versehen, das wyr (da Gott fur sey) die sprachen faren lassen, so werden wir nicht alleyn das Euangelion verlieren, sondern wird auch endlich dahyn geratten, das wir wider lateinisch noch deutsch recht reden odder schreyben ků̊nden. Des last vns das elend grewlich exempel zur beweysung vnd warnung nemen ynn den hohen schulen vnd klo̊stern, darynnen man nicht alleyn das Euangelion verlernt, sondern auch lateinische und deutsche sprache verderbet hat, das die elenden leut schier zu lautter bestien worden sind, wider deutsch noch lateinisch recht reden oder schreyben konnen. Vnd bey nahend auch die natůrliche vernunfft verloren haben.* (LUTHER 1899, 38.)

Das Lateinische ist die Sprache der Päpste geworden, sodass Luther seiner Sprache geradezu eine höhere Dignität zusprechen kann.

Luther setzt mit einem neuen Bibelverständnis ein, das häufig mit der Formel *sola scriptura* charakterisiert wird; das Gewissen ist demnach in allen Glaubensfragen nur an die Bibel, an die Offenbarung in der Hl. Schrift gebunden. Sowohl als Exeget wie auch als Übersetzer gilt für Luther das Prinzip der Klarheit. So kann er in seiner Vorrede zum Buch Hiob (1524) nicht ohne Stolz feststellen: *Wir haben den vleys furgewandt, das wyr deutliche vnd yderman verstendliche rede geben, mit vnuerfelschtem synn und verstand* (zit. ARNDT 1984, 60). Dazu kommt noch ein weiteres theologisches Argument (in: „An den christlichen Adel deutscher Nation von des christlichen Standes Besserung“): *Dan alle Christen/sein warhafftig geystlich stands/vnnd ist vnter yhn kein vnterscheyd* (LUTHER 1982, 99); da z. B. *Ein schuster/ein schmid/ein bawr/ein yglicher seyns handtwercks/ampt vnnd werck hat/vnnd doch alle gleich geweyhet priester vnd bischoffe* (ebd., 101) sind, muss die deutsche Bibel auch die Sprache „aller Christen“ aufnehmen und für alle verständlich sein; die Rede von der *mutter jhm hause* und vom *gemeinen man auff dem marckt* im „Sendbrief vom Dolmetschen“ (LUTHER 1965, 17) hat eben auch ihre theologischen Implikationen. Dies zeigt sich schon im vollständigen Titel des „Sendbriefs vom Dolmetschen“, der ja „Ein Sendbrieff von Dolmetschen vnd Fürbitte der Heiligen“ (ebd. 7) ist, es werden zwei theologische Probleme behandelt, das erste ist die Notwendigkeit des sinngemäßen Übersetzens. Luther übersetzt nicht für den ‘Laien’, denn der Gegensatz Laie – Kleriker ist in der Lehre vom allgemeinen Priestertum aufgehoben. Eine allgemein verständliche Bibel ist für alle Gläubigen unerlässlich. „Der größte Dienst, den Luther ‘seinen Deutschen’ gegeben hat, ist seine Bibelübersetzung geworden. Er selbst hatte alles der Bibel zu verdanken; er konnte das nicht für sich behalten, er musste es weitergeben, damit auch die Laien schöpfen und so das Priestertum aller Gläubigen verwirklichen könnten.“ (V. LOEWENICH 1982, 198.)

Auf diese Weise hat die deutsche Sprache neue Funktionen, eine neue kommunikative Geltung erhalten. Ausdruck dieser neuen kommunikativen Geltung ist auch die Tatsache, dass Deutsch Sprache des Gottesdienstes, der Liturgie wird. Wenn der Gegensatz zwischen Laien und Priester nicht mehr besteht, dann braucht es auch keine liturgischen Worte mehr zu geben, die dem Priester und somit einer ‘klerikalen’ Sprache vorbehalten sind.

Augenfälligster und, sprachgeschichtlich gesehen, wirkungsmächtigster Ertrag der reformatorischen Sprachtheologie ist Luthers deutsche Bibel. Luther lässt sich, wie bereits angedeutet, „von seinem evangelischen Gesamtverständnis der Schrift“ (FRICKE

1978, 102) sowie von seiner Intention, eine deutsche Bibel und nicht bloß eine Übersetzung zu schaffen (WOLF 2017 und 2018) leiten. Deshalb zielt er, wie er es im „Sendbrief vom Dolmetschen“ (1530) ausdrückt, auf die *meinung des text*, diese will er *klar vnd gewaltiglich verteutschen* (ARNDT 1968, 30). Die beiden Adverbien *klar* und *gewaltiglich* sind nicht zufällig gesetzt. In beiden Fällen hat Luther sein Publikum im Auge: Die allgemeine Verständlichkeit (s. auch oben das Zitat aus der Vorrede zu Hiob) und die nachhaltige Wirkung beim Hörer/Leser (*gewaltiglich* ist wohl am besten mit ‘eindringlich’ wiederzugeben) sind wichtige Ziele des Übersetzers. Für die konkrete Arbeit bedeutet dies die „Annäherung der Bibel an die Textart der Predigt“ (ERBEN 1985, 36). Denn der „eigentliche Anfangsgrund für das Zur-Wirkung-Bringen von Sprache war ihm nicht der Buchstabe und die Schrift, sondern die wirklich gesprochene und gehörte Rede“ (ARNDT 1983, 257).

Immer wieder – und das macht den guten Prediger auch unter den Schriftstellern aus – betont Luther, dass er beim Publikum ankommen, dass er verstanden werden will. Deshalb gibt es für ihn keine kanonisierte, einzig mögliche Textform der deutschen Bibel. Davon zeugt seine lebenslange Arbeit an seiner Übersetzung, davon zeugt aber auch die Tatsache, dass „in Luthers Predigten die Bibelzitate in Gestik, Textdichte […] und Tendenz zum Inhaltskommentar von seiner gedruckten Bibelübersetzung markant abweichen“ (HANS MOSER 1982, 400, von dort auch die folgende Gegenüberstellung); man vergleiche:

	Predigt 1523	Bibel 1522
Mt 5,8	Selig seind die, die eins rainen hertzen seind. S. 612	Selig sind die vom hertzen reyn sind. S. 26
Mt 5,25	Sey wilfertig dem der dich belaydigt hat. S. 628	Sey willfertig deynem widersacher. S. 28
Mt 19,29	Wer da wirdt verlassen sein hauß […] der solß ob hundertfeltig nemen und sol das ewig leben dort haben. S. 600	Vnd eyn iglicher, der da verlest heuser […], der wirts hundertfeltig nemen, vnnd das ewige leben ererben. S. 88
Mt 27,40	[…] do er am creütz hieng […] „Ey wie einen feinen got hat er, ist er gottes sun, so steyg er herab.“ S. 624	Bistu gottis son, so steyg er ab vom creutz. S. 128

Luther wählt in der Bibelübersetzung einen anderen Wortlaut als in einer Predigt; die Textgestalt richtet sich nach der Textart. Überdies zeigt sich Ähnliches auch bei anderen Textarten, da z. B. „Briefe an höhergestellte Amtspersonen […] in kanzleisprachlicher Formelhaftigkeit verharren, während solche, die den Charakter von Sendbriefen oder Programmschriften haben, mehrere sprechsprachliche Züge aufweisen“; auf diese Weise „wird deutlich, daß sein Stil nicht nur textsortenspezifisch, sondern auch zielgerichtet adressatenbezogen ist“ (BENTZINGER/KETTMANN 1983, 271). Für Luther selbst ist es *ein groß vnterscheyt*, etwas *mit lebendiger stymme odder mit todter schrift an tag zubringen* (L). Und hierin liegt eine wesentliche Ursache für den Erfolg Luthers.

„Die Langzeitwirkung [...] war nur durch die Güte dieser Übersetzung und durch Luthers Sprachstil möglich." (ERBEN 1985, 46.)

Diese sprachlichen Qualitäten sind die Voraussetzungen dafür, dass Luthers deutsche Bibel eine „hochsprachlich-normative Bedeutung" (SONDEREGGER 1998, 230) erhält, die noch dadurch verstärkt wird, dass die lateinischen Übersetzer des 16. Jahrhunderts „weitgehend von Luther abhängig" sind und so dazu beitragen, „die Luthersche Diktion noch weiter zu verbreiten" (ARNDT 1984, 68). Dies hat auch Luther bemerkt; *es thut mir doch sanfft/dz ich auch meine vndackbare junger dazu meine feinde reden gelernt habe* (L), wenngleich er, ebenfalls im „Sendbrief vom Dolmetschen" Hieronymus Emser als den *Sudler zu Dresden* bezeichnet, dessen *New Testament* [...] *doch eben dasselbig ist, das der Luther gemacht hat* (ebd., 26).

Luther ist – auch wenn man diese Meinung immer wieder hören kann – nicht Schöpfer der neuhochdeutschen Schriftsprache. Seine große Leistung liegt in fundamentalen textgeschichtlichen Neuerungen. Sprachliche Innovationen, wenn wir von zahlreichen Neologismen, die sich in der Folge durchgesetzt haben (vgl. dazu ERBEN 1974), absehen, sind nicht das Kennzeichen von Luthers Prosa. Im Gegenteil, wir wissen z. B. seit Längerem: „Alle [von Erben untersuchten] syntaktischen Erscheinungen der Luthersprache sind im Sprachgebrauch der Vor- und Mitzeit Luthers nachweisbar." (ERBEN 1954, 165.) Ähnlich dürfte es sich mit den Wortbildungsmustern verhalten. Neu ist, dass Luther indigene Verknüpfungsregeln in Wortbildung, Satz- und Textsyntax auf die Bibel anwendet, und zwar auf die Vollbibel. Geschichtlich wirksam wird die Luther-Sprache nicht zuletzt auch dadurch, dass z. B. „seine Neubildungen nicht nur von seinen Anhängern und Freunden (Hans Sachs und anderen Meistersingern) verbreitet wurden, sondern auch von so verschiedenartigen Gegnern wie Hieronymus Emser und Thomas Müntzer" (BENTZINGER/KETTMANN 1983, 266). Verstärkt wird diese normative Kraft durch die Berufung der Grammatiker auf Luther und die Aufnahme von Luther-Wörtern in die Wörterbücher des 16. Jahrhunderts: PETRUS DASYPODIUS („Dictionarium latino-germanicum et germanico-latinum", Straßburg 1536), JOSUA MAALER („Die Teütsch sprach", Zürich 1561) und der Reimlexikograph ERASMUS ALBERUS („Novumdictionarium genus", Frankfurt 1540) (vgl. dazu ERBEN 1974, 556). „Daß Martin Luther mit seiner Bibelübersetzung im 16. Jh. Norm für Grammatiker wird, kann nicht überraschen. Er bleibt es aber auch im 17. Jh. und noch über das 17. Jh. bis ins 18. Jh. hinein" (BERGMANN 1983, 266), wobei hier nicht untersucht zu werden braucht, in welcher Form die Luther-Bibel in den späteren Jahrhunderten normgebend wirkt.

Dadurch, dass die katholischen und lutherischen Bibelübersetzer des 16. Jahrhunderts „auf Luthers Bibelübersetzung fixiert" (STEER 1983, 60) sind, wird „eine konfessionelle Spaltung der dt. Sprache verhindert" (SONDEREGGER 1998, 230). Am „Rückgang des Mittelniederdeutschen als Schreib- und Drucksprache" (SODMANN 1985, 1289) hat „die kirchliche Reformation einen hervorragenden Anteil" (KLUGE 1904, 111), wenn auch nicht so unmittelbar, wie oft behauptet wird. Luther beherrschte das Niederdeutsche, predigte möglicherweise auch in Wittenberg und der Umgebung auf Niederdeutsch, und die „Reformation hat das Niederdeutsche für ihre Zwecke voll eingesetzt, was aus der Zahl reformatorischer Drucke hervorgeht" (SODMANN 1973, 124). Ja, die sog. „Bugenhagen-Bibel, die erste niederdeutsche Vollbibel", die sich eng an den Luther-Text anlehnt, „erschien 1534 am 1. April in Lübeck ein halbes Jahr vor der ersten vollständigen Lutherbibel" (BELLMANN 1975, 34). Doch diese „Übersetzung versäumte es leider, dem von Luthers Mitteldeutsch doch in vielen Zügen abweichenden Charakter des Niederdeutschen angemessen Beachtung zu schenken; vielmehr beschränkte man sich auf simple Umsetzungen im lautlichen Bereich." (SANDERS 1982, 162.)

Gleichwohl, die landesfürstlichen Verwaltungen gehen ziemlich früh zum Hochdeutschen über, wovon die neuen reformierten Kirchenordnungen (etwa Magdeburg 1521, Braunschweig und Goslar 1524, Königsberg 1525) zeugen. Doch die Sprache des Gottesdienstes (Gebet- und Gesangbücher, Predigten) bleiben bis ins 17. Jahrhundert niederdeutsch. Es kann aber „keinem Zweifel unterliegen, daß die schriftsprachliche Bewegung, welche in der Reformation wurzelt, im ganzen an der protestantischen Geistlichkeit vielfache Förderung gefunden hat." (KLUGE 1904, 116.) Unterstützt wird diese Tendenz dadurch, dass „nd. Akademiker [...] vielfach an md. Universitäten (Leipzig)" (FOERSTE 1966, 1799) studieren und immer wieder Geistliche hochdeutscher Abstammung ins niederdeutsche Sprachgebiet berufen werden.

Fazit: „Auch ohne daß Luther es darauf angelegt hatte, wurden sein Werk und sein Wirken in dieser Epoche der Herausbildung einer einheitlichen Schriftsprache zu einem entscheidenden Faktor." (GROSSE 1983, 50.) Luthers Bibelübersetzung „verdankt das große und dialektal extrem untergliederte deutsche Sprachgebiet letztlich die Einheit der Schriftsprache. Kein anderer Text hätte dies bewirken können. Kein anderer Text hat zudem mit seiner Sprache so intensiv auf die Literatur eingewirkt, wie Luthers Bibeldeutsch." (BESCH 2000, 35.) Es ist daher auch kein Zufall, dass sich das Wort *Muttersprache*, das nach dem lateinischen Vorbild *lingua materna* zuerst im niederdeutschen Kompositum *modersprake* begegnet, auch bei Luther in der Wendung mit dem Kompositum *aus rechter mutter sprach* vorkommt (nachdem es vorher nur in Syntagmen wie *in meiner mueterlaichen däutsch* oder *dayner muter sprach* verwendet wurde) und sich wohl von da aus durchgesetzt hat (vgl. PAUL 2002, 681).

1.5.3 Entstehen eines volkssprachlichen Normbewusstseins durch die Grammatiker

Eine wesentliche Folge der Reformation, insbesondere der Luther'schen Bibelübersetzung, ist, wie schon gesagt, die Tatsache, dass die Volkssprache, in unserem Fall das Deutsche, gegenüber dem Latein aufgewertet wird. Dies hat eine wichtige Folge: Dem Deutschen öffnen sich immer neue Referenzbereiche, die zuvor dem Lateinischen vorbehalten waren. Dazu kommen Auswirkungen der reformatorischen Theologie: „Das Laienpriestertum, die Einführung und damit Aufwertung 'der deutschen Sprache als eines elementaren Gefäßes des Geistes'" (LESER 1925, 127) sowie schließlich die lutherische Lehre von den zwei Reichen „hatte auf weite Sicht Folgen für die Erziehung und den Unterricht [...]. Für die Bildung war die Folge der Reformation also zunächst, einen allgemeinen Religionsunterricht einschließlich der schulmäßigen Vermittlung der dafür erforderlichen Kenntnisse und Fertigkeiten des Schreibens und Lesens sowie für das Leben unter dem weltlichen Regiment das Rechnen vorzusehen." (REICH 1972, 111.) In seiner Schrift „An die Ratherren aller Städte deutsches Lands, daß sie christliche schulen aufrichten und hallten sollen" (1524) fordert Luther, dass die Jugend beiderlei Geschlechts Schulen besuchen solle:

Weyl denn das junge volck ums lecken und springen odder yhe was zu schaffen haben, da es lust ynnen hat, und yhm darynn nicht zu weren ist, auch nicht gut werde, das mans alles weret: Warumb sollt man den yhm nicht solche schulen zurichten und solche kunst furlegen? Syntemal es itzt von Gottis gnaden alles also zugericht ist, das die kinder mit lust und spiel leren kunden, es seyen sprachen odder ander ků̈nst oder historien. Und es ist itzt nicht mehr die helle und das fegfeuer unser schulen, da wir ynnen gemartert sind uber den Casualibus und temporalibus [...] (LUTHER 1899, 46.)

Die Schule tritt damit wieder in den Dienst der Religion. In diesem Kontext erscheinen die ersten deutschen Grammatiken, die indes die Bezeichnung 'Grammatik' im heutigen Sinne nicht ganz verdienen. Denn „hinter dem Wunsch dieser Männer, ein grammatisches System in der dt. Sprache nachzuweisen, stand weniger gelehrtes Interesse als religiöse und nationale Motive" (ISING 1959, XI). Ein Blick auf Titel oder Vorreden solcher Werke belegt dies deutlich. In der Vorrede zur „Teutschen Grammatica" des Rothenburger Schulmeisters Valentin Ickelsamer (zwei ältere undatierte Ausgaben, eine jüngere Nürnberger von 1537), um nur ein Beispiel anzuführen, tritt das „religiös erregte Gemüt Ickelsamers" (JELLINEK 1913, 48) deutlich zutage:

Mich hatt aber nitt kürtzweil allain/sonder Gottes ehr das zů̈schreiben ermanet/dann es ist ye ain werck dz zů̈ seinem lob vast dienen mag/Es ist one zweifel yetzt kaum ain werck oder creatur auf erden/die zů̈gleich zu Gottes ehr vnd vnehr/mehr gebraucht würdt/denn die lesekunst. (MÜLLER 1882, 123.)

Es ist kein Zufall, dass alle derartigen Schriften in erster Linie Lese- und Schreiblehren sind. Der religiös-didaktische Zweck setzt dem möglichen Inhalt Grenzen. Dies offenbart sich am deutlichsten bei Valentin Ickelsamer, der sein Hauptwerk „Grammatica" nennt und in seiner Vorrede auch kundtut, dass er sehr wohl darum weiß, was eine Grammatik sein und wie eine deutsche Grammatik aussehen sollte (vgl. dazu auch RÖSSING-HAGER 1984). Es darf allerdings nicht der Eindruck entstehen, dass alle diese Leselehren im Dienste der protestantischen Seelsorge stehen. „Neben diesen Bestrebungen laufen die höherer grammatischer Belehrung mit dem Ziele der Ausbildung von Schreibern für Kanzleien." (ISING 1956, 24.) Eine Reihe von Autoren ist auch katholisch.

„Erst in der zweiten Hälfte des 16. Jh. verfassten LAURENTIUS ALBERTUS (1573), ALBERT ÖLINGER (1573) und JOHANNES CLAJUS (1578) Grammatiken, die den Gesamtkomplex der deutschen Sprache umfaßten." (ERIKA ISING 1959, XII.) Verglichen mit den reformatorischen Leselehren, kennzeichnen diese drei Werke in grammatiktheoretischer Hinsicht nahezu einen Rückschritt: Ihnen ist gemeinsam, „daß sie in lateinischer Sprache verfaßt sind, sich also an Fortgeschrittene mit beträchtlichen Vorkenntnissen wenden" (REICH 1972, 141). Dies signalisiert, „daß sie im Bann der humanistischen Grammatik stehn" (JELLINEK 1913, 66), sodass sie nicht, wie es schon Ickelsamer gefordert hat, vom deutschen Sprachbau ausgehen, sondern vielmehr Kategorien der lateinischen Grammatik an die deutsche Sprache herantragen. Alle drei Autoren nennen „das Bedürfnis der Ausländer" (JELLINEK 1913, 62), „die Rücksicht auf die Fremden" (ebd., 63) als ihr wichtigstes Motiv. „Die deutsche Sprache wächst über die beschränkte nationale Sicht der ersten Hälfte des Jahrhunderts hinaus und wird zum Träger und Bindeglied eines übernationalen wirtschaftlichen und geistigen Austauschs." (ISING 1959, XII.) Gemeinsam ist allen Grammatiken des 16. Jh. noch etwas: Sofern sie überhaupt auf die dialektalen Unterschiede im deutschen Sprachraum eingehen, werten sie diese nicht, sondern konstatieren hauptsächlich. Die Forderung nach einer Einheitssprache stellen sie noch nicht.

Dies alles ändert sich grundlegend mit der 'dritten Generation' der deutschen Grammatiker in der ersten Hälfte des 17. Jahrhunderts. Es ist kein Zufall, dass zwei der wichtigsten hier zu nennenden Autoren aus dem niederdeutschen Sprachraum stammen: WOLFGANG RATKE (latinisiert RATICHIUS, 1571–1635) wurde in Wilster in Holstein geboren und JUSTUS GEORG SCHOTTELIUS (1612–1676) in Einbeck. Der dritte der hier zu nennenden Grammatiker, CHRISTIAN GUEINTZ (1592–1650), stammt aus Kolau bei Guben in der Niederlausitz, einem Gebiet also, das vom Niederdeutschen nicht allzu weit entfernt ist. Auch wenn das Hochdeutsche bei niederdeutschen Sprechern schon vom 16. Jh. an Prestige gewinnt, bleibt es bei denen, deren Primärsprache das Niederdeutsche ist, eine Art Fremdsprache. Und hier ist dann das Bedürfnis nach einer einheitlichen Normierung sicherlich größer. Verstärkt wird diese Tendenz durch pädagogische Erfordernisse: In dem Maße, in dem die deutsche Sprache im öffentlichen Leben an Bedeutung gewinnt, wächst die Notwendigkeit eines Unterrichts in der Muttersprache. „Die entscheidenden Anregungen für diese neue Wertung von Sprache und Grammatik gehen auf den Didaktiker WOLFGANG RATKE (1571–1635) zurück." (ISING 1959, XIII.) Ratke bezieht wesentliche Anregungen aus den Niederlanden. Dies kommt nicht von ungefähr: In den Niederlanden entsteht schon geraume Zeit vor dem Deutschen ein sprachliches und kulturelles Selbstbewusstsein, geradezu ein „Hochgefühl, mit dem die Niederländer um 1600 ihre Sprache umgaben" (WEISGERBER 1948, 97). „Der deutsche Kulturpatriotismus, der als eine Vorform des Nationalismus nicht nur trotz, sondern entschieden wegen des Dreißigjährigen Krieges erstarkte und sich am klarsten in zahlreichen deutschen Poetiken und sprachwissenschaftlichen Abhandlungen ausdrückte, ist ohne den Anstoß der niederländischen Bewegung undenkbar, auch wenn im damaligen Deutschland die politischen und wirtschaftlichen Voraussetzungen bei weitem nicht so günstig waren wie in den bürgerlich-republikanischen Niederlanden. Diesen Anstoß der niederländischen Bewegung gaben in Deutschland vor, neben und nach Schottelius gelehrte Poeten und poetische Gelehrte wie Opitz, Gryphius, Ratichius, Gueintz oder Zesen [...] weiter." (BERNS 1976, 8 f.)

Ratke übergibt 1612 den Fürsten, die in Frankfurt zur Kaiserwahl versammelt sind – Matthias wird gewählt werden –, ein „Memorial", in dem er die Grundzüge seiner Bildungsreform darlegt. Darin fordert er, *das die Liebe Jugent, zum Ersten, Jhr angeborne Muttersprache, welche bey vns die teutsche Recht vnd fertig Lesen, schreiben vnd sprechen lerne* (ISING 1959, 102), dem Vorbild anderer Völker folgend, *eine eindrächtige Sprache Jm Reiche bequemlich ein zuführen* und *Die Meißnische Arth zu reden wie auß vielen vmstenden zuersehen, Allen Teutschen sonderlich beliebt* (ebd. 105). Schon aus diesen wenigen Andeutungen geht hervor, dass sich Ratkes Vorschläge „nicht auf die Einführung des Deutschen als Unterrichtssprache beschränken", sondern dass er vielmehr und darüber hinaus „die Notwendigkeit einer Sprachregelung und Sprachreinigung" betont (ISING 1959, 14). Obschon Ratkes grammatisches Werk nur zum Teil im Druck erschienen ist, hat es eine nicht zu überschätzende Wirkung auf die Geschichte der deutschen Grammatik und somit in der Geschichte der deutschen Sprache. Durch Mitarbeiter findet seine Methode Eingang in die Schulpraxis, vieles wird mündlich weitergegeben. Direkten Einfluss übt er z. B. auf CHRISTIAN GUEINTZ' Werk „Deutscher Sprachlehre Entwurf" aus, indirekt, aber nicht ohne Nachhalt wirkt er auf Schottelius. Von ihm erscheint 1641 das erste grammatische Werk, die

Teutsche ‖ SprachKunst/‖ Darinn die ‖ Allerwortreichste/‖ Pråchtigste/reinlichste voll= ‖ kommene/Uhralte Hauptsprache ‖ der Teutschen auß jhren Grůnden erhoben ‖ dero Eigenschafften und Kunststůcke vǒlliglich ent= ‖ deckt/und also in eine richtige Form der Kunst ‖ zum ersten mahle gebracht ‖ worden.

(Faksimile des Titels bei BERNS 1976, 70.)

Schon dieser Titel macht zwei Grundtendenzen sichtbar: Ableitung der grammatischen Kategorien aus dem Deutschen (und nicht aus der Grammatik einer anderen Sprache) und vereinheitlichende Normierung. Geradezu explizit wird dies in seinem grammatischen Hauptwerk „Ausführliche Arbeit Von der Teutschen HaubtSprache“ (1663) formuliert:

Die Hochteutsche Sprache aber/davon wir handelen und worauff dieses Buch zielet/ist nicht ein Dialectus *eigentlich/sondern* Lingua ipsa Germanica, sicut viri docti, sapientes & periti eam tandem receperunt usurpant.
(SCHOTTELIUS 1995, 174; die kursiv gesetzten deutschen Teile sind im Original in Fraktur, die aufrecht gesetzten lateinischen Partien in Antiqua gedruckt.)

Wolfgang Ratke hat noch postuliert:

In einer ieden Sprache mus ein gewisser autor sein, darin der sprach Eigenschafft vnd die Grammatick gelehret wird [...]. *Der Autor* [= die Autorität] *in der Deutschen Sprach, ist das Deutsche Newe Testament Lutheri* (ISING 1959, 108.)

Schottelius beruft sich ganz allgemein auf die *viri docti, sapientes & periti*, im Sinn moderner Normendiskussion auf die „verbal gebildetste Schicht“, denn „nur in diesem Sprachgebrauch sind die Sprachmittel so differenziert ausgebildet, dass sprachliche Kommunikation auf außersprachliche Kommunikationshilfen auch weitgehend verzichten“ (REIFFENSTEIN 1975, 131) kann.

Zugleich erscheint bei Schottelius ein starker Argwohn gegenüber den Dialekten, die er für minderwertig hält, wie überhaupt gegenüber der gesprochenen Sprache: *Omnibus dialectis aliquid vitiosi inest, quod locum regulare in Lingua ipsa habere nequit* (SCHOTTELIUS 1995, 174). Ursache dieses Misstrauens, das ja teilweise bis in unsere Gegenwart angehalten hat, ist der streng normative Ansatz. Ähnlich hat dies schon Martin Opitz 1624 in seinem „Buch von der deutschen Poeterey“ ausgedrückt:

Damit wir aber reine reden mǒgen/, sollen wir vns befleissen deme welches wir Hochdeutsch nennen besten vermǒgens nach zue kommen, vnd nicht derer ǒrter sprache/, wo falsch [!] *geredet wird, in vnsere schrifften vermischen.* (OPITZ 2002, 35.)

Die „Sprachrichtigkeit“ ist auch der Grund, warum schon Ratke und dann besonders Schottelius den Begriff ‘Hauptsprache’ verwenden. Schottelius’ vornehmstes Ziel ist es, die „natürliche Richtigkeit des Deutschen, ihre auf dem Stammwortbestand gegründete ‘Grundrichtigkeit’ zu erkennen“ (HECHT 1967, 15). Im 17. Jh. bezeichnet das Wort *Hauptsprache* zwei Sachverhalte (nach HEYNE 1877, 630 f.), zunächst *lingua mater multarum filiarum*, dann auch die *hochdeutsche schriftsprache, im gegensatz zu den mundarten gebraucht.* In dieser komplexen Bedeutung begegnet das Wort also bei den Grammatikern des 17. Jh.:

- Deutsch ist für sie – bei Schottelius zeigt das schon der Titel seines Werkes an – wie die drei klassischen Sprachen eine Ur-Sprache, Wurzelsprache;
- Schottelius bemüht sich auch in seinem Werk, Verwandtschaften zwischen diesen Sprachen nachzuweisen;

- Deutsch ist eine Einheitssprache, die sich über die Dialekte erhebt und normiert sowie gepflegt werden muss;
- deshalb wird die deutsche Sprache auch Gegenstand historischer Erklärungen, denn die Sprachgeschichte ist „entwicklungsgeschichtlicher Hintergrund der geltenden hochsprachlichen Norm“ (SONDEREGGER 1979, 10).

In diesen Anschauungen ist Schottelius keineswegs originell, dies wäre auch nicht notwendig. Er hat aber eine große Wirkung, denn er verkörpert bzw. vereinigt in sich die wesentlichen sprachtheoretischen Meinungen seiner Zeit.

Sicherlich, die orthographischen und grammatischen Vorstellungen dieser Grammatiker gehen häufig an der sprachlichen Wirklichkeit vorbei. Auch dies ist kein Schaden, wichtig ist, dass sie ein Bewusstsein für die Notwendigkeit einer Einheitssprache und von deren Kodifizierung schaffen. Auf diese Weise führen sie zur Einheit der deutschen Sprache hin.

1.6 Das Deutsch der mittleren Neuzeit (1650–1800)

1.6.1 Zum Wirken der Sprachgesellschaften des 17. Jahrhunderts

Das Bewusstsein um die Notwendigkeit einer Sprachform von nationaler Geltung und deren Normierung verstärkt sich seit Beginn des 17. Jh. bei den sog. gebildeten Sprachteilhabern. In der Ausrichtung auf eine solche Leitvarietät und im Umbau der diatopisch-horizontalen zu vertikal gelagerten Varietäten muss ein zentrales Charakteristikum des nachmittelalterlichen Deutsch gesehen werden: Was früher regional differenziert war, wurde nun zunehmend sozial-stilistisch indiziert (s. REICHMANN 1988; 1990). Das Ziel, der deutschen Sprache die Akzeptanz einer (sozial prestigeträchtigen) Standardsprache zu sichern, wird u. a. in Versuchen zur Regelung der Orthographie deutlich. Christian Gueintz etwa veröffentlichte 1645 in Halle unter seinem Gesellschaftsnamen „Die deutsche Rechtschreibung, Auf sonderbares gut befinden Durch den ordnenden verfasset/Von der Fruchtbringenden Gesellschaft übersehen und zur nachricht an den tag gegeben“. Er strebte nach überregionalen Normierungsgrundsätzen, wie sie auch Schottelius in seinem Werk „Ausführliche Arbeit von der Teutschen Haubt Sprache“ (1663) anstrebte (vgl. 1.5).

Vergleichbares findet sich in Bemühungen um Wörterbücher der deutschen Sprache, Poetiken und Rhetoriken. Derlei Ambitionen verkörpern sich auch verstärkt in (quasi-)öffentlichen Diskussionen. Sie zeugen davon, dass die Muttersprache nun als Bildungsgut begriffen wird. Die Notwendigkeit ihrer Pflege wird von verschiedenen politischen und kulturellen Standpunkten aus akzentuiert. Daraus resultierte eine umfangreiche, breit gefächerte „Spracharbeit“ (HUNDT 2000), die faktisch alle Systemebenen des Deutschen betraf (Phonetik, Graphematik, Morphologie, Syntax, Lexik, Textdimension/Pragmatik). Raum für derartige Diskussionen boten auch die Sprachgesellschaften des 17. Jh., in denen sich der seit dem Späthumanismus aufkommende deutsche Kulturpatriotismus soziale Institutionen schuf (s. GARDT 1998, 332 ff.; 1999,

Ausführliche Arbeit
Von der
Teutschen
HaubtSprache/
Worin enthalten
Gemelter dieser HaubtSprache Uhrankunft/
Uhraltertuhm/ Reinlichkeit/ Eigenschaft/ Vermögen/ Unvergleichlichkeit/ Grundrichtigkeit/ zumahl die SprachKunst und VersKunst Teutsch und guten theils Lateinisch völlig mit eingebracht/ wie nicht weniger die Verdoppelung/ Ableitung/ die Einleitung/ Nahmwörter/ Authores vom Teutschen Wesen und Teutscher Sprache/ von der verteutschung/ Item die Stammwörter der Teutschen Sprache samt der Erklärung und derogleichen viel merkwürdige Sachen.
Abgetheilet
In
Fünf Bücher.
Ausgefertiget
Von
JUSTO-GEORGIO SCHOTTELIO D.
Fürstl. Braunschweig: Lüneburg. Hof- und Consistorial-Rahte und Hofgerichts Assessore.
Nicht allein mit Röm: Käyserl. Maj. Privilegio, sondern auch mit sonderbarer Käyserl. Approbation und genehmhaltung/ als einer gemeinnützigen und der Teutschen Nation zum besten angesehenen Arbeit/ laut des folgenden Käyserl. Privilegii.
(o)
Braunschweig/
Gedrukt und verlegt durch Christoff Friederich Zilligern/ Buchhändlern.
Anno M. DC. LXIII.

Abb. 12: Titelblatt von Schottelius 1663

103 ff., 128 ff.). Die erste und bedeutendste dieser Gesellschaften, die „Fruchtbringende Gesellschaft", später in „Palmenorden" umbenannt, gründete Fürst Ludwig von Anhalt-Köthen (1579–1650), unterstützt von seinem Freund Caspar von Teutleben 1617. Das Vorbild der italienischen Accademia della Crusca (zum italienischen und niederländischen Vorbild vgl. 1.5.3), deren Mitglied Ludwig auf einer Bildungsreise

geworden war, zeigt sich u. a. in der Emblematik, den Symbolen und akademischen Beinamen der einzelnen Mitglieder. Diese Beinamen wurden auch bei den Veröffentlichungen der Gesellschafter verwendet.

Ludwig selbst z. B. trug den Beinamen *der Nährende*, sein Symbol war ein Weizenbrot. Kaspar Stieler, Verfasser des an die theoretischen Grundsätze Schottelius' (vgl. 1.5.3) anknüpfenden Wörterbuches „Der Teutschen Sprache Stammbaum und Fort-

Abb. 13: Fruchtbringende Gesellschaft

wachs/oder Teutscher Sprachschatz“ (Nürnberg 1691), trug den Gesellschaftsnamen *der Spate*, sein Symbol war ein Blumenkohl. Schottelius wurde *der Suchende* genannt, Martin Opitz, der Verfasser der ersten deutschsprachigen Poetik, *der Gekrönte*, Andreas Gryphius *der Unsterbliche*, Georg Philipp Harsdörffer *der Spielende*, der Grammatiker Christian Gueintz *der Ordnende*, Philipp von Zesen *der Wohlsetzende*. Beispiele für weitere Gründungen kleinerer Sprachgesellschaften sind u. a. die „Aufrichtige Gesellschaft von der Tannen“ (Straßburg 1633), die „Deutschgesinnte Genossenschaft“ (Hamburg 1643), der „Löbliche Hirten- und Blumenorden an der Pegnitz“ (Nürnberg 1644) und der „Elbschwanenorden“ (Wedel bei Hamburg 1656). Auch die „Kürbishütte“ (Königsberg um 1640) und die „Poetische Gesellschaft“ (Leipzig 1677, von Gottsched 1726 zur „Deutschen Gesellschaft“ umgebildet) sind in diesem Zusammenhang zu nennen.

Im Gegensatz zu diesen kleineren Gesellschaften war die *Fruchtbringende Gesellschaft* entsprechend den Intentionen ihrer Gründer „als nationale Akademie konzipiert, deren Wirkungsbereich sich über alle Lande deutscher Zunge erstreckte“; sie „nahm [...] von Anfang an Mitglieder aus allen deutschen Landen auf, Adelige ebenso wie Bürgerliche und – was im Zeitalter der Religionskriege viel bedeutete – Protestanten ebenso wie (einige wenige) Katholiken. Insgesamt hatte die Gesellschaft in den drei Phasen ihrer Lebensdauer 890 Mitglieder.“ (WEINRICH 1988, 89.) Motivationen und Zielsetzungen der Beschäftigung mit der deutschen Sprache und Literatur waren bei den einzelnen Mitgliedern durchaus unterschiedlich. Sowohl moralisch-sittliche wie auch politisch-gesellschaftliche Anliegen wurden mit der Arbeit an der Sprache verbunden. Ziele dieser Beschäftigung mit der Sprache finden sich wiederholt wie folgt zusammengefasst:

> *„Fůrs ander/daß man die Hochdeutsche Sprache in jrem rechtem wesen und standt/ohne einmischung frembder ausländischer wort/auffs möglichste und thunlichste erhalte/und sich so wol der besten aussprache im reden/als der reinesten und deutlichsten art im schreiben und Reimen = dichten befleissige.“*
> (Der Fruchtbringenden Gesellschaft Vorhaben, Namen, Gemälde und Wörter 1985, Aiijb.)

Die sich hier äußernde Auffassung von der *Reinheit der Sprache* umfasst für das 17. Jh. mehr als nur „rein von Fremdwörtern“. Gemeint ist auch, wie der zweite Teil des Zitats zeigt, „rein“ im Sinne von „normgerecht“, „richtig“ im Sinne des Gebrauchs einer Leitvarietät. Deutlich wird aber eben auch eine – später als Sprachpurismus [spätlat. *puritas* – ‘Reinheit’] bezeichnete – Zielstellung des deutschen Kulturpatriotismus als Reaktion auf die starke Überfremdung der deutschen Sprache im 17. Jh. Die deutliche Präsenz nicht-nativer Wörter ist ein wesentliches Charakteristikum der Sprachsituation dieser Zeit, in der Fremdsprachen in gesellschaftlich wichtigen Kommunikationsbereichen ein höherer Prestigewert zukam als dem Deutschen. Die Ursachen dafür waren unterschiedlich. Nach wie vor erfüllt das Latein in der Wissenschaft und auch der schöngeistigen Literatur insofern eine wichtige Rolle, als es die europäische Gemeinsamkeit von Wissenschaft, Literatur und Kunst sichert. Latein, die „Muttersprache der Gelehrten“, ist noch immer das bevorzugte und auch verbindliche Kommunikationsmittel an den Universitäten. Der Gebrauch des Lateins sichert den deutschen Gelehrten und Dichtern die Teilnahme an den kulturellen Entwicklungen Europas zu Beginn der Neuzeit, auch wenn die lateinische „Gelehrtenrepublik“ bereits Zeichen von Auflösung zeigt und demgegenüber eine stärkere Betonung der nationalen Identität erfolgt. Zunehmend verstärkt sich nun auch der Einfluss verschiedener moderner Fremdsprachen, vor allem der des Französischen. Dahinter stand die Vorbildwirkung des französischen absolutistischen Königtums für Europa generell. Frankreich bildet im Zeitalter des Absolutismus, besonders unter Ludwig XIV., das für die Höfe stilbildende Zentrum und gilt nun – anstelle des vorher diese Rolle spielenden Italiens – als Hauptsitz von Kultur, Bildung und faktisch allen vorbildlichen Kulturformen.

Die besonders starken Auswirkungen des Sprachkontakts auf die deutsche Sprache ergaben sich aus der spezifischen Situation Deutschlands, das aus dem Dreißigjährigen Krieg wirtschaftlich und politisch stark geschwächt hervorging. Prägend war auch der partikularistische, territorialfürstliche Absolutismus, daneben auch die sich allmählich steigernden Möglichkeiten, durch Reisen in Kontakt mit anderen Sprachen und Varietäten des Deutschen zu kommen (s. SCHULZ (Hg.) 2014). Nach Kriegsende festigten sich die territorialen Binnengrenzen der konfessionellen und kulturellen Eigentraditionen der unterschiedlichen Teile des deutschen Reiches sogar noch. In den einzelnen Territorialstaaten wurden nunmehr auch die Normen des literarischen Schaffens sowie des Sprachgebrauchs wesentlich von der jeweils herrschenden Konfession bestimmt. Darüber hinaus passte sich vor allem der deutsche Hochadel der von Frankreich bestimmten Standeskultur in einem solchen Maß an, dass die Differenzierung gegenüber den Mittel- und Unterschichten wesentlich ausgeprägter erschien als in Westeuropa. Französisch wurde als Staats- und Standessprache oft zur Umgangssprache des Adels. Der daraus resultierende Einfluss der französischen auf die deutsche Sprache ist jedoch auch für das 17. Jh. nicht ausschließlich negativ zu bewerten. Entlehnungen sind immer auch Ausdruck der Verbindung und des Austauschs mit anderen Kulturvölkern. Sprachkontakt ist wichtig für die Entwicklung von Sprachen. Verwiesen sei hier nur auf seine Rolle bei der Konstituierung von Fach- und Wissenschaftssprachen. Hinsichtlich ihres Gebrauchs in den einzelnen Varietäten bzw. hinsichtlich ihrer funktional-stilistischen Differenzierung sind die Entlehnungen deshalb unterschiedlich zu bewerten. Das schon früh deutlich werdende Bewusstsein für die Spezifik des Gebrauchs von fremdem Wortgut lässt sich aus den Sprachreflexionen der Zeitgenossen ablesen.

Die Programmatik der Sprachgesellschaften, die sich auch viele Dichter der Zeit zu eigen machten, richtete sich vor allem gegen diejenige Art der Überfremdung des Deutschen, die als Folge von einfacher Nachahmung der französischen Lebensweise beim Adel, aber auch bei anderen Schichten festzustellen war. Oberflächliche Übernahme von Sprache und Kultur führte zur sog. Sprachmengerei, dem Umgang mit „Brocken" der französischen, aber auch anderer Sprachen. Diese Art des Sprachverhaltens wird im 17. Jh. auch zum Gegenstand satirischer Dichtungen. Ein charakteristisches Zeugnis ist das um 1638 entstandene anonyme Gedicht „Ein new Klaglied, Teutscher Michel genannt, wider alle Sprachverderber". Es umfasst 55 Strophen und verspottet Hunderte der damals üblichen Fremdwörter, besonders Verbalbildungen auf *-ieren*, die in gesprochener und geschriebener Sprache höfischer und auch anderer Schichten üblich waren:

Fast jeder Schneider/will jetzund leyder
Der Sprach erfahren sein/vnd redt Latein,
Wälsch vnd Frantzösisch/halb Japonesisch,
Wan er ist doll vnd voll,/der grobe Knoll.
Der Knecht Matthies/spricht bonae dies,
Wan er gut morgen sagt/vnd grüst die Magd;
Die wend den Kragen,/thut ihm danck sagen,
Spricht Deo gratias/Herr Hippocras.

Die Dichtung wird im 17. Jh. zu einem zentralen Bereich der Nutzung der deutschen Schriftsprache. Hieraus erklärt sich u. a. auch das starke Engagement vieler Dichter in dieser Frage. Dass es dabei, wie eingangs festgestellt, um mehr als nur um Sprachkritik geht, zeigt z. B. die Zurechtweisung, die der deutsche Held Arminius in Schottelius' „Friedensspiel" einem deutschen Kavalier zuteilwerden lässt, der – der Mode folgend – französische Sprachbrocken in seine Rede mengt:

Durch eure frömde angenommene Wörter, womit ihr euren Feinden nachlallet, so viel ich abmerke, sind Tugend und Laster ofters in eins geschmoltzen, Recht und Unrecht vermummet, Ja und Nein zweiffelhaft und der eingepflanzte Verstand und die Treu zu irrenden frömdlingen und eure Hochherrliche eigene, reine und reiche Muttersprache zur Sklavinn und Mengling geworden.

(Friedens Sieg, ein Freudenspiel von Justus Georg Schottel, ed. F. E. Koldewey. Halle 1900, p. 50, zitiert nach W. Lenk 1989, 680.)

So gehören auch die Bestrebungen, Fremdwörter zu ersetzen, zu den Aktivitäten der Mitglieder der Sprachgesellschaften. Dabei entstanden Neubildungen, die auch heute noch zum festen Bestand unserer Gemeinsprache gehören. Schottelius etwa verdeutschte mit Erfolg lateinische grammatische Termini, z. B. *Einzahl, Fall, Geschlecht, Hauptwort, Mehrzahl, Mundart, Sprachlehre, Wörterbuch, Zahlwort.* Auch auf anderen Gebieten werden Fremdwörter durch Neuprägungen deutschen Wortgutes ersetzt. Von Harsdörffer stammen: *Aufzug (Akt), beobachten (observieren), Briefwechsel (Korrespondenz), Fernglas (Teleskop),* von v. Zesen *Anschrift (Adresse), Augenblick (Moment), Bollwerk (Bastion), Grundstein (Fundament), Nachruf (Nekrolog), Vollmacht (Plenipotenz)* u. a. Bei diesen puristischen Bestrebungen kam es jedoch auch zu Übertreibungen, besonders weil der Differenzierung zwischen Fremdwort und Lehnwort und damit auch der Spezifik von Lehnbildungen, -bedeutungen, -übertragungen nicht immer Rechnung getragen wurde. Dies zeigt sich z. B., wenn von Zesen, selbst Übersetzer verschiedener Werke aus dem Französischen ins Deutsche und durchaus einer der geistig Regsamsten seiner Zeit, folgende Wörter ersetzt, die bereits fest in die deutsche Sprache integriert waren: *Kloster > Jungfernzwinger, Fenster > Tagleuchter, Grotte > Lusthöhle, Pistole > Reitpuffer, Natur > Zeugemutter.* Derartiges stieß aber auch schon bei den Zeitgenossen auf Kritik. „Schendlich ist es, der alten Haubt-Sprache dieses Wort Natur entziehen zu wollen und eine große Zeugemutter mit Zitzen daraus zu machen", empörte sich z. B. Schottelius (1663, 1368).

Auch Gottfried Wilhelm Leibniz (1646–1716), der sich in verschiedenen Hinsichten mit der Sache der deutschen Sprache beschäftigte (DS 2016), wandte sich am Ende des Jh. gegen die Sprachmengerei seiner Epoche. Er sah vor allem in der Zuwendung zur Sachprosa einen Weg zur notwendigen Verbesserung der deutschen Sprache seiner Zeit. In seiner vermutlich 1682/83 entstandenen und erst postum erschienenen „Ermahnung an die Teutschen, ihren Verstand und Sprache beßer zu üben samt beygefügtem Vorschlag einer Teutsch gesinten Gesellschaft" stellte er fest:

In Teutschland aber hat man annoch dem latein und der kunst zuviel, der Muttersprach aber und der Natur zu wenig zugeschrieben, welches denn sowohl bey den gelehrten als bei der Nation selbst eine schädtliche würckung gehabt. Denn die gelehrten, indem sie fast nur gelehrten schreiben, sich offt zu sehr in unbrauchbaren dingen aufhalten; bey der ganzen nation aber ist geschehen, daß diejenigen, so kein latein gelernet, von der wißenschaft gleichsam ausgeschloßen worden, also bey uns ein gewißer geist und scharfsinnige gedancken, ein reiffes urtheil, eine zarte empfindlichkeit deßen so wohl oder übel gefaßet, noch nicht unter den Leuten so gemein worden, als wohl bey den auslandern zu spüren, deren wohl ausgeübte Muttersprach wie ein rein polirtes glas gleichsam die scharffsichtigkeit des gemüths befordert und dem Verstand eine durchleuchtende clarheit giebt. Weil nun dieser herrliche Vortheil uns Teutschen annoch mangelt, was wundern wir uns, daß wir in vielen stücken und sonderlich in denen dingen, da sich der verstand mit einer gewißen artigkeit zeigen soll, von fremden übertroffen werden? [...] *Sind wir also in denen Dingen, so den Verstand betreffen, bereits in eine Slaverey* [sic!] *gerathen und werden durch unser blindheit gezwungen, unser art zu leben, zu reden, zu schreiben, ja sogar zu gedencken, nach frembden willen einzurichten. Draus denn folget, daß keine Verbeßerung hierin zu hoffen, so lange wir nicht unser Sprache in den Wißenschafften und Haupt=materien selbsten üben* [...]

(Zit. nach PIETSCH 1902/03, 302 ff.)

Pflege der Sprache ist für Leibniz Verbesserung der Sprache nach den Regeln des vernünftigen Denkens, Sprachpflege also auch ein Weg zur Förderung der aufgeklärten Vernunft und damit von Einfluss auf die Gestaltung der Lebensbedingungen. Er selbst blieb in seinen wissenschaftlichen Veröffentlichungen zwar noch beim Latein und korrespondierte vor allem auf Französisch. Seine Vorstellungen zur Lexikographie des Deutschen, die er in der ebenfalls erst postum veröffentlichten Abhandlung „Unvorgreiffliche Gedancken, betreffend die Ausübung und Verbesserung der Teutschen Sprache" (geschrieben 1697) entwickelte, wurden 1741 im „Teutsch-Lateinischen Wörter-Buch" von Johann Leonhard Frisch verwirklicht.

Der Einfluss des Englischen auf das Deutsche – eine zunächst noch periphere Erscheinung – verstärkte sich seit der Mitte des 17. Jh. (s. v. POLENZ 1994, 101 ff.; ROELCKE 2003). Dies zeigte sich nicht nur in der zunehmenden, die Entwicklung der deutschen Literatur nachhaltig beeinflussenden Übersetzungstätigkeit und den Entlehnungen aus unterschiedlichen Sachgebieten, sondern auch in den begleitenden Sprachreflexionen, wie sie sich sowohl in der zeitgenössischen wissenschaftlichen als auch in der belletristischen Literatur finden.

1.6.2 Zur Festlegung und Kodifizierung der Normen für die deutsche Schriftsprache

Ab etwa 1650 strebt man zunehmend danach, für die deutsche Sprache überregional gültige, einheitliche Normen festzuhalten und grammatisch zu kodifizieren. In diesem Zusammenhang wird der Zustand der Varietäten reflektiert und immer wieder die Frage erörtert, wie angesichts der offensichtlichen Variantenvielfalt eine normative Begründung für die Hervorhebung einzelner Varianten aussehen könnte. Die Herausbildung einer einheitlichen deutschen Standardsprache erfordert also zunächst einen Konsens über die zu befolgenden Normprinzipien und deren Kodifizierung. Im 18. Jh. wird diese Diskussion zum Zentrum des zeitgenössischen Diskurses über die deutsche Sprache, die mehr und mehr auch mit Sache und Begriff der deutschen Nation verbunden wird (s. SCHARLOTH 2005, FAULSTICH-CHRIST 2008). Diesseits sprachphilosophisch-theologischer Spekulation, die noch das Sprachdenken im 16. und 17. Jh. dominierte (s. GARDT 1994, KLEIN 1992), besitzt sie eine unmittelbar greifbare grammatische, lexikologische und orthographische Dimension, deren Ausläufer letztlich bis in die Sprache und Sprachauffassungen der Gegenwart reichen.

Am normativen Kodifizierungsprozess sind nach Ratke und Schottelius (vgl. 1.5.3) viele Grammatiker, die häufig als Lehrer tätig waren, beteiligt. Genannt sei stellvertretend Johann Bödiker (1641–1695), durch dessen Buch „Grundsåtze der Teutschen Sprache" (1690) wissenschaftliches Gedankengut auch in die Schulen getragen wurde. Grundlage der Schulgrammatik ist für ihn die Schriftsprache, die „Büchersprache".

Vor allem durch das Lesen guter Bücher werden seiner Meinung nach Kenntnisse erworben und Fähigkeiten geschult. In einzelnen Abschnitten behandelt er die Rechtschreibung, die „Wort-Forschung“ (Lehre der Wortarten, Flexions- und Wortbildungsmorphologie), die „Wort-Fügung“ (Syntax) und schließlich die Prosodie („Thon-Sprechung“). Häufig nachgedruckt (1723 und 1729 von Johann Leonhard Frisch, 1746 von Johann Jacob Wippel überarbeitet) kann sein Werk wohl als „die erfolgreichste deutsche Grammatik zwischen Schottelius (1663) und Gottscheds Deutscher Sprachkunst (1748 ff.)“ betrachtet werden, zumal es „offenkundig nicht nur im protestantischen Mittel- und Norddeutschland, sondern auch im katholischen Süden“ (REIFFENSTEIN 1988, 33) benutzt wurde. Erwähnung verdient auch Kaspar Stieler (1632–1690), der sich in der seinem Wörterbuch angebundenen „Kurze(n) Lehrschrift Von der Hochteutschen Sprachkunst“ als Erster systematisch mit der deutschen Wortstellung befasste. In wesentlichen Positionen auf Schottelius fußend, betont er die Spezifik des „Hochdeutschen“ im Sinne einer überregional gültigen Standardvarietät:

*Ich sage Hochteutsch/dieweil die andere teutsche Mundarten/sie seyen Niederlandisch/Sachsisch/Schweizerisch/Oestereichisch/Schwäbisch/Fränkisch/ja so gar **Meißnisch.** Diese hochteutsche Sprache/welche das Teutsche Reich auf Reichstågen/in Kanzeleyen und Gerichten/so wol die Geistlichkeit in der Kirche/auf offendlichen Kanzeln und im Beichtstul/wie nicht weniger die Gelehrte in Schriften/und mainniglich in Briefen/Handel und Wandel gebrauchen/nicht ist/noch zu einer durchgehenden Kunstrichtigkeit vor sich und besonders gelangen kan/*[...] *Dahero wir uns die teutsche Sprache allhier nicht/als eine teutsche Mundart/sondern/als **eine durchgehende Reichs Haubtsprache**/vorstellen/als wie etwa hiebevor die Griegische Haubtsprache/darunder weder Attisches/noch Dorisches/noch Eolisches/noch Ionisches Mundwesen gemenget/oder die 'Roimische Sprache in der Lateiner Lande geredet und geschrieben worden/oder/wie jezo die Franzoische Hofsprache/**la langve de la cour** genant/seyn mochte. Sintemal das Hochteutsche nunmehro in ganz Teutschland den Preis erlanget/worinnen der Teutschen Rede Zierde/Kunst und Vollkommenheit allein undersuchet/erlernet und fortgepflanzet werden muß.*

(STIELER, Wörterbuch, 1691, 1 f.)

In der ersten Hälfte des 18. Jh. wird auch im süddeutschen Sprachraum das Thema Hochdeutsch im „Parnassus Boicus“ erörtert, wobei die Autoren der katholischen Gebiete in der Regel von der Grundlage der oberdeutschen Gemeinsprache ausgehen. Sie wurde von den kaiserlichen Kanzleien und der landesfürstlichen Kanzlei Bayerns geprägt. „Der 'Parnassus Boicus' (1722–1740), eine gelehrte Zeitschrift nach dem Vorbild des 'Journal des Savants' (Paris) und der 'Acta Eruditorum' (Leipzig), war eine Frucht der europäischen Akademiebewegung und der katholischen Aufklärung in Bayern [...] Neben der Förderung der Wissenschaften in Bayern gehörte zum Programm des neuen Journals auch die Pflege der Muttersprache: alle (sic!) Beiträge mußten in deutscher Sprache verfaßt sein, eine für eine gelehrte Zeitschrift damals noch durchaus ungewöhnliche Forderung [...] In der Auseinandersetzung des 18. Jh. um das richtige Hochdeutsch ergreift der PB nachdrücklich für die Sprache der Gelehrten über den Dialekten Partei und übernimmt damit prinzipiell die Position Schottelius, ohne allerdings die eigene Sprachtradition preiszugeben.“ (REIFFENSTEIN 1988, 28 f.) Hervorzuheben ist auch „Die Kayserliche Deutsche Grammatick, Oder die Kunst, die deutsche Sprache recht zu reden, Und ohne Fehler zu schreiben [...]“ von Johann Balthasar von Antesperg (1682/83–1765). Sie erschien 1747 in Wien. Neben der Akzeptanz österreichischer Varianten bemüht sich Antesperg auch um Anpassung an die von Gottsched vertretenen Schriftsprachnormen.

Einen Höhepunkt der Arbeit an der normativen Kodifizierung der deutschen Sprache, besonders ihrer Grammatik, bildet das Wirken Johann Christoph Gottscheds

(1700–1766). Der Aufklärer Gottsched versucht sprachliche Tatsachen zu begründen und mit expliziten Regeln zu formulieren (zur Wirkungsgeschichte s. JAKOB 1999). Dazu fasst er Ergebnisse von Arbeiten anderer Autoren zusammen und verbindet deren Darstellung mit seinem rationalistischen Sprachideal. In seinem vielfach aufgelegten und in mehrere Fremdsprachen übersetzten Hauptwerk „Grundlegung einer Deutschen Sprachkunst, Nach den Mustern der besten Schriftsteller des vorigen und jetzigen Jahrhunderts abgefasset" (1748) tritt er für eine über den Mundarten stehende Hochsprache im Sinne einer Leitvarietät ein. Die Bezeichnungen *Mundart* und *Hochsprache* werden bei ihm noch häufig mehrdeutig gebraucht. Als Maßstab für seine Idealsprache gilt ihm die *beste Mundart*. Als diese betrachtet er das „korrekte" Meißnische Deutsch in der Form, wie es von den besten Schriftstellern gebraucht werde. Er folgt darin dem Vorbild bedeutender deutsch schreibender Persönlichkeiten seiner Zeit und der jüngsten Vergangenheit, wie Paul Christian Fürchtegott Gellert, Paul Gerhard, Martin Opitz, Christian Weise, Christian Wolf, Philipp Jacob Spener und Christian Thomasius. Faktisch führten seine Interventionen zur normativen Favorisierung des Ostmitteldeutschen.

Der Prestigewert des Ostmitteldeutschen war zunächst in der politischen, kulturellen und wirtschaftlichen Überlegenheit des sächsischen Territorialstaates sowie in der Wirkung von Luthers Bibelübersetzung begründet. Er stieg noch mit der Ausweitung des Geltungsareals des Ostmitteldeutschen auf den ehemals niederdeutschen Sprachraum im Rahmen des hochdeutsch-niederdeutschen Austauschprozesses. Diese Ausweitung vollzog sich in einer länger währenden Entwicklung, die für die Schriftsprache bereits im 17. Jh. als relativ abgeschlossen gelten kann. Der Einfluss der Aufklärung zeigt sich auch in Gottscheds „Grundriß zu einer Vernunfftmäßigen Redekunst" (1729) und im „Versuch einer critischen Dichtkunst vor die Deutschen" (1730, 4. Aufl. 1751). Er fordert in diesen Werken einen vernünftigen Sprachstil, d. h. Natürlichkeit und Einfachheit im Reden und Schreiben, Vermeidung unnötiger Bilder und übersteigerter Ausdrucksweisen. Sprachpflege soll so zur Geschmacksbildung beitragen. An Gottscheds aufklärerischem Sprachideal wie an der erneuten Betonung der Rolle des Meißnischen entzündete sich eine Reihe von Auseinandersetzungen mit Zeitgenossen, wie z. B. dem Oberpfälzer Karl Friedrich Aichinger (1717–1782), den Schweizern Johann Jacob Bodmer (1698–1783) und Johann Jacob Breitinger (1701–1776) und Augustin Dornblüth (s. WELLS 1990, 335 ff.; V. POLENZ 1994, 161 ff.). In dieser Diskussion „zeigte sich in aller Deutlichkeit unterschiedliches Sprachbewusstsein von schriftstellernden Grammatikern und von Literaten, die nicht mehr so ohne Weiteres das normative Regelwerk einer vom Anspruch grammatischer Richtigkeit bestimmten Schriftsprache akzeptierten. Die schon weitgehend feststehende syntaktische und morphologische Norm der hochdeutschen Schriftsprache und ihre lexikalische Vereinheitlichung war zwar auch Grundlage der Sprache als Kunstform, drohte aber ihre schöpferische Weiterentwicklung durch die Schriftsteller zu behindern." (GESSINGER 1980, 129.) Trotz mancher Mängel in der Beurteilung sprachlicher Tatsachen hat aber Gottscheds Lehre zu dem klaren Stil der späteren Aufklärungsprosa ebenso beigetragen, wie durch seine normative Grammatik die Herausbildung der relativ stabilen Norm des Neuhochdeutschen wesentlich befördert wurde. Dies gilt in besonderem Maße auch für den Bereich der Syntax. Dort trug Gottsched dazu bei, den Einfluss des am Latein orientierten Sprachgebrauchs der Kanzleien zu brechen. Von Bedeutung für die weitere Entwicklung aber ist vor allem, dass durch seine „Sprachkunst" die grammatische Tätigkeit auch in Österreich und im Süden Deutschlands stark beeinflusst wurde. Dies zeigt allein schon die zahlenmäßige Zunahme entsprechender Arbeiten. Darüber hinaus wurde die Vereinheitlichung der deutschen Schriftsprache durch seine Schriften wesentlich befördert. Die politischen Beweggründe für den Schriftsprachwechsel in den einzelnen katholischen Territorien dürften durchaus unterschiedlich gewesen sein. Generell aber „setzte sich seit etwa 1750 in Österreich und Bayern unter dem Einfluss Gottscheds und durchaus auch ‘auf höhere Entscheidung’ […] das Hochdeutsch ostmitteldeutscher Prägung jedenfalls im schriftlichen Gebrauch rasch durch" (REIFFENSTEIN 1988, 42; s. auch REIFFENSTEIN 1989, 177 ff.).

Am Ende der Bemühungen um die normative Vereinheitlichung der deutschen Sprache in diesem Zeitraum steht der Lexikograph und Grammatiker Johann Christoph Adelung (1732–1806). Zu seinen Hauptwerken gehören die „Deutsche Sprachlehre; zum Gebrauch der Schulen in den Königlich Preußischen Landen" (1781; 1782 auch in Wien als Schulbuch eingeführt; bis 1816 fünf weitere Auflagen), sein „Umständliches Lehrgebäude der deutschen Sprache, zur Erläuterung der deutschen Sprachlehre für Schulen" (1782), sein „Versuch eines vollständigen grammatisch-kritischen Wörterbuchs der hochdeutschen Mundarten, besonders aber der oberdeutschen" (1774–1786), das umfassendste und bedeutendste Wörterbuch des Deutschen vor dem „Deutschen Wörterbuch" der Brüder Grimm, sowie seine „Vollständige Anweisung zur Deutschen Orthographie, nebst einem kleinen Wörterbuche für die Aussprache, Orthographie, Biegung und Ableitung", 1788 in Leipzig erschienen und bis 1835 in 13 Neuauflagen, -bearbeitungen und Nachdrucken verbreitet. Von ihm stammen darüber hinaus Beiträge zur Geschichte der deutschen Sprache, eine Arbeit über den deutschen Stil u. v. a. m. (s. DÖRING 1984, LERCHNER 1984, H. SCHMIDT 1984). Adelung weist dem Sprachgebrauch als Normierungsinstanz eine hervorragende Rolle zu. Dementsprechend unterscheiden sich seine Regeln und Ausnahmen von den oft subjektiv geprägten Normierungen seiner Vorgänger.

Adelungs Schriften zur deutschen Sprache enthalten in ihrer Gesamtheit wesentliche theoretische Einsichten. Er gilt als „der erste, der den Begriff der Norm nicht nur im Sinne der Sprachrichtigkeit interpretiert, sondern der den Versuch unternimmt, die soziale Dimension in den Normbegriff hineinzuholen, […] Und deshalb wird er zum exponiertesten Sprachwissenschaftler seiner Zeit. Allem bisherigen, kleinlichen Gezänk setzt er als oberstes Prinzip den Kampf um **eine,** und zwar eine **einheitliche** Sprachnorm entgegen" (SCHMIDT-REGENER 1989, 167 f.). Diese sieht er zunächst für seine Zeit am besten verwirklicht im Sprachgebrauch der „obern Classen" (ADELUNG 1783, 83) Obersachsens. Dagegen wendet sich vor allem Christoph Martin Wieland (vgl. 1.6.4). Er betont, dass die Sprache der schönen Literatur relativ selbständig und nicht an den Geschmack der oberen Klassen Obersachsens gebunden sei. In der anschließenden Diskussion revidiert Adelung seinen Standpunkt und verteidigt nur noch den Gedanken der sprachlichen Einheit an sich. Letztlich ist dies eine Konsequenz seiner Vorstellung von der Sprachentwicklung, deren Ursachen er in der engen Verbindung der Sprache mit der Gesellschaft sieht, denn Sprache ist für ihn „nicht allein ein Bedürfniß, sondern auch ganz das Werk des engern gesellschaftlichen Lebens, und all die Verschiedenheiten, welche Sprache und Mundarten unterscheiden, sind wesentliche und nothwendige Folgen der eigenthümlichen Umstände jeder beysammen lebenden Gesellschaft, welche so stark wirken müssen, daß auch ohne klares Bewußtseyn bey einer so großen Menge eine und ebendieselbe Wirkung erfolgt" (ADELUNG

1800, 848). In diesem Sinne leitet er aus dem damaligen Sprachgebrauch auch die Regeln für die Normierung der Sprache ab.

Bei seinen Zeitgenossen gilt er als Autorität, auch wenn sie seine Vorgehensweise und Entscheidungen oft kritisieren. Die von ihm vorgelegten Arbeiten werden vielfach genutzt, vor allem auch von den Dichtern und Schriftstellern der Zeit. Lessing, Wieland, Goethe, Schiller, W. v. Humboldt, Voß u. a. zogen sein Wörterbuch vielfach zu Rate. So hatte beispielsweise „Goethe mit seinem Verleger Goeschen vertraglich vereinbart, daß bei der Herausgabe seiner 'Schriften' hinsichtlich der Rechtschreibung grundsätzlich nach den Vorschriften Adelungs zu verfahren sei" (SCHMIDT-WILPERT 1985, 1558). Auch Wieland folgt gelegentlich den Vorschriften Adelungs. Trotzdem bleibt orthographische Variabilität noch immer eines der markantesten Merkmale des Sprachgebrauchs der Zeit. Dazu äußert sich – die eigne Orthographie rechtfertigend – beispielsweise auch Gottfried August Bürger 1778 bei der Herausgabe seiner Gedichte:

> *Zum Beschlusse mus ich noch etwas von meiner Rechtschreibung erwänen* [...] *Ich neme Klopstocks Saz, der auch der Saz der gesunden Vernunft ist, an: Man schreibt nicht für das Auge, sondern für das Ohr, und mus daher nicht mehr schreiben, als man aussprechen hört. Klopstock fügt hinzu: Auch nicht weniger! wogegen ich aber doch einiges Bedenken zu äusern habe. – Bin ich aber der Hauptregel überall nachgekommen? – Nein! und zwar aus der Vorsicht, die ebenfals Klopstock aus gutem Grunde empfielt. Man mus nicht alles auf einmal thun wollen, wenn es glüklich von Statten gehn sol. Die Misbräuche eines Tyrannen, wie der Sprachgebrauch ist, lassen sich nur nach und nach untergraben und auswurzeln. Sobald aber die gesunde Vernunft sie wirklich für Misbräuche erkent, so mus* **man** *es nicht immer gleichgültig, oder zaghaft, bei dem alten bewenden lassen, sondern* ***anfangen***, ***fortfaren*** *und* **enden.** [...] *Ich habe noch mehr ungehörte Buchstaben, als Klopstock, und das unteutsche y mehrentheils verbant. Das die Dehnung anzeigende* **h** *kann überal und mus zunächst aus solchen Sylben wegbleiben, die man ohnehin dehnt, und dehnen mus. Das* ***ß*** *ist ein höchst alberner Buchstab. Ein reines* **s** *oder* **ss** *kann uns die nämlichen Dienste, wie andern Sprachen, thun. Wo ein* **ss** *gehört wird, da kann man es ja, stat des buklichen* ***ß*** *sezen, weil es wol ursprünglich und im Grunde nichts anders, als ein durch Schreibverkürzung verändertes* **ss** *ist. Die uberflüssigen Doppelkonsonanten am Ende habe ich fast überall weggelassen* [...] *Auch darf man sich warhaftig an dasjenige nicht kehren, was die alten Saalbader und Pfalbürger bis zum Ekel dagegen von sich zu geben pflegen* [...] *Jeglichen ihrer Gründe kann man mit irgend einem Gegenbeispiel aus der Sprache, welchem sie selbst folgen, zu Boden stossen* [...] *Lieben Brüder, wenn ihr eure Sprache lieb habt, so tretet dem Schlendrian auf den Kopf und richtet euch nach den Regeln der Vernunft und einfachen Schönheit! Nach welcher sich schon grostentheils die* ***Minnesinger*** *richteten, ehe die nachfolgenden plumpern Jahrhunderte die Sprache mit so vielen ünnotigen Buchstaben überluden.* (BÜRGER 1778, XV ff.)

Im Überblick kann festgestellt werden, dass für die Normierungsprozesse des 17. und 18. Jh. vor allem der Abbau von morphologischen Varianten charakteristisch ist. Dies führte gegenüber den historischen Vorstufen zu größerer Einheitlichkeit und Systematizität bei der Flexion. Die Aussagen zum syntaktischen Bereich sind in besonderem Maße nach Textsorten und Gattungen, Funktional- und Individualstilen zu differenzieren. In vielfältiger Variation syntaktischer Strukturen zeigt sich das Wirken unterschiedlicher Tendenzen, wobei – besonders im 17. Jh. – im Schrifttum insgesamt umfangreichere Satzstrukturen dominieren. Die starke Zunahme hypotaktischer Satzstrukturen korrespondiert mit der Entwicklung und zunehmenden Nutzung von sprachlichen Mitteln zum Ausdruck der logischen Verknüpfung von Haupt- und Nebensätzen, wie Konjunktionen, Relativpronomen und Satzgliedstellung (vgl. 4.5). Diese Ausdrucksmittel bringen die unterschiedlichen graduellen und die inhaltlich-logischen Beziehungen zwischen den Teilsätzen eines Ganzsatzes zum Ausdruck (s. EBERT 1978, bes. 19 ff.; SONDEREGGER 1979, bes. 285 ff.). Auch die seit dem

14./15. Jh. zunehmende Tendenz zum Gebrauch des vollen Satzrahmens verstärkt sich weiter. Das 17. Jh. gilt als die Zeit der stärksten Entfaltung der Rahmenkonstruktion. Im Prinzip ist aber auch schon die Ausklammerung derselben Satzglieder möglich wie heute. Charakteristisch für die weitere Entwicklung ist die mit dem Verzicht auf überlange, komplizierte Perioden verbundene Verringerung der Länge der Ganzsätze. Ihr steht als Tendenz die Zunahme des Umfangs der Teilsätze, der sog. Elementarsätze (Termini nach ADMONI) gegenüber. Im 18. Jh. wird sowohl in Sprachreflexionen der Grammatiker als auch in den Werken der Dichter und Schriftsteller das Bemühen deutlich, Übertreibungen beim Gebrauch von Perioden zu vermeiden. In den Texten dieser Zeit werden die Möglichkeiten zum Ausdruck von Parataxe und Hypotaxe zunehmend differenziert genutzt. Allgemein gilt auch, dass sich seit dem 17. Jh. der Umfang der Nominalgruppen erheblich erweitert. Die Steigerung der Möglichkeiten, Aussagen durch nominale Konstruktionen, bes. durch substantivische Wortgruppen, auszudrücken, ist in engem Zusammenhang mit Tendenzen im Bereich der Wortbildung der deutschen Sprache in der neueren Zeit zu sehen (vgl. 1.6.5.3, 1.7.6).

Am Ende des 18. Jh. sind Ausbildung und Durchsetzung der in sich gefestigten grammatischen Normen, die nun überregional und zunehmend polyfunktional die deutsche Schriftsprache repräsentieren, im Wesentlichen abgeschlossen. Die weitere Entwicklung des grammatischen Baus der deutschen Sprache ist seit dem Ausgang des 18. Jh. nicht mehr durch die Herausbildung neuer grammatischer Formen charakterisiert, sondern vor allem durch Gebrauchsveränderungen und textsortenabhängige Variabilität. Diejenigen sprachlichen Formen, die Verbreitung und normative Festigung gefunden haben, sind im Allgemeinen heute noch gültig. Anders gesagt: Die Sprache der Gegenwart existiert in bestimmter Hinsicht bereits an der Wende vom 18. zum 19. Jahrhundert.

1.6.3 Zu weiteren Aspekten der sprachlichen Situation im 18. Jahrhundert

Schon im Laufe des 17. Jahrhunderts hatte die deutsche Sprache ihre kommunikative Reichweite gegenüber der vorangegangenen Zeit stark ausgebaut. Dazu gehörte die allmähliche Entstehung periodisch erscheinender Zeitungen. Sie waren in ihren Anfängen mit der frühen Flugschriftenproduktion und organisierter Geschäftskommunikation verwoben (s. SCHRÖDER 1995, SCHWITALLA 1999, BAUER 2011) und führten sprachlich im Laufe der Zeit zu regelrechten „Formulierungstraditionen“ (HASS-ZUMKEHR 1998). Mündliche Vorläufer für die schriftlichen Zeitungen lassen sich in bestimmten kommunikativen Routinen identifizieren, die etwa in der gegenseitigen Information des Adels üblich waren und sich in regelhaften Text- und Redemustern äußerten, z. B. bei Hochzeiten, Geburten und Todesfällen (s. KLEIN 2010). Aber auch die zunehmende Nutzung des Deutschen in der schönen Literatur und als Fach- und Wissenschaftssprache gehörte zur allmählichen kommunikativen Ausfächerung des Deutschen. Diese Prozesse verstärkten sich mit der Entwicklung einer neuen repräsentativen Öffentlichkeit, der bürgerlichen Öffentlichkeit, entscheidend. Sie entfaltete sich wesentlich im Prozess der Aufklärung. Als grundlegende Neuorientierung im Geistesleben postulierte die Aufklärung die Vernunft als Grundlage aller Erkenntnis, stellte die Kraft der prüfenden Vernunft Glaubensdogmen gegenüber und forderte den selbständig urteilenden Menschen.

Als vielschichtige europäische Emanzipationsbewegung bewirkte sie auch Wandlungen in der Sprachsituation, die noch längst nicht umfassend genug erforscht sind.

Die Aufklärung verkörperte sich auch darin, dass in der Wissenschaft das Latein durch die deutsche Sprache ersetzt wurde. So konnten sich potentiell auch Laien ein Bild von Dingen machen, die vordem nur lateinkundigen Experten vorbehalten waren. Dieser Prozess wurde in der Philosophie besonders von Christian Wolff (1679–1754) (s. MENZEL 1996) und Christian Thomasius (1655–1728) befördert. Seine Anfänge reichen allerdings bis ins 16. und 17. Jh. zurück. Geistesgeschichtlich wurzeln sie letztlich im protestantischen Aufbruch und in praktisch-lebensdienlichen Perspektiven auf Wissenschaft (s. KLEIN 2011a/b; WEIMAR 1989, 13 ff.; MEIER/GREULE (Hg.) 2016), exemplarisch für die Verhältnisse an der Universität Freiburg s. SCHIEWE 1996). So ist etwa bekannt, dass schon weit vor dem 18. Jh. medizinisch-botanisches Fachwissen dann in deutschsprachigen Texten greifbar war, wenn damit konkrete Behandlungsmethoden verbunden waren, z. B. in der reichen Kräuterbuchliteratur (s. HABERMANN 2001). Vergleichbare Anwendungskontexte, die oft tief in das Mittelalter reichen, lassen sich in vielen Sachbereichen finden (s. SCHMID 2015a/2015b, VAŇKOVÁ (Hg.) 2014) und führten mit der Zeit auch zu regelrechten Textsortenkonventionen (s. ERNST/MEIER/WALIGORA (Hg.) 2014, SCHUSTER/HOLFTRETER (Hg.) 2017, LINDNER 2018). Auch die verschiedenen biologischen Schriften des Schweizer Gelehrten Conrad Gesner (1516–1565) lagen schon recht früh in deutschen Fassungen oder Überarbeitungen vor (s. FRIEDRICH 1995). Dass Fachsprachen seit jeher mit einer gewissen Mehrsprachigkeit einhergingen, lässt sich an militärisch-technischen Domänen ablesen (s. GLÜCK/HÄBERLEIN (Hg.) 2014). Ein wissenschaftshistorisch nachdrücklich neuer Weg der Sprachentwicklung wurde freilich erst in dem Moment beschritten, als die lateinischsprachige Bastion der Wissenschaft, also die Universität, zum Deutschen überging.

Dieser Wechsel vom Deutschen zum Lateinischen, der letztlich auch das sozialsymbolische Kapital der Akademiker erheblich berührte, trug anfangs durchaus revolutionäre Züge: Kaspar Stieler versuchte (vermutlich 1676/77, sicher aber dann 1679) in deutscher Sprache Vorlesungen an der Universität Jena zu halten (s. WEITHASE 1961, 264 ff.). 1687 folgte der Versuch von Thomasius, sich in seinen Leipziger Vorlesungen vom Lateinischen zu lösen und das Deutsche an der Universität zu nutzen. Stieler hat darüber hinaus auch schon 1679 die Einrichtung eines Kollegs über die für Hof und Diplomatie seiner Zeit notwendige „politische Wohlredenheit“, die „heutige politische Redart“, an der Universität Jena gefordert. Diese Forderung ist ein Ausdruck der Wertschätzung, die volkssprachliche Redekunst und Redekultur (im Sprachgebrauch der Zeit *Beredsamkeit*, auch *Wohlredenheit*) in den deutschen Territorialstaaten des 17. Jh. erfahren. Davon zeugen sowohl viele Textsammlungen, die im Sinne „guter Beispiele“ zum unmittelbaren Gebrauch bestimmt waren, als auch theoretische Darstellungen, verbunden mit Namen wie Johann Christoph Lünig, Balthasar Kindermann, Christian Weise, Johannes Riemer, Veit Ludwig von Seckendorff u. a. Insgesamt haben diese rhetorischen Ambitionen – zumindest mittelbar – eine Rolle bei der Entstehung der deutschen Standardsprache gespielt (s. HAAS 1980). Über die inhaltliche Aussage hinaus verdeutlicht ein Auszug aus einem Brief, den Stieler an die Visitatoren der Universität Jena richtete (s. u.), typische Merkmale des Amts- bzw. Kanzleistils seiner Zeit. Deutlich wird im Beispieltext u. a. der noch weiter wirkende Einfluss des Lateins in bestimmten Kommunikationsbereichen, aber auch das Bestreben, viele erklärende Zusätze einzuschieben, was zu komplizierten Satzperioden führt:

Ob und wie hoch an der Teutschen Sprache, deren rechtschaffener Begriff, Beurtheilung, auch einem geschicklichen teutschen StatsStylo, so wohl im Reeden als schreiben gelegen? ist nicht nötig, Ew. Hoch-Edlen Gestrengen Hoch Ehrw.vest und herrl. zu mahl bey ietzigen ihren überhäuften wichtigen Geschäfften vorzustellen, als denen durch langen gebrauch und Erfahrung, deren nothwendigkeit und nutzen vor längst bekandt gewesen ist. Was viel höchstverständige Theologi und Politici darunter gehalten, und wie eyferig sie gewünschet, daß man die Jugend in der Schulen beyzeiten darzu gewehnen, auch auff universitäten dieselbe den Studenten vortragen möchte, solches ist und kan niemanden verborgen seyn, der des Seel. H. Lutheri, Meyfor-dens, Harsdörffers, Schottels und anderer Teutschliebenden Schrifften gelesen, Und wolte Gott, daß gleich andern Nationen, da die Muttersprache in ihrem Vaterland öffentlich gelehrt wird, also man auch in Teutschland teutsche Professores haben möchte, welche den rechten durchgehenden Staats Stylum führeten, nicht aber erdichtet unteutsch teutsch oder aus poetischen und auslendischen Phrasibus zusammengerafftes affectat teutsch anwiesen; was würde nicht in allen Ständen vor herrlicher Nutzen daraus erfolgen? Daß es aber bei dem bloßen Wunsch allein ersihet, das werck die That aber unterbleibet, daßen große Ursach ist unter andern, daß gar selten ein in den Weltsachen geübter Mann auf Universitäten öffendlich lehret, und daß je ein solcher vornehmer Professor vorhanden, der an fürstl. Höfen, in den Colleiis, bei den Consultationibus geseßen, deutsche Schreiben revidiret, und concipiret, oder öffendliche Reden gehalten und angehöret, so ihm doch solche teutsche Collegia entweder zu gering oder zu mühsam, oder es fehlet ihnen an Zeit und Beliebung, der sonst disfalls begierigen Jugend damit an die hand zu gehen, wollen also ihrer Zeit lieber beßer anwenden, als durch die verachtete Grammatic und Rhetoric inclaresciren.

(STIELER, An die Herren Visitatores. Jena 1679, zitiert nach ZEMAN 1966, 166 f.)

In der ersten Hälfte des 18. Jh. beginnt Deutsch sich als Sprache des Unterrichts in den verschiedenen Schultypen immer mehr durchzusetzen und wird zunehmend auch zum Unterrichtsgegenstand selbst. Am Ende des Jahrhunderts hat es sich dann auch an den länger am Latein festhaltenden Jesuitenschulen durchgesetzt. Daraus kann aber nicht generell auf die tatsächliche Beherrschung der Schriftsprache (Lese- und Schreibfertigkeit) geschlossen werden. Das Analphabetentum war in Deutschland noch nicht beseitigt. Die Realität des Unterrichts, vor allem an den Dorfschulen, ist von einer Verwirklichung des Erziehungsprogramms, wie es die Aufklärung propagiert, weit entfernt. Wenn demzufolge auch die Zahl der Leser – gemessen an der Gesamtbevölkerung – niedrig gewesen sein dürfte, zeichnet sich die Epoche der Aufklärung jedoch gegenüber den zurückliegenden Jahrhunderten durch ein sprunghaft ansteigendes Lesebedürfnis aus. Dies führt u. a. auch zur Gründung von Lesegesellschaften und Leihbibliotheken. Literarische Kommunikation wird nun zunehmend durch individuelles Lesen vermittelt. Im Zusammenhang damit steht die Zunahme der literarischen Produktion unterschiedlichster Provenienz, verbunden mit dem Bedürfnis der Information und des Austausches über die entstehende Literatur. Dies wiederum begünstigt die Entstehung von Rezensionszeitschriften und Nachschlagewerken, die, ebenso wie Fachbibliographien und Fachlexika, zu den „typisch neuzeitlichen Organisationsformen von Wissenschaft und Technik“ (v. HAHN 1983, 35) gehören. Seit der 2. Hälfte des 18. Jh. vollzieht sich dann auch in der Wissenschaftssprache endgültig flächendeckend der Übergang vom Latein zum Deutschen, wie es Leibniz schon zu Beginn des Jahrhunderts gefordert hatte. Die Herausbildung der modernen Naturwissenschaften und Technologien führt zur Entwicklung eines breiten Spektrums von Fachtextsorten und zugeordneten Fachwortschätzen, die teilweise auch in die Standardsprache ausstrahlen (vgl. unten Kap. 1.6.5.2). Damit beginnen sich also in den einzelnen Wissenschaften die modernen Fachsprachen herauszubilden, teilweise freilich immer noch aufbauend auf dem Wortschatz und den Formulierungsmustern der antik-europäischen Tradition (am Beispiel der Meteorologie s. KLEIN 1999, 148 ff.). Dies war verbunden mit Prozessen der Terminologisierung, die in Texten unterschiedlichster Art deutlich werden und deren Systematik bereits zeitgenössisch im Rahmen einer frühen Fachsprachenforschung ansatzweise erfasst wurde (s. KLEIN 2004). Stellte beispielsweise 1529 J. Domnitzer in seiner Schrift „Ein newes Pflantzbůchlein/Von mancherley artiger Pfropffung vnd Beltzung der Bawm“ lapidar fest: *Erstmals aber ist zu mercken/das/Pfropffen/ympffen/beltzen/einsetzen oder einstecken/ist ein ding*, so reflektiert ein späterer Autor aus vergleichbarem Anlass das Nebeneinander von denotativ differenzierten Synonymen, territorialen Dubletten und möglichen fremden Einflüssen:

Es hat aber mit dem Wort Pfropffen eine solche Bewandtnis/ob es wol von einigen insonderheit vor die Verbesserung zwischen der Rinde/gleichwie das Wort Impffen vor die Arbeit im Spalt genommen wird: daß dennoch der meiste theil an diesem unterscheid weder im Reden/noch im Schreiben sich nicht binden/sondern halten vielmehr Pfropffen und impffen pro synonymis, für gleich=geltende Worter. Die Schwaben/und andere Hochteutsche/brauchen das Wort Peltzen: in unserer Marck aber und den Niederteutschen Provintzen heisset es Encken/welches aus dem Frantzosischen Enter, gleichwie Pfropffen aus ihrem Greffer, gebrochen ist. Soll dero-halben Pfropffen und impffen allhier ins gemein und ohn unterscheid von allerley Arbeit/welche man zu Verbesserung der Bäume anwendet/verstanden werden: jedoch daß es nachmahls ut Genus in Species, als ein Geschlecht in seines Arten/wie aus folgendem V. Cap. erscheinet/getheilet werde.

(JOHANN SIGISMUND ELSSHOLTZ: Vom Garten=Baw. Cölln/Spree 1684, 201 f.)

Das 1732–54 von Johann Heinrich Zedler in Leipzig herausgegebene „Große vollständige Universal-Lexicon aller Wissenschaften und Künste“ expliziert die vielfältigen Unterarten des Pfropfens, indem es diese vor allem durch Attribuierung von einander abhebt:

Baum pfropffen *wird* [...] *auch* ***impffen***, ***peltzen***, *und* ***zweigen*** *genennet, und heisset bey dem Garten=Bau diejenige Arbeit, dadurch ein wilder und unfruchtbarer Stamm vermittels eines darauf gesetzten von einem fruchtbaren Baum gebrochenen Zweiges oder so genannten Pfropf=Reises verbessert wird* [...] *Die Arten des Pfropfens sind vielerley; die gemeinste ist in den Spalt* [...] *Das Pfropfen in oder zwischen die Rinde geschiehet* [...] *Das Pfropfen in den Kerb geschiehet. Das Pfropfen mit dem Aeuglein wird absonderlich ăugeln und oculiren genennet* [...] *Das Pfropfen mit dem Rohrlein oder Pfeiflein, welches man auch Rŏhrlen oder Teicheln nennet* [...] *Man hat auch noch andere Arten zu pfropfen, als durch absăugeln, oder ablactiren ingleichen durch Ab= und Einlegen* [...]

(ZEDLER 1733/1994, Sp. 726 ff.)

Deutlich werden hier auch mit dem Terminologisierungsprozess zusammenhängende Wandlungen im Sprachgebrauch: Erweiterte Attribute nehmen generell in wissenschaftlichen Texten seit dem Ende des 17. Jh. an Umfang zu. An dieser Ausgestaltung der Substantivgruppe haben nicht nur die pränominalen Attribute Anteil, sondern seit dem 18. Jh. zunehmend auch postnominale präpositionale Wortgruppen, die als Attribute zu substantivierten Infinitiven und Nomina actionis auf *-ung* treten. Aus dem fachsprachlichem Gebrauch von Verben resultierende Bedeutungsdifferenzierungen finden terminologische Prägung in Präfixbildungen (vgl. 1.6.5.3), vgl. exemplarisch die bei ZEDLER als Termini klassifizierten Verben aus den unterschiedlichsten Fachbereichen: *abbauen, abdörren, abathmen, abdancken, abfaltzen, abfäumen, abfeuern, abflauen, abfleischen, abglühen, abholtzen, abhüten, abhütten, abjagen, abkohlen, abkündigen, ablatten*. In diesem Zusammenhang wird auch die Frage nach dem Gebrauch fremdsprachlicher Termini wieder zum Gegenstand der öffentlichen Diskussion. So hält es beispielsweise Jacob Leupold für wichtig, in seinem 1724 gedruckten „Theatrum Machinarum Generale“ ausdrücklich darauf hinzuweisen,

daß man überall die lateinischen Terminos Technicos, oder Kunst=Wŏrter, behalten, da sich doch jetzo ihrer viele angelegen seyn lassen, solche in ihren Schrifften teutsch zu geben, welches gewissen

Umstanden nach auch nicht zu schelten. Hier ist es geschehen (1) weil solche Kunst= Wörter schon so weit üblich sind daß ein jeder Künstler und Handwercker, der mit dergleichen Sachen umgehet, solche meist verstehet, und durch ungewöhnliche teutsche Benennung nur confus werden würde, wie solches vielfach passiret. Und (2) da solche Leuthe auch andere dergleichen Schrifften lesen wollen und sollen, die der lateinischen Terminorum sich bedienen, wird es ihnen desto leichter seyn solche zu verstehen. Und (3) da die Mathematici, Gelehrte und andere Kunst= Verstandige auch also reden, würden sie von Künstlern oder Handwercksleuthen nicht so leichte verstanden werden. (LEUPOLD 1724, Bl. 7.)

Der erhebliche Anteil, den das außerordentlich vielschichtige wissenschaftliche und populäre Fachschrifttum des 18. Jh. an den Prozessen des Sprachwandels hat, ist noch kaum erforscht. Dies gilt gleichermaßen für die umfangreiche Trivial- bzw. Konsumliteratur, ferner für die Erbauungsliteratur, vor allem aber für die zahlreichen aktuellen Druckschriften, Zeitschriften und Zeitungen, die eine größere Leserschaft fanden als die Belletristik.

1.6.4 Zur Bedeutung der Dichter für die weitere Entwicklung der deutschen Sprache im 18. Jahrhundert

Die Konsolidierung der deutschen Standardsprache im 18. Jh. korrespondiert mit vielfältigen Wandlungen in der kommunikativ-sprachlichen Situation. Dies zeigt sich u. a. in einer Erweiterung der kommunikativen Spielräume des individuellen Sprachverhaltens (s. LERCHNER 1992, 227 ff.). So ist nicht zu übersehen, dass damals die „Schriftstellerautorität [...] einen weder vorher noch nachher annähernd erreichten *potentiellen* sprachgeschichtlichen Wirkungsfaktor hoher Signifikanz“ (LERCHNER 1980, 347) darstellt. Schöngeistige und wissenschaftliche Schriftsteller trugen nachdrücklich dazu bei, das Deutsche zu einer flexiblen und ausdrucksfähigen Kultursprache von europäischem Rang zu erheben. In diesem Zusammenhang wurden bestimmte Sprachgebrauchsmuster entwickelt, verfestigt und in weitere Kreise getragen. Dazu gehörte auch die nachdrückliche Ausbildung eines ausgefeilten Sprachbewusstseins, für das die deutsche Sprache mehr war als ein bloßes Kommunikationsmittel, nämlich ein schillernder Übergangspunkt zwischen Individualität und (Sprach-)Gemeinschaft. Für viele Schriftsteller vollzog sich ihr Schaffensprozess dabei noch in bewusster und ständiger Auseinandersetzung mit der Frage nach der Nutzung fremder Sprachen, besonders des Französischen und Lateinischen. Der sprachgeschichtlichen Wirkung einzelner, geschweige denn aller Schriftsteller kann hier nicht im Detail nachgegangen werden. Es lässt sich aber an einigen Beispielen zumindest ein erster Eindruck von der Spannbreite der infrage kommenden Prozesse und Befunde illustrieren.

Gotthold Ephraim Lessing (1729–1781): Das Werk des auf literarischem Gebiet wohl bedeutendsten Aufklärers „repräsentiert sprachlich erstmals, individuell herausragend aus einer Fülle gleichgerichteter zeitstilistischer Leistungen, in entwickelter Form die *lingua ipsa Germanica*, die spätestens seit Schottel als abstrakte Forderung das sprachtheoretische und sprachliche Bemühen des Jahrhunderts bestimmt und im Kampf um regionale literatursprachliche Vorherrschaft, im Postulat der Schriftstellerautorität und einer ‘körnichten Haupt- und Heldensprache’ variantenreich Verwirklichung gesucht hat“ (LERCHNER 1980, 350). Ein charakteristisches Merkmal seines Individualstils ist die Klarheit einer stets den Dialog mit dem Leser führenden und auch in der Polemik logisch folgerichtigen Prosa. Eigen ist seiner Sprache damit ‘Bewusstheit' oder, wie er es selbst im 56. der „Briefe antiquarischen Inhalts" nennt, „der ruhigste Vorbedacht, die langsamste Überlegung". Seine Vorliebe für sprachliche Bilder verführt ihn nicht dazu, die Gefahren zu übersehen, die mit einer derartigen Darstellungsweise verbunden sein können. Er hält gerade das sprachliche Bild für ein notwendiges Mittel des polemischen Stils:

Ich suche allerdings, durch die Phantasie mit, auf den Verstand meiner Leser zu wirken. Ich halte es nicht allein für nützlich, sondern auch für notwendig, Gründe in Bilder zu kleiden; und alle die Nebenbegriffe, welche die einen oder die anderen erwecken, durch Anspielungen zu bezeichnen. Wer hiervon nichts weiß und verstehet, müßte schlechterdings kein Schriftsteller werden wollen; denn alle guten Schriftsteller sind es nur auf diesem Wege geworden. (LESSING 1993, 350 f.)

Seine Bilder dienen der sinngebenden Wirkung, sind der Klarheit und Deutlichkeit des Ausdrucks ebenso untergeordnet wie die von ihm vielgenutzten Antithesen, in die Darstellung eingestreute rhetorische Fragen, Ausrufe u. a. m. Der Spezifik seiner Zeit entsprechend, ist auch bei ihm dichterisches Schaffen eng verbunden mit der theoretischen Erörterung sprachlicher Sachverhalte und sprachwissenschaftlicher Projekte, z. B. Sammlungen zu einem deutschen Wörterbuch. Im Gegensatz zu Gottsched hat Lessing aber nicht direkt in die kritisch-theoretischen Auseinandersetzungen eingegriffen, die in seiner Zeit um die Bestimmung der Normen und die Festlegungen von Vorschriften für den vorbildlichen Sprachgebrauch geführt wurden. Den Zustand der damaligen deutschen Sprache, besonders im Hinblick auf die Entwicklung von Mitteln für die wissenschaftliche Auseinandersetzung, kennzeichnet es aber wohl, wenn Lessing ausdrücklich darüber nachdenkt, ob er den „Laokoon" nicht besser in französischer Sprache schriebe. Beachtung verdient vor allem auch sein Versuch, gewisse funktionale Unterschiede zwischen schriftlichen und mündlichen Kommunikationsformen im Drama zu realisieren und verschiedene Stilschichten zu erfassen (s. LERCHNER 1980, 351 f.). Dabei verteidigt Lessing nicht nur theoretisch die Möglichkeit, mundartliches und altertümliches Wortgut in die Sprache der Dichtung aufzunehmen, er trägt selbst durch den Gebrauch solcher Wörter dazu bei, dass sie literaturfähig werden. Auch seine Haltung gegenüber dem nicht-nativen Wortschatz ist frei von Einseitigkeiten: Er verurteilt den Gebrauch fremden Wortguts als Ausdruck feudal-höfischer Ideologie; er müht sich um Verdeutschungen, wo er glaubt, dadurch eine klarere Aussage zu erreichen, nutzt aber auch alle diejenigen Fremdwörter, die sich zu seiner Zeit bereits in den Fachsprachen durchgesetzt hatten.

Friedrich Gottlieb Klopstock (1724–1813): Klopstock gilt als Erneuerer der deutschen Poesiesprache. Seine Zeitgenossen begeisterten sich an der hymnischen Sprachgewalt seines Versepos „Messias". Als kennzeichnend für die stark subjektive Sprache seiner Dichtungen wird vielfach auf Besonderheiten seines Stils verwiesen, wie z. B. auf die „verbale Dynamik" bei Präfixverben: *aufweinen*, *dahinzittern*, *empordenken*, die Sinnschwere bzw. semantische Undurchsichtigkeit bei Komposita: *Flammengipfel*, *Glanznacht*, *Silbergelispel*, *kaltverachtend*, *blütenumduftet*, *frohbegeistert*, *wankendströmend*, *fernherweinend*. (s. v. POLENZ 1994, 324 f.). Diese gegenüber der Alltagssprache bewusst abgehobene Sprache der Dichtung ist auch das Ergebnis intensiver theoretischer Auseinandersetzung mit den sprach- und literaturtheoretischen Auffassungen seiner Zeit. Klopstock griff dabei Gedanken von Leibniz, Thomasius und Gottsched auf, vor allem aber von Bodmer und Breitinger. In seinen verschiedenen theoretischen Schriften hat er sich zu Problemen des Sprachgebrauchs in Poesie und Prosa, zur Poetik und Metrik, aber auch zur Etymologie und Orthographie geäußert. (Hingewiesen sei besonders auf

„Die deutsche Gelehrtenrepublik, ihre Einrichtung, ihre Gesetze“ (1774), für die er, um Beschränkungen durch Verleger zu entgehen, ein eigenes Subskriptionsverfahren versuchte, und „Über Sprache und Dichtkunst“, 3 Bände, 1779–80.) Im Gegensatz zu Gottsched, und damit Bodmer und Breitinger folgend, trennt er Poesie und Prosa strikt. In der Dichtung sieht er gerade auch sprachlich die Überwindung jeglicher konventionalisierten Rationalität. Weniger erfolgreich war er mit seinen Bemühungen um die Orthographie, wo er, den Sprachgebrauch negierend, das Prinzip einer extrem phonemischen Schreibung vertrat. Seine Prosa wird von Zeitgenossen gelobt. Mit der Sprache seiner Dichtungen, geprägt von Musikalität und Gefühlsstärke, Ausdruckfähigkeit und Subjektivität, hat er in vielfältiger Weise auf Zeitgenossen und Nachkommende gewirkt, etwa auf die Dichter des Göttinger Hains, des Sturm und Drangs und auf Hölderlin. Durch die Verbreitung von Klopstocks Werken wurde der Süden Deutschlands enger an die Mitte angeschlossen und der Sprachausgleich zwischen Nord und Süd gefördert.

Christoph Martin Wieland (1733–1813): Als Wegbereiter der deutschen Klassik hat Wieland Anteil an den Bemühungen um die sprachliche Vereinheitlichung im 18. Jh. Er selbst ist vom Pietismus, von Luther und Klopstock beeinflusst. Sein Sprachvermögen erfuhr durch Übersetzungen antiker Autoren und vieler Dramen Shakespeares eine spezifische Prägung. Wie z. B. das siebenmalige Umschreiben des „Oberon“ vor dem Druck beweist, feilte Wieland intensiv an seinem sprachlichen Ausdruck. Auch er hält die Aufnahme von mundartlichen Ausdrücken sowie von Wörtern und Wendungen aus der Sprache des gesellschaftlichen Umgangs aller Landschaften in die Sprache der Dichtung für unentbehrlich. Unter dem Eindruck der westeuropäischen Aufklärung schreibt er seinen „Agathon“ (1766/67), den ersten deutschen Bildungsroman, der wesentlich dazu beiträgt, dass Wieland zum anerkannt führenden Schriftsteller seiner Zeit wird. Wie nach ihm auch Goethe ist sich Wieland der besonderen Ausdrucksqualitäten der oberdeutschen Literatursprache bewusst. Er hat in seiner Zeit nicht nur als sprachgewandter Erzähler, sondern auch durch seine überlegene Urteilsfähigkeit gewirkt. Von der Position des Dichters, der gegenüber der Sprache eine souveräne Stellung bezieht, nimmt er 1782/83 im „Teutschen Merkur“ am erneut ausgebrochenen Streit seiner Zeitgenossen um die führende Rolle Obersachsens bei der Bestimmung der Normen des „Hochdeutschen“ teil. Dabei betont er den Anspruch der Schriftsteller, die Entwicklung von Kultur und Sprache zu dominieren: *Ich muß mich sehr irren, oder es bleibt gegen die Babylonische Sprachverwirrung, die hieraus entstehen müßte, kein besseres Mittel, als es bei dem alten Grundsatz zu lassen: daß es die guten Schriftsteller sind, welche die wahre Schriftsprache eines Volkes bilden und (so weit als die Natur eines lebenden und sich also nothwendig immer verändernden Sprache zuläßt) befestigen* (WIELAND 1783, 14 f.; zit. nach LERCHNER 1984, 109). Wielands Urteile in dieser Auseinandersetzung reflektieren, dass sich in seiner Zeit der Sprach- und Literaturbegriff veränderte. Daraus resultiert auch ihre Bedeutung für die Sprachgeschichte.

Johann Gottfried Herder (1744–1803): Herders Schaffen trug zu einem vertieften sprach- und literaturgeschichtlichen Denken bei. Kennzeichnend für seine Auffassung ist die Betrachtung der Sprache unter historischem Aspekt und in ihrer Bedeutung für die jeweilige Zeit. Sprache ist ihm u. a. Mittel der Bildung und Erziehung einer Nation (s. seine „Briefe zur Beförderung der Humanität“). Zur Aufdeckung von Zusammenhängen zwischen Sprache und Denkart eines Volkes hat er einen wesentlichen Beitrag geleistet und damit den folgenden Gang der Sprachphilosophie erheblich geprägt. Dies gilt z. B. für seine 1772 von der Berliner Akademie preisgekrönte „Abhandlung über den Ursprung der Sprache". Darin wendet er sich gegen theologisch-orthodoxe und ausschließlich rationalistische Sprachtheorien. Sprache und menschliche Vernunft als Einheit sehend, erklärt er die Entstehung der Sprache als eine Erfindung, die sich aus den anthropologischen Voraussetzungen des Menschen, insbesondere seiner Vernunftbegabtheit, ergeben musste. Die sprachgeschichtliche Entwicklung des Deutschen beeinflusst er, indem er die Verwendung der „Volkssprache" auch in der Sprache der Dichtung befördert. Er gilt als der Begründer der Volksliedforschung. Mit seinen Ansichten von einer kraftvollen Dichtersprache, deren Quellen er in der Dichtung der Vergangenheit, besonders in der neu begriffenen Volksdichtung, sah, hat er großen Einfluss auf die Dichter des Sturm und Drang ausgeübt. Darüber hinaus trug er zur Entwicklung von Anschauungen bei, die befruchtend auf die Sprache der Dichtung wirkten, so dass diese an Ausdrucksstärke und Beweglichkeit entscheidend gewann.

Johann Wolfgang von Goethe (1749–1832): In Goethes Werk bündeln sich „wesentliche Tendenzen und Impulse seines Zeitalters [...] Von besonderem Gewicht ist [...] die Tatsache, daß Goethes Wirken fast alle Bereiche des gesellschaftlichen Lebens seiner Zeit erfaßt, seine Sprache mithin – jenseits ihres unbestritten schöpferischen Charakters – in einem hohen Maße repräsentativ für seine Zeit ist. Mit anderen Worten: Goethes Sprachleistung lässt sich nicht auf seine Dichtungssprache einschränken, schon gar nicht auf gewisse auffällige Erscheinungen in ihr (wie dies frühere individualstilistisch orientierte Arbeiten gern glauben machen wollen); sie ist auch nicht reduzierbar auf ihre volkssprachlichen Elemente oder auf ihren Anteil am literatursprachlichen Standard seiner Zeit. Sie umfasst vielmehr ein ganzes Ensemble vielfältiger situations- und zweckbestimmter Erscheinungsformen, von persönlich gefärbtem Alltagsausdruck bis zum strengen Duktus wissenschaftlicher Sprache, von konventionell geprägtem Amtsstil bis zur in sich vielfach geschichteten Poesiesprache." (MATTAUSCH 1982, 220.) Dementsprechend vielfältig sind auch seine Reflexionen über Sprache und Sprachgebrauch. *Da die Sprache das Organ gewesen, wodurch ich mich während meines Lebens am meisten und liebsten den Mitlebenden mittheilte, so musste ich darüber besonders in späteren Zeiten reflectieren.* (GOETHES Werke 1987, IV. 26, 289.)

Auf den ersten Blick erscheinen seine Selbstzeugnisse oft widersprüchlich; immer verständlich jedoch wirken sie im Kontext der einzelnen Entwicklungsperioden seiner 65 Jahre währenden schriftstellerischen Tätigkeit. Hier ordnen sich auch die von ihm selbst vorgenommenen Korrekturen und sprachlichen Veränderungen bei der Gesamtausgabe seiner Werke 1787–1790 ein. Sie sind zu bewerten als ein Ausdruck erneuten Strebens nach Klarheit und Normalisierung. Auch wenn sich – wie vielfach dokumentiert – die „Sprache" des jungen Goethe von seinem Altersstil wesentlich unterscheidet, war sein Umgang mit der Sprache wohl immer von dem Problembewusstsein bestimmt, für alles Seiende einen adäquaten sprachlichen Ausdruck zu finden. Daher kennzeichnet viele seiner Selbstaussagen eine für ihn charakteristische Sprachskepsis. Die Wirkung seines dichterischen, kunsttheoretischen, naturwissenschaftlichen, philosophischen und administrativen Schaffens ist sprachgeschichtlich noch längst nicht voll erfasst. Nicht in Abrede zu stellen ist sein – aus dieser Universalität resultierender – Beitrag dazu, dass die deutsche Sprache nun auch außerhalb des deutschen Sprachgebiets zur Sprache von Weltliteratur wird. Goethe beschäftigte sich intensiv mit den Beziehungen zwischen Sprache und Gegenstand, Wort und Begriff. Sein Einfluss auf die Entwicklung der deutschen Sprache, der hier nicht im Detail dargestellt werden kann, ergibt sich weniger aus absoluter Neuartigkeit als vielmehr aus der

Allgemeingültigkeit bestimmter Prägungen, die zeittypischen Tendenzen entsprachen. Zur Verdeutlichung sei u. a. auf seine vielen Komposita mit *Morgen* verwiesen, wie z. B. *morgenschön, morgenfreundlich, morgenrötlich, morgentaufrisch, Morgenflügel, Morgenträgheit, Morgenwelle,* oder die Präfixbildungen mit *auf-*. Derartige Prägungen gelten „als Ausdrucksformen genauer und anschaulicher Sachbeschreibungen wie *aufbrämen, aufbrücken, aufgarnieren, aufgebändert, aufkneten, aufkrausen, aufkrempen* [...]" (s. MATTAUSCH 1982, 222, der in diesem Zusammenhang auch 375 *ab-*, 376 *an-* und 391 *aus*-Verben angibt). Neben der Ausnutzung der Wortbildungsmöglichkeiten des Deutschen und der zweckbestimmten Wiederaufnahme von Archaismen und Provinzialismen sieht Goethe auch in den Fachsprachen und der Übernahme fremden Wortgutes Quellen der Bereicherung der deutschen Schriftsprache. Entlehnungen werden ihm immer dann wichtig, wenn das fremde Wort einen prägnanteren Ausdruck ermöglicht. Dies bringt ihn in Gegensatz zu den Vertretern des Fremdwortpurismus seiner Zeit, über die er gemeinsam mit Schiller in den „Zahmen Xenien" spottet.

Wie für andere Autoren auch ist für Goethe in den einzelnen Etappen seines Schaffens der Gebrauch bestimmter „Lieblings- bzw. Schlagwörter" typisch, so etwa für seine klassische Periode Adjektive wie *edel, schön, groß, gut, würdig, tüchtig, heiter, rein, redlich, bedeutend.* Häufig weicht er bei deren Verwendung vom Sprachgebrauch seiner Zeit ab und erschließt so seiner Muttersprache neue Ausdrucksmöglichkeiten, indem er viele dieser Wörter mit besonderen Nebenvorstellungen gebraucht und ihnen so individuelle Prägnanz verleiht. Und auch wenn heute festzustellen ist, dass viele dieser Neubildungen und spezifisch gebrauchten Ausdrücke vorübergehende Einmalbildungen geblieben sind und nicht in den festen Bestand des Deutschen übergingen, bleibt die Tatsache bestehen, dass er in besonderem Maße zu denen gehört, die den Reichtum der Muttersprache am tiefsten auszuschöpfen und damit ihre Wirkungspotenzen hervorragend zur Geltung zu bringen vermochten.

Friedrich Schiller (1759–1805): Schiller ist wie Goethe den Weg vom *Sturm und Drang* zur Klassik gegangen. Er hat die Sprache der deutschen Klassik in gleichem Maße wie dieser mitgeprägt und dabei vor allem die Entwicklung der deutschen Verssprache beeinflusst. Der Formwille seiner Lyrik wird fassbar in syntaktischer, lexikalischer und metrischer Gestaltung, ebenso in der Anschaulichkeit und Sinnenhaftigkeit seiner Balladen. „Aufklärerische" Verständlichkeit seiner philosophischen und historischen Schriften wirken fördernd auf die deutsche Standardsprache. Wortgut aus seinen historischen Schriften findet sich in der Wissenschaftssprache der Geschichtsforschung wieder: *Beistandsversprechen, wechselseitige Hilfeleistung, Machtgleichheit, Machtverhältnis, Nationalcharakter, Selbsthilfe, Staatenbund, Staatsinteresse* u. a. m. Neben dem für die Klassik charakteristischen Streben nach Maß und stilisierender Allgemeingültigkeit zeigt seine Sprache einen ausgeprägt rhetorischen Charakter, für den der von Schiller vielfach reflektierte Begriff der *Erhabenheit* wesentlich wird. Stilelemente und -züge der Rhetorik prägen seine Proschriften in einem Maße, das sie als „realitätsfern" erscheinen und zum Gegenstand der Sprachkritik unmittelbarer Zeitgenossen und nachfolgender Schriftstellergenerationen werden lässt. Diese Spezifik von Schillers „eifrig hochstilisierender Sprache" ist nach von Polenz soziolinguistisch zu erklären und hängt „mit seiner im Vergleich mit Goethe schwierigeren sozialen Situation zusammen" (v. POLENZ 1994, 338).

Aus Schillers theoretischen Schriften selbst ist ersichtlich, dass seine Wirkungsabsichten und der daraus resultierende Charakter seiner Sprache auch Ausdruck seiner Prinzipien ästhetischer Erziehung sind. Ein markantes Merkmal seines Stils ist die Verdichtung der Aussage in knappen, über den jeweiligen Kontext hinaus einprägsamen Formulierungen. Viele dieser Sentenzen und formelhaften Ausdrücke, die in ihrer sprachlichen Prägnanz und inhaltlichen Aussage Sprichwörtern nahestehen bzw. zu solchen geworden sind, werden als „Prestige und Minimalkonsens schaffende sprachrituelle Mittel“ (v. POLENZ 1994, 337) auch heute noch verwendet, so etwa: *Die Axt im Hause erspart den Zimmermann*; *Mit der Dummheit kämpfen Götter selbst vergebens*; *Ernst ist das Leben, heiter ist die Kunst*; *Drum prüfe, wer sich ewig bindet*; *Der Wahn ist kurz, die Reu ist lang*; *der Dritte im Bunde*; *der langen Rede kurzer Sinn*; *Bretter, die die Welt bedeuten* u. v. a. m. Die Pädagogisierung von Schillers Dichtungen und damit seines vielfach „pathetisch-typisierenden Sprachstils“ im Deutschunterricht der Gymnasien, besonders seit der 2. Hälfte des 19. Jh., begünstigte die Verbreitung dieser Fügungen.

Das Wirken der Dichter und Schriftsteller trug entscheidend dazu bei, dass sich mit dem Ende des 18. Jh. die überregionale, polyfunktionale und schriftgebundene neuhochdeutsche Standardsprache herausbildete und festigte. Damit bestanden keine Zweifel mehr an der Gleichwertigkeit und Eigenständigkeit des Deutschen gegenüber anderen europäischen Sprachen.

1.6.5 Zur Entwicklung des Wortschatzes und der Wortbildung

1.6.5.1 Zur Beeinflussung durch fremde Sprachen

Der fremde Einfluss auf die deutsche Sprache ist im 17. Jh. außerordentlich stark (s. u. a. BACH 1970, 304 f., 308 ff.; FLEMMING/STADLER 1974, 3 ff.; SCHIRMER 1969, 94 ff.; WELLS 1990, 284 ff.). Die Ursachen dieses Sprachkontakts sind vielgestaltig (vgl. 1.6.1). Der verstärkte Gebrauch fremden Wortgutes zeigt sich besonders in folgenden Bereichen, wobei einige der ausgewählten Lexeme durchaus auch schon vor dem 17. Jh. im Deutschen nachweisbar sind:

Verwaltungs- und Rechtssprache: *Akte, Archiv, Klausel, Konferenz, Präzedenzfall, Subjekt, finanzieren, konsultieren.*

Heerwesen: *Alarm, Armada, Artillerie, Attacke, Bataillon, Batterie, Brigade, Dragoner, Front, General, Infanterie, Karabiner, Lazarett, Marschall, Munition, Parade, Pistole, Rakete, Regiment, Soldat, Soldateska, attackieren, avancieren, chargieren, demolieren, retirieren.* (Die Entlehnung lässt sich oft nicht auf ein einziges Land festlegen, da auch gleichzeitige Entlehnung aus zwei Sprachen belegt ist; vgl. *Brigade*, aus span. *brigada* wie frz. *brigade*.)

Bau- und Gartenkunst, Befestigungstechnik: *Balkon, Bassin, Bastion, Bosket, Fontäne, Fresko, Galerie, Glacis, Grotte, Kasematte, Kuppel, Redoute, Spalier, Stuck, minieren, sapieren.*

Essen und Trinken: *Bankett, Biskuit, Bouillon, Delikatesse, Frikassee, Gelee, Makrone, Kaffee, Karbonade, Kartoffel, Pastete, Kompott, Kuvert, Marmelade, Ragout, Sauce, Schokolade, Service.*

Musik und Kunst: *Arie, Ballett, Dacapo, Dilettant, Fuge, Kantate, Konzert, Motette, Oper, Operette, Tempo, Violine.*

Kleidung und Schönheitspflege: *Brokat, Garderobe, Gaze, Kostüm, Manschette, Mouche, Pomade, Puder, Taille, Toupet, frisieren, parfümieren, rasieren.* Bezeichnungen des Alamodewesens: *Compliment, Gala, Galan, galant, Galanterie, Manier, Referenz*; *brav, exzellent, frivol, honett, jovial, kapriziös, kokett, nett, nobel, pikant, seriös.*

Amtsbezeichnungen, Anredeformen und Titel: *Baron, Baronesse, Commissarius, Cousin, Cousine, Curator, Dame, Exzellenz, Madame, Majestät, Monsieur.*

Üblich waren auch feste Formeln im schriftlichen Verkehr, die sich z. T. bis heute gehalten haben: *à votre service, de facto, notabene, respective, votre très humble serviteur* u. a.

Gegen den Fremdwörterkult wandten sich Dichter und Gelehrte, die vielfach Mitglieder der Sprachgesellschaften waren (vgl. 1.6.1). Trotz puristischer Bestrebungen sind – wie die Beispiele zeigen – viele der in dieser Zeit übernommenen französischen, italienischen, spanischen, lateinischen und griechischen Fremdwörter heute durchaus in unterschiedlichsten Kommunikationsbereichen gebräuchlich. Aus der Sicht der Sprachgesellschaften waren also viele puristische Projekte erfolglos.

Angesichts dieses Befunds stellt sich die Frage nach den Ursachen für die relative Stabilität der Entlehnungen aus anderen Sprachen. Dafür gibt es sicherlich ganz unterschiedliche Gründe, so etwa die Füllung von (semantischen) Lücken im Wortschatz und die Ermöglichung von stilistisch-grammatischer Variation durch die Nutzung fremder Wörter. Ein wesentliches Motiv für die Festsetzung der Entlehnungen im deutschen Wortschatz muss freilich in ihrer internationalen Stützung gesehen werden. Denn insbesondere in den großen europäischen Sprachen mit langer Schrifttradition (v. a. Französisch, Italienisch, Spanisch, Englisch, Deutsch) manifestiert sich ein übergeordneter europäischer Sprachenzusammenhang, der sich lexikalisch in form- und inhaltsseitig ähnlichen Wörtern aus griechisch-lateinischen Bestandteilen verkörpert. Für diese Sprachformation wurde der Terminus *Eurolatein* vorgeschlagen (s. MUNSKE/KIRKNESS 1996). In ganz Europa gebräuchliche Wörter, die formal einen griechisch-lateinischen Charakter besitzen und semantisch zumindest teiläquivalent sind, können demnach als Europäismen bezeichnet werden (s. BERGMANN 1995, SCHULZ 2005, EISENBERG 2011, 99 ff.). Während Europäismen nach Maßgabe der verschiedenen Sprachen oft unterschiedlich ausgesprochen werden, zeigt ihre Schriftform meistens eine große Identität (vgl. z. B. dt. *Temperatur*, engl. *temperature*, frz. *temperature*, schwed. *temperatur*, span. *temperatura*, ital. *temperatura*, poln. *temperatura*, estn. *temperatuur*). Es spricht für sich, dass dieser Wortschatz oft in denjenigen sozialen Regionen zu finden ist, denen von vornherein ein gewisser grenzüberschreitender, aber auch schriftorientierter Charakter zukommt. Hier ist vor allem an die Fach- und Wissenschaftssprachen und die damit verbundenen kommunikativen Gepflogenheiten zu denken. Die akademische Wanderung (*peregrenatio academica*) gehörte etwa schon seit Entstehung der Universitäten zu einem mehr oder weniger festen Bestandteil der höheren Bildung. Diese kulturhistorischen Rahmenbedingungen führten nicht zuletzt zu Rückwirkungen auf den Gebrauch und das Echo des Deutschen im internationalen Kontext (s. GLÜCK 2002, 124 ff.). Dass es also eine starke Tendenz zum anhaltenden Gebrauch von Fremdwörtern im Deutschen gibt, hängt auch damit zusammen, dass ähnliche Wörter in ganz Europa verbreitet sind und sich so eine Art europäischer Sprachbund verdichtet, dessen Entwicklung und Profil nach neueren Konzeptionen im Rahmen einer Eurolinguistik zu erforschen ist (s. z. B. KÖNIG/HASPELMATH 1999). Entsprechende Überlegungen lassen sich nicht nur an lexikalischen Einheiten, sondern auch an Wortbildungselementen illustrieren, z. B. am Morphem *Euro-* (s. BORN 2005).

1.6.5.2 Zum Wortschatz ausgewählter kommunikativer Teilbereiche

Die mit dem Eindringen der deutschen Schriftsprache in weitere kommunikative Teilbereiche verbundene Wortschatzentwicklung kann hier nur exemplarisch angedeutet werden. Zu vielfältig sind die mit der Erweiterung der funktionalen Differenzierung der deutschen Sprache verbundenen Bewegungen im Wortschatz. Zu berücksichtigen wären die Entwicklung der gewerblichen und agrarischen Produktion, der Übergang zum Manufakturkapitalismus, die Entfaltung des Absolutismus und der französischen

Revolution, die Entwicklung der Natur-und Geisteswissenschaften sowie Merkantilismus, Pietismus, Aufklärung und Rechtswesen. Auch das Erbauungs- und Tagesschrifttum sowie sämtliche Strömungen der Literaturentwicklung wirkten sich auf die Wortschatzentwicklung aus.

Mit dem Übergang zum Gebrauch des Deutschen an den Universitäten (vgl. 1.6.3) ist die Herausbildung deutscher Fachwortschätze für Philosophie und Einzelwissenschaften verbunden. Die besondere sprachhistorische Relevanz dieser Entwicklung liegt auch darin, dass dieses Wortgut in terminologischer Fassung nun auch in den allgemeinen Sprachgebrauch einzudringen beginnt. Eine wichtige Rolle spielt hierbei Christian Wolff, der Wesentliches für die Entwicklung einer philosophischen Terminologie leistet und der darüber hinaus – trotz bekannter Vorgänger wie Albrecht Dürer, Adam Ries, Johannes Kepler u. a. – oft als der Begründer der deutschen mathematischen Fachsprache bezeichnet wird. „Wolff verwendet 'naturalisierte' Fremdwörter wie *addiren, substrahiren, multipliciren, dividiren, dupliren, Product, Quotient, Quadrat, Proportion, Linie, Punct*; aber er verwendet auch einheimische Ausdrücke wie *Wurtzel, Zahl, Bruch, Nenner*“. Er „übernimmt verschiedentlich Wörter aus dem allgemeinen Wortschatz und gibt ihnen eine spezifisch mathematische Sonderbedeutung, wie etwa *Schwere, Kraft, Last, Ort, Bewegung, Größe* und *Ähnlichkeit*. Auch dies ist ein wichtiger Beitrag zur Durchsetzung eines deutschen Vokabulars für eine einzelne wissenschaftliche Disziplin.“ (BLACKALL 1966, 21 f.) Ausdrücke wie *Nebenwinkel, Brennpunkt, Schwerpunkt, Geschwindigkeit* bildet und definiert er neu. Er ist kein Purist und bevorzugt in einzelnen Fällen trotz vorhandener deutscher Entsprechungen das Fremdwort: *Circul* für *Kreis, Peripherie* für *Umfang/Umkreis*. Auf Wolff geht auch die Prägung solcher häufig gebrauchten Termini der philosophischen Sprache wie *Bewusstsein, Vorstellung, Begriff, Wissenschaft*, aber auch lateinischer Ausdrücke wie *Monismus, Teleologie* zurück.

Zu den geistigen Strömungen, die im 18. Jh. die Entwicklung des Wortschatzes beeinflussten, gehört vor allem der Pietismus. Geistesgeschichtlich steht er im Gegensatz zum Dogmatismus der orthodoxen lutherischen Theologie. Er betont das individuelle Streben nach christlicher Vollkommenheit und Gottseligkeit. In pietistischen Schriften häufig gebrauchte Wörter kommen vielfach aus der Mystik und der Lutherbibel: *Einkehr, Geborgenheit, Wirkung, einsehen, einleuchten, gelassen* u. a. Die unmittelbaren Anschlüsse an die Sprache der älteren, mittelhochdeutschen Mystik (vgl. 1.4.4) sind allerdings undeutlich bzw. kaum wahrnehmbar; sprachhistorische Traditionsbildungen zwischen der mittelhochdeutschen und der neuhochdeutschen Sprache der Mystik wurden aber bisher auch noch nicht auf breiter Front erforscht.

Zu den Neuprägungen des Pietismus gehören u. a. *Selbstverleugnung, selbstgefällig*. Typische Präfixbildungen und Verbalkomposita (vgl. 1.6.5.3) sollen das „Eindringen Gottes in die menschliche Seele“ ausdrücken: *durchdringen, -flammen, -glühen, -quellen* (s. FLEMMING/STADLER 1974, 59). Andererseits werden, um eine stärkere Wirkung zu erreichen, auch einfache Verben – semantisch variiert – statt der geläufigen Präfigierungen verwendet: *hellen, sich kleinern, schlimmern, söhnen*.

Eine wesentliche Prägung erfährt der Wortschatz des 18. Jh. durch die Aufklärung. Ihre Ziele und Bestrebungen finden sich sprachlich kondensiert in der Wortfamilie um *aufklären/Aufklärung/Aufklärer. Aufklärung/aufklären* wird z. B. von K. STIELER in seinem Wörterbuch (1691) noch ausschließlich auf den Bereich der Wetterbeschreibung bezogen. Belegt ist die übertragene Bedeutung von *Aufklärung* dann aber schon 1695 in seiner in Hamburg erschienenen Arbeit „Zeitungs Lust und Nutz". Eine vergleichbare Aufladung mit geistesgeschichtlichen Gehalten findet sich nun auch in Wörtern wie *Bildung, Denker, Ebenmaß, Esprit, Freigeist, Freidenker, Ideal, Idee, Idealist, Klarheit, Kraft, Kritik, kritisch, (Geistes-, Vernunft-)Kultur, Lehrgebäude, moralisch, Toleranz, Vernunft, vernünftig, Verstand, Verständlichkeit, Weltbürger, Weltmann.*

Noch im Bann der Aufklärung entwickelt sich im letzten Drittel des 18. Jh. der Sturm und Drang. In seiner Sprache werden Leidenschaft und Gefühl besonders betont. Dafür stehen sprachhistorisch einschlägige Wörter wie *Begeisterung, Enthusiasmus, Genie, Elite, Kerl, Natur, Naturgeist, Original, Originalgeist, Schwung* sowie Wortreihen wie *Kraftausdruck, -bube, -gefühl, -geist, -genie, -gesang, -sprache, -wort.* Die Begeisterung der Stürmer und Dränger für die Vergangenheit Deutschlands zeigt sich auch im Interesse an bis dahin verschollenen altdeutschen Wörtern und Wendungen, die wiederbelebt werden: *Fehde, Gau, Mähre, Recke* und *Minne.* Zu *Minne* sind nun auch viele neue Komposita nachweisbar: *Minneblick, -gefühl, -glück, -harm, -huldigung, -sang, -sold, -spiel.* Auch kommt es zu zahlreichen Bildungen mit den Wortbestandteilen *Volk-* und *Vaterland-.* Darin manifestiert sich einerseits das immer stärker werdende Nationalbewusstsein, andererseits eine nachdrückliche Hinwendung zu den unteren Schichten des Volkes: *Volksbeglücker, -bildner, -empörung, -klage, -peiniger, -unterdrücker, Volkslied* (von Herder geprägt nach engl. *popular song*), *Volksseele, volkstümlich* ('national'), *Volkstümlichkeit.* Belegt sind auch *Vaterlandsfeuer, -freund, -gedanke, -gedicht, -sinn* (s. FLEMMING/STADLER 1974, 83).

Ein Leitwort der gesamten Epoche ist *Freiheit.* Entsprechend kommt es zu einer Vielzahl von Komposita wie *Freiheitsdolch, -erfechter, -hasser, -krieg, -männer, -schlacht, -Verfechter, -Verteidiger, Denkfreiheit, Gedankenfreiheit* u. a. Dazu gehören auch die Begriffe *Humanität* und *Menschlichkeit,* als Ausdruck progressiver bürgerlicher Geisteshaltung, ähnlich *Menschheit, Menschenliebe, -pflichten, -rechte, -würde; Kosmopolit, Weltbürger, -bürgergeist, -bürgertum* (s. FLEMMING/STADLER 1974, 63 ff.).

In der politischen Sprache zeigen sich auch die Wirkungen der Französischen Revolution, die durch die europäische Aufklärungsbewegung in geistiger Hinsicht vorbereitet wurde. Dabei ist bemerkenswert, dass viele ihrer Leitbegriffe in Deutschland schon vor 1789 ihre politische Bedeutung erhalten hatten, so etwa *Aristokrat, Despot, Emigration, Menschenrechte, Republik, Revolution, Tyrann; Freiheit, Gleichheit, Brüderlichkeit.* Im Zusammenhang mit den Ereignissen der Revolution kommt erneut fremdes Wortgut unterschiedlicher Herkunft über das Französische ins Deutsche und beeinflusst auch semantisch deutsches bzw. im Deutschen bereits gebrauchtes Wortgut, vgl. *Agitator, Anarchist, Bürokratie, Demokrat, Fortschritt, fraternisieren, Gegenrevolution, Koalition, Komitee, liberal, Majorität, Minorität, Reaktionär, Terrorist, Ultra.*

Unter dem Einfluss der Verhältnisse in England und Frankreich entsteht nun eine deutsche Fachsprache der Politik und des Parlamentarismus. Sie formiert sich, oft ideologisch geprägt, bereits um 1800 (s. v. POLENZ 1998), wird dann aber vor allem im 19. Jh. weiter ausgestaltet (vgl. 1.7.4). Lexikalisch zu nennen wären beispielsweise engl.: *Debatte, Kommission, Parlament;* daneben Lehnübersetzungen wie *Parlamentsmitglied* (< *member of Parliament*), *Sprecher* (< *speaker*), *ein Gesetz einbringen* (< *to introduce a bill*), *ein Gesetz lesen* (< *to read a bill*), *zur Sache!* (< *the question!*); frz.: *Abgeordneter, abstimmen, einstimmig, Fraktion, Geschäftsordnung, Kandidat, Linke, Rechte, Nationalversammlung, Tagesordnung* (< *ordre du jour*); dt.: *Redner, tagen, Tagung.* Neben Wortbildungen (vgl. 1.6.5.3) und Entlehnungen kennzeichnen auch Bedeutungsveränderungen vielfacher Art die Wortschatzentwicklung in den einzelnen kommunikativen Teilbereichen (s. hierzu u. a. BACH 1970, 306; TSCHIRCH 1989, 231).

Nimmt man insgesamt den Wortschatz des Deutschen in den Blick, so lässt sich immer noch eine relativ große Uneinheitlichkeit beobachten. Auch wenn sich die sprachliche Heterogenität zunehmend situativ-funktional äußert, ist die deutsche Sprache des 17. Jh. intern sehr stark diatopisch differenziert. Nur leicht überspitzt gesagt: In jeder Region zeigt das Deutsche eine andere Gestalt, ohne dass eine überdachende Standardsprache die offensichtlichen Unterschiede mildern würde: „Wie mächtig die dezentralistischen Kräfte noch sind, zeigt sich z. B. sehr deutlich an der außerordentlich reichen Heteronymik, die im 17./18. Jh. in den dt. Mundarten für die neueingeführte Kartoffel geschaffen wird“ (SEIBICKE 1985, 1514). Seit dem 18. Jh. werden die mundartlichen Spezifika zum Gegenstand der öffentlichen Sprachreflexion. Die Sicht auf die regionalen Differenzen ist freilich spannungsreich. Provinzialismen etwa genießen in der Dichtung eine positive Aufmerksamkeit, weil sie als besonders ausdruckskräftig und volksnah gelten. In semantischer Perspektive werden sie dagegen eher negativ beurteilt, weil sie nicht allgemein verständlich sind und daher nicht überregional gebraucht werden können. Bei der über Jahrhunderte dauernden Ausgestaltung der deutschen Schriftsprache zeigen sich jedenfalls immer wieder dialektale Prägungen. In der Lexik der sich allmählich vereinheitlichenden deutschen Standardsprache ist die regionale Verankerung einzelner Wörter und Wortgruppen daher oft noch mehr oder weniger deutlich, vgl. folgende Auswahl aus den bei BACH (1970, 430 ff.) belegten Beispielen:

Mitteldeutsch: Wörter, mit den Veränderungen mhd. *u* > *o* vor Nasalen, wie in nhd. *Sohn, Sonne* für mhd. *sun*; mhd. *iu* > *ü* > *au*, wie in nhd. *brauen, kauen* für mhd. *briuwen, kiuwen*, dazu Eigennamen wie *Naumann, Naumburg*; mhd. *ü* > *ö*, wie in nhd. *König, Mönch* für mhd. *künic, münich*; mhd. *pf* > *f*, wie in nhd. *Flaum, fauchen* für mhd. *phlüme, phüchen*.
Mitteldeutsch/Niederdeutsch: Wörter mit unverschobenem *p-*, *-p*, *-pp-*, *-mp-*, wie *Pacht, Stapel, plump*; das *d* in *Dotter* (mhd. *toter*), *dumm* (mhd. *tump*); das *f* in *Hafen, Hafer, Hälfte, Hufe* (obd. *Haber, Hube*); das *cht* für *ft* in *echt, Gerücht, sacht* (engl. *soft*, nhd. *sanft*).
Niederdeutsch: Wörter mit den Schreibungen *-bb-*, *-dd-*, *-gg-*, wie *Ebbe, Robbe, Schrubber; Kladde; flügge, Roggen, schmuggeln*; mit germ. *t* wie *flott, Torf* und germ. *k* wie *Laken, Spuk, Takel*; das *wr* in *Wrack, wringen*; der *s*-Plural in *Jungens, Kerls, Mädels*. Dazu kommen typische Wörter aus dem Umkreis des Meeres und der Seefahrt, wie *Ballast, entern, Flagge, Kajüte, Lake, Maat, Matrose, Nehrung, Pegel*.
Oberdeutsch: Wörter ohne Umlaut des *u* vor *ck* wie *drucken, Rucksack*, *-bruck* als Bestandteil von Ortsnamen, das *-l* in *Marterl, Schnaderhüpfel* und Wörter zur Benennung regionaler Gegebenheiten, wie *Alm, Almrausch, Föhn, Gämse, Gletscher, Steinbock*.

1.6.5.3 Zur Wortbildung

Die bereits für die vorhergehenden Jahrhunderte als eine Haupttendenz im Bereich der deutschen Wortbildung beschriebene „Neigung zur Komposition“ (ERBEN 2006, 138 ff.) verstärkt sich im Neuhochdeutschen weiter (s. SCHMID 2009, 265 ff.). Oft standen dabei sachlich motivierte Bedürfnisse im Vordergrund (für das 18. Jh. s. EICHINGER 2002). Schon die Grammatiker des 17./18. Jh. sahen in den umfangreichen Wortbildungsmöglichkeiten ein charakteristisches Merkmal der deutschen Sprache und instrumentalisierten diese Auffassung für das sich nun allmählich herausbildende öffentliche Sprachbewusstsein (s. HUNDT 2002). Zunehmend werden nun auch Wörter zusammengesetzt, ohne dass vorher ein direkter syntaktischer Zusammenhang bestanden haben muss, wie dies für die älteren sog. eigentlichen und uneigentlichen Komposita charakteristisch war. Es kommt in zunehmendem Maße zu entsprechenden Analogiebildungen.

Der Umstand, dass es sich bei der allmählichen Etablierung von Komposita häufig um graduelle und zunächst instabile Einheiten handelt, lässt sich an den verschiedenen Schreibvarianten der Zeit zeigen. Für die Verschriftlichung der Komposita sind besonders im 17. Jh., aber auch noch im 18. Jh. in den Quellentexten mindestens drei morphologisch basierte Möglichkeiten festzustellen:

a) **Getrenntschreibung**, sichtbar am Wortzwischenraum (Spatium) und/oder (doppelter) Majuskelschreibung, wobei in den Drucken auch oft auf das Spatium verzichtet wird. Die begriffliche Einheit der Bildung ist in der Regel am Artikel und anderen flektierten Substantivbegleitern (Pron., adj. Attribute) sowie bei pronominaler Wiederaufnahme im Text erkennbar, vgl. z. B. *BackÖfen, ErtzHirten, GeistesGaben, HaußEhre, KauffmannsKirchen, KriegsVolck, LeichBestattung, WaffenMacht, WeiberGeschwätz, WintersZeit.*
b) **Schreibung mit doppeltem Bindestrich**: *Haupt=Quartier, Kenn=Zeichen, Leich=Predigt, Polar=Stern, Schau=Bühne, Schreck=Bilder, Sonnen=Finsternis, Spür=Hund, Unter=Lufft, Kohl=Blatt, Vor=Posten.*
c) **Zusammenschreibung**: *Bauersleute, Erdreich, Gevatterbrief, Hauswirt, Hofmeister, Kammertür, Krebsscheren, Kunstlehre, Reisebeschreibung, Schreibrichtigkeit, Sprachkunst.*

Mitunter wechselt die Schreibweise eines Wortes sogar innerhalb eines Textes: *Hasenfleisch*: *Hasen=Fleisch, Kauf Leute*: *Kauffleute.* (Vgl. auch 4.2.1.5; zum Hintergrund entsprechender Worttrennungsphänomene s. VOESTE 2008, 116 ff.)

Seit der 2. Hälfte des 17. Jh. ist auch die Zunahme von drei- (und mehr-)gliedrigen Zusammensetzungen zu beobachten. Mehrfachkomposita, wie sie die folgende Auswahl verdeutlicht, sind in unterschiedlichsten Textsorten festzustellen:

Belladonnawurzel-Pulver, Beutelschneider=Leben, Brannteweinspühligtfaß, Buchsbaum=pflantze, Erbpachtlehen, Erdreich=Probe, Goldbergwerk, Gottesdienstbesucher, Handwerksmann, Kuhmist=wasser, Kupfer=Schmelz=Hütte, Machtstandpunkt, Predigtgottesdienst, Quartiermeister=Stelle, RathhaußThurm, ReichsHaubtsprache, Schwartz=Vogelkirschen=Wasser, Sprachkunstlehre, Staats=Ceremoniel=Wissenschaft, Sterbhandlohngelder, Wild=Feld=Stab=Wurtz.

Von den als zweite Konstituente reihenbildend auftretenden Substantiven ist im 17./18. Jh. neben *-wesen, -zeug, -volk* und *-leute* besonders *-werk* produktiv:

Backwerck, Bawwerck, Bildwerck, Bolwerck, Blumenwerck/Blumwerck, Bretterwerck, Eisenwerck, Fabelwerck, Gatterwerck, Gehewerck, Grottenwerck, Hängwerck, Holtzwerck, Hornwerck, Kielwerck, Kräuterwerck, Küchenwerck, Mauerwerck, Mühlwerck, Muschelwerck, Spielwerck, Sprengwerck, Ständerwerck, Wunderwerck, Zauberwerck, Zwiebelwerck u. a.

Solche Wortreihen können auch als Befund dafür interpretiert werden, dass sich das Substantiv *-werk* auf dem Weg befindet, ein Wortbildungssuffix zu werden.

Bei den adjektivischen Komposita dominieren – zumindest in der Dichtersprache des 17. Jh. – Wortbildungen, denen ein Vergleich zugrunde liegt: *alabasterbleich, gallenbitter, honigsüß, lilienkeusch, lilienweiß, marmorsteinern, purpurrötlich, rosen=roth, silberweiß.* Auch antithetische Verbindungen treten häufig auf: *bittersüß, lebendtod.* Adjektivische Komposita dienen vielfach der Verstärkung und Steigerung: *aller=grausamst, aller=süssest, hertzgeliebt, hochmächtiggroß, rasend=toll, stock=finser, wasserhell, welt=bekannt, wohl=policirt.* Besonders in Anreden und Titeln werden mehrfach zusammengesetzte Adjektive auch außerhalb der Dichtung mit intensivierender Absicht genutzt: *christ=Adlich, hocherfahren, hochgelahrt, hochgepriesen, höchstgeneigt, wohlEdel, wohlberühmt, wohl=Ehrenbester, wohlehrenfester, wohlehrenreich, wohlehrenwürdig.* Hinsichtlich der unterschiedlichen Schreibungen solcher Wörter gilt dasselbe wie bei den substantivischen Komposita.

Auch die Bildung von Ableitungen wird in der Typenvielfalt, wie sie sich bisher im Deutschen herausgebildet hatte, weiter genutzt. Dabei sind Veränderungen vor allem bei noch bestehenden Konkurrenzen festzustellen (zum Problem der Konkurrenzen am Beispiel der Sprache Goethes s. STRICKER 2002). So nehmen beispielsweise die adjektivischen Ableitungen auf *-bar* im 17. Jh. zu. Sie stehen in Konkurrenz zu Adjektiven auf *-lich* und *-sam*. Als besonders produktiv erweist sich neben den deverbalen Adjektivableitungen auf *-bar* im 17. Jh. das heute kaum noch gebräuchliche Modell desubstantivischer Derivation: *dienstbar* ('zum Dienst verpflichtet'), *gerichtbar* ('dem Gericht gegenüber verpflichtet, ihm unterworfen'), *gültbar* ('zinspflichtig'), *steuerbar* ('steuer-, tributpflichtig').

Im 18. Jh. kommt es zum verstärkten Gebrauch der Adjektive auf *-icht*, die seit dem Althochdeutschen belegt sind und mit den *-ig*-Ableitungen konkurrieren: *dumpffficht, farbicht, gallicht, haaricht, hochbeinicht, klebricht, molkicht, neblicht, ōlicht, sandicht, schatticht, scheckicht, schlammicht, schweffelicht, stachlicht, wasserícht*; auch Bildungen wie *blaulicht* ('blau/bläulich'), *gelbicht* ('gelb'), *klaarlicht* ('klar'), *laulicht* ('lauwarm'), daneben auch *brandigt, fleischigt, holzigt, viereckigt*. Von der Produktivität des Musters zeugen auch Mischbildungen wie *grünlicht, länglicht, rötlicht, weißlicht*. Kritisch zu diesen Bildungen äußert sich Adelung: „das *rosicht* einiger neuern Dichter beleidigt Gehör und Geschmack." In der neuhochdeutschen Standardsprache sind die Adjektive auf *-icht* nicht mehr gebräuchlich. Erhalten hat sich nur *töricht*. Der Grund für den Wegfall dieser Bildungen könnte darin liegen, dass sie lautlich und funktional mit den *-ig*-Bildungen und dem Kollektivsuffix *-icht* konkurrierten (s. ERBEN 2006, 158; HARTWEG/WEGERA 1989, 157 f.). Auch in vielen anderen Fällen zeigt sich im 17./18. Jh. der Abbau bestehender Konkurrenzen. „Wortartenunspezifisch gewordene Suffixe werden durch solche mit differenzierter Wortartencharakteristik ersetzt, und im Zuge einer Standardisierungstendenz wird die Konkurrenz semantisch naher oder identischer Modelle mit verschiedenen Formativen gemindert." (FLEISCHER 1988, 187.) So tritt *ohn-* statt *un-* bei Adjektiven und Adverbien in vielen Textsorten schon im 17./18. Jh. zurück, z. B. noch *ohnbeschrenkt, ohngebührlich*. Gegenüber früherer Verschmelzung, vgl. *uneinikeit*, wird nun die Suffixkombination *-keit* nach *-ig/-lich* obligatorisch: *Grimmigkeit, Heftigkeit, Empfindlichkeit, Fröhlichkeit*.

Verschiedene Bildungsweisen gibt es in der deutschen Sprache auch seit langem bei der Bildung der deverbativen Nomina actionis: Feminina auf *-ung*, Maskulina als implizite Ableitung (Nullmorphem; bei starken Verben Ablaut) und substantiviertem Infinitiv (Konversion). Im 18. Jh. wird eine Reihe femininer *-ung*-Ableitungen von den Maskulina verdrängt: *Befehlung* > *Befehl, Besuchung* > *Besuch, Eiferung* > *Eifer, Preysung* > *Preis, Ruffung* > *Ruf, Wachsung* > *Wuchs*, bei Goethe noch nebeneinander belegt: *Ausbauung/Ausbau*. Bleiben beide Formen bestehen, so ist Bedeutungsdifferenzierung die Regel: *Reizung/Reiz, Wüstung/Wüste*. Ob bei diesem Vorgang nur eine für die Wortbildung des Substantivs seit dem 18. Jh. generell angenommene Tendenz zur Verkürzung wirksam ist oder weitere Ursachen anzunehmen sind, bedarf noch der Untersuchung. Dass sich dann gegenüber dem Gebrauch im 17./18. Jh. die jeweils kürzere Form in der neuhochdeutschen Standardsprache durchsetzt, belegen jedenfalls die folgenden Beispiele: *Auslesung* > *Auslese, Bewegungsgrund* > *Beweggrund, Dürrung* > *Dürre, Gebärung* > *Geburt*.

Auch auf dem Feld der Wortbildung profitiert das Deutsche von der Übernahme nicht-nativer sprachlicher Einheiten. Das ursprünglich lateinische Wortbildungssuffix

-ist(a) wird etwa bei Personenbezeichnungen recht produktiv genutzt, z. B. *Sophist, Lagerist, Hornist* (s. WORSTBROCK 2005). Aus dem lat. *-arius* wurde mit der Zeit das überaus häufig genutzte Derivationsmorphem *-er* (s. SCHERER 2005). Bei der Bildung der Verben führt französischer Einfluss im 17. Jh. dazu, dass Verben mit dem Suffix *-ieren* sehr produktiv werden. Die Ableitung erfolgt sowohl von fremden als auch von deutschen Stämmen. Nicht alle historisch belegten Bildungen wurden freilich in die Standardsprache übernommen. Beispiele finden sich in allen Gattungen und Textsorten:

accommodiren, accordiren, bummelieren, defendiren, determiniren, disputiren, elaboriren, examiniren, expostuliren, extendiren, gastieren, generiren, irrlichtelieren, observiren, präsentiren, penetriren, perturbiren, respectiren, solicitiren, verlustieren u. a.

Charakteristisch für die Wortbildung des Verbs sind jedoch die Präfixbildungen sowie Komposita mit Adverb als Erstglied. Auch für das 17./18. Jh. zeigt der Ausbau des verbalen Wortbildungssystems schon das Bild „der auffälligen, geradezu wortartcharakteristischen Fülle von Präfixen und präfixartig gebrauchten Morphemen“ (ERBEN 2006, 136). Die Zuordnung derartiger Bildungen zu den grundsätzlichen Wortbildungsarten ist in der Fachliteratur umstritten. Nach SCHILDT (1984, 173) gehören zu „den bevorzugten Präfixen dieser Zeit [...] neben untrennbarem *er-* (vgl. *errufen, -schreien, -weinen, -dürsten*) vor allem *durch-*, teils trennbar, teils untrennbar wie z. B. in *durchdringen, -gehen, -feuern, -glühen, -netzen* sowie trennbares *an-, ein-/hinein-, empor-, entgegen-, hin-, nach-* und *zu-*“. FLEISCHER/BARZ (2007, 300) aber sehen in Wortbildungskonstruktionen mit den adverbialen Erstgliedern *empor-, entgegen-* u. a. Komposita. Die Neuartigkeit der zeitbedingt vielfach emphatischen Verwendung verleiht den Präfixbildungen Ausdrucksfunktionen, die älteren Bildungen nicht mehr eigen sind:

ablauben, ablegen, abriechen; ausackern, ausbangen, aushellen, ausweinen, auswurzeln; entadeln, entlodern, entnebeln; erdürsten, erschreien, erweinen; durchfeuern, durchglühen, durchnetzen.

Auch die Bildungen mit *entgegen-*, die vor allem in der 2. Hälfte des 18. Jh. zunehmend gebraucht werden, lassen – ausgehend von der Semantik der ihnen zugrunde liegenden Verben – in den Kontexten sehr unterschiedliche Nuancierungen erkennen. Häufig wird Bewegung im Raum ausgedrückt: *entgegenbringen, -eilen, -fahren, -fliehen, -führen, -gießen, -wehen*, verbunden mit Verben wie *liegen, sein, stehen, ringen, türmen* ist auf dieser Basis aber ‘Gegensatz, Widerstand’ zu assoziieren; *entgegendonnern, -jauchzen, -lispeln, -schnattern, -weinen* bezeichnen Vergleichbares auf akustischem Feld. Die Häufung derartiger Bildungen vor allem in der 2. Hälfte des 18. Jh. ist mit einer – besonders in den Dichtungen Klopstocks gut nachweisbaren – Bedeutungsverschiebung verbunden, so dass statt räumlicher Bewegung vielfach seelisches bzw. geistiges Entgegenkommen bezeichnet wird, vgl. z. B. *entgegendringen, -hören, sich -freuen, -segnen, -sehnen, -wachen*. Auch für Goethes Wortschatz sind beispielsweise über 120 Bildungen mit *entgegen-* und mehr als 160 mit *ent-* belegt; sehr häufig findet sich bei ihm auch *aus-* mit 380 Bildungen (s. GOETHE-WÖRTERBUCH 1978 ff., 1. Bd., 1094 ff.; 3. Bd., 112 ff.). Hinsichtlich der Frequenz und Semantik einzelner Präfixbildungen sind bei gleichen Strukturen noch vielfältige Differenzierungen festzustellen, z. T. auch textsortenspezifischer Gebrauch. Nach ERBEN befördern vor allem der Pietismus und „die an Klopstock anschließende Erneuerungsbewegung der Dichtersprache im 18. Jh.“ den Prozess, in dem „die strukturelle und funktionelle Vielfalt des heutigen Präfixsystems gewonnen“ wird (ERBEN 2006, 138).

1.7 Das Deutsch der jüngeren Neuzeit (1800–1950)

1.7.1 Umgestaltung der kommunikativen Verhältnisse

Der Beginn der Periode der jüngeren Neuzeit fällt zusammen mit der Beschleunigung der bürgerlichen Umgestaltung in Deutschland um die Wende vom 18. zum 19. Jh. Auch im sprachlichen Bewusstsein wurde ein relativer Abschluss der vorangegangenen Periode insofern empfunden, als – wie Goethe 1818 in seinem Aufsatz „Deutsche Sprache" schrieb – nun alle „ihre Lebens- und Lehrbedürfnisse innerhalb der Muttersprache befriedigen können" (zit. nach EGGERS 1986, Bd. 2, 353). Der Prozess der Konsolidierung der neuhochdeutschen Hochsprache war also im Wesentlichen abgeschlossen. Die weiteren sprachlichen Veränderungen waren eher peripherer Art und wurden durch die explizit vorliegenden Normen, etwa in Adelungs Grammatik, auch in Grenzen gehalten und durch die Werke der Schriftsteller gefestigt (s. Kap. 1.6.4). Natürlich darf auch nicht übersehen werden, dass diese Norm um 1800 wahrscheinlich nur von einer kleinen, vorrangig dem Bildungsbürgertum und dem Adel angehörigen Gesellschaftsgruppe aktiv gebraucht, darüber hinaus jedoch in weiten Kreisen nur passiv beherrscht wurde.

Dieser Zustand sollte sich vor allem durch die zunehmende Alphabetisierung ändern. Doch diese war um 1800 gerade erst dabei, größere Bevölkerungsteile zu erfassen. Von einer Alphabetisierung der Deutschen im Sinne einer Fähigkeit zur aktiven Verwendung der deutschen Schriftsprache kann daher zu dieser Zeit noch nicht die Rede sein (s. MATTHEIER 1986, 226; LUDWIG 1998, GESSINGER 1995, 2005). Schätzungen gehen von etwa der Hälfte Analphabeten um 1800, etwa einem Drittel Mitte des 19. Jh. und etwa 1% der erwachsenen Bevölkerung um 1900 aus (s. v. POLENZ 1999, 51).

Die wichtigste politische Aufgabe bestand in der schrittweisen Beseitigung der feudalen Abhängigkeit der Bauern und der Überwindung der nationalen Zersplitterung Deutschlands. Beschleunigt wurde dieser Prozess durch den Kampf gegen die französische Fremdherrschaft und die mit den Freiheitskriegen einsetzenden Reformen. Die patriotische Bewegung sah als Ziel ihres Kampfes gegen Napoleon den einheitlichen deutschen Nationalstaat, doch verhinderte die politische Herrschaft der feudal-absolutistischen Fürsten diese Lösung.

Seit den 30er Jahren schritt die von England ausgehende Industrialisierung auch in Deutschland voran. Handel, Manufaktur und später die Fabrikproduktion dehnten sich aus und stärkten die wirtschaftliche und politische Basis des aufstrebenden Bürgertums.

Eine deutliche wirtschaftliche Umwälzung vollzog sich in den 50er und 60er Jahren des 19. Jh. Aus einem ursprünglich vorwiegend agrarisch geprägten Land wurde Ende des Jahrhunderts durch die einsetzende Industrialisierung eine der stärksten Industriemächte der Welt. Industrialisierung bedeutete jedoch neben dem rapiden Anwachsen der Bevölkerung (von 25 Millionen im Jahre 1816 auf 68 Millionen im Jahre 1915, s. WELLS 1990, 368) zugleich eine weitere sprunghafte Verstädterung (Urbanisierung) der Bevölkerung. Zunehmende Mobilität führte zum Aufeinandertreffen unterschiedlichster sozialer Gruppen, die in kürzester Zeit nicht nur neuartige, oft rasch wechselnde Kommunikationssituationen, wie öffentliche Diskussionen, den Umgang mit Institutionen, Gespräche am Arbeitsplatz, in Gewerkschaften, Parteien und Verbänden, sondern auch neue Kommunikationsinhalte zu bewältigen hatten. Dabei war der frühere Handwerker dem Tagelöhner oder Landarmen gegenüber insofern im Vorteil, als er – in Grenzen – über technisches Grundwissen verfügte. Demzufolge konnte er die neuen Vorgänge auch sprachlich besser bewältigen. Mit diesem Prozess war vor allem die Aneignung neuer Fachwortschätze verknüpft.

Diese gesellschaftlichen Veränderungen, die auch verbunden waren mit einer Beschleunigung des Verkehrs auf Kanälen, Schienen und Straßen, der Spezialisierung in der Berufsausbildung, nationalem und internationalem Warenverkehr, dem Beginn der erhöhten Medienwirksamkeit (im 19. Jh. zunächst durch die Zeitung u. a. durch beschleunigte Produktionsverfahren wie dem Rotationsdruck) zwangen die Bürger zunehmend zur aktiven und passiven Teilnahme an der Kommunikation und brachten dem 19. Jh. – dem „Jahrhundert der Massen und der Massenbewegungen" (WAGNER 1978, 498) – eine zunehmende Beteiligung der Bevölkerung am öffentlichen Leben, die als „Demokratisierung" bezeichnet wird. Nach EGGERS stellt in diesem Zusammenhang „das Aufkommen der Tagespresse und der berufsmäßigen Tagesschriftstellerei das herausragende Ereignis dar" (1986, Bd. 2, 360). Dabei führte die mit diesen veränderten Kommunikationsanforderungen verbundene Herausbildung neuer zweck-, produzenten- und sozialgruppenbedingter öffentlicher Textsorten(stile) dazu, dass erstmals die gesamte Bevölkerung „für vielfältige Alltagszwecke sekundäre Fertigkeiten des Schreibens und Lesens erwerben mußte" (V. POLENZ 1999, 4). Nach Auffassung MATTHEIERS änderten sich durch die außersprachlichen Entwicklungen „die sprachlichen Verhältnisse in der deutschen Sprachgemeinschaft so grundlegend [...], wie das seit der großen kommunikativen Revolution in der frühen Neuzeit nicht mehr der Fall gewesen war" (1986, 225).

Mit der industriellen Revolution entstanden bzw. vertieften sich schließlich die grundlegenden sozialen Unterschiede. Wenn auch erst zögernd – vor 1850 rekrutierten sich die Arbeiter noch weitgehend aus den Handwerksgesellen –, bildete sich mit den Industriearbeitern doch allmählich eine soziale Schicht heraus, die besonders unter dem Einfluss ihrer ideologischen Wegbereiter Wilhelm Weitling (1808–1871), Karl Marx (1818–1864), Friedrich Engels (1820–1895) und Ferdinand Lassalle (1825–1864) ein Bewusstsein gemeinsamer sozialer Zusammengehörigkeit und Interessen entwickelte und neue soziale und politische Ziele anstrebte.

Das inzwischen erstarkte Bürgertum drängte zur Sicherung seiner Macht auf die Schaffung eines Nationalstaates. 1871 war mit der Gründung des Deutschen Reiches dieses Ziel erreicht. Wenn diese „kleindeutsche" Reichseinigung auch nicht in der von großen Teilen des Bürgertums gewünschten Weise zustande gekommen war, so war die Einheit Deutschlands für die wirtschaftliche, nationale und letztlich auch für die sprachliche Entwicklung ein wichtiger Einschnitt, u. a. da der nun zentralisierte Verwaltungsapparat die Reform verschiedener Fachsprachen, der Orthographie sowie der Aussprache vorantrieb. Letztere konnten allerdings erst zu Beginn des 20. Jh. mehr oder weniger abgeschlossen werden.

Neben der Förderung vereinheitlichender Tendenzen in der deutschen Sprache bildete die Art und Weise der Einigung des deutschen Staates aber auch eine der Grundlagen für die Beibehaltung bzw. Weiterentwicklung von Unterschieden zwischen den einzelnen regionalen Varietäten des Deutschen (vgl. Kap. 1.7.6).

1.7.2 Veränderungen im Sprachbewusstsein im 19. und zu Beginn des 20. Jahrhunderts

Die sich im 19. Jh. allmählich und zunehmend beschleunigt durchsetzenden Veränderungen in den verschiedenen gesellschaftlichen, technischen und kulturellen Bereichen führten zu einer wachsende Teilnahme der Bevölkerung am öffentlichen Leben und wirkten sich somit auf die Entwicklung der Sprache aus, was wiederum auch das Nachdenken über Sprache und das Sprachbewusstsein generell beeinflusste. Sprachbewusstsein umfasst die Gesamtheit des metasprachlichen Wissens eines Individuums oder einer Gruppe (s. SCHARLOTH 2005, 19); es äußert sich sowohl in dem im (impliziten und expliziten) Alltagswissen der Sprecher artikulierten Sprachbewusstsein – z. B. als Einstellungen und kritischer Reflexion gegenüber Sprachvarietäten und Sprachgemeinschaften – als auch in der professionellen, wissenschaftlichen Sprachreflexion. Die Sprachgeschichtsschreibung hat sich dieser Thematik in den letzten Jahrzehnten in zahlreichen Untersuchungen gewidmet (s. u. a. GESSINGER 1980, MATTHEIER 1989, 1991 u. ö.; DIECKMANN 1989, GARDT 1999, LINKE 1996, 1998; SCHARLOTH 2005, LEWELING 2005). P. v. POLENZ (1994/1999/2000) hat gar seine gesamte dreibändige Sprachgeschichte unter diesem Zugang angelegt.

Neben dem sich verstärkenden Nationalismus (der sich u. a. in zunehmenden puristischen Strömungen – vgl. Kap. 1.7.4 – zeigt) sind es vor allem die Folgen der Industrialisierung, die das kommunikative Verhalten großer Bevölkerungsgruppen nachhaltig beeinflussen. Steht die Wende zum 19. Jh. noch ganz im Zeichen des „literarisch, wissenschaftlich und gesellschaftlich etablierte[n] und hochangesehene[n] bildungsbürgerliche[n] Deutsch" (V. POLENZ 1999, 3), so führt die wachsende Teilhabe ('Demokratisierung') von sich modernisierenden Teilen des Adels und des Kleinbürgertums wie auch in zunehmendem Maße der Frauen (s. HUNDT 2002, HERRES/NEUHAUS 2002) bis hin zu Teilen der frühen Arbeiterbewegung an öffentlicher Kommunikation zu einer allmählichen Veränderung der schriftsprachlichen Normen. Diese Entwicklung betrifft sowohl die Texte des Bildungsbürgertums als auch die der „kleinen Leute". A. Linke konnte zeigen, dass die Höflichkeitskultur weg von einer „auf Zuwendung abzielenden sozialen – und verbalen – Praxis durch eine Sozialkultur der *Distanz*" (LINKE 1998, 145) abgelöst wird. Dies betraf z. B. auch die grundlegenden Veränderungen im Anredeverhalten, die zu einem Zusammenbruch des alten bis zu 6-stufigen Systems hin zu einem zweistufigen führte, das nur noch das persönliche *Du* vom distanzierten, formellen *Sie* unterschied (s. BESCH 1998, NÜBLING 2017). Sie zielt darauf ab, die Handlungsfreiheit des Interaktionspartners nicht einzuschränken, sondern seinen Wunsch nach Autonomie und Schutz der Privatsphäre zu berücksichtigen und zu bestärken, was letztlich einer Gesellschaft der Individuen vorgreift. Dieser Wandel verbindet sich u. a. auch mit einer sozialen Abwertung der Dialekte, deren Verwendung zunehmend als „Stigma niedriger sozialer Herkunft" (LINKE 1998, 147) gilt. Dabei darf jedoch nicht übersehen werden, dass dieses Ideal in erster Linie als „mentales Konstrukt" zu verstehen ist, dem die tatsächlich gelebte Sprachwirklichkeit nur sehr bedingt entspricht (s. ebd.).

Noch größer ist die Varianz und Heterogenität in der geschriebenen Alltagssprache, ohne dass jedoch normative Beliebigkeit herrschte (s. ELSPASS 2005, 468; SCHIKORSKI 1990). Während die präskriptiven Grammatiken und Orthographielehren ganz auf Eindeutigkeit und Einheitlichkeit orientiert waren, galten in der privaten Schriftlichkeit der „kleinen Leute" eher pragmatische Grundsätze. „In der Hierarchie der Entscheidungen, die (nur) elementar gebildet Schreibende [...] zu treffen hatten, standen Handlungsziele, die die textuellen Grundfunktionen und die textsortenspezifische Form bestimmten, ganz oben. Erstaunlich wichtig war vielen Schreibern das deutliche und „schöne" Schreiben. Von eher untergeordneter Bedeutung war für sie dagegen die grammatische und orthographische Richtigkeit." (ELSPASS 2005, 469.)

Während also in den normativen Werken der Konsolidierungsprozess der Schriftsprache im Wesentlichen abgeschlossen war, galt in der Sprachpraxis nach wie vor ein Neben- und Gegeneinander unterschiedlicher Gebrauchsnormen.

Diese Annäherung der bildungsbürgerlich geprägten Schriftsprache an die Umgangssprache äußerte sich in dem verstärkten Aufkommen eines sprachkritischen Bewusstseins, das sich zunehmend in einer sprachelitär-konservativen Haltung zum kulturellen 'Niveauverlust' der deutschen Sprache äußerte und diesen als „Sprachverfall", „Verrottung", „Verrohung" oder „Vulgarisierung der deutschen Sprache" bewertete. In ihrer z. T. radikalen Kritik an der „Sprachverhunzung" gingen negative Einschätzungen des Sprachzustandes und der Entwicklungsmöglichkeiten der Sprache oft einher mit einem rigiden Normbewusstsein spätbürgerlicher Bildungsideologie. Die durch demokratische und aufklärerische Motive geprägte Sprachkritik des ausgehenden 18. und der ersten Hälfte des 19. Jh. wich allmählich einer pessimistischen, zunehmend radikaleren Sprachkritik und Sprachskepsis. Diese richtete ihr Augenmerk insbesondere auf die Presse und ihre „Zeitungssprache", die sich besonders seit Mitte des 19. Jh. durch das Aufkommen des Rotationsdrucks neue Leserkreise erschloss (s. GARDT 1999, KILIAN/NIEHR/SCHIEWE 2016, THEOBALD 2012, HOSOKAWA 2014, SCHUSTER/PFEFFERKORN/RIECKE 2017).

Stand diese zunächst noch ganz im Zeichen der Verbreitung der Schriftsprache, so entwickelte sich doch rasch eine der wachsenden Öffentlichkeit und dessen spezifischen Medien angepasste, auf Schnelligkeit und Tagesaktualität orientierte Sprachform. Vor allem war es die Übernahme alltagssprachlicher Mittel, die oft aus sachlichen Gründen erfolgte, z. B. der Aufnahme von Tabu-Bereichen wie Sexualität und Kriminalität (s. NAIL 2003, 2154), die auf das Heftigste bekämpft wurde. Doch kam es z. T. auch zu Äußerungen, die undifferenziert die Pressesprache generell ablehnten:

> „Seit länger als einem Menschenalter ist in unserer Sprache eine Macht am Werke, die schon unsäglichen Schaden angerichtet hat und auch noch ferner anrichten wird: die Tagespresse. Es mag für alle, die an ihrer Herstellung beteiligt sind, bitter zu hören sein, aber es ist doch die Wahrheit, was schon so oft ausgesprochen worden ist: die Hauptursache der Verwilderung unserer Sprache, der eigentliche Herd und die Brutstätte dieser Verwilderungen sind die Zeitungen [...]"
>
> (WUSTMANN 1891, 14.)

Dennoch konnte der Siegeszug der Zeitung nicht aufgehalten werden; von 1881 bis 1913 erhöhte sich die Zahl der in Deutschland herausgegebenen Zeitungen von 2437 auf 4036 (s. NAIL 2003); die Auflagenstärke der deutschen Tagespresse stieg von 300 000 Exemplaren Ende des 18. Jh. auf geschätzte 12,2 Millionen 1897 (s. THEOBALD 2012, 63). Viele der kritisierten Erscheinungen gehören heute zur schriftsprachlichen Norm; ein nicht geringer Teil wird jedoch nach wie vor insbesondere in der Laienlinguistik abgelehnt (z. B. die zu große orthographische Fehlerhäufigkeit, ein zu großer Gebrauch von Fremdwörtern, einzelne Wortbildungskonstruktionen, Verkürzungen u. a.).

Zu den bedeutendsten Sprachkritikern gehören Arthur Schopenhauer (1788–1860, er prägte das negative Schlagwort vom „Zeitungsdeutsch"), Ferdinand Kürnberger (1821–1879, von ihm stammen die Formulierungen „Sprache der Aufregung", „Sprache der

Abspannung“, „Sprache der Schonung, der Höflichkeit“), Friedrich Nietzsche (1844–1900), Gustav Wustmann (1844–1910), Fritz Mauthner (1849–1923) und Karl Kraus (1874–1936) (s. DIECKMANN 1989, SCHIEWE 1998). KILLIAN/NIEHR/SCHIEWE 2016, GARDT 1999, SCHUSTER/PFEFFERKORN/RIECKE 2017). Wenn auch ihre Positionen auf unterschiedlichen sprachkritischen Ansätzen basieren und sich der Diskurs über das Verhältnis von Presse- und Standardsprache auch in Abhängigkeit von Herkunft und Interessen der Teilnehmer sehr differenziert zeigte (s. THEOBALD 2012), finden sich Topoi ihrer Argumentation z. T. bis in die heutige Zeit. Dennoch darf die Bedeutung der Presse für die Entwicklung der deutschen (Schrift-)Sprache nicht unterschätzt werden. „Die Zeitung war für die damalige breite Masse die Tür zur Schriftkultur, durch die sie sich mit der als Norm betrachteten Schriftsprache anfreundeten.“ (HOSOKAWA 2014, 267.)

Seit den 20er Jahren des 20. Jh. begannen Hörfunk und Kino als Massenmedien Einfluss zu gewinnen (s. BRANDT 2003). Auch ihre Wirkung – insbesondere auf die rezeptive mündliche Sprachkompetenz – kann kaum zu hoch bewertet werden, doch darf gleichzeitig ihr Einfluss im Interesse der späteren nationalsozialistischen Propaganda nicht unterschätzt werden.

Mit der zunehmenden Festigung der deutschen Schriftsprache erlangte allmählich auch die wissenschaftliche Reflexion über Sprache eine neue Qualität und wirkte umgekehrt zugleich auf den bewussten Umgang mit Sprache zurück. Bereits seit der Mitte des 18. Jh. war ein verstärktes Interesse an der wissenschaftlichen Erforschung und Beschreibung der deutschen Sprache einschließlich ihrer Dialekte zu verzeichnen, in deren Folge sich in der ersten Hälfte des 19. Jh. die Sprachgeschichtsforschung als Teil einer Universitätsdisziplin etablierte. Hervorgerufen wurde es zum einen durch eine Fülle von nunmehr ganz neuen, reichhaltigen und vielgestaltigen Erkenntnissen (z. B. erweiterte Sprachquellenkenntnisse des deutschen Mittelalters durch verschiedene Editionen, Bibliotheksreiseberichte, durch die Entdeckung praktisch aller zu dieser Zeit überschaubaren Sprachen), zum anderen aber auch als Folge der sich entwickelnden nationalen Selbstbestimmung des Bürgertums. Dieses äußerte sich im Aufbruch des historisch-genetischen Denkens in der Sprachwissenschaft im Zusammenhang mit der deutschsprachigen Kulturgeschichtsschreibung, in der steigenden Wertschätzung der Dialekte als historisch wie volkstümlich verankerte Sprachquellen sowie in der Entwicklung der historischen Lexikographie als geschichtliche Vertiefung des deutschen Wortschatzes.

1816 erschien die Arbeit des deutschen Sprachwissenschaftlers Franz Bopp (1791–1867) „Über das Conjugationssystem der Sanskritsprache in Vergleichung mit jenen der griechischen, lateinischen, persischen und germanischen Sprachen“, mit der er an umfangreichem Material die Verwandtschaft des Sanskrit mit einer Reihe europäischer Sprachen zeigte. Seine Arbeiten, wie auch die des dänischen Gelehrten Rasmus Kristian Rask (1787–1832), des russischen Sprachwissenschaftlers Alexander Vostokow (1781–1864) und vor allem von Jacob (1785–1863) und Wilhelm Grimm (1786–1859) begründeten eine neue Etappe in der Entwicklung der Sprachwissenschaft, die später als die „historisch-vergleichende Sprachwissenschaft“ bezeichnet wird. Mit der systematischen historischen und vergleichenden Erforschung der deutschen Sprache begann zugleich eine Zeit gesteigerten nationalen Sprachbewusstseins und die verstärkte Etablierung der Nationalsprache (s. RÖMER 1989, GARDT 1999).

Die Brüder Grimm wandten sich dabei sowohl der Sprachgeschichte als auch dem nationalen Erbe in der literarischen Überlieferung, den Märchen und Sagen, den Mythen, der mittelalterlichen Literatur, den Rechtsaltertümern, aber auch vorgeschichtlichen Überlieferungen (z. B. den Runen) zu. In den „Kinder- und Hausmärchen" (1812–1858) findet ihre Arbeit bis heute ihren bekanntesten Ausdruck. 1819 erschien der erste der insgesamt vier Bände der „Deutschen Grammatik" (–1837). Diese hatte einen bedeutenden Einfluss auf die Entwicklung der linguistischen Theorie und Praxis der vergleichenden Forschung. Neben der Grammatik bilden die 1848 von Jacob Grimm veröffentlichte „Geschichte der deutschen Sprache" in zwei Bänden sowie die seit 1854 von beiden Brüdern verfassten ersten Bände zum „Deutschen Wörterbuch" die wichtigsten Arbeiten, mit denen die wissenschaftliche Germanistik entscheidend beeinflusst wurde. Der theoretische Anspruch der Grimms, ihr „Deutsches Wörterbuch" 'unters Volk' zu bringen, wird jedoch nur bedingt eingelöst. „Die *national*symbolische Bedeutung entpuppt sich aufgrund der sozial beschränkten Nutzbarkeit als germanistisches Wunschdenken und bildungsbürgerliche Projektion, die ihre Wirkung gleichwohl nicht verfehlt haben." (STUKENBROCK 2005, 243.)

Eine weitere Richtung der Sprachwissenschaft im 19. Jh. widmete sich vor allem philosophischen Fragen der Entwicklung der Sprache. Diese wird von den Werken bedeutender Gelehrter wie Johann Gottfried Herder (1744–1803), August Wilhelm Schlegel (1767–1845), Wilhelm von Humboldt (1767–1835), August Schleicher (1821–1868), Wilhelm Wundt (1832–1920) geprägt. Ihr Interesse war auf die Schaffung einer allgemeinen Sprachtheorie, vor allem auf die Erklärung der Natur der Sprache und ihrer Beziehung zum Denken, sowie auf die Erarbeitung der Grundprinzipien einer Evolutionstheorie der Sprache gerichtet (s. GARDT 1999).

In der Mitte des 19. Jh. begann eine neue, vorwiegend historisch ausgerichtete Strömung an Einfluss zu gewinnen, die in der Forschung als „junggrammatische Schule" zusammengefasst wird. Sie entstand mit dem Ziel der Überwindung der Mängel der Komparatistik und war vor allem auf die Präzisierung der Grundpositionen und der Aufgabenstellung der Sprachwissenschaft sowie auf die Verbesserung und Vervollständigung der Methodologie der sprachlichen Analyse gerichtet. Beeinflusst von der sprunghaften Entwicklung der Naturwissenschaften gingen die Junggrammatiker von der Hypothese aus, dass sprachliche Entwicklungsgesetze den gleichen Status hätten wie Naturgesetze. Wichtige Vertreter waren u. a. Wilhelm Scherer (1841–1886, „Zur Geschichte der deutschen Sprache" 1878), Hermann Paul (1846–1921, „Prinzipien der Sprachgeschichte" 1880) sowie Hermann Osthoff (1847–1909) und Karl Brugmann (1849–1919, 1878–1890 gemeinsame Veröffentlichung der „Morphologische[n] Untersuchungen auf dem Gebiete der indogermanischen Sprachen"). Mit ihnen erfuhr neben der philosophischen auch die historische Richtung eine verstärkte theoretische Fundierung. Für Hermann Paul ist Sprachwissenschaft grundsätzlich (reduziert auf) Sprachgeschichte:

„Es ist eingewendet, daß es noch eine andere wissenschaftliche Betrachtung gäbe, als die geschichtliche. Ich muß das in Abrede stellen. Was man für eine nichtgeschichtliche und doch wissenschaftliche Betrachtung der Sprache erklärt, ist im Grunde nichts als eine unvollkommene geschichtliche [...]" (PAUL 1968, 20.).

Neben dem Historismus bildete die Hinwendung zu den Formen in der Sprache, besonders zu den Lauten, und die durch die naturwissenschaftliche Denkweise beeinflusste Annahme, Lautgesetze würden ausnahmslos gelten, typische Ansichten. Allerdings blieben in den Arbeiten der Junggrammatiker Aspekte, die auf die kulturellen Traditionen der Gesellschaft abheben, nahezu völlig unberücksichtigt (s. GARDT 1999, 279). Doch dessen ungeachtet brachten sie eine „solche Fülle von Entdeckungen hervor, wie sie die Sprachwissenschaft kaum wieder erlebt hat. Noch heute zehren wir von den

Werken Pauls, Braunes, Streitbergs, Behaghels u. a.“ (HELBIG 1986, 15.) Es sind vor allem die Gesetzmäßigkeiten, die mit positivistischer Detailfreude im Ergebnis der Verallgemeinerung der Untersuchung einer großen Materialfülle nachgewiesen wurden und die sich durch einen hohen Grad an Exaktheit der Beobachtungen auszeichnen, die der junggrammatischen Richtung trotz ihrer Mängel (unter anderem der Unterschätzung außerlinguistischer Faktoren sowie der Einschätzung der Lautgesetze) einen bedeutenden Platz in der Entwicklung der linguistischen Forschung zukommen lassen.

Ende des 19. und zu Beginn des 20. Jh. mehrten sich die Kritiker der junggrammatischen Schule, die auf der Suche nach prinzipiell neuen Wegen eine Reihe weiterführender Ansätze hervorbrachten. Größeren Einfluss erlangten die Schule „Wörter und Sachen“, deren bedeutendster Vertreter der österreichische Linguist Hugo Schuchardt (1842–1927) war, die Neolinguistik, die die Vielseitigkeit der Sprache sowie die Kompliziertheit der sprachlichen Entwicklung zu zeigen versuchte, und die „ästhetische Schule“, deren exponierter Vertreter Karl Vossler (1872–1949) vorrangig der Synthese linguistischer Ansätze mit philosophischen, insbesondere kulturphilosophischen Aspekten verpflichtet war.

Die Überwindung und Weiterentwicklung des junggrammatischen Ansatzes erfolgte auch von Seiten der sich herausbildenden Dialektologie. Mit der geographischen und historischen Erforschung der deutschen Mundarten entwickelte sie sich unter Georg Wenker (1852–1911), der mit dem „Sprachatlas des Deutschen Reiches“ (1876–1881) eine neue Epoche in der Mundartforschung eingeleitet hatte, zur Dialektgeographie. Wenker, der mit Hilfe von 40 000 Fragebogen zur Erfassung wichtiger lautlicher Charakteristika eigentlich die Ausnahmslosigkeit sprachlicher Gesetze nachzuweisen versucht hatte, erkannte als eines der Ergebnisse seiner Untersuchungen gerade das Gegenteil. Durch seinen Nachfolger Ferdinand Wrede (1863–1934) wurden seine Untersuchungsergebnisse bestätigt und seit 1926 im „Deutschen Sprachatlas“ veröffentlicht, später durch Walther Mitzka (1888–1976) und Ludwig E. Schmitt (1908–1996) fortgeführt und 1956 vorläufig beendet. (Mit der Digitalisierung des Wenkeratlasses DIWA bestehen heute völlig neue, innovative Möglichkeiten der Rekonstruktion der Sprachverhältnisse zur Aufnahmezeit sowie für Untersuchungen des Sprachwandels, s. LAMELI/PURSCHKE/RABANUS 2015, VORBERGER 2015.) Als besondere forschungsgeschichtliche Leistung der Sprachgeographie gilt weiterhin die Einbeziehung ihrer Erkenntnisse in die Diskussion um die Entstehung der neuhochdeutschen Schriftsprache, die vor allem unter Theodor Frings (1886–1968) erfolgte (s. HILDEBRANDT 1998, 514).

Wie sich schon um die Jahrhundertwende andeutete, nahm die Entwicklung des sprachwissenschaftlichen Denkens im 20. Jh. verschiedene Richtungen und weist zugleich einige „Brüche“ auf (s. MAAS 2016). Den wohl stärksten Einfluss übte dabei der Schweizer Gelehrte Ferdinand de Saussure (1875–1913) aus. Seine besondere Leistung bestand darin, dass er als erster Linguist des 20. Jh. der Wissenschaft eine neue, in sich geschlossene und exakte Darlegung einer allgemein-sprachwissenschaftlichen Theorie anbot. Die von ihm in ihrer Spezifik geprägten Dichotomien (langue – parole, syntagmatisch – paradigmatisch, signifiant – signifié, Diachronie – Synchronie) erlauben „eine prägnante und ungemein eingängige Strukturierung des komplexen Phänomens Sprache“ (GARDT 1999, 290).

„Diese Ausrichtung auf Strukturen in Phonologie und Grammatik bedeutet eine Ablehnung der junggrammatischen Methodik, von Atomismus, von Physiologisierung

und Psychologisierung. Sie bedeutet aber andererseits auch die Ausschaltung jeglicher außersprachlicher Faktoren bei der Sprachbeschreibung." (HELBIG 1986, 47.)
De Saussure förderte nicht nur wesentlich die soziologische Richtung in der Sprachwissenschaft, sondern gilt als der Begründer der strukturalistischen Schulen, die in ihren verschiedenen Ausprägungen mit weiterentwickelten theoretischen Konzepten die linguistische Forschung bis in die Gegenwart beeinflussen.

Hinsichtlich der Erklärung des Sprachwandels sind strukturalistische Theorien dort am erfolgreichsten, wo sie sich – gegenüber irrationalistischen Verfahren – auf die Darstellung kausal verknüpfter Sprachwandelerscheinungen beziehen. Gleichzeitig ist jedoch die Erklärung der Ursachen des Sprachwandels „ohne Bezug auf Erscheinungen, die sich nicht strukturalistisch erfassen lassen, unmöglich." (SCHRODT 1998, 527.)

1.7.3 Der Einfluss von Naturwissenschaften und Technik

Sind zum einen im Laufe des 19. Jh. zunehmend vereinheitlichende Tendenzen in der Geschichte der deutschen Sprache zu verzeichnen, so wirkten diesen die vielfältigsten sprachlichen Neuerungen entgegen, die sich aus der sprunghaften Entwicklung und Differenzierung der Naturwissenschaften, den Fortschritten in Technik und Ökonomie, im Sport, im Militär und in anderen Bereichen ergaben. Dabei bewirkte insbesondere die Herausbildung und Zusammenführung der Naturwissenschaften als nun einer eigenständigen fünften Fakultät an den Universitäten und ihre zunehmende Verflechtung mit der industriellen und wissenschaftlich-technischen Revolution, dass die einzelnen Disziplinen einerseits verstärkt ineinandergriffen, andererseits differenzierte Teildisziplinen ausbildeten. Gleichzeitig erreichten die Naturwissenschaften allmählich nicht mehr nur die Schicht der Gebildeten, sondern vor allem über das Unterrichtswesen, populärwissenschaftliche Literatur und die Presse zunehmend breitere Teile der Bevölkerung. In der Folge kam es nicht nur zu tiefgreifenden Veränderungen wie z. B. beim Fachwortschatz der Medizin, sondern teilweise bildeten sich Fachwortschätze erst heraus, wie das etwa im Eisenbahnwesen, in der Elektrotechnik, der Textilindustrie oder später im Flugwesen und in der Telegraphie der Fall war. Die mit dieser Entwicklung verbundenen sprachlichen Prozesse beeinflussten zunehmend die Schriftsprache und die regionalen Umgangssprachen. Dies führte – auch wenn die einzelnen sprachlichen Mittel nicht immer allgemein verständlich waren – zu einem wesentlichen Anwachsen vor allem des rezeptiven Sprachvermögens der deutschen Bevölkerung.

An den nun zunehmend bewusst entwickelten oder sich weiterentwickelnden Wortschätzen hatte neben Entlehnungen und Neubildungen auch das überlieferte Wortgut als Grundschicht einen bedeutenden Anteil.

Industrie: Die durch die Industrialisierung erreichten Fortschritte zeigen sich im Wortbestand vieler Gebiete: *Industrie* (18. Jh.), *industriell, Industrieanlage, -arbeiter, -staat*; *Großindustrieller* (Ende 19. Jh.), gleichzeitig *Großgrundbesitzer, Großkaufmann*; *Fabrik* (18. Jh.); *Technik* (18. Jh.), *Techniker, Bautechniker*; *Maschine* (17. Jh.; im 18. Jh. vom Französischen neu beeinflusst), *Maschinist* (18. Jh.), *Dampfmaschine* (1819), *Waschmaschine* (1831), *Nähmaschine* (1854), *Schreibmaschine* (nach 1880), *Mähmaschine, maschinell* (2. Hälfte 19. Jh.) (s. BACH 1970, 6; WAGNER 1978, 409 ff.; MOSER 1974, 445 ff.; W. SCHMIDT 2008, 154 f.; UNGER 1980).
Eisenbahnwesen: Durch Eröffnung der ersten Eisenbahnstrecke (*Eisenbahn* spätes 18. Jh. aus dem Bergbau) wird der Wortschatz stark bereichert: *Eisenbahnlinie, -netz, -zug*; *Lokomotive* (engl.;

frz. Betonung); *Lore, Lori* (engl.); *Waggon* (engl., frz. Betonung); *Tunnel* (engl., 1839); *Zug* (seit etwa 1840 'Wagenreihe mit Antriebsfahrzeug'), *-beleuchtung, -personal, -verkehr*; *Bummelzug* (umgangssprachlich), *D-* (Durchgangs-), *Extra-*. Im technischen Betrieb überwiegen die deutschen Bezeichnungen: *Bahnwärter, Heizer, Schaffner, Weiche*, im Publikumsverkehr zunächst die französischen: *Barriere* (später *Schranke*), *Billet, Condukteur, Coupé, Perron* (s. u. a. MACKENSEN 1971, 51 ff.). Eindeutschungsbestrebungen beginnen in den 80er Jahren (vgl. Kap. 1.7.4); (jüngste Bildungen des 20. Jh.: *TEE-Zug* (Trans-Europa-Express), *ICE* (Intercity-Express), *RE* (Regional-Express), *Transrapid*).

Kraftfahrzeugwesen: *Auto(mobil)*, nach dem 1. Weltkrieg *Kraftfahrzeug, Kraftfahrzeughalter*; *Kraftwagen, -führer*; *Personenkraftwagen (PKW)*; *Automobilbau* (Ende 20. Jh. *Solarmobil*), *Autobahn, Autoomnibus* > *Autobus* > *Bus* (unter englischem Einfluss); *Omnibusbahnhof*; *Obus* (*Oberleitungsomnibus*). Bezeichnungen für Einzelteile der Motorfahrzeuge: *Fahrgestell, Gang, Kerzenzündung* (1902), *Kuppelung, Schwingachse* (1932), *Spritzdüsenvergaser* (1893), *Windschutzscheibe*. Aus dem Englischen kommen die Lehnwörter *Tank* (dazu die Wortfamilie *tanken, Tankstelle, Großtankstelle, Tankwart*) und *parken* mit seinen Weiterbildungen *Parkplatz, -problem, -verbot(sschild)*; *Parkuhr*. Zu den Bildungen des 20. Jh. zählt *Motel* (*Motorhotel*); französischer Herkunft sind *Garage, Hoch-, Tief-*.

Flugwesen: *Flughafen, -lehrer, -platz, -verkehr*; *Flugzeug* (für *Aeroplan*), *Propellerflugzeug, Düsen-, Turbinen-, Raketen-*; *Zeppelin, Hubschrauber*; *Airport, Airbus* (in jüngster Zeit auch *Flieger*).

Elektrotechnik/Elektrizitätswesen: *Elektro-, -herd, -kocher* (Ende 19. Jh.), *Elektrizität, -(s)werk, elektrisches Licht, elektrische Klingel*; *Strommesser, -sperre, -schwankungen*; *Glühbirne*; *Wechselstrommotor, -kreis* (s. UNGER 1980; WELLS 1990, 408 ff.).

Nachrichtenwesen: *Briefkasten* (1824), *Briefmarke* (1849, zuerst *Freimarke*); französische Ausdrücke werden um 1875 vielfach durch deutsche ersetzt: *Couvert* durch *(Brief-)Umschlag, poste restante* durch *postlagernd, rekommandiert* durch *eingeschrieben*; weiterhin: *Telegraf* (*Fernschreiber*), *telegrafieren*; *Telefon* (*Fernsprecher*), *telefonieren*; *Fernsprechamt, -netz, -verkehr, -zentrale*; *Funktelegrafie* seit 1897); *Radar* (engl. *radio detecting and ranging*), *-gerät, -station*; (zweite Hälfte 20. Jh.: *Telefax, Telex, Telefoto*).

Medizin: Auch in der Medizin führten die Fortschritte der Naturwissenschaft zu einer neuen Ära. Sie wandelte sich zu einer angewandten Naturwissenschaft. Damit wurden auch Termini solcher Disziplinen wie der Mikrobiologie (*Bakterien, Viren, Vitamin*), der Physik (Optik: *Röntgenstrahlen*) oder Chemie (*Chloroform, Laborant, Penicillin*) übernommen. Bedingt durch die katastrophalen sozialen Folgen der industriellen Entwicklung gewann die Hygiene an Bedeutung und es drangen somit soziale und ökonomische Fachtermini in größerem Umfang in die Medizin ein: *Hygiene* (seit 1766), *Gesundheitspflege, Körperpflege, (ein-)impfen, Schluckimpfung, Kneippkur, -sanatorium, -bad*; *Massage, Vegetarismus, Naturheilkunde, Stoffwechsel, Rohkost, Gymnastik, Depression, Diphtherie, Kokain, Bazillen* (s. DÜCKERT 1981, 109; MACKENSEN 1971, 176 ff.).

Insgesamt unterliegen die Fachwortschätze – wenn auch in spezifischer Ausprägung – den allgemeinen Entwicklungstendenzen der Differenzierung und Integration sowohl zwischen den Fachsprachen als auch zwischen Fachsprachen und Gemeinsprache. Die mit der Terminologisierung und Determinologisierung verbundenen Veränderungen führten dabei zu komplizierten semantischen Prozessen, wie zahlreiche Untersuchungen zeigen (s. u. a. DÜCKERT 1981; PÖRKSEN 1998).

Mit den großen wissenschaftlichen und technischen Fortschritten kommen die einzelnen Berufe und Fachgebiete zunehmend miteinander in Berührung. Das wiederum führt dazu, dass Teile der Fachwortschätze gemeinsames Wortgut verschiedener Fachsprachen sind, so z. B. in der Biologie und Medizin, im Maschinenbau und Textilwesen, Eisenbahnwesen und Dampfschifffahrt (s. DÜCKERT 1981, 110). Innerhalb der Einzeldisziplinen führen Spezialisierungen zu Differenzierungsprozessen und damit zugleich zur Vermehrung des Fachwortgutes, so in der Medizin z. B. Anästhesiologie, Augenheilkunde, Dermatologie, Gynäkologie, Kardiologie, Psychiatrie, Pulmologie, Rechtsmedizin u. a.

Im engen Zusammenhang mit den Fachsprachen entwickeln sich aber auch weitere Gruppensprachen (Soziolekte), die nicht der technischen bzw. wissenschaftlichen Kommunikation dienen, sondern stärker sozial gebunden und weniger stabil sind, oft einen hohen emotionalen Gehalt haben und ein starkes Gefühl der Gruppenidentität ausbilden helfen (s. WELLS 1990, 401; HESS-LÜTTICH 1987, 57 ff.). Dabei verläuft die Grenze zwischen (wissenschaftlicher) Fachsprache und Gemeinsprache sowohl historisch wie auch systematisch betrachtet „auf einer gleitenden Skala" (PÖRKSEN 1998, 195). Diese reicht von einer spezialsprachlichen Terminologie innerhalb einer Nomenklatur bis zum gemeinsprachlichen, metaphorischen Ausdruck. Entsprechend lässt sich die Theorie- oder Wissenschaftssprache als die am strengsten geregelte, theorienahe, meist schriftliche Sprachform von der fachlichen Umgangssprache, die der Kommunikation unter Fachleuten dient, unterscheiden. Über die Verteilersprache gerät das Fachvokabular an die Allgemeinheit, diese wird z. B. über die Bildungssprache vermittelt (s. ebd.).

Unterschiede und Gemeinsamkeiten hat WELLS am Beispiel der Militär- oder Heeressprache als Fachjargon und der Soldatensprache als der zugehörigen Gruppensprache veranschaulicht (s. folgende Beispiele in WELLS 1990, 402 ff.):

Militärsprache: *Armee, Bataillon, Bombe, Defensive, exerzieren, Parade, Parole, Spion, Gewehr, Patrone, Magazin, Maschinengewehr, Panzer, -wagen, -führer, -division, -angriff, -schlacht, -falle, -faust.*
Soldatensprache: *Gießkanne* 'Maschinengewehr', *Ei* 'Bombe', *Eier legen* 'bombardieren', *Aal* 'Torpedo'; *er ist fertig, ist zur Minna, zur Schnecke gemacht* 'er ist tot', *Masern* 'explodierende Granaten', *Püppchen* 'Kampfflugzeuge'. Daneben gibt es eine Fülle vulgärer und obszöner Ausdrücke, in denen die Soldaten ihre Gefühle 'entladen'.

Umgekehrt wurden (und werden) gelegentlich militärische Ausdrücke in der Alltagssprache verwendet: *Schanzzeug* 'Esszeug', *am Boden zerstört* 'stockbetrunken sein', 'völlig erschöpft sein', *auf Tauchstation gehen* 'schlafen', 'sich zurückziehen', *Feuer frei* 'Rauchen gestattet'(Sprachgebrauch der DDR); *Früh-/Spätzünder* 'Person, die schnell/langsam etwas begreift', *Blindgänger* 'Versager' (MÖLLER 2000, s. auch BRAUN 1998, 55 ff.).

1.7.4 Sprache und Politik

Im 19. Jh. wurde Politik mehr und mehr zu einer öffentlichen Angelegenheit. Das führte zu unterschiedlichen Auswirkungen auf die sprachliche Entwicklung. Von der Vielzahl der hiermit verbundenen Aspekte sollen im Folgenden der Purismus sowie die Auswirkungen der Politisierung/Demokratisierung und des Nationalsozialismus auf die deutsche Sprache im Vordergrund stehen.

1.7.4.1 Purismus

Im Zusammenhang mit der Französischen Revolution, dem Zusammenbruch des alten Reiches, den militärischen Auseinandersetzungen mit Napoleon und der Neugestaltung Zentraleuropas war die geistig-kulturelle Entwicklung einer starken Politisierung unterworfen. Das 19. Jh. wurde u. a. im Zuge einer Besinnung auf das Deutsche in seiner ganzen Eigentümlichkeit durch eine nationalpolitische Abgrenzung nach außen, insbesondere Frankreich gegenüber, und durch das Streben nach politischer Einigung im

Innern gekennzeichnet. Gerade in Krisenzeiten, in denen das Fehlen einer politischen Einheit besonders intensiv als Defizit empfunden wird, werden Muttersprache und Sprachnation umso emphatischer als Kompensationsgrößen empfunden. „Als Grundlage und Garantie dafür wurde vor allem und immer wieder die Literatur- und Nationalsprache angeführt, die […] als der Spiegel der Nation“ und als einigendes Band angesehen wurde. Motivation und Zielstellung der puristischen Bewegung wurde zunehmend eine (national-)politische, deren Hauptinteresse fortan eindeutig den nichtdeutschen Wörtern aus der Fremde, den Fremdwörtern, galt“ (KIRKNESS 1998, 410; s. auch STUKENBROCK 2005, KILIAN/NIEHR/SCHIEWE 2016).

Seit der Französischen Revolution 1789–1794, vor allem aber auch mit der industriellen Revolution drang erneut eine Vielzahl von Fremdwörtern, die nicht nur Ausdruck der gewaltigen Umwälzungen im politischen und geistigen Leben, sondern auch des wirtschaftlichen und technischen Fortschritts war, in das Deutsche ein. Die durch diese Prozesse verstärkt auf den Plan gerufenen Sprachreiniger, die sich oft selbst als Nachfahren der Sprachgesellschaften früherer Jahrhunderte sahen, „waren in der Regel nationalistisch motiviert und behaupteten, daß Fremdwörter nicht bloß den Inhalt verdunkelten, sondern zugleich auch die Charakterstärke derjenigen, die sie benutzten, schwächten. Purismus, besonders der institutionalisierte Purismus, ist eine Form von sprachlicher Manipulation und hat daher eine gewisse Affinität zum politischen Gebrauch der Sprache, nämlich der Interpretation sozialer Wirklichkeit Werturteile zuzuerkennen.“ (WELLS 1990, 415.)

Zunächst, um die Jahrhundertwende zum 19. Jh., blieben puristische Bestrebungen noch ohne größeres Echo in der Öffentlichkeit, die Diskussion vollzog sich eher in akademischen Kreisen. Die sich in unterschiedlichen Ansätzen äußernden Richtungen wurden dabei repräsentiert durch Joachim Heinrich Campe (1746–1818), der eine aufklärerisch-pädagogische Richtung vertrat und wesentlich die weitere Entwicklung der Purismusbewegung in Deutschland bestimmte, Karl Wilhelm Kolbe (1757–1835), der vor allem sprachstrukturell argumentierte, und Karl Christian Krause (1781–1832), der ausgehend von philosophisch-vernünftelnden Positionen den „wahren, eigentümlichen Geist“ des Deutschen erhalten wollte. Als markantester Vertreter der politisch-nationalistischen Strömung dieser Zeit gilt der „Turnvater“ Friedrich Ludwig Jahn (1778–1852), der „seinen Fremdwortpurismus gleichsam als sprachlichen Befreiungskrieg in den Dienst der nationalen Erhebung gegen die französische Vorherrschaft“ stellte (KIRKNESS 1998, 412). Auf Jahn gehen z. B. *Reck, Hantel, Barren* (alte Entlehnung aus dem Französischen) als Gerätebezeichnungen, *Rad, Schraube* und *Wippe* für Übungen am *Pferd, Felge, Welle* für Übungen am *Reck* sowie für Laufdisziplinen Bezeichnungen wie *Schnelllauf, Wettlauf* zurück (JAHN/EISELEN 1816/1960, s. auch V. POLENZ 1999, 267, LIPCZUK 2007, 56 ff.).

Zunehmend bestimmte in der Folgezeit die Ideologisierung der puristischen Bewegung und ihre Integration in den deutschen Nationalismus den öffentlichen Kampf gegen das Fremdwort. Das emphatische Lob der eigenen Sprache wurde immer deutlicher verknüpft mit seinem *Sprach-, Volks-* oder *Nationalcharakter*. Auch wenn dieser „wissenschaftlich sehr dilettantische[r], bewußt volkstümlich gehaltene[r] Fremdwortkampf“ (KIRKNESS 1998, 413) der ausdrücklich als ‘Patrioten’ handelnden Gelehrten (wie der Heidelberger Priester J. D. C. Brugger) in der Öffentlichkeit kaum eine größere Beachtung fand, ist er dennoch symptomatisch für die (fremdwort-)puristische Ausrichtung der ersten Hälfte des 19. Jh.

Nach der deutschen Reichsgründung 1871 begann die vorerst letzte Phase des deutschen Purismus. Seine neue Qualität bestand zum einen darin, dass Sprachreinigung nun nicht mehr nur das Interesse einiger weniger einzelner Personen oder kleinerer Gesellschaften widerspiegelte, sondern dass puristische Initiativen institutionalisiert wurden. Über die inzwischen möglich gewordene staatlich geförderte Sprachregelung und deren zunehmender politischer Instrumentalisierung erfasste der Purismus praktisch den gesamten öffentlichen Sprachgebrauch. Seit Mitte der 80er Jahre wurde die Fremdwortjagd zu einer „verbreiteten Volksbewegung" (KIRKNESS 1998, 413). Dabei markierte die Einigung Deutschlands im Jahre 1871 einen Wendepunkt in der Geschichte des Purismus jüngsten Datums, „da die nun zentralisierten Behörden für Post- und Fernmeldewesen, Eisenbahnen, Gesetzsprechung, Erziehung und Verwaltung sämtlich entsprechende 'reichseinheitliche' sprachliche Normen brauchten." (WELLS 1990, 423.) So setzten sich jetzt im Zusammenhang mit der Neuorganisation des öffentlichen Lebens Reichsbehörden und Verwaltungsbeamte auf allen Ebenen vielfach für den Fremdwortpurismus ein.

Wohl am bekanntesten ist der Generalpostdirektor Heinrich von Stephan (1831–1897), der – da er 765 fremdsprachige Wörter der Postsprache durch deutsche ersetzt hatte – 1887 sogar zum Ehrenmitglied des 1885 von Herman Riegel gegründeten „Allgemeinen Deutschen Sprachvereins" ernannt wurde. So gehen auf ihn neben einigen bereits oben (vgl. Kap. 1.7.3) genannten Beispielen *Postausweis* (statt *Mandat*), *Fahrschein* (für *Billet*), *Merkbuch* (für *Notizbuch*), *Dienstalter* (für *Anciennetät*) zurück. Wiederbelebt wurden *Postkarte* (für *Correspondenzkarte*, schon im 18. Jh.), *Anschrift* (für *Adresse*, geht vermutlich auf Philipp von Zesen zurück) u. a. (s. WELLS 1990, 424). Allerdings galten seine Reformen nicht für Österreich, sodass hier üblicherweise noch lange die fremdsprachlichen Bezeichnungen (*rekommandiert, Poste restante* ...) verwendet wurden.

Bekannt wurde auch der Geheime Oberbaurat Otto Sarrazin mit einer weitgehenden „Reinigung" der Amtssprache des Bauwesens und der Eisenbahn; so listete er z. B. in seinem „Verdeutschungs-Wörterbuch" *Bürgersteig* (für *Perron*), *Fahrgast* (für *Passagier*), *Fahrrad* (für *Velo*). Trotz gelegentlichen Widerstandes gegen solche Verdeutschungsmaßnahmen sind die Neubildungen zum großen Teil in den allgemeinen Sprachgebrauch eingegangen.

Eine besondere Bedeutung erlangte der schon genannte „Allgemeine Deutsche Sprachverein" (ADSV), der sich neben der Sprachreinigung vor allem der Pflege der Muttersprache widmete. Ungeachtet seiner insgesamt widersprüchlichen und insbesondere in Abhängigkeit von den jeweiligen Zweigvereinen unterschiedlichen sprachpolitischen Schwerpunktsetzungen stellte sich der Gesamtverein zunehmend in den Dienst der nationalsozialistischen Ideologie und unterstützte vor allem in seinen fremdwortpuristischen Aktivitäten den Alltagsfaschismus der kleinen Funktionäre und Mitläufer. Dabei wirkte der ADSV insbesondere mit seinen beiden Leitsprüchen *Gedenke auch, wenn du die deutsche Sprache sprichst, daß du ein Deutscher bist* und *Kein Fremdwort für das, was deutsch gut ausgedrückt werden kann* im Sinne der Verbreitung einer deutschtümelnden, sprachnationalistischen Gesinnung (s. SIMON 1989, BLUME 1998, KILLIAN/NIEHR/SCHIEWE 2016, LIPCZUK 2007).

Während des Ersten Weltkrieges wurde der Fremdwortpurismus durch einen militanten Chauvinismus gekennzeichnet, gleichzeitig jedoch auch eine Besinnung auf die allgemeineren sprachpflegerischen Ziele deutlich. Mit der anschließenden Neuorientierung des Allgemeinen Deutschen Sprachvereins (ab 1923 nur noch „Deutscher Sprachverein“), dessen Zeitschrift seit 1925 „Muttersprache“ hieß, wurden die nationalen Zielstellungen verstärkt „und die gröberen Strömungen eines *völkischen* Nationalismus [...] traten wieder an die Oberfläche, begleitet von antisemitischen und rassistischen Artikeln [...]. Aber wider alles Erwarten interessierten sich weder Hitler noch Goebbels für radikale Puristen und die Tätigkeit des Vereins wurde von diesen schließlich sogar unterdrückt.“ (WELLS 1990, 427.)

Das Beispiel des ADSV zeigt, wie stark Politik und Purismus um die Wende zum 20. Jh. miteinander verbunden waren. Auch wenn der Fremdwortpurismus in seiner aggressiven Form mit Beginn der Vereinskrise in den 30er Jahren an Einfluss verlor, „sollte nicht übersehen werden, daß infolge seiner ‘sprachreinigenden’ Gesinnung vor allem unter Lehrern und Beamten Deutschland (neben Frankreich) zu den Ländern mit der stärksten Abwehr der Internationalisierung des modernen Wortschatzes gehört“ (V. POLENZ 1999, 285). So ist die ‘Fremdwortfrage’ bis in die Gegenwart Gegenstand konträrer Positionen sowohl in der Schule und Sprachpflege als auch in der öffentlichen sprachkritischen Diskussion, wie u. a. die „Stellungnahme der Gesellschaft für deutsche Sprache zum englischen Einfluss auf die deutsche Gegenwartssprache“ im Zusammenhang mit den „Tutzinger Thesen zur Sprachenpolitik in Europa“ (veröffentlicht in: Der Sprachdienst 6/99) oder der „Verein deutsche Sprache“ (gegründet 1997 als „Verein zur Wahrung der deutschen Sprache“) deutlich macht.

1.7.4.2 Sprache in der politischen Auseinandersetzung

Je mehr die als „Demokratisierung“ bezeichnete Teilhabe der deutschen Bevölkerung am öffentlichen politischen Leben zunahm, d. h. je stärker im Zeitalter der Parlamentsreden, der Wahl- und Pressekämpfe, der Parteigründungen und -streitigkeiten, der Streiks und gewerkschaftlichen Debatten der Kampf der Meinungen von den Sitzungszimmern in die Öffentlichkeit getragen wurde, desto häufiger wurde auch die Sprache in den Dienst dieser Auseinandersetzungen gestellt. Dies bedeutete nicht nur, dass die sich nun etablierenden gesellschaftlichen Kräfte ihren politischen Bedürfnissen Ausdruck verschaffen mussten, sondern dass zugleich die politischen Akteure – die allmählich mündig werdenden Staatsbürger – lernten, sich dieser neuen Kommunikationsformen zu bedienen.

In diesem Zusammenhang spielten neben der Presse auch die sich seit Mitte des 19. Jh. aus den Verbündnissen der Handwerksgesellen formierenden Arbeitervereine eine herausragende Rolle, die sich im Anschluss an die Gründung der „Allgemeinen deutschen Arbeiter-Verbrüderung“ 1848 in vielen Orten Deutschlands herausbildeten. Hier wurde die notwendige Neugestaltung Deutschlands auch aus der Interessenlage der sich nun als ‘Arbeiter’ verstehenden Bevölkerungsschicht diskutiert. Es ist kein Zufall, dass sich die Bezeichnung *Arbeiter* gerade 1848 in Deutschland durchsetzte bzw. zu neuer Geltung gelangte und nun auch ältere Gruppenbezeichnungen wie *Geselle* und *Gehülfe* umfasste. Das Solidaritätsempfinden – wofür das deutsche Wort *Verbrüderung* noch vorherrschte – war getragen von Gemeinsinn und dem Bewusstsein der gleichen Rechte für alle Menschen. Dieses neue Standesbewusstsein drückte sich auch darin aus, dass ein „normgerechter Sprachgebrauch in Rede und Schrift als unerlässlich“ galt (MIHM 1998, 308). Dies galt insbesondere für die „aufwärtsorientierten“ (a. a. O., 298) Bevölkerungsteile, mithin nur einen Teil der vielfältig differenzierten Arbeiterschaft, doch konnte Mihm zeigen, dass dieser „über eine beachtliche Sprachkompetenz“ (a. a. O., 303) verfügte.

Andere Untersuchungen verweisen darauf, dass es vor allem in der zweiten Hälfte des 19. Jh. zu einem „Auseinandertreten einer sprechsprachig-dialektal geprägten Arbeitersprache und einer schriftsprachig-überregional geprägten Bürgersprache kommt“ (MATTHEIER 1986, 239). Allerdings wird seit der Jahrhundertwende auch in der ohnehin sehr heterogenen ‘Arbeitersprache’ der dialektale Anteil immer weiter zurückgedrängt.

Die Gründung des „Allgemeinen Deutschen Arbeiter-Vereins“ 1863 durch Ferdinand Lassalle und die 1869 durch August Bebel und Wilhelm Liebknecht ins Leben gerufene „Sozialdemokratische Arbeiterpartei“ stellten gemeinsam mit der sich formierenden Frauenbewegung einen weiteren Einschnitt im Prozess der Konsolidierung der Arbeiterbewegung und ihrer Politisierung dar. In dem sich allmählich etablierenden Arbeiterbildungswesen wurden die Voraussetzungen für den sozialen, geistigen und ökonomischen Aufstieg, für die *Emanzipation* der Arbeiter geschaffen. Dabei wurden u. a. die von Schule und Öffentlichkeit vertretenen Sprachnormen als ein „absolut geltendes Normensystem“ akzeptiert, ja, jene besaßen eine „geradezu moralische Verbindlichkeit“ (MIHM 1998, 305). An den Fähigkeiten, das Hochdeutsche „den geltenden Normen entsprechend zu verwenden, entschied sich letztlich die politische Karriere der Mitglieder“ (a. a. O., 307). Die gemeinsame Lektüre und Diskussion oft konkurrierender theoretischer Texte führten ebenso wie z. B. Rednerschulungen auch zur Ausbildung der für die öffentliche Diskussion notwendigen neuen Kommunikationsformen, die sich schließlich in Massenveranstaltungen Gehör verschafften.

Vor allem seit der Mitte des 19. Jh. entwickelten Karl Marx und Friedrich Engels in Auseinandersetzung z. B. mit Eduard Bernstein und Karl Kautsky die Grundlagen für den Fachwortschatz des „dialektischen und historischen Materialismus“ und der politischen Ökonomie. Sie knüpften dabei an die Terminologie der englischen bürgerlichen Gesellschaftswissenschaften, der frühen sozialistischen und utopischen Lehren und an die Sprache ihrer Zeit an. Im „Manifest der Kommunistischen Partei“ (1848) wurden wesentliche Elemente der politischen Terminologie definitorisch vorbereitet. Seit dieser Zeit setzte in verstärktem Maße die Differenzierung des ideologisch bedingten Wortschatzes ein.

Das sei am Beispiel der Semantik von *Revolution* gezeigt. So definierte das in der DDR herausgegebene „Philosophische Wörterbuch“ Revolution als: ‘grundlegende qualitative Umwälzung im Leben der Gesellschaft; der Begriff *soziale R.* bezeichnet die Beseitigung einer überlebten und die Errichtung einer höheren *ökonomischen Gesellschaftsformation* und damit verbunden den Übergang der politischen Macht aus den Händen einer reaktionären in die einer progressiven Klasse’ (BUHR/KOSING 1985, 285). Aufgrund spezieller sozial-ökonomischer Studien erkennen Marx und Engels, dass R. (von ihrem theoretischen Standpunkt aus) nicht durch gemeinsprachliche Bezeichnungen wie *Umwälzung, Umsturz, Veränderung von politischer Herrschaft* wiedergegeben werden könne, weil sie den dialektischen Zusammenhang zwischen den politischen, sozialen und ökonomischen Ursachen von R. in Verbindung mit dem Klassenkampf nicht widerspiegeln. Um den Klassencharakter einer R. auszudrücken, verwenden sie attributive Elemente: *bürgerliche R.*; *kommunistische, proletarische R.*; *Arbeiterrevolution, R. des Proletariats. R.* steht im Systemzusammenhang mit weiteren Elementen, insbesondere mit: *Klassenkampf, Arbeiterklasse, antagonistische Klassengesellschaft, revolutionär-demokratische Diktatur der Arbeiter und Bauern, ökonomische Gesellschaftsformation, Konterrevolution, Basis und Überbau* (s. FRATZKE 1978). Andere Lexeme und Wortgruppen, die vor allem unter dem Einfluss der Gewerkschaftsbewegung verbreitet wurden, sind: *Arbeiter* (*Lohnarbeiter, Proletarier*), *Arbeiterbewegung, -bewusstsein, -klasse, -partei*; *Arbeitgeber, -nehmer*; *industrieller, moder-*

ner, städtischer, ländlicher Lohnarbeiter; Proletarierbewegung, -klasse, -masse, Fabrikproletariat; moderner, revolutionärer Proletarier; Proletarier aller Länder, vereinigt euch! (s. ADELBERG 1978, 1981).

Zu beobachten ist aber auch, dass aufgrund der verschiedenartigen politischen Strömungen zahlreiche Wörter und Parolen als Schlagwörter oder Losungen verwendet werden und damit sowohl der eigenen Darstellung wie auch der gezielten Verunglimpfung der politischen Gegner dienen. Das kann dazu führen, dass diese Schlüsselwörter polysem werden, vgl. z. B. *Demokratie*, und zu ihrer spezifischen Verwendung erläuternder Attribute bedürfen, hier z. B. *konstitutionelle, liberale, parlamentarische, politische, formale, westliche, Präsidenten-, Plebiszit-, Sozial-, Volksdemokratie* (s. WELLS 1990, 433).

Mit der Entwicklung der Presse drangen auch zahlreiche, z. T. metaphorische Wendungen und Wörter aus der politischen Sprache in den allgemeinen Sprachgebrauch ein, vgl.:

einen Rückzieher machen; Mut, zum Fenster hinaus zu reden; rettende Tat und kühner Griff; die wehrlosen Frauen und Kinder; Kirchhofsruhe.

„Dem Bürger würzten solche Redensarten das Zeitungsstudium; wandte er sie an, erwies er sich als belesener und witziger Kopf, und so wurde der Zweck der Wortprägung schnell erreicht."
(MACKENSEN 1971, 191.)

Auf die Bedeutung der Französischen Revolution ist in diesem Zusammenhang bereits hingewiesen worden (vgl. Kap. 1.6.5.1). Erst seit der 2. Hälfte des 19. Jh. nimmt der Einfluss des Englischen auf die politische Sprache wie auch auf die Alltagssprache zu. Die schon seit dem Ende des 19. Jh. kritisierte 'Engländerei' verstärkte sich mit Beginn des 20. Jh. kontinuierlich, wobei für die politische Sprache besonders Lexik aus dem Bereich der politischen Demokratie sowie der parlamentarischen Auseinandersetzung übernommen wird:

Parlament, Präsident, Opposition, Debatte, Adresse, Speaker, Interview, lynchen, Boykott, Streik
(s. TSCHIRCH 1989, 274; VIERECK 2004).

1.7.4.3 Sprache in der Zeit des Nationalsozialismus

Mit dem wachsenden Einfluss der Nationalsozialisten seit Ende der 20er Jahre des 20. Jh. gewann auch deren Ideologie – eigentlich ein Konglomerat sehr diffuser ideologischer Anschauungen – zunehmend Anhänger. Nach ihrer Machtübernahme 1933 verbreiteten die führenden Kräfte der Hitlerdiktatur in konzentrierter Weise antisemitisches, antikommunistisches, militaristisches, nationalistisches, chauvinistisches und revanchistisches Gedankengut, wobei sie an latent vorhandene Strömungen anknüpfen konnten, und begannen das deutsche Volk systematisch auf einen Krieg vorzubereiten und dieses schließlich mit dem Zweiten Weltkrieg in das verbrecherischste Kapitel seiner Geschichte zu führen.

Obwohl die Forschung bereits unmittelbar nach Ende des Krieges begann, sich mit der politischen Sprache in dieser Zeit als einem wichtigen Faktor der Durchsetzung der nationalsozialistischen Herrschaft auseinanderzusetzen, blieb der Gegenstand selbst lange „auf eigenartige Weise diffus", was schon durch die „Kontroverse der Konzepte 'Sprache des Faschismus' vs. 'Sprache im Faschismus' (EHLICH 1998, 275) deutlich wird. Nach wie vor zu erklären bleibt auch, welche Art von Sprache wirkte, damit die Nationalsozialisten zunächst an die Macht gewählt wurden und schließlich von einer breiten Mehrheit der Bevölkerung freiwillig unterstützt wurden ('Sprache zum Nationalsozialismus hin') (v. POLENZ 1999, 547, s. auch HOFFEND 1987).

Insbesondere in den ersten Veröffentlichungen galt die besondere Aufmerksamkeit der 'Verführungsmacht' der Sprache, den „Wörtern des Unmenschen" (STERNBERGER/STORZ/SÜSKIND 1986).

So notierte auch Victor Klemperer (1881–1960), der unmittelbar nach dem Krieg mit seinen Aufzeichnungen „LTI. Notizbuch eines Philologen" (1. Auflage 1947, 25. Auflage 2015) aus der direkten Betroffenheit die erste linguistische Analyse dieser Zeit vorlegte, dass die stärkste Wirkung der Sprache nicht durch Einzelreden ausgeübt wurde,

> „auch nicht durch Artikel oder Flugblätter, durch Plakate oder Fahnen, sie wurde durch nichts erzielt, was man mit bewußtem Denken oder Fühlen in sich aufnehmen mußte. Sondern der Nazismus glitt in Fleisch und Blut der Menge über durch die Einzelworte, die Redewendungen, die Satzformen, die er ihr in millionenfachen Wiederholungen aufzwang und die mechanisch und unbewußt übernommen wurden." (KLEMPERER 2007, 26.)

Gleichschaltung und die Losung *Du bist nichts, dein Volk ist alles!* sind typische sprachliche Wendungen, die diesen Zustand charakterisieren.

In jüngeren Untersuchungen wird zunehmend darauf aufmerksam gemacht, dass über die Analyse des Stils und der verschiedenen Schichten des nationalsozialistischen Wortgebrauchs hinaus das gesamte sprachliche Handeln in seinen unterschiedlichen Facetten zu berücksichtigen ist. Das umfasst den Alltags- und Freizeitdiskurs, die Werbung, die Jugendkultur und inszenierte Großveranstaltungen mit ihrer typischen Symbolik ebenso wie die Rolle von Radio und Film, die Funktionen von Witzen wie die des Schweigens bis hin zur Sprache des Widerstandes (s. EHLICH 1998, MAAS 1984, 1991; BAUER 1988, GREULE 2004; SCHLOSSER 2013). Nicht die Sprache 'an sich' – wie Zuschreibungen wie 'Macht der Sprache' nahelegen –, sondern die Akteure und der Umgang mit Sprache müssen stärker ins Blickfeld gerückt werden.

Aber wie konnte sich (fast) eine ganze Nation einer auf Vernichtung ganzer Völker zielenden Ideologie unterwerfen, „nur" durch Manipulation? Utz Maas, der sich insbesondere der Alltagskommunikation in der Zeit des Faschismus widmete, ermittelte „geradezu ein spiegelverkehrtes Bild von der Sprache im Nationalsozialismus gegenüber den landläufigen Propaganda- und Manipulationsanalysen" (MAAS 1991, 29). Auf der Basis einer durchgehenden Mobilisierung der Massen, die erreicht werden konnte, weil der Nationalsozialismus an die durch die Wirtschaftskrise hervorgerufene Hoffnung auf Befriedigung handfester ökonomischer Bedürfnisse und damit zugleich nach politischer Veränderung anknüpfte, sowie eines zunächst versteckt, dann immer offener agierenden Systems des gegenseitigen Misstrauens bis hin zum Terror wirkte ein beispielloser Integrationsmechanismus, dem sich nach und nach alle Bereiche des gesellschaftlichen Lebens unterordneten. (Freiwillige) Unterordnung, das 'Mitvollziehen' der gesellschaftlichen Verhältnisse aber erforderte keine besondere sprachliche Beeinflussung (s. auch HOFFEND 1987). Sprache ist vor allem dort gefordert, wo es gerade um einen effektiven Widerstand geht. In diesem spezifischen Sinne (und nicht etwa bezogen auf die Sprache als Ganzes) beruht nach Maas die Reproduktion der nationalsozialistischen Verhältnisse eben nicht auf der „Macht" des propagandistischen Wortes, sondern gerade auf der Lähmung der Sprache: „Lähmung dabei so verstanden wie wenn man sagt: 'Ich war wie gelähmt, ich konnte mich nicht bewegen.'" (MAAS 1991 29.) Daraus leitet er die Forderung ab, diese letztlich auch sprachlichen

'Fährbewegungen' der Erfahrungen der Menschen in die Politik hinein zu rekonstruieren, und demonstriert, wie entsprechende Analysen vorgehen könnten. Bereits der folgende Textauszug aus einem generalisierten Mahnschreiben von 1937 macht die Überwachung (hier selbst der Eltern durch ihre Kinder) und feste Einbindung der Jugendlichen in den nationalsozialistischen Staat deutlich:

> *Achtung!* *Achtung!*
>
> *Eltern sehr wichtig!*
> Betrifft Ihre Jungen im Jungvolk!
>
> Wir bitten Sie in Ihrem eigenen Interesse, ihre Jungen pünktlich
> und *regelmäßig*
> zum *Jungvolkdienst*
>
> zu schicken. Der Reichsjugendführer verlangt von uns Führern, daß
> wir bei dreimaligem *unentschuldigtem* Fehlen die Jungen aus dem Jungvolk ausschliessen müssen. Es wird für die Ausgeschlossenen später
> kaum die Möglichkeit bestehen, in einer Gliederung der Partei wieder aufgenommen zu werden, was sich natürlich für das spätere Fortkommen (Beruf, höhere Schule usw.) für den Jungen sehr nachteilig auswirken wird. Dasselbe trifft auch für die Beitragszahlungen zu.
> Achten Sie bitte darauf, daß die Beiträge bis zum 10. jeden Monats bezahlt werden, da die Zugehörigkeit zum Jungvolk von den Beitragszahlung abhängig ist. Für jeden monatlichen Beitrag wird eine Marke geliefert.
> Der Führer des Fähnleins ...
>
> gez.... gez....
>
> (MAAS 1984, 94.)

Die Informationspolitik – und somit auch die Sprache – wurde dabei durch den totalitären Staat massiv kontrolliert und eingeschränkt. Insgesamt etwa 75000 Weisungen, Sprachregelungen und Tagesparolen sind (so ALEFF 1974, zit. nach FIRYN 2011, 128) nachzuweisen. Wie zahlreiche Untersuchungen zeigen, war der eigene Anteil der Nationalsozialisten an neuen Wortschöpfungen gering. Viel eher griffen sie auf bekanntes und positiv konnotiertes Wortgut zurück und aktivierten älteren deutschen Wortschatz: „So läßt sich eine ganze Reihe von lexikalischen Entwicklungen in der Sprache des Faschismus als sogenannte 'gestohlene Losungen' interpretieren, beispielsweise als Übernahme aus der deutschen Arbeiterbewegung und vor allem der Arbeitersportbewegung, als Nutzung von Termini, die eng mit sozialdemokratischen und kommunistischen Traditionen verbunden waren." (TECHTMEIER 1987, 322.)

Speziell der Wortbestand des Militärwesens ist in den alltäglichen Sprachgebrauch aller Lebensbereiche eingedrungen. Dabei gehört die Forderung nach *Lebensraum* ebenso zum ideologischen Arsenal wie die Mystifizierung der Fronterlebnisse.

Wortschatz:
Blitzkrieg, Bombenteppich, Arbeitsschlacht, Erzeugungsschlacht (in der Landwirtschaft), *Geburtenschlacht, Einsatz, vorderste Front, marschieren, Endsieg, Ordensburg, Schulungs-, Hitlerfront.*

Zur Ideologie der Nationalsozialisten gehörte der Mythos von der *„nordischen Rasse"*, mit dem das deutsche Volk zu Hochmut und Dünkel gegenüber anderen Völkern erzogen werden sollte. Eng damit verbunden ist der Antisemitismus. Das Wortgut dieser

Bereiche wurde im Wesentlichen der Biologie und der „*Rassenlehre*“ des ausgehenden 19. Jh. entnommen:

arisieren, nordisch, Herrenrasse, Blutschande, entartet, artfremd, -bewusst; Rassengesetzgebung, -gedanke, -ideologie, -lehre; Ariergesetzgebung, -paragraph, Halbarier, Nicht-; Aufnordung; Erbsünde, -masse; Abstammung, Zuchtwart (s. SCHMITZ-BERNING 2007, STERNBERGER/STORZ/SÜSKIND 1986, SEIDEL/SEIDEL-SLOTTY 1961).

Eine besondere Gruppe diffamierender Lexik stellten Metaphern dar; jüdische Menschen werden u. a. als *Schmarotzer, Schädling* und *schädlicher Bazillus* angegriffen, vgl. auch *Asphaltliteratur, Bonzen* (FIRYN 2011b); weitere Wörter sind *Judenausrottung, -hass, -knecht, -tum, jüdisch-bolschewistische Kulturlosigkeit, jüdisch-international, jüdisch-marxistische Weltanschauung.*

Die nationalsozialistische Propaganda vom *Volk ohne Raum* und die *Blut-und-Boden-Mystik* hatten die Aufgabe, vor allem die deutsche Landbevölkerung in die ideologische Kriegsvorbereitung einzubeziehen. *Blut* ging als hoch emotionales Wort in viele Komposita und Wortgruppen ein:

Gesetz zum Schutze des deutschen Blutes und der deutschen Ehre, unser Gesetz heißt Blut und Boden, der Gedanke von Blut und Boden, eigenblütiger „Unterbau“, sich blutmäßig mit dem Boden verbunden fühlen, Blutopfer, Kampf um Blut und Lebensraum, Sieg des Blutes gegen volksfremde Willkür, räumliche Ausdehnung des deutschen Blutes, Hinwendung zum deutschen Blut, fremdblütige Deutsche.

Mit besonderem Erfolg wurden auch Wörter aus dem religiösen und mythologischen Bereich in den Dienst der Demagogie gestellt:

ewig, heilig, Weihe, Glaube, Sendung, fanatisch, Fanal.

Charakteristisch für die offizielle Sprache des „Dritten Reiches“ war aber auch, dass mit Hilfe zahlreicher Euphemismen die Bevölkerung irregeführt werden sollte (s. FORSTER 2009): *Konzentrationslager* für *Straf- oder Zwangslager* war weniger verfänglich, und *Endlösung* konnte wohl auch eher akzeptiert werden als *Völkermord.* Mit der euphemistischen Wendung *Endlösung der Judenfrage* wurde die beabsichtigte vollständige Vernichtung des jüdischen Volkes verschleiert. Wie in SCHMITZ-BERNING (2007) gezeigt wird, gab es besonders viele Umschreibungen für das Töten, insbesondere Komposita mit *Sonder-*:

Sonderbehandlung, -aufgabe, -aktion, sonderbehandeln, Sonderbehandlungsangelegenheit, Sonderbehandlungsfälle, Sondereinsatz, Sonderkommando, Sonderwagen/S-Wagen ('fahrbare Gaskammern'); weiterhin: *betreuen, Betreuung* ('Überstellung in ein anderes Lager, zur Hinrichtung bringen').

In anderen Bereichen erschienen immer dann viele Euphemismen, wenn wirtschaftliche Not auftrat:

Engpass für *Versorgungskrise, Austauschstoff* für *Ersatz, Frontbegradigung* für *Rückzug* (s. WELLS 1990, 448).

Lexik wurde auch durch Umwertungen – z. B. positiv bei *fanatisch*, negativ bei gegnerischen Begriffen (Kontrastierung) – oder das „Besetzen“ von Begriffen beeinflusst. (s. FIRYN 2011, 132). Aber auch das „Verschweigen“ bzw. der „Nichtgebrauch“ bestimmter Wörter (*Demokratie, Wahlen, Streik, Armut* u. a., s. ebd.) trugen zur Gleichschaltung der Bevölkerung bei.

Dem Ziel, die Bevölkerung im Sinne der nationalsozialistischen Ideologie zu beeinflussen, dienten auch typische **Stilmittel**, die von Berning zusammenfassend dem „Verschleierungsstil" zugeordnet werden.

Häufung des Ausdrucks mit dem Ziel der Verstärkung: *eigenstes und totales Erlebnis, Deutschtum und Deutschheit; die Gemeinschaft will auch geübt werden, und sie will exerziert sein.*
Falsches Pathos durch unangebrachte Kampfstimmung: *dass von diesem Hause aus Kraftströme gehen mögen gegen alle Giftpfeile, die gegen Deutschtum und Deutschheit geschleudert werden.*
Schwulst: *Er* (der Erzieher) *wage seine eigene Tiefe nah, schmerzhaft nah an die Wahrheit des Lebens; aus der reiferen Einsicht in die Gassen und Sterne der deutschen Volksgemeinschaft breche unaufhaltsam und unabdingbar seine heiße Liebe zur Neuschmelze aller verbürgerlichten Lebenswerte.*
Superlativismus: *tausendjähriges Reich, Großdeutschland, -europa, -japan, -lebensraum; totaler Krieg, totale Mobilmachung, Totallösung; lebendige Totalität; dem besten Soldaten der Welt sind die besten Waffen der Welt von den besten Arbeitern der Welt zur Ausrüstung geliefert*, aber auch *heroisch, schneidig, absolut, nie dagewesen* (s. hierzu besonders KLEMPERER 2007, 289 ff.).

Wenn G. BAUER (1988, 61) feststellt: „Der NS-Jargon stellt eine außerordentlich produktive Kraft dar, die das offizielle Gebrüll, den sprachlichen Gleichschritt, viel Verführung und Nötigung und eine Menge von barem Unsinn hervorbrachte", so bestätigt er damit, was KLEMPERER schon in seiner „LTI" beschrieben hatte:

„Die LTI ist ganz darauf gerichtet, den einzelnen um sein individuelles Wesen zu bringen, ihn als Persönlichkeit zu betäuben, ihn zum gedanken- und willenlosen Stück einer in einer bestimmten Richtung getriebenen Herde, ihn zum Atom eines rollenden Steinblocks zu machen. Die LTI ist die Sprache des Massenfanatismus." (2007, 36 f.)

Auch wenn diese sprachlichen Mittel einerseits sowohl vor als auch nach der Zeit zwischen 1933 und 1945 Parallelen finden und andererseits nur bedingt bleibende Veränderungen in der deutschen Sprache bewirkt haben (s. EITZ/STÖTZEL 2007/2009), so leistete dennoch das „(semantisch gesehen) viel enger gesteckte Ziel, ideologische Werte über die ganze Nation hin zu propagieren, seinen Beitrag zur Aufrechterhaltung eines Regimes, das Millionen unschuldiger Menschen ermordete." (WELLS 1990, 449.)

1.7.5 Zur Entwicklung der deutschen Orthographie und Orthoepie

1.7.5.1 Einheit der Rechtschreibung

Die Entwicklung der Hochsprache (i. S. einer prestigeträchtigen Schriftsprache) und nationalen Literatur war um 1800 zu einem relativen Abschluss gekommen. Auf dem Gebiet der Schreibung war indes noch immer keine Einheitlichkeit erzielt worden, denn das Fehlen der nationalen staatlichen Einheit erschwerte eine Regelung der Orthographie: Um 1815 gab es 34 erbliche Monarchien und 4 Freie Städte!

Die Forderung nach einer deutschen Einheitsorthographie wurde schon seit dem Beginn des 16. Jh. erhoben (vgl. Kap. 1.6.2). Grammatiker, Schulpraktiker und Buchdrucker bemühten sich seit den Tagen Ickelsamers und der Reformationsdrucke immer wieder um eine Regelung der Orthographie (s. NERIUS 2007, 301 ff.). Doch blieb die Zahl der Schreibvarianten vor 1800 noch zu groß, als dass man von Einheitlichkeit sprechen könnte. Besondere Verdienste um eine Normierung haben sich Justus Georg Schottelius, Johann Christoph Gottsched und Johann Christoph

Adelung erworben. Daneben hat die von HIERONYMUS FREYER in Halle herausgegebene „Anweisung zur teutschen Orthographie“ (1722) in Deutschland große Verbreitung gefunden. Sie wurde durch ADELUNGS „Vollständige Anweisung zur Deutschen Orthographie“ (1788) abgelöst, die sich wiederum stark an GOTTSCHED anlehnte.
Die Ansichten dieser Grammatiker wichen kaum voneinander ab. Ihrem Streben nach Sprachrichtigkeit lagen in der Hauptsache phonetische und semantische Überlegungen zugrunde. So sollen homonyme Wörter auch grafisch auseinandergehalten werden: *Lärche – Lerche, Waise – Weise, Rad – Rat.* Der Umlaut von *a* wurde mit *ä* geschrieben, um so die Verwandtschaft der Wörter deutlich zu machen: *älter* (*elter*), *fällen* (*vellen*), *tränken* (*trenken*). In Wörtern mit etymologischer Verdunklung blieb man beim *e*: *edel, Eltern, fertig, behende* (zu *Adel, alt, fahren, Hand*). So hat sich im Laufe der Jahrhunderte bei dem größten Teil der Wörter in der Sprachpraxis eine allgemeine Übereinstimmung in der Schreibung ergeben. Nur auf einem verhältnismäßig kleinen Gebiet herrschte Unsicherheit und Schwanken. Hier setzten die Reformbestrebungen des 19. Jh. ein.

Mit dem Aufschwung der vergleichenden Sprachwissenschaft im 19. Jh. bildeten sich neue Ansichten zur Regelung der deutschen Orthographie heraus. Waren die bisherigen Reformer – entsprechend dem Adelung'schen Grundsatz: „Schreib, wie du sprichst!“ – zumeist Vertreter der Schreibung nach der Aussprache (phonetische Schule) bzw. nach dem Gebrauch (traditionelle Richtung), so kam mit Jacob Grimm das historische Prinzip in der Rechtschreibung zur Geltung (s. FIRYN 2011a). Ihm ging es dabei nicht in erster Linie darum, eine Kodifizierung der deutschen Orthographie zu erreichen, sondern die Regelungsvorschläge zielten darauf ab, „durch die Beseitigung einer Reihe von „unorganischen Erscheinungen“ eine der Schreibung des Mittelhochdeutschen sehr ähnliche Orthographie zu schaffen.“ (NERIUS 2007, 336.) Diese sollte sich durch Unabhängigkeit von der regional gefärbten Aussprache und durch Einfachheit auszeichnen, natürlichen Charakter tragen und nicht durch das normierende Eingreifen von Sprachwissenschaftlern geprägt sein.

Grimm forderte die Berücksichtigung sprachhistorischer Lautgesetze, z. B. Abschaffung des Dehnungs-*h*, wo es historisch nicht berechtigt ist. So sollten *Mohn* (mhd. *mahen, magen*) und *Gemahl* (mhd. *gemahel*) neben *Lon* (mhd. *lon*) stehen. Weiterhin forderte er die Großschreibung der Substantive fallenzulassen und nur die der Eigennamen und Satzanfänge beizubehalten, Konsonantenhäufungen zu vermeiden sowie einzelne Veränderungen wie die Schreibung *i* statt *y*, *sz* statt *ß*, *t* statt *th*, *t* statt *dt* und weitere das *v* und *f* betreffende Regelungen (s. VEITH 2004). Die historische Schreibweise verteidigten auch Karl Gustav Andresen, Otto Vilmar, Philipp Wackernagel, Karl Weinhold. Es wurde begonnen, diese Ansichten in die Schule hineinzutragen, und so verlangte man z. B. *ß*-Schreibung, wo dem Laut im Germanischen ein *t* entsprach: *Waßer* (nd. *water*), *Schweiß* (nd. *swēt*).

Gegen die historische Schule traten die Phonetiker auf. Sie forderten eine Schreibung nach der richtigen Aussprache: „Schreib, wie man richtig spricht!“ (was jedoch unter den Bedingungen einer nicht normierten Hochlautung kaum realisierbar war), allerdings ohne Berücksichtigung aller bisherigen Traditionen. – Eine Vermittlung zwischen beiden Richtungen erzielte Rudolf von Raumer (1815–1876). Er trat vor allem der historischen Schule entgegen und betonte, dass im Grundcharakter der deutschen Schreibung das Prinzip der lautgetreuen Schreibung sichtbar werden müsse, d. h., dass sich alle neuen Festsetzungen möglichst dem Vorhandenen anschließen und behutsam vorgenommen werden sollten.

Unter der Uneinheitlichkeit der Rechtschreibung litt vor allem die Schule, zumal fast jede Druckerei und jeder Verlag eine eigene Orthographie in den Schulbüchern verwendete. Um die Missstände zu beseitigen, versuchten seit den 50er Jahren des 19. Jh. verschiedene Schulen, Städte und Länder selbständig zu Lösungen zu kommen. Als Ergebnis der vereinzelten Konferenzen wurden „Regeln und Wörterverzeichnisse für deutsche Rechtschreibung" geschaffen, so 1854 in Hannover, 1857 in Leipzig, 1861 in Stuttgart, 1871 in Berlin. Nach der nationalstaatlichen Einigung „von oben" (1871) forderten die Bundesstaaten eine einheitliche Regelung der Rechtschreibung.

Auf der I. Orthographischen Konferenz von 1876 in Berlin wurde ein Entwurf von v. Raumer beraten, dessen Änderungsvorschläge insgesamt sehr behutsam und sämtlich seit längerer Zeit in der Diskussion waren. Dennoch fand er bei den Gegnern einer vereinfachten und lauttreuen Schreibung sowie in der Öffentlichkeit viel Widerspruch. Die Zusammenfassung der Ergebnisse veröffentlichte Konrad Duden (1829–1911), der ebenfalls als Vertreter der gemäßigten phonetischen Richtung galt, in seinem „Vollständigen Orthographischen Wörterbuch der deutschen Sprache" (1880 – sog. „Urduden") und legte damit den Grundstein für die spätere deutsche Einheitsschreibung von 1901.

Die Not der Schule duldete jedoch keinen Aufschub. Die Länder griffen zur Selbsthilfe und legten für ihre Bereiche die gültigen Normen in Regel- und Wörterverzeichnissen fest, allerdings unter Berücksichtigung der Entwürfe v. Raumers: Österreich und Bayern 1879, Preußen 1880 (Bismarck verbietet jedoch eigensinnig die Übernahme der Orthographieregelung für den „Reichsdienst"). Baden, Mecklenburg, Sachsen und Württemberg gaben eigene Bücher heraus, schlossen sich jedoch eng an das bayrisch-preußische Vorbild an. 1892 hatten auch 15 Schweizer Kantonsregierungen die preußischen Regeln als Norm für den Schreibgebrauch übernommen. Um 1900 wurden bereits fünf Sechstel aller Bücher und drei Fünftel aller Zeitschriften nach der Schulorthographie gedruckt.

1901 fand die II. Orthographische Konferenz in Berlin statt, an der alle Bundesstaaten, Österreich, die Schweiz, Vertreter des Druckereigewerbes und des Buchhandels teilnahmen und einer einheitlichen Rechtschreibung schließlich zustimmten. In dem „Orthographischen Wörterbuch der deutschen Sprache" von KONRAD DUDEN (1902) fand das Ergebnis dieser Konferenz ihren Niederschlag. Es wurde von allen deutschen Landesregierungen sowie von Österreich und der Schweiz gebilligt und ab 1903 im Schulunterricht und im amtlichen Verkehr für verbindlich erklärt. Damit war der Prozess der Durchsetzung einer einheitlichen Orthographie zunächst abgeschlossen. Die 1901 kodifizierte Regelung ist bis in die Gegenwart die Grundlage der deutschen Orthographie.

Gleichzeitig begann jedoch die Kritik an den Vereinbarungen von 1901. War es einerseits Dudens Verdienst, durch lexikographische Kodifizierung für eine große Zahl häufig gebrauchter Wörter eine gewisse Schreibsicherheit gewährleistet zu haben, so wuchs andererseits in der Folgezeit aufgrund der ständig steigenden Zahl von Neuaufnahmen, die z. T. ohne ausreichende theoretische Grundlage und ohne ausreichende Berücksichtigung systematischer Zusammenhänge erfolgte (s. V. POLENZ 1999, 241), die Zahl der Problemfälle. Besonders die zahlreichen Varianten im Fremdwortbereich führten immer wieder zu einer Zunahme der Wörter, allmählich jedoch auch zu Diskrepanzen in Einzelentscheidungen. Dies betraf vor allem die Groß- und Kleinschreibung sowie die Getrennt- und Zusammenschreibung. Die Gründung verschiedener Vereine zur Vereinfachung der Rechtschreibung in Deutschland, Österreich und der Schweiz sowie mehrere Reformprogramme, die sich vor allem auf die „mehr oder weniger weit gehende Beseitigung oder Einschränkung der Polyrelationalität zwischen Phonemen und Graphemen“ (NERIUS 2007, 393) richteten, führten in der ersten Hälfte des 20. Jh. immer wieder zu neuen Vorstößen in der Diskussion um eine Orthographiereform; ein entscheidender Durchbruch wurde jedoch nicht erreicht.

1.7.5.2 Einheit der Aussprache

Die deutsche Sprache hatte um 1800 nur in Gestalt der schriftlichen Formen eine relative Einheitlichkeit erreicht; von einer nationalen Norm der Aussprache war sie noch weit entfernt, denn die politische Zersplitterung Deutschlands hatte auch auf dem Gebiet der gesprochenen Sprache eine Einigung erschwert.

Die Bemühungen um eine Regelung der Orthoepie reichen in die Zeit der Anfänge der sich entwickelnden deutschen Nation zurück. Übereinstimmungen zwischen Schrift und Aussprache forderte bereits u. a. CHRISTOPH HUEBER in seinem „Modus legendi“ (1477), aber die Antwort auf die Frage, nach welcher Norm gesprochen werden sollte, wird erst im 17. Jh. versucht. Schottelius und seine Nachfolger vertraten die Auffassung, dass der Hochlautung eine über allen Mundarten stehende Lautung zu Grunde gelegt werden müsse. Von Wolfgang Ratke (1571–1635) wurde der Vorbildcharakter des meißnischen Deutsch betont. In den nächsten 150 Jahren erstrebte man dann eine Vereinheitlichung des gesprochenen Deutsch auf der Grundlage der ostmitteldeutschen Schriftsprache. Doch schon im beginnenden 18. Jh. finden sich Hinweise auf eine „bessere“ Artikulation der Verschlusslaute im Niederdeutschen, bei „Märkern, Pommern und anderen Nieder-Sachsen“ (H. FREYER, Deutsche Orthographie, 1722). Trotz aller Bemühungen blieb die Hochlautung um 1800 und noch weit ins 19. Jh. hinein stark landschaftlich geprägt.

Goethe reimte u. a. entsprechend frankfurtischem Gebrauch: *Augenblicke – zurücke, Bügel – Riegel, neige – Schmerzensreiche, Zweifel – Teufel, Tag – darnach.* Und Schillers Reime wiesen ihn als Schwaben aus: *Höhn – gehen, untertänig – König, vereint – Freund, Söhne – Szene; Miene – Bühne* u. a.

Nachdem seit Ende des 18. Jh. Sachsens wirtschaftliche und politische Macht zurückgegangen war und das norddeutsche Preußen die Nachfolge angetreten hatte, schwand auch das sprachliche Ideal sächsischer Aussprache (s. LERCHNER 1997). Im Niederdeutschen galt die Regel, nach der Schrift – dem gedruckten Wort – zu sprechen. Da die hochdeutsche Schriftsprache für den Norddeutschen eine „fremde Sprache“ war, die von der heimischen Mundart einen weiten Abstand hatte, bemühte man sich, das Hochdeutsche möglichst rein, d. h. buchstabengetreu, wiederzugeben. Wenn auch das Niederdeutsche insgesamt keine einheitliche Aussprache aufwies, so unterschied es doch weithin die Lenis-Artikulation der Konsonanten *b, d, g, s* von der Fortis-Artikulation der Konsonanten *p, t, k, s*, die im Hochdeutschen in vielen Gebieten nicht getrennt werden (sog. binnendeutsche Konsonantenschwächung). Ebenso ist dem Niederdeutschen die Entrundung von *ö, ü, eu* > *e, i, ei* fremd. So forderte bereits Johann Gottfried Seume (1763–1810) für die Schaffung einer deutschen Ausgleichssprache eine Ergänzung des Meißnischen durch den niederdeutschen Dialekt. Die Bühne solle für die ganze deutsche Nation die Norm für die beste Aussprache geben („Ein Wort an Schauspieler“), denn: „Die einzigen Sprecher, die in unterschiedlichen Sprachlandschaften oft zu hören waren und allgemein verständlich sprechen mußten, waren die Schauspieler, die von Ort zu Ort zogen.“ (MANGOLD 2000, 1804.)

Ähnliche Ansichten vertrat Johann Wolfgang von Goethe als Direktor des Weimarer Hoftheaters in seinen „Regeln für Schauspieler“ (1803). Er bestätigte 1824 den Vorbildcharakter des Niederdeutschen:

> „Ich habe in meiner langen Praxis Anfänger [...] aus allen Gegenden Deutschlands kennen gelernt. Die Aussprache der Norddeutschen ließ im Ganzen wenig zu wünschen übrig. Sie ist rein und kann in mancher Hinsicht als musterhaft gelten. Dagegen habe ich mit geborenen Schwaben, Östreichern und Sachsen oft meine Noth gehabt.“ (Gespräche mit Eckermann v. 5. Mai 1824, in: Johann Peter Eckermann. Gespräche mit Goethe in den letzten Jahren seines Lebens. Frankfurt/Main 1999, 534.)

Im Laufe des 19. Jh. bildete sich auf den deutschen Bühnen eine gewisse einheitliche Aussprache aus, die als Mustersprache angesehen werden konnte. Doch gegen Ende des 19. Jh. spalteten sich die „Aussprachenormierer“ in zwei Lager auf: Die einen propagierten regionale Aussprachestandard (z. B. J. Ackerknecht), die anderen „verfochten die Idee eines nationalen Aussprachestandards“ (GANSWINDT 2017, 11). Den ersten praktischen Beitrag zur wissenschaftlichen Erforschung der gesprochenen deutschen Sprache leistete Wilhelm Viëtor (1850–1918) mit seinem Buch „Die Aussprache des Schriftdeutschen“ (1885). 1898 fand in Berlin eine Beratung zwischen Bühnenvertretern und Hochschullehrern über eine einheitliche Aussprachenorm unter der Leitung von Theodor Siebs (1862–1941) statt. Die Beschlüsse dieser Tagung wurden von ihm unter dem Titel „Deutsche Bühnenaussprache“, Berlin 1898, herausgegeben. In der folgenden Zeit erlangte u. a. auch der Anglist Karl Luick mit seinem Werk „Deutsche Lautlehre mit besonderer Berücksichtigung der Sprechweise Wiens und der österreichischen Alpenländer“ (1904) in Fachkreisen große Beachtung.

In der Regel wurde als Norm festgelegt, die hochdeutschen Sprachformen nach norddeutschem (nicht niederdeutsch-dialektalem) Gebrauch auszusprechen. So ist zwischen *p, t, k* und *b, d, g* deutlich zu unterscheiden; ferner zwischen *ö, ü, eu* und *e, i, ei* usw. Daneben sind auch wesentliche Elemente des hochdeutschen Sprachgebrauchs aufgenommen worden, z. B. die Aussprache von *sp, st* als / *ʃp, ʃt* / im Anlaut, die Länge der Vokale in geschlossenen Silben wie/*ba:t, do:m*/(*Bad, Dom*), die Aussprache des Verschlusslautes *g* als/*k*/in/*zi:k, ta:k*/(*Sieg, Tag*) usw. So ist die Kodifizierung der Aussprachenorm zugleich ein Zeichen für den hochdeutsch-niederdeutschen Ausgleichsprozess (s. GERNENTZ 1980, MANGOLD 2000).

Die durch Siebs beeinflussten Normen der Bühnenaussprache wurden jedoch teilweise nicht den Anforderungen der gesellschaftlichen Entwicklung gerecht, denn sie entsprachen eher „bildungselitären Geschmacksurteilen“ (V. POLENZ 1999, 258) und weniger den tatsächlichen Bedürfnissen alltäglicher Sprachpraxis, wie sie von Viëtor favorisiert worden waren. Während die „Deutsche Bühnenaussprache“ auf der Bühne keinen vergleichbaren Konkurrenten hatte, besaß sie außerhalb der Bühne nur geringen Einfluss. Dies gilt besonders für Schulen und Hochschulen sowie für den Deutschunterricht im Ausland. (Erst mit der 19. Auflage (1969) wurde im Titel statt „Bühnenaussprache“ der neue Titel „Deutsche Aussprache“ verwendet und neben einer sogenannten reinen Hochlautung eine gemäßigte Hochlautung zugelassen.) In der Öffentlichkeit weitgehend unbekannt bzw. aufgrund regionaler Besonderheiten der Sprecher ignoriert, konnte sich diese strenge Aussprachenorm nicht durchsetzen. 1912 erschien das „mustergültig gearbeitete Deutsche Aussprachewörterbuch“ von Viëtor (s. MANGOLD 2000, 1805), das besser und konsequenter als die „Deutsche Bühnenaussprache“ war und einige Überspitzungen vermied. Dennoch blieb auch diese Arbeit ohne größeren Einfluss auf den Deutschunterricht und damit auf die Allgemeinheit.

Erst durch die Verbreitung von Rundfunk und Tonfilm zwischen den beiden Weltkriegen gewann die Aussprache im Rundfunk und von Filmschauspielern an Bedeutung, weil sie fast alle Bevölkerungsschichten erreichte. Telefon, Bevölkerungsbewegungen, Kontakte zwischen Sprechern unterschiedlicher Gegenden führten auch zu Veränderungen in der Aussprache. Allmählich entwickelte sich die Erkenntnis, dass eine neue Aussprachenorm notwendig sei.

1.7.6 Integration und Differenzierung zwischen den Varietäten

Im Zusammenhang mit regional weiträumiger und differenzierter gewordenen Kommunikationsmöglichkeiten sowie durch die verbesserten Lese- und Schreibfähigkeiten zunehmender Bevölkerungsgruppen infolge der gewachsenen Bildungsmöglichkeiten veränderten sich im Laufe des 19. und 20. Jh. auch die Beziehungen zwischen Mundarten, Umgangssprachen und Literatur- bzw. Standardsprache sowie zu den anderen Varietäten.

Mundart

Die Mundart (der Dialekt) ist die älteste der regionalen Varietäten. Sie ist ein regional, sozial und funktional relativ begrenztes Kommunikationsmittel und territorial vielfältig differenziert. Um zu einer Einteilung des deutschen Sprachgebietes in seine einzelnen Mundartlandschaften zu kommen, hat die Sprachgeographie (Dialektgeographie) bestimmte lautliche, grammatische und lexikalische Erscheinungen nach ihrem Vorkommen in den Mundarten untersucht. In der Regel wurde im Lautbereich der Stand der Zweiten (Althochdeutschen) Lautverschiebung (vgl. Kap. 2.3.3.1) zugrunde gelegt und regionale Abweichungen und Übereinstimmungen festgehalten. So ist man zu verschiedenen Grenzen gelangt, an denen sich mehr oder weniger Unterschiede bündeln lassen und die auf Linien gleicher Sprechweise (Isophone) oder Wörter (Isoglossen) auf Karten festgehalten werden; z. B. trennt die Grenze zwischen *maken-* und *machen-*Aussprache („Benrather Linie“) den niederdeutschen vom hochdeutschen Sprachraum, nach einer anderen Auffassung werden beide Sprachräume durch die *ik-ich-*Differenzierung („Uerdinger Linie“) unterschieden. Isophone mit Zusammenfall mehrerer Linienbündel führen zu kleinräumigen Mundartgebieten (z. B. Ortsmundarten), zu großräumigen (Kerngebiete, innerhalb deren die sprachlichen Unterschiede gering sind) und zu Rand- oder Übergangsgebieten (s. BERGMANN 1964, 31 ff.).

Als Kommunikationsmittel haben die Mundarten seit dem Aufkommen der Hochsprache immer mehr an Bedeutung verloren. Waren zu Beginn des 19. Jh. die Ortsdialekte noch die am weitesten verbreitete sprechsprachliche Varietät, so werden sie im Laufe des 19. Jh. allmählich von den Umgangssprachen abgelöst. Dabei wurden viele Mundartsprecher zunächst zweisprachig und damit sprachlich unfest. „Noch sorgte die alte Art der Lehrererziehung, die bis zum ersten Weltkrieg bodenständig blieb, im Schulunterricht für einen gemäßen Ausgleich zwischen Mundart und gemeinem Deutsch; aber schon mehrten sich die Stimmen, die den Dialekt als Merkmal eines veralteten Separatismus politisch verdächtigten.“ (MACKENSEN 1971, 82.) Seither

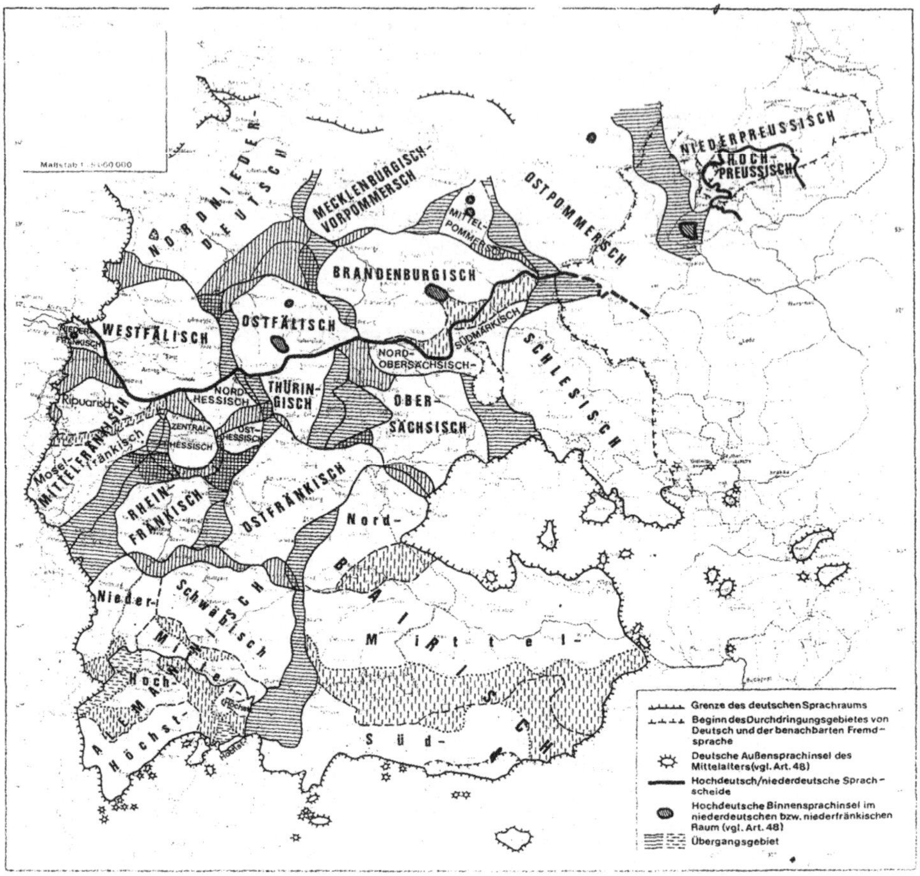

Karte 9: Die Gliederung des deutschen Sprachraums um 1900 (aus WIESINGER 1983 f.)

vollzieht sich ein fortschreitender Prozess des Dialektabbaus, der jedoch in den deutschsprachigen Gebieten sehr unterschiedlich verläuft und in einigen Regionen bis zum völligen Rückgang der Mundarten geführt hat (s. STICKEL 1997, MIHM 2000).

Der folgende Gesprächsauszug, aufgenommen 1973 mit einer damals 75-jährigen Nordmärkerin, macht nicht nur die Schwierigkeiten der Mundartsprecher Anfang des 20. Jh. deutlich, sondern zugleich auch die z. T. bis heute anhaltende 'Zweisprachigkeit', den Übergang in den Dialekt bei besonders emotionalen Äußerungen:

Über die Schule
„Jo, bi uns in de Schul, da is det all noch 'n büschen anders gewesen. In 'n ersten Jahrn ham wir noch platt redn dürfn. Na, klar, nur wenn det mit m Hoch nich jing. Un mal ens war det vorbei. Uns öller Köster war wech, un batz, een neuer war da. Un det war son richtijen Lehrer, son Studierter, der hat nur hoch geredt. Wat glöwt ji, wat is uns det schwer worn. Un die Schnatzers (pejor. für die, die von Haus aus bereits hochdeutsch reden), *die hatn det nu jut* […]" (DOST 1975, 151.)

Städte und industrielle Ballungsgebiete (z. B. Berlin, das Ruhrgebiet) haben sich bezeichnenderweise zuerst von der Mundart abgewandt. In landwirtschaftlichen Gebieten vollzog sich der Prozess langsamer. Dabei ist zu beobachten, dass diese Entwicklung stärker im Norden als im Süden, eher im Westen als im Osten voranschreitet, also in Gebieten, die von der Verstädterung und Industrialisierung besonders früh und intensiv betroffen wurden.

Seit dem letzten Viertel des 19. Jh., mit der politischen Einigung Deutschlands, geht die Umschichtung besonders schnell voran, da sich der Anteil der städtischen Bevölkerung gegenüber der ländlichen rasch vergrößert hat (s. KETTMANN 1981, 60 ff.):

	Großstadt	Mittelstadt	Land
1885	6 %	33 %	61 %
1925	27 %	43 %	30 %

Dieser Prozess ist zu beobachten, obwohl gerade in jener Zeit Dialektlyrik und Dialekterzählungen als Ausdruck der höheren kulturellen Wertschätzung besonders kultiviert wurden.

Der Rückgang der Mundarten führte jedoch nicht nur über die Städte. Der direkte Einfluss von Schule und Massenmedien jeder Art wirkte auch fern der Stadt. Mit der allmählichen Aufhebung des ökonomischen und sozialen Unterschiedes von Stadt und Land werden die Domänen der Mundart wie auch die Zahl ihrer aktiven Sprecher weiter eingeschränkt, bis sie schließlich in der Gegenwart in einzelnen Regionen vorwiegend nur noch als (allerdings bewahrenswertes) kulturelles Erbe betrachtet wird. Festzustellen ist, dass sich die Ablösung der Mundarten nicht stufenweise als Übergang von der kleinräumigen zur großräumigeren Varietät (durch allmählichen Abbau primärer Dialektmerkmale) und weiter zur Umgangssprache vollziehen muss, sondern die Umgangssprache selbst in kleineren Gebieten, z. B. in einzelnen Dörfern, (nahezu) ohne Zwischenstufen erreicht werden kann (zu Prozessen in der jüngeren Vergangenheit s. 1.8.3).

Umgangssprache(n)

Die Umgangssprachen (zur Problematik dieses Terminus s. u. a. LANGNER 1990; MIHM 2000) haben als Varietät je nach Region ihren Platz in einem spezifischen Bereich des Spektrums zwischen den kleinräumig gegliederten Dialekten und der übergreifenden Standardsprache. Sie entwickelten sich mit der Etablierung der Hoch- bzw. Standardsprache und wiesen von Anfang an eine vielfache Schichtung auf (s. EICHHOFF 1997, 184, MIHM 2000). Bei ihrer Herausbildung kommt es zu „Synchronisierungsprozessen“ zwischen kleinräumigen, gesprochenen Varietäten und Schriftsprache, die sich allmählich zu neuen Oralisierungsnormen entwickeln (SCHMIDT/HERRGEN 2011, 29).

Es gibt mundartnahe, kleinlandschaftliche Umgangssprachen, die nur wenige Elemente der Standardsprache aufgenommen haben und in einem kleinen Raum als Verkehrssprachen wirken. Im Unterschied zur heimischen Ortsmundart (Basisdialekt), mit deren Hilfe die neuen sprachlichen Anforderungen oft nicht mehr bewältigt werden konnten, entsprach die (zunächst nur erreichbare standardferne) Umgangssprache den Anforderungen vor allem der unteren sozialen Schichten in der Stadt, denen die Voraussetzungen für das Erlernen der Standardsprache größtenteils fehlten. Dabei unterschieden sich die Umgangssprachen z. T. erheblich voneinander, wobei differenzierende Faktoren bei ihrer Herausbildung zu berücksichtigen sind, z. B.: die Entstehungsbedingungen der jeweiligen Stadt bzw. des industriellen Zentrums, die Herkunft und soziale Zusammensetzung der Bevölkerung, der Charakter der dominierenden Produktion und nicht zuletzt die Spezifik des Sprachraumes (s. STICKEL 1997, MIHM 2000, GANSWINDT 2017).

Bereits um 1900 dürften die Umgangssprachen in der mündlichen Kommunikation die am häufigsten verwendete Varietät gewesen sein (mit Ausnahme der Schweiz und einiger süd- und norddeutscher Regionen), wobei jedoch mit starken individuellen Unterschieden im Grad der Ausprägung einer standardnahen vs. standardfernen Umgangssprache sowie ihrer jeweiligen funktionalen Verwendung im Spektrum zwischen Dialekt und Standardsprache zu rechnen ist.

Die großlandschaftlichen Umgangssprachen, wie z. B. die schwäbische, die obersächsische, die berlin-brandenburgische, umfassen größere Gebiete. Hierbei ist der Anteil mundartlicher Bestandteile geringer als in den kleinlandschaftlichen Umgangssprachen.

Lautung: Die Stellung der Umgangssprache zwischen Hochsprache und Mundart zeigt sich u. a. in der Lautung. In Anlehnung an die Mundart bildet z. B. die obersächsische Umgangssprache *bålde* (Ma. *bōlə* 'bald'), die berlin-brandenburgische *helft* (nd. *helpt*), *koofen* (nd. *köpen*) (s. auch MUNSKE 1983, 1012). Übergreifende Untersuchungen von GANSWINDT (2017) zeigen die differenzierten phonetischen Ausprägungen des landschaftlichen Hochdeutsch in verschiedenen Städten bzw. Regionen im ausgehenden 19. Jahrhundert.

Grammatik: Auch Morphologie und Syntax der Umgangssprachen zeigen Besonderheiten, die sich in einigen Bestandteilen der Mundart, in anderen der Standardsprache annähern. So stehen sich folgende umgangssprachliche „Einheitstempora" gegenüber: norddt. *er las* – süddt. *er hat gelesen* (jeweils für Perfekt und Imperfekt gebraucht). Umgangssprachlich ist ferner der sog. *s*-Plural des Niederdeutschen wie *Jungens*, *Mädchens*, der aber heute z. T. schon Norm ist in *Balkons*, *Buddenbroks*, *Parks*, *LKWs*. Umgangssprache und Standardsprache vermischen sich auch im Bereich des *n*-Plurals. *Buckeln*, *Möbeln*, *Stiefeln*, *Titeln* sind umgangssprachlich, *Kartoffeln*, *Muskeln*, *Pantoffeln* dagegen standardsprachlich. Umgangssprachlich, aber ohne regionale Beschränkung, sind folgende Formen: *das Geschäft ist zu*; *er ist aus*; *sie macht das Licht an* (*aus*); *das Bein ist ab* (s. HENZEN 1954, 200), ferner Kontraktionen wie *inne* (in die), *hamse* (haben sie), *ne* (eine) (s. MUNSKE 1983, 1012).

Lexik: Angleichungen zwischen Umgangssprache und Standardsprache zeigen sich ebenfalls im Wortschatz. So sind territorial bedingte Synonyme Ausdruck für die Annäherung beider Varietäten, beispielsweise im z. T. gleichberechtigten Nebeneinander von nördlichen und südlichen Formen: *Böttcher* – *Küfer* (mehr mittelrheinisch), dazu ofränk. *Büttner*, bair. *Schäffler*; *dreist* – *keck*; *fegen* – *kehren*; *Junge* – *Bub*; *Sahne* – *Rahm* – *Schmant*; *Sonnabend* – *Samstag*; *Schrank* – *Kasten*; *drei viertel acht* – *Viertel vor acht*. Besondere (landschaftliche) Verwendungsweisen bestimmter Wörter und Wortformen werden – wenn auch oft uneinheitlich und im Einzelnen problematisch – im „Duden" und anderen semantischen Wörterbüchern als „hochdt.", „landsch.", „norddt.", „österr.", „schweiz." usw. gekennzeichnet.

Die Umgangssprachen haben sich, wie oben schon erwähnt, abhängig vom Grad der Ausbreitung der Schriftsprache in den einzelnen Landschaften Deutschlands zu verschiedenen Zeiten entwickelt. Für das Gebiet des Ostmitteldeutschen lassen sich Zeugnisse aus dem 16. Jh., verstärkt seit dem 17. und 18. Jh. erbringen (s. BECKER 1969, 145; LERCHNER 1997, MIHM 2000, STICKEL 1997).

Seit dem Beginn des 19. Jh. breiteten sich die Umgangssprachen stärker aus, sie übernahmen zunächst vor allem ausgehend von den Großstädten (in denen sich wiederum eigene Stadtsprachen entwickelten) und industriellen Ballungsgebieten die ursprüngliche Funktion der Dialekte als Primärsprache, da mit den politischen und wirtschaftlichen Veränderungen in Deutschland zugleich die soziale und sprachliche Umschichtung einsetzte. „Städtische Lebensweise führte zu einer Verdichtung der gesellschaftlichen und auch kommunikativen Beziehungen auch über den engen Familienverband hinaus. Dazu bietet sich die jeweilige regionale Umgangssprache als eine Kompromißform zwischen den verschiedenen Dialekten der zuwandernden Bevölkerung an, eine Entwicklung, die noch gestärkt wird durch das Sprachprestige, das diese Varietät der Sprache der Eingesessenen und des Bürgertums in der Regel hat." (MATTHEIER 1986, 232.)

Dass dabei sowohl synchron als auch diachron mit komplizierten und sehr vielschichtigen Prozessen zu rechnen ist, macht z. B. die Untersuchung der Brandenburger Sprachlandschaft (einschließlich Berlins), insbesondere die Modellierung der in diesem Raum zu beobachtenden Sprachwechselprozesse deutlich (s. GESSINGER 1999).

Standardsprache

Die Entwicklung der Standardsprache (i. S. der kodifizierten Sprache ist davon genau genommen erst mit dem Beginn des 20. Jh. zu sprechen) ist das Produkt eines langwierigen historischen Ausgleichs- und Differenzierungsprozesses. Sie ermöglicht die sprachliche Kommunikation zwischen den Menschen in allen Lebensbereichen und besitzt das höchste gesellschaftliche Prestige, da die Menschen in ihr das Ideal der Sprachrichtigkeit und den Ausdruck von Bildung sehen.

Auch ihre Herausbildung wurde von den Veränderungen im 19. Jh. beeinflusst. So kam es aufgrund der wachsenden Bildungsmöglichkeiten zu einer allmählichen Erweiterung der bis dahin recht schmalen sozialen Trägerschicht der Hochsprache. Gleichzeitig setzte mit der zunehmenden Ablösung des Dialekts als sprachlicher Grundschicht eine wechselseitige Beeinflussung zwischen Umgangssprache und Schriftsprache ein. Dieser Prozess wird vor allem in der zweiten Hälfte des 19. Jh. deutlich, wie z. B. die Integration umgangssprachlicher Formen in die literarischen Werke des Realismus und Naturalismus, aber auch in die Sprache der Journalistik zeigt (s. MACKENSEN 1971, 9 ff., 143 ff.).

Wie weit der Prozess vorangeschritten ist, zeigt auch die Tatsache, dass Fach- und Gruppensprachen beide Varietäten beeinflussen. „In der Geschichte des modernen Deutschen sind die Verknüpfungen zwischen den fachsprachlichen Registern und der Umgangs- und Standardsprache wichtig: der Journalismus, die politische Debatte, Lehrbücher für die Schule, Sachbücher und besonders die Reklame sind einige der Hauptwege, auf denen vor 1945 in Deutschland ein Fachjargon allgemein bekannt wurde." (WELLS 1990, 401 f.)

Aufgewertet und verbreitet wurde die sich etablierende Standardsprache auch dadurch, dass insbesondere Vertreter der Schule bemüht waren, in Grammatiken, Handbüchern und Regelwerken das Wissen über die Muttersprache aufzubereiten. Auf diese Weise wurden für die einzelnen Ebenen des Systems der nationalen Literatursprache Normen gesetzt, die über den Schulunterricht hinaus weite Verbreitung fanden. Mit dem Beginn des 20. Jh. war die orthographische und grammatische Normierung der deutschen Sprache durch den „Duden" und Grammatiken im Wesentlichen (vorläufig) abgeschlossen. In der Wortwahl wie auch im Satzbau waren demgegenüber auch weiterhin Varianten möglich.

Zahlreiche der orthographischen, grammatischen, lexikalischen und stilistischen Normen, die um 1900 fixiert wurden, sind durch den sich ständig ausbreitenden Gebrauch der Standardsprache, durch die Differenzierung von Funktionalstilen und Stilschichten, Textsorten und Kommunikationsbereichen variiert und weiterentwickelt worden. Daher treten notwendigerweise funktionalstilistische Varianten auf – dies gilt ungeachtet dessen, dass gegenwärtig durch die jüngste Orthographiereform einige Varianten nicht mehr aktuell sind bzw. stärker reglementiert wurden.

Orthographie: Dubletten zeigten bzw. zeigen sich z. B. bei der Schreibung von Fremdwörtern: *Coupon/Kupon*; *Creme/Krem*; *Friseur/Frisör*; *Friseuse/Frisöse*; *Chauffeur/Schofför*; *Photo/Foto*. Doch auch im muttersprachlichen Wortschatz sind Varianten erlaubt, besonders im Bereich der Groß- und Kleinschreibung: *Er lernt lesen/Lesen. Er erschrak aufs äußerste/aufs Äußerste.*

Grammatik: In der Konjugation stehen z. T. gleichbedeutend nebeneinander: *ich sandte/sendete*; *gedungen/gedingt*, aber: (Schnee) *backte*/(ich) *buk*; in den Tempusformen: *Ich habe gesessen/ich bin gesessen*. Freiheiten zeigen sich auch bei den Substantiven: Dubletten im Nom. Sg. sind *Fels/-en*; *Geäst/-e*; im Genus: *Abscheu* (Mask./Fem.); *Geisel* (Fem./Mask.); *Mus* (Neutr./Mask.); in der Pluralbildung: *Maate/-n*; *Nachdrucke/-drücke*; *Staue/-s*; mit stilistischen Differenzierungen: *Mannen, Männer, Friede, -n*; mit semantischen Differenzierungen *Bande, Bände, Banden, Bänder*; Nicht selten zeigt sich im Satzbau grammatische Synonymität. Das gilt u. a. für viele Fälle des prädikativen Satzrahmens, wo ohne semantische oder stilistische Schattierungen Distanz- und Kontaktstellung wechseln können, z. B.: „Ich *hatte* Franz Dierkopf *kennengelernt* im Hause des Professors Rapp in der rheinländischen Universitätsstadt Battenberg." (L. Feuchtwanger) oder: Ich *hatte* Franz Dierkopf im Hause […] *kennengelernt* (s. ADMONI 1980, 17 ff.).

Wortbildung und Lexik: Im Bereich der Wortbildung variieren z. B. verschiedene Suffixe: *Achtfüßler/-er*; *Fröstler/-ling*; *Kindchen/-lein*; *Mäher/-der*; (regionalen) Spielraum erlaubt die Standardsprache (z. T. mit Anerkennung gewisser Stilunterschiede) auch in der Lexik: *Samstag/Sonnabend*; *Uraufführung/Premiere*; *Ehefrau/Gattin*; *sich verbeugen/verneigen*; *Schlachter/Metzger/Fleischer*.

Neben der grundsätzlich gleichgerichteten Entwicklung der Sprache in den deutschsprachigen Gebieten kam es jedoch aufgrund der Nationalstaatenbildung nach 1871 auch zur Entwicklung bzw. Fixierung von staatlichen Besonderheiten der (Standard-) Sprache in Deutschland, Österreich und der Schweiz, die insgesamt Ausdruck und Folge längerfristiger Prozesse der pluriarealen Entwicklung der deutschen Sprache sind (N. R. WOLF 1994, s. a. STICKEL 1997, AMMON 1995, 1997, 1998, 2016).

1.8 Das Deutsch der jüngsten Neuzeit (1950 bis zur Gegenwart)

1.8.1 Veränderungen in den kommunikativen Verhältnissen

So umstritten der Einschnitt 1945/50 als Beginn einer neuen Epoche in der deutschen Sprachentwicklung ist, so steht doch fest, dass die Zeit um 1945 eine Zäsur nicht nur in der deutschen Geschichte, sondern auch in der deutschen Sprachentwicklung darstellt.

Auf die sich durch die rasant entwickelnde moderne Industriegesellschaft und ihre Folgen für die soziale Entwicklung verändernden ökonomischen und kulturellen Umwälzungen kann und soll hier nicht eingegangen werden; die Fakten sind vielfältig und komplex. Im Folgenden werden deshalb nur ausgewählte Prozesse berücksichtigt, die in besonderer Weise zum Sprachwandel beitragen bzw. beigetragen haben.

In räumlicher und demographischer Hinsicht brachte der Zweite Weltkrieg tiefgreifende Veränderungen mit sich. Nicht nur durch den Tod von Millionen von Menschen, sondern auch durch die Umsiedlung der Schwarzmeer- und Wolgadeutschen nach Sibirien, der Bessarabiendeutschen zunächst nach Westpreußen, dann in das binnendeutsche Gebiet verringert sich die Zahl der Deutschsprachigen erheblich (s. H. MOSER 1985, BOCK 1979, AMMON 1991). Weiterhin führte die Umsiedlung der deutschsprachigen Bevölkerung nach Deutschland – insgesamt waren 12 Millionen Menschen davon betroffen (s. GLÜCK/SAUER 1997, 87 f.; 2002) – oft zu einem überlebensnotwendigen Assimilationsdruck und damit zu Sprachmischungen, die wiederum Auswirkungen auf das Gefüge der Varietäten hatten.

In politischer Hinsicht stellt die 40-jährige Trennung der Deutschen in zwei unterschiedliche Kommunikationsgemeinschaften und ihre Wiedervereinigung zweifellos einen wichtigen, wenn auch nicht den allein entscheidenden Faktor – wie oft angeführt – sprachlicher Veränderungen dar. Den Differenzierungen zwischen den sich herausbildenden beiden deutschen Staaten (hier vor allem politisch bedingt) und den nationalen Varianten des Deutschen in Österreich und der Schweiz wirken zugleich eine Reihe gemeinsamer sprachlicher Prozesse entgegen, die das Deutsche in seiner Gesamtheit beeinflussen und zu Veränderungen im Sprachgebrauch führen. Da jedoch in der zweiten Hälfte des 20. Jh. die sprachlich folgenschwerste Entwicklung [...] die politische Teilung Deutschlands“ (MOSER 1985, 1679) ist und – wie deutlich wird – diese auch nach der Vereinigung beider deutschen Staaten noch länger nachwirkt, sollen die hiermit verbundenen Prozesse entsprechend berücksichtigt werden.

Mit dem Sieg der Alliierten über das nationalsozialistische Regime war 1945 eine reale Chance für den Aufbau einer demokratischen Ordnung in ganz Deutschland entstanden. Ihnen oblag es, die oberste Gewalt der vier Besatzungsmächte zu sichern und den unter schwersten Opfern erstrittenen Frieden zu schützen. Es galt, die Voraussetzungen zu schaffen, um die Grundsätze der Antihitlerkoalition in Bezug auf ganz Deutschland zu verwirklichen und somit zu gewährleisten, dass Deutschland nie wieder zu einer Gefahr für den Weltfrieden wird. Jedoch gestaltete sich die Entwicklung auf deutschem Boden anders, als von den unterschiedlichsten Kräften erhofft. Friedensvertragliche Regelungen, wie in Potsdam vereinbart, blieben aus. Zwei deutsche

Staaten entstanden, die in unterschiedliche Bündnissysteme hineinwuchsen. Europa wurde politisch, militärisch und ideologisch gespalten. Nunmehr bestimmte die direkte Konfrontation das Verhältnis zwischen den europäischen Staaten in Ost und West.

Die divergierende gesellschaftliche Entwicklung der beiden 1949 gegründeten deutschen Staaten, ihre exponierte Lage an der Nahtstelle zweier Bündnissysteme musste sich zwangsläufig auch auf die sprachliche Kommunikation, auf die Sprachnormen und (z. T.) auf das Sprachsystem auswirken.

Zunächst waren die Differenzierungen gering, zumal in den ersten Jahren nach Ende des Krieges die meisten politischen Kräfte in Ost und West – wenn auch mit mehr oder weniger großer Intensität – die Einheit Deutschlands anstrebten und somit auch kein Grund bestand, Veränderungen im Sprachgebrauch hervorzuheben. Der Kernwortschatz des Deutschen blieb in beiden deutschen Staaten erhalten und sicherte über alle Jahrzehnte hinweg die Verständigung zwischen den Menschen, selbst als es zu divergierenden Entwicklungen in einzelnen Teilbereichen der Lexik sowie der Sprachgebrauchsnormen kam.

Gemeinsam waren auch sprachliche Prozesse, die im Zusammenhang mit der Entnazifizierung zu einer sprachlichen Umerziehung der Deutschen beitragen sollten. So wurden durch politische Aufklärung Wörter wie *Führer*, *PG* (*Parteigenosse*), *Gestapo*, *SA*, *SS* negativ konnotiert. Bei anderen Wörtern, wie *KZ* (*Konzentrationslager*), das bereits vorher stigmatisiert war, wurde die negative Konnotation noch verstärkt und mit *Kriegsverbrecher*, *Militarismus*, *Mitläufer*, *Nazi*, *SS-Staat* wurden neue Wörter geprägt bzw. verbreitet (s. SCHLOSSER 1990, 21), die den inhumanen Charakter des Faschismus verdeutlichten. Jedoch zeigte die Art und Weise der Umwertung dieser Wörter auch Unterschiede zwischen West und Ost (s. v. POLENZ 1999, 555 ff., EITZ/STÖTZEL 2007/2009).

Zunehmend wuchsen nach 1949 die Differenzen und beeinflussten neben den politischen, kulturellen und wirtschaftlichen auch andere Bereiche der öffentlichen Kommunikation und schließlich das Gesprächsverhalten und die Lexik der Alltagskommunikation, vgl. Ost/West:

Zeitkino/Aktualitätenkino; *auspreisen/auszeichnen*, *Parkuhr/Parkometer*; *Plast(e)/Plastik*; *Feierabendheim/Seniorenheim*; *Kaufhalle/Supermarkt*; *Kosmonaut/Astronaut*/frz. *Spationaut*; *Oberliga/Bundesliga*; *Fahrerlaubnis* (bis 1982)/*Führerschein*.; semantische Differenzierung: *Angebot*, *Job*, *Chef*.

Mit den immer deutlicher werdenden Gegensätzen wurde diese Thematik bald zu einem hochaktuellen Gegenstand sprachwissenschaftlicher Abhandlungen; denn die Untersuchung der sprachlichen Folgen der Teilung eines Staates und somit bis dahin einheitlichen Kommunikationsgemeinschaft, deren getrennten Entwicklung und schließlich Wiedervereinigung bot und bietet mancherlei Möglichkeiten, spezifische Einsichten in Prozesse des Sprachwandels zu gewinnen. Da die gegensätzlichen Gesellschaftsordnungen in nicht unerheblichem Maße unterschiedliche Kommunikationsziele und -inhalte und folglich des Kommunikationsverhaltens z. B. in der Bildung, Politik und im Berufsleben bewirkten, was wiederum die Gestaltung der Texte beeinflusste, haben außersprachliche und kommunikative Faktoren vier Jahrzehnte lang zur Herausbildung von sprachlichen Besonderheiten in beiden deutschen Staaten geführt. In dieser Hinsicht gab es zweifellos in Ost und West Spezifika in der Kommunikation.

Dabei ist der Umfang der Differenzierungen insgesamt nicht unerheblich, 24 000 sinnverschiedene Wörter sollen bereits 1982 ermittelt worden sein (s. SCHLOSSER 1990, 9). Andere Schätzungen gehen demgegenüber von 800 bis 3000 unterschiedlichen Wörtern und Wortbedeutungen aus (s. v. POLENZ 1999, 424, KORLÉN 1983).

Jeder Vergleich zwischen zeitgenössischen Wörterbüchern aus der DDR und der BRD liefert weitere Belege. Eine vollständige Erfassung aller Erscheinungen dieses Prozesses liegt noch nicht vor. Hinzu kommen Differenzierungen, die lexikalisch kaum oder gar nicht beschreibbar sind. AHRENDS (1990) hat darauf hingewiesen, dass selbst solche Wörter der Allgemeinsprache wie *Brot, kaufen, Beruf* und *Wohnung* in den beiden deutschen Staaten in verschiedene Lebensbereiche eingebettet waren. Ob es sich hierbei um semantische Differenzierungen oder („nur") um konnotative handelt, ist sicher noch genauer zu untersuchen, doch macht auch diese Meinung auf die Weite und Tiefe der Problematik der Differenzierungen aufmerksam. Die große Zahl der Arbeiten zum Sprachgebrauch in der DDR, zur Zeit unmittelbar vor und nach der Wiedervereinigung sowie zum anschließenden Ost-West-Diskurs zeigt nach wie vor die Brisanz dieser Problematik (s. u. a. HERBERG/STEFFENS/TELLENBACH 1997; KÄMPER/SCHMIDT 1998; OSCHLIES 1989, REIHER/LÄZER 1993, 1996; REIHER/BAUMANN 2004a,b; REIHER/HARTUNG 2005; REIHER 2007, 2008, B. WOLF 2000, DITTMAR/BREDEL 1999; V. POLENZ 1999; HELLMANN 1980, 2000, 2004, HELLMANN/SCHRÖDER/FIX 2008; FIX 1994, 1998, SCHLOSSER 1991, ROTH/WIENEN 2008 u. a.).

Insofern ist es auch nicht verwunderlich, dass in den 70er und 80er Jahren in Ost und West die Frage erörtert worden ist, ob die Verwendung der deutschen Sprache in der DDR und der BRD bereits so viele Besonderheiten besitzt, dass man von zwei (nationalen) Varianten bzw. Varietäten sprechen könne. Diese Frage ist im Laufe der Zeit von Sprachwissenschaftlern in Abhängigkeit vom Wandel politischer Einstellungen und ideologiekritischer Polemiken auf beiden Seiten unterschiedlich beantwortet und z. T. so stark mit politisch-ideologischen Fragen verknüpft worden, dass es mitunter zu Fehleinschätzungen kam bzw. zu Verallgemeinerungen, die einer ausreichenden empirischen Absicherung entbehrten (s. DOMASCHNEW 1991, HELLMANN 1980, LANGNER 1985, OSCHLIES 1989, 1990, V. POLENZ 1999, 427 u. a.).

So ist in der Bundesrepublik zunächst die Gefahr der Sprachspaltung überbewertet worden. Die Ursachen dafür wurden vorrangig in der politischen Entwicklung in der DDR gesehen. In der DDR wiederum wurden die Auswirkungen bestimmter gesellschaftlicher Entwicklungen auf Veränderungen in den Sprachnormen und im Sprachsystem überschätzt, vor allem im Zusammenhang mit der These von der Herausbildung der sozialistischen Nation, die seit den 70er Jahren auch die linguistische Diskussion beeinflusste (s. BAUER 1993).

Insgesamt förderte erst die sich seit den 80er Jahren durchsetzende Auffassung von Deutsch als einer Sprache mit spezifischen nationalen Ausprägungen der Standardsprache und Varietätenspektren eine neue, nicht mehr nur auf aktuell-politische Unterschiede orientierte Erklärungsweise der Sprachsituation in Ost und West. „Die Identifizierung des SED-Polit- und Medienstils mit der staatlichen Varietät Deutsch in der DDR hat sich als zu einseitig erwiesen." (V. POLENZ 1999, 429; s. WOLF 2009, KELLERMEISTER-REHBEIN 2014 u. a.)

Aufgrund des im Herbst 1989 eingeleiteten gesellschaftlichen Wandels in der DDR, der am 3. Oktober 1990 zur (Wieder-)Vereinigung mit der BRD führte, ist prinzipiell dieser Prozess der Differenzierung beendet. Wie sehr jedoch gerade während der *friedlichen Revolution* auch und in besonderem Maße die Sprache reflektiert und dabei insbesondere das Wort *Wende* selbst unterschiedlich interpretiert wurde, machen nicht nur verschiedene Abhandlungen zu dieser Thematik, sondern auch die Rede der Schriftstellerin Christa Wolff am 4. November 1989 auf dem Alexanderplatz in Berlin deutlich:

Jede revolutionäre Bewegung befreit auch die Sprache. Was bisher so schwer auszusprechen war, geht uns auf einmal frei über die Lippen. Wir staunen, was wir offenbar schon lange gedacht haben und was wir uns jetzt laut zurufen: Demokratie jetzt oder nie! Und wir meinen Volksherrschaft, und wir erinnern uns der steckengebliebenen oder blutig niedergeschlagenen Ansätze in unserer Geschichte und wollen die Chance, die in dieser Krise steckt, da sie alle unsere produktiven Kräfte weckt, nicht wieder verschlafen; aber wir wollen sie auch nicht vertun durch Unbesonnenheit oder die Umkehrung von Feindbildern.
Mit dem Wort „Wende" habe ich meine Schwierigkeiten. Ich sehe da ein Segelboot, der Kapitän ruft: „Klar zur Wende!", weil der Wind sich gedreht hat und die Mannschaft duckt sich, wenn der Segelbaum über das Boot fegt. Stimmt dieses Bild? Stimmt es noch in dieser täglich vorwärtstreibenden Lage. Ich würde von „revolutionärer Erneuerung" sprechen. Revolutionen gehen von unten aus. „Unten" und „oben" wechseln ihre Plätze in dem Wertesystem und dieser Wechsel stellt die sozialistische Gesellschaft vom Kopf auf die Füße. Große soziale Bewegungen kommen in Gang [...] *Verblüfft beobachten wir die Wendigen* [...] (In: HELLMANN/SCHRÖDER/FIX 2008, 297.)

Besonders schnell übernahmen die Deutschen (Ost) die Lexik der öffentlichen Kommunikation der Deutschen (West), denn es kommt jetzt „zum innerdeutschen Sprachausgleich, zur sprachlichen Konvergenz, vorwiegend auf Kosten der Verluste im Sprachgebrauch der einstigen DDR-Deutschen, weil die Wiedervereinigung eigentlich in Form der Eingliederung der DDR in die wirtschaftlichen und sozial-politischen Strukturen der Bundesrepublik Deutschland zustande kommt." (DOMASCHNEW 1991, 10.) Vgl. die schnelle Übernahme bzw. Wiederbelebung solcher Wörter, wie:

Geschäftsführer, Gymnasium, Management, Arbeitnehmer, -geber; Tarif, -verhandlung, Erziehungsgeld, Wohngeld, BaföG, Magistrat.

Insgesamt vollzog sich ein so grundlegender Wandel, dass nicht nur Sprachwissenschaftlerinnen und Sprachwissenschaftler, sondern auch sprachlich interessierte Bürgerinnen und Bürger öffentlich zu den (lexikalischen) Veränderungen Stellung nahmen und noch immer nehmen. Bereits seit 1990 wurde in einem gemeinsamen Projekt des Berliner Zentralinstituts für Sprachwissenschaft und des Mannheimer Instituts für deutsche Sprache ein Korpus von über 4 Millionen Wörtern der Wendezeit erfasst, das den Grundstock für eine umfassende linguistische Aufarbeitung dieser Zeit bildet (s. HEBERG/STEFFENS/TELLENBACH 1997, HELLMANN 2004). So sind in der Zeit der *Wende* in großem Umfang auch neue Wörter und Wendungen geprägt worden, die oft wenig später schon wieder verschwunden sind:

Mauerspecht, Wendehals, basisdemokratisch, Runder Tisch, Montagsdemonstration, Ausverkauf der DDR, der aufrechte Gang; ferner Losungen wie: Wir sind das/ein Volk; wiederbelebt wurde *Deutschland, einig Vaterland* (dann auch *Wessiland*).
Wenig später: *Ossizonler, Neuganzdeutschländer, Neufünfländer, Mecklensachse, Zonenzoni, Großbundesfesteingedeutschter, (Ur-)Ossi, Wessi, Wossi.*

Diese und viele andere Beispiele demonstrieren in eindrucksvoller Weise den engen Zusammenhang zwischen gesellschaftlichen und sprachlichen Veränderungen; z. T. wurde die Vereinigung schon 1989 sprachlich vorweggenommen:

Deutschland/Ost, Deutschland/West, Westberlin; Ostberlin, die beiden Teile Deutschlands, die Noch-DDR, die Noch-BRD.

Größere Unterschiede, z. T. sogar ein Anwachsen differenzierender Ausdrücke, waren – ungeachtet der generellen Gemeinsamkeiten – unmittelbar nach 1990 auch in der Alltagssprache zu beobachten: „Und wenn man den (Kontakt) erst einmal aufgenommen hat, wird man feststellen, dass in Ostdeutschland ein Jahr nach der Wende mehr unpolitisches „DDRsch" als früher gesprochen wird." (OSCHLIES 1991, 69.)

Mit der zunehmenden Angleichung der Lebensverhältnisse und dem gegenseitigen besseren Kennenlernen und Verständnis erfolgte allmählich– wenn auch möglicherweise später als zunächst erwartet – eine Angleichung der Sprachverhältnisse. Die wissenschaftliche Aufarbeitung der jüngsten Sprachgeschichte gibt selbst schon wieder interessante Einblicke in die Schwierigkeiten einer vorurteilsfreien Behandlung dieser Thematik. Von Sprachwissenschaftlerinnen und Sprachwissenschaftlern wird nicht nur auf alte und neue Differenzierungen aufmerksam gemacht, sondern es wurden zugleich Prognosen über die zukünftige sprachliche Angleichung gestellt. So wurden etwa den Lexemen *Broiler*, *Plaste*, *Zielstellung* (für *Zielsetzung*) und *Kaufhalle* größere Bewahrungschancen zugesprochen als Lexemen wie *Winkelement*, *Grilette/a* (die in den gesamtdeutschen „Duden" aufgenommen wurde), *Organ* (‚Behörde') oder solchen nach 1989 gern parodierten Wortungetümen wie *Schokoladenhohlkörper* (‚Weihnachtsmann und Osterhasen oder andere „Hohlkörper" aus Schokolade') und *Jahresendflügelfigur* für den ‚Weihnachtsengel auf Pyramiden'. (Dass solche Wörter der Fachsprache entstammten und in der Alltagssprache gar nicht verbreitet waren, wurde dabei allerdings gern übersehen.) Nach DOMASCHNEW (1991) war das Kapitel „DDR-Deutsch" bereits sehr schnell abgeschlossen, was – wie Untersuchungen, Leserbriefe und Beobachtungen der Alltagskommunikation in den neuen Bundesländern zeigen – so bisher nicht gilt. Auch drei Jahrzehnte nach der *Wende* lassen sich zahlreiche Unterschiede im Sprachgebrauch erkennen (s. u. a. DITTMAR/BREDEL 1999, F. KERN 2002, REIHER/BAUMANN 2000; 2004; HELLMANN 2004, HELLMANN/SCHRÖDER/FIX 2008, ROTH/WIENEN 2008).

Unbestritten ist, dass der Verlust der in Medien und öffentlichen Reden verwendeten politischen Sprache der DDR wohl von niemandem bedauert wird; was jedoch schließlich aus 40-jähriger eigenständiger kommunikativer Entwicklung wirklich bestehen bleibt und was früher oder später verdrängt wird, das wird erst die Zukunft zeigen. Generell (und beschränkt auf die Lexik) ist sicherlich V. POLENZ (1999, 425) zuzustimmen, der prognostiziert: „Was davon bleibt, sind Regionalismen, die aber eine Zeit lang noch politpsychologisch relevant bleiben."

1.8.2 Zum Gebrauch der deutschen Sprache in der DDR und in der BRD

Als geradezu klassisches Beispiel für Differenzierungen zwischen der deutschen Sprache in der DDR und der BRD (die Varianten in Österreich und in der Schweiz weisen hier im Wesentlichen gleiche Erscheinungen auf wie in der BRD, sieht man einmal von den nationalen Varianten und Regionalismen ab, die zunehmend auch die Standardsprache prägen, s. AMMON/BICKEL/LENZ 2016) wurde und wird immer wieder das lexisch-semantische Teilsystem herangezogen (s. FLEISCHER 1988, FIX/SCHRÖDER 1997), obwohl nicht nur dieses, sondern auch die Inhalte der Texte, die Kommunikationsstrukturen und Textsorten durch die spezifische Kommunikation in der DDR und in der BRD beeinflusst waren (s. FIX 1998; 2000).

So zeigt z. B. die in dem Band „Mit sozialistischen und anderen Grüßen" (REIHER 1996) zusammengestellte Sammlung von Texten der Alltagskommunikation – von der Geburtsurkunde über Dokumente in den verschiedensten Lebensphasen bis zum Nachruf –, wie stark die offiziellen Sprachmuster im Bewusstsein der Bevölkerung verankert waren. Das folgende Beispiel – eine „Gesamteinschätzung in einem EOS-Zeugnis" – macht die ideologische Einbindung der Schule in den politischen Sprachgebrauch deutlich:

Frank ist ein aufgeschlossener, freundlicher und begeisterungsfähiger Schüler. In seiner Funktion als Mitglied der Kommission für Agitation und Propaganda zeigt er Verantwortung für die Entwicklung des gesamten Kollektivs, ist jedoch nicht immer konsequent bei der Umsetzung und Erfüllung seiner Ideen und Aufgaben.
An politischen Diskussionen beteiligt er sich rege und vertritt offen einen von der Ideologie der Arbeiterklasse geprägten Standpunkt.
Zu Beginn der 11. Klasse hatte er es schwer, da sich in einigen Fächern Wissenslücken zeigten. [...]
(Ebd., 81.)

Die Texte zeigen aber auch den „Facettenreichtum stilistischer Ausdrucksmöglichkeiten, der zum Bild einer homogenen Sprache in der DDR in deutlichem Widerspruch steht" (ebd., 9). Untersuchungen zu „Sprachritualen" und „Sprachbiographien" (U. Fix, Leipzig), zur „Alltagsrhetorik in Ost- und Westdeutschland" (P. Auer, Hamburg) u. a. machen die Unterschiede in kommunikativen Mustern zwischen Ost und West deutlich (s. a. ANTOS/SCHUBERT 1997, KERN 2002).

Nur geringfügige Unterschiede finden sich demgegenüber in der Syntax und in der Morphologie. Ebenso stimmten die Normen der Rechtschreibung überein und auch in der Aussprache lassen sich kaum Unterschiede feststellen. Oft wurde vernachlässigt, dass der überwiegende Teil des Allgemein- wie auch des Fachwortschatzes immer gemeinsames Wortgut geblieben ist. Auch Neuprägungen und Entlehnungen galten in der Mehrzahl der Fälle in beiden Kommunikationsgemeinschaften, wie Analysen von Wörterbüchern ergeben haben (s. u. a. v. POLENZ 1999, 424).

Selbst Einschätzungen, dass die Zahl der Neuprägungen, die zunächst nur in der DDR galten (s. SPARMANN 1970 ff.), um ein Vierfaches größer sei als die Zahl der Neuprägungen, die in den ersten Jahren fast ausschließlich in der BRD gebraucht worden sind, sind heute widerlegt. Auch in der Bundesrepublik war der Anteil der lexischen Innovationen so hoch wie in der DDR, wenn nicht sogar noch wesentlich höher (s. SCHLOSSER 1990, 160 ff.). Als ein wichtiger Faktor ist jedoch zu berücksichtigen, dass in der DDR die Tendenz bestanden hat, „den ideologisch geprägten Wortschatz einer Gruppe zum sprachlichen Gemeingut einer ganzen Teilsprachgemeinschaft zu machen." (MOSER 1985, 1691.)

Ungeachtet der in der jüngeren Forschung verstärkten Hinwendung zu den Unterschieden im kommunikativen Handeln und der noch keineswegs abgeschlossenen Beschreibung der kommunikativen Verhältnisse in beiden Staaten sollen im Folgenden exemplarisch einige Unterschiede im Bereich der Lexik dargestellt werden, wohl wissend, dass im Einzelnen in dieser Verkürzung eine beachtliche Problematik liegt (s. auch B. WOLF 2000).

Besonderheiten in der Lexik der DDR

Die gesellschaftlichen und wirtschaftlichen Veränderungen auf dem Gebiet der sowjetischen Besatzungszone (der späteren DDR) machten es gleich nach Kriegsende erforderlich, eine Vielzahl neuer Wörter zu bilden, in denen sich der angestrebte demokratische bzw. sozialistische Charakter der neuen Gesellschaft ausdrücken sollte:

Neologismen aus der Zeit von 1945 bis Anfang der 50er Jahre (heute überwiegend schon Archaismen): *(antifaschistisch-)demokratische Schulreform, demokratische Einheitsschule, Neulehrer, Arbeiter-und-Bauern-Fakultät (ABF), Maschinen-und-Traktorenstation (MTS), Abgabesoll, Volksaussprache.* Weitere **Neubedeutungen** aus anderen Kommunikationsbereichen: *Aktivist* ‚Werktätiger mit vorbildlichen Leistungen im Beruf', *Aufklärung* ‚Agitation', *Brigade* ‚kleinste Arbeitsgruppe in einem sozialistischen Betrieb', *Genosse* ‚Angehöriger der Volkspolizei', ‚Angehöriger der Nationalen Volksarmee', ‚Angehöriger der Sozialistischen Einheitspartei Deutschlands/SED'.

Seit dem Herbst 1989 ist diese Lexik (vor allem bei jungen Leuten) kaum noch bekannt. Gleiches gilt für die meisten der im Folgenden genannten Lexeme bzw. Wortgruppen, die inzwischen bereits veraltet sind oder aus unterschiedlichsten Gründen gemieden werden.

Bedeutungsdifferenzierungen: Hierbei gilt in besonderem Maße: „Das Ausmaß der durch die wirtschaftlichen Rahmenbedingungen geprägten Unterschiede im Denken der Deutschen in Ost und West und damit auch das Ausmaß semantischer Unterschiede bei formal gleichgebliebenen Äußerungen ist auch nicht annähernd genau zu bestimmen." (SCHLOSSER 1990, 80; s. auch v. POLENZ 1999, 429 u. ö.)

Als Beispiel für erhebliche semantische Unterschiede vor allem im politischen Sprachgebrauch sei die Bedeutungserklärung eines Lexems in einem DDR- und einem BRD-Wörterbuch angeführt:

bürgerlich: 1. ‚von der Bourgeoisie ausgehend, bestimmt'; 1.1. ‚der Klasse der Bourgeoisie, der kap. Gesellschaftsordnung zugehörig, eigen'; 1.2. ‚von der Ideologie der Bourgeoisie bestimmt, beeinflußt'; zu Bürger: ‚jmd., der (bei einem gewissen materiellen Wohlstand) ein Leben führt, das bestimmten konservativen Traditionen des Bürgertums verhaftet ist' (HWDG 1984, 213).
Im Mannheimer Duden (1989, 295) wird die Semantik wie folgt erläutert: 1. ‚den Staatsbürger betreffend, dem Staatsbürger zustehend'; 2a) ‚dem Bürgertum angehörend, zugehörig, entsprechend'; b) ‚spießerhaft, engherzig'.

In diese Gruppe gehören weiterhin Wörter wie *Arbeit* (als Terminus der politischen Ökonomie), *Bewusstsein, Demokratie, Klasse, Vaterland*; spezifische Wendungen, wie: *führende Rolle der Arbeiterklasse im Klassenkampf, Einheit von Wissenschaftlichkeit und Parteilichkeit, ökonomische Hauptaufgabe in ihrer Einheit von Wirtschafts- und Sozialpolitik.* DDR-spezifisch waren auch Wendungen wie: *das Ziel stellen* (statt *setzen*), *orientieren auf, die Frage steht.* Dabei wurden – obwohl sie eigentlich überwunden werden sollten – auch „traditionelle Denkstrukturen und Sprachtraditionen" (SCHLOSSER 1990, 34) der Deutschen fortgeführt, wie sich u. a. in der „Kampfmetaphorik" und in pathetischem, z. T. pseudoreligiösem (von vielen Menschen als hohle Phrase empfundenem) Sprachgebrauch zeigt:

Kampfgruppe, revolutionärer Kampfgeist, Kämpfer für Frieden und Sozialismus, FDJ – Kampfreserve der Partei, DDR – Bollwerk des Friedens, allseitig entwickelte sozialistische Persönlichkeit, unzerbrechliche/-unzerbrüchliche Freundschaft mit der Sowjetunion; Losung: *Meine Liebe, meine Kraft der DDR, meinem sozialistischen Vaterland.*

Neben einer fast unübersehbaren Fülle von verschiedenartigsten Auszeichnungen war die Vergabe von ehrenden Namen für Straßen und Plätze, Schulen und Hochschulen, Institutionen, Betriebe, Brigaden ein DDR-Spezifikum, das nicht nur der Pflege des kulturellen Erbes („kulturelles Gedächtnis"), sondern vor allem auch der Identifikation mit vorbildhaftem Verhalten als Ausdruck eines neuen (sozialistischen) Bewusstseins dienen sollte, u. a.:

Leninorden, Johannes-R.-Becher-Stipendium, Verdienter Arzt/Lehrer/Techniker ... des Volkes, Held der Arbeit, Kollektiv der sozialistischen Arbeit, Betrieb der ausgezeichneten Qualitätsarbeit; Straße der Befreiung 8. Mai 1945, VEB Schwermaschinenbau „Ernst Thälmann“, Karl-Marx-Stadt (seit 1990 wieder *Chemnitz*).

Die Widersprüche zwischen der sprachlichen Darstellung und der durch sie bezeichneten Realität wurde in den Jahren vor 1989 vor allem von einzelnen Kunstschaffenden, Kirchenmitgliedern sowie Mitgliedern sich formierender Bürgerbewegungen, zunehmend auch von Wissenschaftlern und anderen öffentlich kritisiert. Generell ist aber davon auszugehen, dass die DDR-Bevölkerung sehr wohl zwischen öffentlicher, halböffentlicher und privater Diskurswelt unterschieden hat und insofern besonders variabel und flexibel mit der (politischen) Sprache umgegangen ist (s. v. POLENZ 1999, 567).

Ohne auch nur annähernd Vollständigkeit anstreben zu können, seien einige weitere Bereiche genannt, in denen DDR-Geschichte ihren sprachlichen Ausdruck fand:

Industrie, Handwerk, Bauwesen: *Kollektivvertrag, Kombinat, Planablauf, -diskussion, -erfüllung, -jahrfünft, sozialistische Planwirtschaft.*
Handel: *Betriebsverkaufsstelle, Großhandelskontor (GHK), HO-Warenhaus, Landwarenhaus, Volksbuchhandel.*
Landwirtschaft: *Agraringenieur(in), Dorfakademie, Schichttraktorist, Erntekindergarten, Genossenschaftsbauer, landwirtschaftliche Produktionsgenossenschaft (LPG).*
Bildung und Erziehung: *sozialistisches Bildungsideal, zehnklassige allgemeinbildende polytechnische Oberschule (POS), erweiterte Oberschule (EOS), polytechnische Bildung und Erziehung, Frauenakademie, -förderplan, -sonderstudium.*
Kunst und Kultur: *Kultur- und Bildungsplan; Arbeiterfestspiele, Zirkel schreibender Arbeiter, Volkskunstkollektiv, Singegruppe, Förderung junger Talente.*
Staatsaufbau und staatliche Institutionen: *Arbeiter-und-Bauern-Staat, Staatsrat, Ministerrat der DDR, Volkskammer, Volksvertreterkollektiv, Bezirkstag, Nationale Volksarmee, Nationale Front der DDR, Blockparteien, Zentralkomitee der Sozialistischen Einheitspartei Deutschlands (ZK der SED).*

Obwohl der Einfluss des Russischen aus verschiedenen Gründen – etwa den sprachstrukturellen Differenzen, zu geringen Kontaktmöglichkeiten, aber wohl auch aufgrund von Vorbehalten – bei weitem nicht so umfangreich war, wie es die engen Beziehungen zur Sowjetunion hätten vermuten lassen, hat dennoch u. a. die Einführung des Russischen als erste Fremdsprache zu einer gewissen Verbreitung von direkten und indirekten Entlehnungen geführt, die größer als in der BRD war.

Direkte Übernahmen, z. T. schon vor 1945: *Bolschewik(i), Kolchos(e), Sowchos(e), Sputnik, Subbotnik, Datsche, Agrotechnik, Mechanisator, Kollektiv, Partisan, Exponat.* Ebenfalls gelangten die Anglizismen *Festival, Kombine, Dispatcher, Meeting* über das Russische in das Deutsche.
Lehnbildungen und -wendungen: *Plankommission, Kulturpalast, Haus der Offiziere, Fernstudium, Pädagogischer Rat, Schülertagebuch, Kurscheck, Held der Arbeit, mit der Sowjetunion an der Spitze, im Ergebnis der Konferenz.*
Lehnbedeutungen: *Pionier* ‚Angehörige(r) der Pionierorganisation „Ernst Thälmann“‘, *Freundschaft* ‚Gesamtheit der Pioniergruppen an einer Schule‘, *Intelligenz* ‚Gesellschaftsschicht‘, *Kandidat* ‚Angehöriger der SED während der Vorbereitungszeit auf die Mitgliedschaft‘ (s. u. a. LANGNER 1980, 684 f., BRAUN 1998, 68 ff.).
Einfluss des Angloamerikanischen: Auch in der DDR ist ein starkes Anwachsen der Anglizismen zu verzeichnen gewesen, wobei die direkten gegenüber den indirekten Entlehnungen überwogen und insgesamt der Anteil gegenüber der BRD geringer gewesen sein dürfte. Außerdem wurden viele Anglizismen in den Sprachgebrauch der DDR später als in den der BRD entlehnt. Neben vielen gemeinsamen Entlehnungen (vgl. u.; s. auch LANGNER 1986, LEHNERT 1990, BRINKMANN 1992) zeigen sich u. a. folgende Unterschiede:

In der Regel wurden (zumindest im offiziellen Sprachgebrauch) mit **pejorativer Bewertung** verwendet: *Business, Boss, Manager, Management, Job, Publicity, High Society, Lobby.*
Hinzu kommt eine Reihe von Lexemen, die in der BRD nicht gebräuchlich waren: *Kombine*; **Bedeutungsdifferenzierung** bei: *Dispatcher, Meeting.* **DDR-spezifische** Neubildungen: *Disco-Sprecher, Schallplattenunterhalter* neben *Diskjockey, Pop-Gymnastik* (seit 1983) für *Aerobic(s), Marschflugkörper* anstelle *Flügelrakete* für *cruise missile.*

Besonderheiten in der Lexik der BRD

Da die Lexik der Bundesrepublik im Unterschied zu den meisten der oben angeführten Beispiele nach wie vor aktuell ist, dienen die folgenden Beispiele vor allem der vergleichenden Darstellung einer in der DDR kaum bzw. nicht, mit semantischen Differenzierungen oder nur in Bezug auf die BRD verwendeten Lexik:

Schulwesen: *Grundschule, Hauptschule, Primar-, Sekundarstufe, Rahmenrichtlinien, Sprachbarrieren, Aufsatzlehre, Bundeshochschule.*
Wirtschaftsbereich: *(soziale) Marktwirtschaft, Aktienmarkt, Aufsichtsrat, Abschreibung, Marketing, Coordinator, Bausparvertrag, Streik, Personaleinsparung, Lohnstopp, Berufsverbot, Tarifverhandlung, Betriebsverfassungsgesetz, Personalchef, Arbeitsdirektor; Betriebsrat, Personalrat, Sozialplan, Lohnkampf, Kurzarbeit, Arbeitsbeschaffungsmaßnahmen, Vorruhestand.*
Staatsaufbau: *Bundespräsident, -tag, -regierung, -tagsabgeordneter, -verfassung, -bürger, Bund und Länder, Landesregierung, Bundeswehr.*
Verwendung von Lexemen/spezifischen Wortbedeutungen mit z. T. ***pejorativer Wertungskomponente*** für Sachverhalte der DDR oder anderer osteuropäischer Länder: *sowjetische Besatzungszone, (russische) Zone, Ostzone, Mitteldeutschland, Zonenstaat, SED-Staat, (sog.) „DDR", anderer Teil Deutschlands; Zonengrenze, (Schand-)Mauer, Ulbrichtmauer; Gefolgsstaaten, Ostblockstaaten, Satellitenstaaten, Oder-Neiße-Linie.* Bezeichnung der Westgebiete Polens als *deutsche Ostgebiete.*
Bezeichnungen mit **positiver Wertung** für die bundesrepublikanische Gesellschaft: *soziale Stratifikation, Pluralismus, Sozialpartnerschaft, soziale/freiheitliche Demokratie, Leistungsgesellschaft, Wohlstandsgesellschaft, einheitliche Industriegesellschaft, Rechtsstaat, Freiheit von Forschung und Lehre.*
Einfluss des Anglo-Amerikanischen: Stärker als in der DDR erfasste dieser fast alle Lebensbereiche:
Sport: *Slice, Lob, Tiebreak, Service* 'Aufschlag beim Tennis', *Pole-Position.*
Kosmetik: *Cold Cream, Lip Gloss, Moisture.*
Mode: *City-Shirt, Dress-Shirt, Coordinate, Tails.*
Andere Bereiche: *Single* 'ledige Person', *Kids, Callgirl, Starlet, Caravan, Jitterbug, Pampers, Wrigley, Layouter, Joint, Deadline, Mobbing.*

Von der Intensität des englischen Einflusses auf die deutsche Sprache in der BRD zeugen auch die lexikalischen Hybridbildungen (auch „Scheinentlehnungen"), Wortbildungen, die mit Hilfe fremdsprachiger (englischer) und nativer (deutscher) Morpheme – oft in Anlehnung an ähnliche Bildungen in der englischen Sprache – in der BRD oder in anderen nicht-englischsprachigen Staaten geprägt worden sind, vgl.: *Showmaster, Talkmaster* (in Anlehnung an *Quizmaster*) und *Dressman.* (EISENBERG (2013) lehnt allerdings die Bezeichnung ab und versteht insgesamt alle Wörter, die auf das Englische zurückgehen und die es im Kernwortschatz des Deutschen nicht gibt, als Anglizismen.) In diesen Bereich gehören auch die semantischen Scheinentlehnungen, also Anglizismen, die mit einer anderen Semantik als im Englischen gebraucht werden, wie *City* ‚Stadtzentrum' (und seit Ende der 80er Jahre *Handy*). Einige der Scheinentlehnungen sind sehr bald auch in den Sprachgebrauch der DDR übernommen worden (s. LANGNER 1986, CARSTENSEN 1990, LEHNERT 1990, KETTEMANN 2002).

Den oben angeführten Differenzierungen in einigen Wortschatzbereichen stehen gemeinsame Prozesse gegenüber, die vor allem aufgrund der im Folgenden genannten

Erscheinungen ständig wirksam sind: So gibt es eine Reihe von Bezeichnungen für landestypische Realien, die in der Regel auch in der jeweils anderen Kommunikationsgemeinschaft bekannt sind, allein schon deshalb, weil sie in der gesellschaftlich-politischen Auseinandersetzung benutzt worden sind (s. FLEISCHER 1988, 38 ff., HELLMANN 1980).

DDR: *Vorsitzender des Staatsrates, Volkskammer, Oberstes Gericht, Schriftstellerverband.*
BRD: *Bundeskanzler, Kabinett, Ländervertretung, Ältestenrat, Deutscher Gewerkschaftsbund (DGB).*

Weiterhin ist das Benennungssystem der deutschen Sprache seit Jahrhunderten – und nicht erst seit 1945 – durch ideologische und parteipolitische Polaritäten gekennzeichnet, in denen die geschichtliche Konfrontation zwischen den sozialen Gruppen sichtbar wird. Das führt dazu, dass politische Lexik aus dem Bereich der Arbeiter-/Gewerkschaftsbewegung in beiden Staaten – wenn auch z. T. semantisch differenziert – zu finden ist:

Demokratie, Fortschritt, Freiheit, Gleichheit, Frieden, Gerechtigkeit, Solidarität.

Stehen zwei Kommunikations- bzw. Sprachgemeinschaften in intensiven Kontakten, so sind die Tendenzen der Differenzierung und der Integration als universelle Formen des Sprachwandels immer mehr oder weniger eng miteinander verbunden. Für benachbarte Staaten mit gemeinsamer Sprache ergeben sich umso günstigere Bedingungen, denn der Sprachteilhaber erkennt auch bei Differenzierungserscheinungen das sprachliche Mittel als Element seiner Sprache. Hierfür stehen Beispiele wie

Werkstatt ‚Arbeitsgruppe, -tagung'; *festschreiben* ‚vorläufig festsetzen'; *Paket* ‚als zusammengehörig deklariertes, politisches Verhandlungsangebot, gesetzliche Vorlage'.

Schließlich führten intensive internationale Beziehungen zum Gebrauch von Benennungen, die aufgrund ihrer Bedeutung für die politische Kommunikation in allen deutschsprachigen Ländern gleichermaßen verwendet werden, in der DDR selbst dann, wenn sie nicht der (marxistischen) Ideologie entsprachen:

Überlebenspartnerschaft, -chance; Koalition (der Vernunft), Dritte Welt, Nord-Süd-Gefälle, global, Globalisierung.

Hinzu kamen zahlreiche Anglizismen, die gleichermaßen in West und Ost gebräuchlich waren:

Freizeit/Unterhaltungstechnik: *Beat, Feature, Hit, Bestseller, Live, -sendung, trampen, Drink, Shake, Hi-Fi, Playback, Video, joggen, Poster, Bungalow, Disco, Puzzle, Memory, Story.*
Wirtschaft/Handel: *Service, Boom, Teamwork, Handout, Stewardess, Leasing, Job, Flop, Cola, Boss, Boykott.*
Mode: *T-Shirt, Overall, Model, Jeans, Sweatshirt, Pumps.*
Sport: *Crew, Hattrick, Kicker, Match, Coach, Trainer.*

Darüber hinaus lassen deutsch-englische Mischkomposita und andere Weiterbildungen, wie *Interviewer, poppig, Nonstop-Flug, Körper-Spray, Computerei,* den großen Einfluss des Englischen auf die deutsche Sprache in beiden Staaten deutlich werden.

Einige Anglizismen, wie *hi, by by, hello, o. k./okay, all right, super, cool,* werden (neben englischen Spielzeugbezeichnungen) sogar schon von Kleinkindern gebraucht.

Nur verwiesen werden soll hier auch auf die Rolle der (linguistisch nach wie vor kontrovers beschriebenen) Jugendsprache als „Integrationsfaktor". Obwohl bis in die 70er Jahre (vor allem in der DDR-Linguistik) ignoriert, wies doch auch sie prinzipiell in beiden deutschen Staaten gleiche Entwicklungen auf:

(*voll auf etwas*) *abfahren, bärisch, geil, chaotisch, cool, spitze, drauf sein, Grufti, kaputtgehen, Luftnummer, paletti, Nickmann* u. v. a. (s. OSCHLIES 1990, 135, HEINEMANN 1990).

„Zieht man von diesem DDR-Jargon die wenigen DDR-Spezifika – Haus-BGL (= Eltern, BGL = Betriebsgewerkschaftsleitung) – bzw. Bedeutungswandlungen – no future (= keine Ahnung); joint (= Zigarette); Stoff (= Geld bzw. Alkohol) – ab, dann hat man eine jugendspezifische Gruppensprache gesamtdeutscher Natur vor sich." (OSCHLIES 1990, 46.)

1.8.3 Veränderungen im Gefüge der regionalen Varietäten

Grundsätzlich kann davon ausgegangen werden, dass die Veränderungen auf den gleichen Grundlagen beruhen (vgl. 1.7.6) und daher in allen deutschsprachigen Staaten prinzipiell in gleicher Weise verlaufen. Entsprechend setzt sich die bereits in der vorangegangenen Periode deutlich werdende Verschiebung des Stellenwertes der einzelnen Varietäten auch im 20. und beginnenden 21. Jh. fort und erfährt nach 1945 eine besonders starke Ausprägung.

Die auffälligste Erscheinung innerhalb dieser Wandlungen bleibt dabei die immer stärkere Zurückdrängung der Dialekte, besonders in der nördlichen und mittleren BRD und in weiten Teilen der DDR. J. E. Schmidt charakterisiert diesen Wandel seit dem 19. Jh. insgesamt gar als „dramatisch", da die Dialekte um 1900 noch die normale Form der gesprochenen Alltagskommunikation im gesamten deutschen Sprachraum waren", während sie heutige mittel- oder norddeutsche Abiturienten in der Regel weder sprachen noch verstehen." (SCHMIDT 2017, 105.) Dabei zeigt sich eine Tendenz, dass die kleinräumigen Mundarten (im Wesentlichen also die Ortsmundarten) überführt werden in größere Lautungsbereiche, die man z. T. mit umgangssprachlichen Bereichen gleichsetzen kann (s. u. a. MOSER 1985, 1692). Gefördert wird diese Entwicklung nach 1945 durch die Umsiedlung großer Bevölkerungsteile, durch den Pendler- und Fremdenverkehr infolge gewachsener Mobilität, ferner durch den Einfluss der Massenmedien, die Erweiterung der Allgemein- und Spezialbildung sowie durch die Auswirkungen von Wissenschaft und Technik auf praktisch alle Lebensbereiche. Im Einzelnen verläuft dieser Prozess in den jeweiligen Regionen in unterschiedlichem Tempo. Neben den grundsätzlichen Gemeinsamkeiten gibt es dabei auch eine Reihe von Unterschieden.

In der DDR ist aufgrund verschiedener Ursachen – nicht zuletzt durch die spezifische Situation auf sozial-politischem Gebiet sowie in der Kultur- und Bildungspolitik – eine stärkere Verdrängung der Dialekte zu verzeichnen. So wurde hier längere Zeit der emotionale Wert der Mundarten und Mundartliteratur unterschätzt, was u. a. zu einer starken Reduzierung des Umgangs mit Dialekten in der allgemeinbildenden Schule führte. Insgesamt wurde ihr Gebrauch in einigen – insbesondere berlinnahen – Landschaften gänzlich aufgegeben, in anderen werden sie nur noch in sehr eingeschränkten Kommunikationssituationen (z. B. innerhalb der Familie, im Freundeskreis, bei kulturellen Veranstaltungen) verwendet. So ist der Rückgang in den mittleren Teilen des östlichen Deutschlands weiter vorangeschritten, als es im Norden (in Mecklenburg-Vorpommern, nördliches Brandenburg und Sachsen-Anhalt) und im Süden (vor allem in Teilen des Erzgebirges, des Vogtlandes und im Thüringer Wald) der Fall ist.

Im Westen und Süden der Bundesrepublik verläuft diese Entwicklung ähnlich. Allerdings geht die Verdrängung im Mundartgebrauch – zumindest in einigen Landschaften – langsamer vor sich. Das hat verschiedene Ursachen, hängt jedoch ebenfalls mit der Bildungspolitik zusammen. Die Betonung der Heimatverbundenheit, verstärkt vor allem aufgrund der föderativen Struktur der BRD, hat den Dialekten hier mehr Geltung verschafft. Nach einer Studie von BESCH (1980–1983) gilt das nicht nur für die Dörfer, sondern sogar für Klein- und Mittelstädte (bis zu 100 000 Einwohner).

Die Tatsache, dass der Gebrauch der Mundart heute in der Regel nicht mehr vom sozialen Status der Sprecher abhängig ist, sondern von den Bedingungen der Kommunikation und auch von toleranteren Einstellungen gegenüber Normabweichungen nicht nur bei Jugendlichen, führte in jüngerer Zeit erneut zu deren Aufwertung, die mitunter auch als *Renaissance der Mundarten* oder als *Mundartwelle* (zusammenfassend MATTHEIER 1997) bezeichnet wird. Besonders deutlich wurde das in der intensiveren Beschäftigung mit dem Niederdeutschen (in Mecklenburg wurden z. B. in der 90er Jahren vielfach Kurse zum Erlernen der Mundart angeboten) und in einem verstärkten Aufkommen mundartlicher Musik und Literatur. Dabei spielen heute auch die modernen Medien eine große Rolle. Selbst in die Unterhaltungs-Musik hat die Mundart Eingang gefunden und erreicht hier z. T. unerwartete Erfolge. In diesen Kontext ordnet sich letztlich auch die im Vorfeld heftig umstrittene und schließlich eher sprachpolitisch begründete Aufnahme des Niederdeutschen als Regionalsprache in die „Europäische Charta der Regional- und Minderheitensprachen" ein, die 1998 nach langjähriger emotionaler Diskussion erfolgte (s. zusammenfassend die Diskussion dazu in: SCHRÖDER 1997, ARENDT 2009). Wie Untersuchungen zum Status und zum Gebrauch des Niederdeutschen (2016) zeigen, verstehen jedoch nur noch knapp 50 % der Befragten der norddeutschen Bundesländer gut oder sehr gut Niederdeutsch (gegenüber 64 % 1984). Dabei gibt es eine Spannbreite von etwa 60 % in Schleswig-Holstein, 70 % in Mecklenburg-Vorpommern und 22 % in Brandenburg. Demgegenüber können nur noch etwa 16 % das Niederdeutsche sehr gut oder gut sprechen, wobei es etwa 25 % in Schleswig–Holstein, 21 % in Mecklenburg-Vorpommern und lediglich 10 % in Brandenburg sind. Durch verschiedene sprach- und kulturpolitische Maßnahmen konnten Dialektkenntnis und -gebrauch im Vergleich zu 2007 allerdings im Wesentlichen stabilisiert und der Rückgang somit etwas verzögert werden (vgl. ADLER u. a. 2016). Andere Untersuchungen zeigen „wenig überraschend" (SCHMIDT 2017, 119) die höhere aktive Dialektkompetenz im südlichen Oberdeutschen; so beherrschen selbst zwei Drittel der 18–29-Jährigen noch den nordbairischen Dialekt bei ansonsten ebenfalls differenzierteren Verhältnissen in den mittleren Regionen (s. SCHMIDT 2017).

Unterschiede zwischen Nord und Süd zeigen sich auch im Charakter und im Gebrauch der Umgangssprache bzw. – da der Begriff *Umgangssprache* verschiedenen Bedeutungen umfasst und hier die Varietäten im Spektrum zwischen Dialekten und regionalem Hochdeutsch meint – die modernen Regionalsprachen. Diese stehen im oberdeutschen Raum in Lautung und Wortschatz den Mundarten viel näher als im mitteldeutschen und vor allem im niederdeutschen Raum. Das hängt wiederum u. a. mit dem Einfluss der hochdeutsch geprägten Schriftsprache auf die niederdeutschen

Mundarten und Umgangssprachen zusammen (s. MIHM 2000). Die ursprünglich vorrangig in der mündlichen Kommunikation verwendete Umgangssprache erfährt zunehmend eine Ausweitung in die schriftliche Kommunikation. Bestimmte informelle Bereiche der neuen medialen Kommunikation (insbesondere Chats, soziale Netzwerke s. u.) befördern diesen Prozess in besonderer Weise.

Ebenfalls verstärkt hat sich die Integration regionalsprachlicher Mittel besonders aus der Lexik in die Standardsprache. Den sprachkritischen, insbesondere laienlinguistischen Bemerkungen zu diesem Prozess, die den Gebrauch umgangssprachlicher Elemente (vor allem in den Medien) als unangemessen bewerten, stehen Untersuchungen gegenüber, die zeigen, dass „umgangssprachliche Mittel aufgrund ihrer Semantik und ihrer konnotativen Merkmale im jeweiligen Kontext spezifische Funktionen besitzen und dadurch beim Rezipienten Wirkungen erzielen, die mit schriftsprachlichen Synonymen nicht oder nicht in der gleichen Weise zu erreichen sind." (LANGNER 1991, 46.) Hinzu kommt, dass sich immer mehr Regionalismen nicht mehr nur als typisches Merkmal (sog. Schibboleth) einer Sprachlandschaft zuordnen lassen. Dies zeigt z. B. die Ausbreitung der ursprünglich nur im Norddeutschen verwendeten Begrüßung *Moin, Moin*, die heute in weiten Teilen Deutschlands zu hören ist. Diese Entwicklung führt dazu, dass dort, wo Dialekt oder Regiolekt nicht mehr zur Verfügung stehen, „an die Stelle regionalen Sprachgebrauchs [...] ein kaum mehr regionalspezifischer allgemeiner neuer Substandard" tritt, der u. a. „von unkonventionell sprechenden Fernsehmoderatoren und in der Jugendsprache verbreitet wird [...] Regionale Sprachvariation tritt so hinter soziale und situative zurück." (V. POLENZ 1999, 459.)

In Österreich ist die sprachsoziologische Situation von der im Süden der Bundesrepublik kaum unterschieden. „Zur Variationsbreite läßt sich sagen, daß einerseits zwar, wie überall, die ländlichen Mundarten zugunsten regionaler Umgangssprachen zurückgehen, deren regional-dialektaler Charakter freilich noch stark ausgeprägt ist, daß andererseits aber die Verbindlichkeit einer dialektfreien Hochsprache-Norm altösterreichischer Prägung stark abnimmt [...]" (REIFFENSTEIN 1983, 20; s. auch WIESINGER 1990, 2003; SCHEURINGER 1997). Insgesamt wird auch hier je nach Sprecher- und Situationskonstellation ein breites und sehr variables Spektrum von Merkmalskombinationen der einzelnen Varietäten verwendet, wobei jedoch das österreichische Hochdeutsch nicht nur in der amtlichen, sondern auch in der alltäglichen Kommunikation verwendet wird.

Von dieser Situation unterscheidet sich die deutschsprachige Schweiz prinzipiell: „Gesprochene Sprache ist grundsätzlich Mundart, und zwar Baseldeutsch, Berndeutsch, Zürichdeutsch, Berner Oberländerdeutsch, St. Galler Deutsch, Walliserdeutsch; all das wird oft Schweizerdeutsch genannt; aber [...] Schweizerdeutsch kann [...] nicht mehr beinhalten, als dass es die deutschen Mundarten meint, die innerhalb der politischen Grenzen der Schweiz gesprochen werden." (RUPP 1983, 30.) Dabei tragen die Mundarten in der Schweiz – im Unterschied zu ihrem Gebrauch in den übrigen deutschsprachigen Gebieten – keinerlei soziale Markierung. „Ähnliches gibt es in der Bundesrepublik, in der DDR und in Österreich schon lange nicht mehr, das ist belegbar und belegt, und trotz aller Wiederbelebungsversuche, wie sie zur Zeit laufen, wird sich wohl daran nichts Entscheidendes ändern." (RUPP 1983, 31 f.; s. auch SCHLÄPFER 1990, STICKEL 1997, SCHMIDT 2017 u. a.)

1.8.4 Normierungsbestrebungen in der Orthographie und Orthoepie

Das Streben nach Normierung der Graphie und der Aussprache hielt auch nach 1945 an. Doch während sich die Auseinandersetzung um die Aussprache eher in der Stille vollzieht, „beschäftigt das Problem der Schreibung nicht nur die Fachwelt, sondern weite Kreise der Sprachgemeinschaft, und dies oft mit nicht überhörbarem Lärm" (H. MOSER 1985, 1681).

Orthographie

Nach wie vor waren Mitte des 20. Jhs. die Hauptprobleme der deutschen Rechtschreibung – insbesondere die Bezeichnung der Länge und Kürze der Vokale sowie die Groß- und Kleinschreibung – ungelöst. Dabei wurde seit 1901 durchschnittlich einmal pro Jahr der Versuch unternommen, die Einheitsschreibung zu verbessern; doch keiner davon hatte Erfolg. „Die Argumente in der Auseinandersetzung wiederholen sich seit Beginn der Diskussionen immer wieder, und sehr häufig finden wir auf diesem Felde auch unsachliche, stark emotionale und unqualifizierte Stellungnahmen. Zeitlich waren etwa die Jahre 1931, 1946/47, 1954, 1958–1963 und 1973/74 Höhepunkte solcher Auseinandersetzungen." (NERIUS 1990, 275, s. auch VEITH 2004.)

Da Dänemark 1949 zur gemäßigten Kleinschreibung übergegangen war, ist das Deutsche nunmehr die einzige Buchstabenschrift, in der die Großschreibung beibehalten wurde, was die Diskussion noch verschärfte. 1954 einigten sich auf der Stuttgarter Konferenz Delegierte aus der DDR, der BRD, aus Österreich, Luxemburg und der Schweiz über eine Reform, deren Grundsätze in den „Stuttgarter Empfehlungen" niedergelegt sind. In der DDR fanden die Empfehlungen weithin Anerkennung. Auch in der BRD stimmte eine Fachkommission zu („Wiesbadener Empfehlungen" 1958). In Österreich konnte man sich in einer Vertreterkonferenz 1961/62 über die gemäßigte Kleinschreibung nicht einigen, die Schweizer Kommission lehnte diese mit großer Mehrheit ab.

Ende der 70er Jahre konnten durch fehleranalytische Untersuchungen die Diskussionen wieder versachlicht werden. An der Akademie der Wissenschaften der DDR wurde 1975 eine „Arbeitsgruppe Orthographie" gegründet und 1976 durch die deutsche Kultusministerkonferenz eine baldige Orthographiereform befürwortet. Reformvorschläge wurden weiterhin unterbreitet von der 1977 gegründeten „Kommission für Rechtschreibfragen" und in dem 1978 veröffentlichten Wiener „Regelwerk für die gemäßigte kleinschreibung".

Auch in den 80er Jahren hielt die Auseinandersetzung um eine Orthographiereform unvermindert an. 1986 setzte mit den „1. Wiener Gesprächen zu Fragen der Rechtschreibreform" zwischen amtlichen Vertretern und Wissenschaftlern aus fast allen Gebieten, in denen Deutsch gesprochen wird, eine erneute Diskussion ein, in der endlich Einvernehmen in Bezug auf das allgemeine Verfahren und Programm einer Rechtschreibreform hergestellt wurde. In der Abschlusserklärung betonten die Teilnehmer, dass insbesondere die in vielen Teilbereichen kompliziert gewordenen Regeln vereinfacht werden müssten. Dabei standen zunächst die Worttrennung, die Zeichensetzung, die Getrennt- und Zusammenschreibung sowie die Laut- und Buchstabenschreibung einschließlich der Fremdwortschreibung im Mittelpunkt der Reformbemühungen. Die umstrittene Groß- und Kleinschreibung sollte erst in einem zweiten Schritt in Angriff genommen werden. Dieser Weg wurde 1990 von der „2. Internationalen Konferenz in Wien“ bestätigt.

Wie dringend notwendig eine Lösung inzwischen geworden war, machte 1990 auch ein erster Vorstoß der Berliner Schulsenatorin zur Vereinfachung der Orthographie deutlich. Dieser Alleingang und die damit verbundenen öffentlichen Reaktionen bestätigten zugleich, dass eine Orthographiereform nur von allen deutschsprachigen Staaten gemeinsam durchgeführt werden kann.

Im November 1994 fanden schließlich die „3. Wiener Gespräche“ statt. Die Konferenz kam in allen vorgesehenen Fragen zu einvernehmlichen Lösungen, sodass nun ein zwischen dem Internationalen Arbeitskreis und Vertretern aller zuständigen staatlichen Stellen der betroffenen Länder abgestimmter Neuregelungsvorschlag vorlag, der nach einer gründlichen redaktionellen Bearbeitung den politischen Entscheidungsinstanzen zur Annahme empfohlen wurde. Die Unterzeichnung einer gemeinsamen Absichtserklärung erfolgte in der Bundesrepublik Deutschland, Österreich und der Schweiz im Sommer 1996. Obwohl die Reformvorschläge seit Anfang der 90er Jahre publiziert worden waren, erhob sich nun ein oft stark emotional geäußerter Widerstand, der insbesondere von einzelnen Schriftstellern, Parlamentariern, Sprachwissenschaftlern und (z. T. landesweiten) Einzelinitiativen getragen wurde (s. EROMS 1997, ZABEL 1997 u. a). Mehrere Klagen von Eltern forcierten die öffentliche Diskussion. Eine seit 1997 berufene „Kommission für die deutsche Rechtschreibung“, der wissenschaftlich ausgewiesene Fachleute aus allen deutschsprachigen Ländern bzw. Ländern mit der Amtssprache Deutsch angehören, begleitete und begleitet die Einführung der Reform und soll, da sich Sprachwandel und Schreibgebrauch auch in den Regelwerken niederschlagen muss (s. EISENBERG 2017), kontinuierlich auf der Grundlage der geltenden Regeln für die Klärung von Zweifelsfällen sorgen.

Das neue Regelwerk von 1996 enthielt nicht nur einen vereinfachten Regelteil, sondern auch ein umfangreiches Wörterverzeichnis, in dem mit etwa 12 000 Beispielwörtern alle Stammschreibungen des Deutschen erfasst sind, sofern sie nicht auf fachsprachliche, umgangssprachliche oder landschaftlich gebundene Wörter beschränkt sind.

Wichtige Veränderungen betrafen:

- A **Laut-Buchstaben-Zuordnungen** (einschließlich Fremdwortschreibung): Beseitigung von Verstößen gegen die Stammschreibung (*behände, Gämse, schwänzen*), Einzelfälle mit Verdopplung der Konsonantenbuchstaben nach kurzem Vokal (*nummerieren, Tollpatsch*), *ss* für *ß* nach kurzem Vokal (*Hass, muss, dass* /Konjunktion/), Erhalt der Stammschreibung bei Zusammensetzungen (*Flusssand, Schifffahrt, Rohheit, selbstständig*), Systematisierungen in Einzelfällen (*rau, Differential/Differenzial*), Fremdwörter (unter Berücksichtigung bisheriger Entwicklungen (*Portemonnaie/Portmonee, Orthographie/Orthografie, Rheuma/Reuma*).
- B **Getrennt- und Zusammenschreibung** (von der Getrenntschreibung als dem Normalfall wird ausgegangen): *Radfahren, nahe gehen, übrig bleiben, wie viel.*
- C **Schreibung mit Bindestrich:** *Ichform/Ich-Form, 8-fach, Zoo-Orchester/Zooorchester.*
- D **Groß- und Kleinschreibung:** *in Bezug auf, im Großen und Ganzen, das ohmsche Gesetz.*
- E **Zeichensetzung:** Verzicht auf das Komma bei Hauptsätzen, die mit *und* oder *oder* verbunden sind; differenzierte Regelungen und Reduzierung der Regeln bei Infinitiv- und Partizipgruppen.
- F **Worttrennung am Zeilenende:** *Wes-te, Zu-cker, U-fer.*

Wie schon diese wenigen Beispiele zeigen, handelte es sich insgesamt um stärker strukturbezogene (schreiberorientierte) Regelfestlegungen, wobei teilweise inkonsequente Änderungen vorgeschlagen wurden. Insbesondere die vermehrte Groß- und die Getrenntschreibung waren umstritten, berücksichtigten sie doch in zu geringem Maße sprachhistorische Entwicklungstendenzen. Aber auch Einzelfallentscheidungen bei Stammschreibungen (*Gämse, behände*) führten zu Unsicherheiten, sind gegenüber den anderen Fällen jedoch eher marginal.

Eine lang bemessene Übergangszeit bis 2005 sollte dazu beitragen, die Kosten der Umstellung auf ein Minimum zu reduzieren. Mit dem Kompromissvorschlag der Deutschen Akademie für Sprache und Dichtung „Zur Reform der deutschen Rechtschreibung“ (2003) wurde schließlich ein Material vorgelegt, das ausgehend von den bestehenden Differenzen zwischen Sprachgebrauch und Kodifizierung einen Anstoß für die Wiederherstellung einer einheitlichen Rechtschreibung gab und zugleich einen Weg dahin zeigte. Doch 2004 mit der Rückkehr des Springer-Verlages und des „Spiegels“ zur „alten“ Orthographie und wenige Wochen vor dem endgültigen Inkrafttreten verstärkten sich die kontroversen Diskussionen erneut. Der „Rat für deutsche Rechtschreibung“ beschloss, dass die Regelungen in der Getrennt- und Zusammenschreibung teilweise wieder geändert werden sollten, wobei insbesondere dem Sprachwissenschaftler P. EISENBERG (2006a, b, c; 2011 u. a.) ein großes Verdienst bei der „Rettung“ zahlreicher Wörter zukommt. Zugleich verständigten sich die Kultusminister der Länder im Sommer 2005 darauf, die Reform nur in den nach Ansicht der Minister unstrittigen Bereichen verbindlich werden zu lassen. Toleranz sollte aber auch in bestimmten Bereichen der Worttrennung und Zeichensetzung geübt werden. Trotz der damit verbundenen Problematik führten Bayern und Nordrhein-Westfalen im Unterschied zu allen anderen deutschen Bundesländern die neuen Regeln dennoch nicht zum 1. August 2005 als verbindlich ein.

Im März 2006 beschloss die Kultusministerkonferenz schließlich erneut Änderungen zu einigen besonders umstrittenen Regelungen:

Getrennt- und Zusammenschreibung: Das formale Kriterium der Getrenntschreibung wird zugunsten des Kriteriums der neuen idiomatisierten Gesamtbedeutung als Kriterium der Entscheidungsfindung aufgegeben; bei Verbindungen aus Verb + Verb werden verschiedene Ausnahmegruppen mit fakultativer Zusammenschreibung zugelassen.
Groß- und Kleinschreibung: In festen nominalen Wortgruppen mit einer idiomatisierten Gesamtbedeutung wird fakultativ auch die Großschreibung des Adjektivs zugelassen, das Anredepronomen *du* kann fakultativ wieder großgeschrieben werden.
Zeichensetzung: Die Zahl der Fallgruppen mit obligatorischem Komma wird um zwei erweitert.
Worttrennung: Die Abtrennung einzelner Buchstaben wird wieder untersagt. (S. NERIUS 2007, 400 ff.)

D. NERIUS würdigte die Orthographiereform zusammenfassend wie folgt:

„Ob nun nach der Überarbeitung durch den Rat für deutsche Rechtschreibung die jetzt vorliegende Fassung der Neuregelung der deutschen Orthographie allgemeine Akzeptanz in der Öffentlichkeit findet, wird die Zukunft zeigen. Unabhängig davon, wie man die Neuregelung beurteilt, ist es ein orthographiegeschichtlich bedeutsames Ereignis, dass es in Anbetracht der Komplexität des Bedingungsgefüges einer Orthographieänderung und sogar über Staatsgrenzen hinweg erstmals seit 1901 gelungen ist, eine, wenn auch bescheidene Reform der deutschen Rechtschreibung in den deutschsprachigen Ländern offiziell zu beschließen und diesen Beschluss auch in die Praxis umzusetzen.“ (NERIUS 2007, 402.)
Nachdem zwischen 2006 und 2010 die Umsetzung der Regelungen im Vordergrund standen, widmete sich der Rat für Rechtschreibung, dem nun Mitglieder aus sieben Staaten angehören, in den folgenden Jahren insbesondere der Beobachtungen der Schreibentwicklung. Neue Regelungsvorschläge, die entsprechende Veränderungen berücksichtigen, betreffen nun die Reformulierung der Regelung zur Schreibung fester Verbindungen aus Adjektiv und Substantiv mit ge-

ringfügigen Adaptionen an den Rändern (z. B. Variantenschreibung *goldene/Goldene Hochzeit*), die Zulassung des Großbuchstaben für <*ß*> sowie die Aktualisierung des amtlichen Wörterverzeichnisses (s. Bericht des Rates für deutsche Rechtschreibung über die Wahrnehmung seiner Aufgaben in der Periode 2011 bis 2016, 3).

Regelung der Aussprache

Obwohl in den Medien gelegentlich über die Norm der Aussprache gesprochen und geschrieben wird – Fernsehen und Rundfunk geben dazu ausreichend Anlass –, ist das öffentliche Interesse an einer Regelung der Aussprache doch insgesamt gering. Das hat verschiedene Ursachen. So zeigen deutsche Sprecherinnen und Sprecher gegenüber landschaftlichen Aussprachebesonderheiten ihrer Gesprächspartner eine große Toleranz. Außerdem trugen die maßgeblich durch Theodor Siebs (1862–1941) fixierten Aussprachenormen u. a. durch ihre enge Orientierung an der Bühnenaussprache zu einer gewissen Ignoranz durch die Schule bei, die überhaupt bei der Verbreitung von Aussprachenormen zurückhaltend ist. Und schließlich hat sich im Laufe der Zeit die für die Anfangsphase des Hörfunks charakteristische Vorbildrolle für eine überregionale Standardaussprache insofern verändert, als dieser zunehmend „zu einem Verbreitungsmedium für Regionalsprache und für Regionalismen in standardsprachlichen Texten geworden“ ist (v. Polenz 1999, 341) und somit auch eher eine umgangssprachliche Aussprachenorm fördert. In eingeschränkter Weise gilt dies auch für einzelne Sparten des Fernsehens.

Entsprechend der von verschiedenen Sprachwissenschaftlern vertretenen These von der pluriarealen (Wolf 1994, Niehaus 2015, Kehrein/Lameli/Rabanus 2015, Schmidlin 2011; von einigen Fachwissenschaftlern auch als plurizentristisch charakterisierten, s. Ammon 1998, 2000) Entwicklung der deutschen Sprache ist sogar „von phonetisch-phonologischer Seite die Frage aufgeworfen worden, ob man nicht auf ein generelles System der Aussprache verzichten und Gruppen-Subsysteme erarbeiten sollte.“ (Moser 1985, 1683.) Auch ist es wohl nicht notwendig, die Aussprache überhaupt auf allen Stilebenen normieren zu wollen, besonders dann nicht, wenn unter Standardaussprache in ihrer strengen Form verstanden wird, dass ein Sprecher „in der Lage ist, alle Phoneme der deutschen Sprache so zu realisieren, daß ein kompetenter Muttersprachler keinerlei Anhaltspunkte hat, von welcher Sprachlandschaft der betreffende Sprecher phonetisch geprägt sein könnte.“ (Meinhold/Stock 1982, 112.)

Eine wichtige Etappe in der Diskussion um eine einheitliche Hochlautung bildete die 1957 erschienene 16., völlig neu bearbeitete Auflage von „Siebs Deutscher Hochsprache“ (mit dem nun bereits deutlich kleiner gesetzten Untertitel „Bühnenaussprache“), die sich den 1910 von Wilhelm Viëtor (1850–1918) empfohlenen Regelungen anschloss. Im 1962 erstmalig veröffentlichten „Duden – Aussprachewörterbuch“ (7. Aufl. 2015) wurde zunächst noch zwischen Bühnenaussprache und gemäßigter Aussprache unterschieden, doch schon in der zweiten Auflage wie auch in dem 1964 in Leipzig erschienenen „Wörterbuch der deutschen Aussprache“ (4. Aufl. 1974; Neubearbeitung unter dem Titel „Großes Wörterbuch der deutschen Aussprache“ (Krech u. a. 1982), das im Wesentlichen auf der Aussprache geschulter DDR-Sprecher in Funk, Film und Fernsehen beruhte, war das nicht mehr der Fall (s. Mangold 2000).

In der jüngeren Diskussion um die Normierung der Aussprache wird dafür plädiert, sich anstelle an einer idealistischen (weitgehend variantenfreien) Norm eher an einem „Gebrauchsstandard“ zu orientieren, also auf eine „möglichst realistische Beschreibung des Deutschen, wie sie im deutschen Sprachraum auch in formellen Situationen gebräuchlich ist“ (KLEINER 2013, 295; s. auch MAITZ/ELSPASS 2013). Doch auch hier gilt wie bei der Orthographie: Weitere Untersuchungen sind nötig (und werden insbesondere an den Universitäten in Halle und Köln auch durchgeführt), ehe es zu einer „umfassenden Neukodifizierung der deutschen Standardaussprache“ kommt, deren Norm im Sinne einer „demoskopischen Methode“ „von der Akzeptanz bestimmter Sprecher durch bestimmte Hörer“ ausgehen soll (MANGOLD 2000, 1807).

1.8.5 Entwicklungstendenzen in den Teilsystemen der deutschen Sprache

Wenn im Folgenden einige wichtige Veränderungen im System der deutschen Sprache dargestellt werden, so kann es sich hierbei nur um eine Auswahl handeln, weist doch das Diasystem der Sprache eine viel stärkere Schichtung auf, als dies die folgenden Aspekte deutlich zu machen vermögen, selbst wenn man nur die Standardsprache im Blick hat. Weiterhin gilt: „Da Entwicklungstendenzen stets eine größere Anzahl von Veränderungen umfassen, besitzen sie vielfach einen übergreifenden Charakter, und zwar in dem Sinne, daß sich die Tendenzen in mehreren oder allen Teilsystemen einer Sprache zeigen, mitunter auch mehrere Sprachen erfassen, oder in der Weise, daß sie über mehrere Entwicklungsperioden einer Sprache wirken. Häufig sind beide Formen des übergreifenden Charakters miteinander verbunden.“ (LANGNER 1980, 674.)

Die geringsten Neuerungen zeigen sich im relativ geschlossenen phonologischen Teilsystem; mit zunehmender Offenheit im morphologischen, syntaktischen und lexikalischen Teilsystem wachsen auch die Möglichkeiten sprachlichen Wandels. Veränderungen in der Sprache gehen dabei nicht explosiv, sondern evolutionär vor sich, denn die Sprache muss in jeder Entwicklungsphase der Gesellschaft als lebensnotwendiges Verständigungsmittel funktionstüchtig sein. Im Allgemeinen treten bei Wandlungen im Sprachgebrauch zunächst fakultative Varianten auf, die eine Zeitlang mehr oder weniger gleichberechtigt neben den bisherigen Formen stehen, diese dann ablösen oder ergänzen und auf diese Weise allmählich zu neuen Elementen der Norm und des Systems werden. Dass solche neuen Varianten – treten sie in größerer Zahl auf – auch öffentlich sprachkritisch thematisiert und in jüngerer Zeit zunehmend im Zusammenhang mit „Zweifelsfällen“ diskutiert werden, zeigt ein verändertes Sprachbewusstsein und bietet geeignete Ansatzpunkte, Sprache und insbesondere Sprachwandelphänomene auch in der Öffentlichkeit und in der Schule zu thematisieren (s. SCHNEIDER 2005, KLEIN 2009).

Insgesamt gilt, dass die Wandlungen im Wesentlichen die seit frühneuhochdeutscher Zeit eingetretenen Tendenzen fortsetzen. Wirkliche Neuerungen sind demgegenüber gering und betreffen neben dem sehr dynamischen Wortschatzbereich einzelne Wortbildungstypen, syntaktische Muster und pragmatische Mittel und Regeln (hier insbesondere die Anreden) (s. SOMMERFELDT 1988, V. POLENZ 1999, 338; BESCH 1998, 2009; GLÜCK/SAUER 1997, BRAUN 1998, 2004).

Lautsystem

Im Lautsystem vollziehen sich Wandlungen bei der Artikulation des /r/. Neben dem alveolaren (Zungenspitzen-)/r/ wird seit längerem das uvulare (Zäpfchen-)/r/ gesprochen wie in [*buʀk*] (Burg). Beide halten sich heute schon nicht mehr die Waage; das

Zungenspitzen-/r/ ist im Rückzug begriffen und nur noch in einigen süddeutschen Regionen verbreitet.

Außerdem sind in bestimmten Positionen auch Reduktionsformen – z. B. /*vaxtn*/ ‚warten', vokalische Auflösungen des Phonems /r/ [*hiɒ*] (hier) bis hin zum völligen Schwund [*va:*] (war) – zugelassen. Diese Wandlungen führen noch nicht zu einer Änderung im phonologischen System, da die einzelnen Realisierungen des Phonems /r/ fakultative Varianten (Allophone) – [*r*], [*ʀ*] und [*ʁ*] – ohne Bedeutungsunterschiede sind. Der Hörer wird immer ein /r/ verstehen. Dass in Einzelfällen, etwa bei der Reduktion von *zur* > *zu*, Missverständnisse entstehen könnten, wird auch durch den Einfluss des Kontextes weitgehend kompensiert.

Weiterhin kann der ə-Laut (Schwa-Laut) weitgehend, außer im absoluten Auslaut, unterdrückt und der vorangehende Konsonant silbisch gesprochen werden /*a:tm*/, /*li:bm*/.

Die Phonem-Oppositionen zwischen offen artikuliertem <*ä*> als /ε/ und engem /e/ werden heute weitgehend nicht mehr beachtet, sodass bestimmte Modusformen und Lexempaare (*gäbe/gebe*) nicht mehr auseinandergehalten werden.

Gelegentlich kommt es zur emphatisch-akzentuierten Erstsilbenbetonung sowohl mehrsilbiger Lehnwörter (*'Attentat, 'defensiv*) als auch „bei indigenen Wörtern, wo Präfixen eine semantische Oppositionsbetonung gegeben wird (z. B. *'Bewässerung, 'Entsorgung* [...])" (v. POLENZ 1999, 342; s. auch MOSER 1985, MANGOLD 2000). Veränderungen in der Standardaussprache können sowohl durch regionalsprachliche Einflüsse wie auch durch kommunikationsbedingte Faktoren hervorgerufen werden.

Morphologie

Veränderungen im morphologischen System sind an mehreren Stellen zu beobachten.

Beim Verb, bei dem traditionell zwischen „starker" und „schwacher" Konjugation unterschieden wird (s. auch 1.1.2.2.1), von denen sich Verben mit „unregelmäßiger" oder „schwankender" (auch: „gemischter") Konjugation abheben, ist auf die seit Jahrhunderten wirkende allgemeine Ausbreitung der schwachen Verben zu verweisen. Die starken Verben sind nicht mehr produktiv. Beim Übergang in die schwache Konjugation lassen sich verschiedene Entwicklungsstufen unterscheiden.

Neue verbale Bildungen wie auch Fremd- und Lehnwörter folgen nur noch dem Muster der schwachen Konjugation: *beschallen, drahten, bestuhlen, entölen, entstören, filmen, funken, radeln, röntgen, recyceln, chatten, parken, tanken, telefonieren, surfen, synchronisieren.* Beim Übergang starker Verben in die schwache Konjugation sind zu unterscheiden: Verben, bei denen der Übergang abgeschlossen ist, vgl. *rächen*: *Der fromme Dichter wird gerochen* (Schiller), *bellen*; Verben, die sich mitten in dem Prozess befinden: *schaffen – schuf/schaffte – geschaffen/geschafft* (semantische Differenzierung); *hängen – hing/hängte – gehangen/gehängt* (grammatische Differenzierung; infolge dieser semantischer und grammatischen Differenzierungen werden wohl beide Formen erhalten bleiben); *melken – molk/melkte – gemolken/gemelkt* (ohne Differenzierung) (s. LANGNER 1980, 676; BITTNER/KÖPCKE 2008).

Die Ausbreitung der schwachen Formen wird dadurch begünstigt, dass mit diesen Wandlungen eine Vereinfachung (Markierungsabbau) im Paradigma erzielt wird. Das trifft auch auf die (noch nicht standardsprachlichen) Imperativ-Formen *lese, nehme, spreche, werfe* zu, die auf den Einfluss der Umgangssprache zurückzuführen sind. Nach BITTNER/KÖPCKE sind von den ca. 400 im Althochdeutschen belegten ablautenden und unregelmäßigen Verben „heute weniger als die Hälfte stark flektierend geblieben [...] Dieser Prozess erfasst die jeweiligen Verben zu unterschiedlichen Zeitpunkten und verläuft unterschiedlich schnell." (2008, 69.) Gegenwärtig befinden sich mehr als

50 Verben im Übergang zur schwachen Flexion. Dabei verlaufen die Übergänge gerichtet, d. h. nicht willkürlich, sondern „entlang prognostizierbarer Pfade“ (a. a. O., 71), wie auch die folgende Übersicht verdeutlicht:

	Imperativ	Präsens	Präteritum	Konj. II	Part. II
werfen	*wirf*	*wirft*	*warf*	*wärfe/würfe*	*geworfen*
werden	***werde***	*wird*	*wurde*	*würde*	*geworden*
heben	***hebe***	***hebt***	*hob*	*höbe*	*gehoben*
schinden	***schinde***	***schindet***	***schindete***	*schünde*	*geschunden*
melken	***melke***	***melkt***	***melkte***	***melkte***	*gemolken*
bellen	***belle***	***bellt***	***bellte***	***bellte***	***gebellt***

(BITTNER/KÖPCKE 2008, 70)

Sie zeigt, dass der Abbau starker Flexionsformen beim Imperativ beginnt und sich von hier stufenweise fortsetzt (s. ebd.). „Wenn Sprecher also z. B. ein starkes Präteritum benutzen, dann bilden sie zwar auch starke Flexionsformen beim Konjunktiv II und beim Partizip II [...], nicht aber zwangsläufig bei der 3. Person Singular Präsens und im Imperativ [...]“ (a. a. O., 71).

Verbale analytische Sprachformen

Stark verbreitet ist die Tendenz der Ausbreitung verbaler analytischer Sprachformen auf Kosten der synthetischen.

Zur Bezeichnung der Dauer eines Vorganges (und anderer Aktionsarten) dringen im Präsens Umschreibungen folgender Art über die Umgangssprache ein: *er ist am Arbeiten, er tut arbeiten.* Andere Konstruktionen sind bereits standardsprachlich: *sein Ansehen ist im Wachsen.* – Auch Passivumschreibungen mit Hilfe von Funktionsverb-Gefügen (auch: „Streckform-Syntagmen“) breiten sich aus: *das Theaterstück kommt zur Aufführung* für ... *wird aufgeführt*; ferner Umschreibungen mit *bekommen, erhalten, kriegen*: *er bekommt es geschickt – es wird ihm geschickt*; *er erhält es ausgehändigt – es wird ihm ausgehändigt*; *er kriegt es gesagt – es wird ihm gesagt.*

Entgegen der von Sprachkritikern negativ bewerteten Ausweitung der Funktionsverbgefüge ermöglichen sie semantische und stilistische Differenzierungen gegenüber den entsprechenden Verben, durch die die Ausdrucksfähigkeit der Sprache erhöht wird, vgl. *entscheiden* (punktuell) gegenüber *zur Entscheidung bringen* (Verlaufscharakter, kausativ); sie können Aktionsarten oder Verlaufsformen ausdrücken und das Passiv ersetzen (s. BRAUN 1998, 233; STORRER 2013).

Als Tendenz zum analytischen Formenbau ist auch die Umschreibung des Konjunktiv Präteritum mit *werden* (*würde*) in der indirekten Rede und im Konditionalgefüge anzusehen: *ich sagte ihm, dass ich starten würde*; *wenn die Medizin helfen würde, wäre ich froh*; *würdest du mir schreiben, wenn du Zeit hättest?* Für das Vordringen der Konjunktivumschreibung mit *würde + Infinitiv* (und anderen Varianten) gibt man im Allgemeinen drei Ursachen an: a) Die Formen des Konjunktiv Präteritum der starken Verben werden als altertümlich oder gekünstelt („pietös“) empfunden (*beföhle/befähle, bärge, flöhe, drösche, löge, mäße*), b) sie unterscheiden sich lautlich nur geringfügig vom Präsens Indikativ (*läse – lese, sähe – sehe, träte – trete*), c) bei den schwachen Verben stimmen sie völlig mit dem Präteritum Indikativ überein (*baggerte, baute, faltete, nutzte, zahlte*) (s. LANGNER 1980, BRAUN 1998, EISENBERG 2017).

Eine Veränderung vollzieht sich auch im Tempussystem. Die seit dem 15. Jh. belegte so genannte „4. Vergangenheit“ (das Doppelperfekt (DPF), auch „Superperfekt“) *habe* + Partiz. II + *gehabt* breitet sich – ausgehend von der Umgangssprache – gegenwärtig auch in der Standardsprache aus; das gilt ebenso für die „5. Vergangenheit“, das Doppelplusquamperfekt (DPPF), *hatte* + Part. II + *gehabt*: *Ditte hatte schon ein gutes Ende zurückgelegt gehabt* (A. Nexö) (s. LANGNER 1980, 677). Hier (wie auch bei anderen

Sprachwandelerscheinungen) ist davon auszugehen, dass damit eine funktionale „Lücke“ im System gefüllt wird. Nachdem die These, dass das DPF als Kompensationsleistung des deutschen Tempussystems als Folge des (süddeutschen) Präteritumschwundes von verschiedener Seite kritisiert wurde (s. ZYBATOW/WESKOTT 2018, 85), zeigen jüngere Untersuchungen, dass sowohl das DPF als auch das DPPF zum Ausdruck sehr komplexer Zusammenhänge (sehr verkürzt: „Vollzogenheit in Vollzogenheit“) verwendet werden. Dabei ist die „interpretatorische Flexibilität des DPFs nur im Zusammenspiel von Verbklassenspezifik, konstruktionsspezifischen Eigenschaften und informationsstruktureller Kontextanpassung zu erfassen“ (a. a. O., 121). Keinesfalls ist, wie z. B. vom Sprachkritiker S. Sick behauptet, von einem „Ultra-Perfekt“ oder gar „Hausfrauenperfekt“auszugehen (s. AMMAN 2005, BUCHWALD-WARGENAU 2010, HUNDT 2011).

Substantiv

In der Morphologie der Substantive ist der seit Jahrhunderten zu beobachtende Umbau im Kasussystem auch heute noch nicht abgeschlossen. Er äußert sich im Abbau von Kasusmarkierungen (Kasussynkretismus) sowie im weiteren Vordringen der präpositionalen Kasus gegenüber den reinen Kasus. Diese Prozesse sind am deutlichstem am Gebrauch des Genitivs zu erkennen.

Das *s* im Genitiv der starken Maskulina und Neutra weicht immer mehr zurück. Während Goethe seinen Roman 1774 noch „Die Leiden des jungen Werthers“ nannte, taucht dieser Titel in späteren Literaturgeschichten ohne Genitivendung auf.
Dabei wird die Genitivendung nicht willkürlich weggelassen, sondern dann, „wenn der Genitiv noch anders markiert ist, und auch das weitaus überwiegend bei Wörtern eines sog. Sonderwortschatzes, zu denen vor allem Eigennamen, Fremdwörter und Abkürzungen, Kurzwörter gehören, nicht aber Wörter des Kernwortschatzes“ (EISENBERG 2017, 70), also z. B. *Entwicklungstendenzen des neuesten Deutsch, in den Bergen des Balkan, die schönen Tage des Juli, des ICE, des Konjunktiv,* aber (fast) nicht: **des Buch, *des Gitter.* In der Mundart ist er fast völlig geschwunden, auch in der Umgangssprache wird er meist durch andere Kasus ersetzt. Da die wenigen Verben und Adjektive, die noch den Genitiv regieren, meist der gehobenen Stilschicht angehören, korrespondiert der Wechsel des Kasus öfter mit einem Wechsel des regierenden Wortes: *Wir gedenken seiner – wir denken an ihn* (aber: **wir gedenken ihm*). *Er bedarf des Trostes – er braucht den Trost.*
Dem Rückgang des Genitivs als Objektkasus steht allerdings „die außergewöhnliche Zunahme des adnominalen Genitivs in der Substantivgruppe“ (BRAUN 1998, 112) gegenüber: *die Ursachen des Unfalls der Schulkinder.* Als gegenläufige Tendenz lassen sich auch bei einer Reihe von Präpositionen „wie etwa *anhand, anlässlich, aufgrund, kraft, mittels* usw. [...] „Aufbauprozesse“ bei der Genitivkennzeichnung erkennen“ (BITTNER/KÖPCKE 2008, 64, s. a. EISENBERG 2017).

Veränderungen zeigen sich auch im Dativ Singular. Die Verwendung des Dativ-*e* gilt bei starken Maskulina und Neutra heute als veraltet, gleichzeitig zeigt sich eine deutliche Tendenz zu festen Wendungen vom Typ *Not am Manne* (s. EICHINGER 2013). Die Funktion des Dativs wird zunehmend durch Präpositionen, Artikel oder Pronomen angezeigt: *auf dem Berg, im Jahr 1945, nach dem Krieg, an jedem Nachmittag.* Außerdem werden sog. schwache Maskulina des Kernwortschatzes zunehmend stark flektiert, „zumindest gilt dies für den Dativ und Akkusativ Singular: *dem/den Bär/Präsident* statt *dem/den Bären/Präsidenten*“ (BITTNER/KÖPCKE 2008, 64). Entgegen dieser Tendenz hat sich jedoch bei einer großen Gruppe von Fremdwörtern die schwache Flexion etabliert: *des/dem Philologen, des/dem Autoren* (s. EISENBERG 2017, 76 f.).

Diese Veränderungen reihen sich ein in die sprachliche Tendenz der Vereinfachung der Deklinationsklassen zugunsten einer strafferen Systematisierung nach den Genera.

Gleichzeitig wird bei der Umstrukturierung die stärkere Singular-Plural-Opposition herausgehoben. Hier ist eine Übersicht der charakteristischen Pluralmorpheme instruktiv: Maskulina *-e*, etwa 80 %; Feminina *-en*, etwa 75 %; Neutra *-er*, etwa. 60 %. Bei Kurz- und Fremdwörtern (besonders nach vokalischem Auslaut) ist vor allem das *-s* produktiv: *Gruftis, Realos, Hotels, Wracks, Spontis, Akkus, LKWs, PKWs* (s. GLÜCK/SAUER 1990, 69 ff.).

Adjektiv

Bei der Adjektivflexion breitet sich weiterhin *-en* als Flexiv aus, insbesondere in Verbindung mit bestimmten Präpositionen als Ersatz für Genitivendungen: *wegen meinen Eltern, frohen Mutes, trotz der zahlreichen Mängel* für *trotz zahlreicher Mängel.* Treten zwei Adjektive nebeneinander als Attribut auf, wird das zweite Adjektiv schwach flektiert: *mit gutem roten Wein,* auch wenn Mitte des 20. Jh. zeitweilig eine Verstärkung des Typs stark – stark (*mit gutem rotem Wein*) erkennbar war (s. EICHINGER, 2013, 160; andere Ergebnisse finden sich allerdings bei KUBCZAK 2015).

Im Zusammenhang mit der Ausbreitung präpositionaler Konstruktionen erweitert sich auch der Anwendungsbereich mancher Präpositionen. Dabei kommt es nicht selten zu Abweichungen vom bisherigen Gebrauch: *jemandem (an jemanden) Aufgaben stellen, eine Charakteristik des (über den) Bewerber(s) geben, (von) jemandem etwas abverlangen.* Tendenziell ist jedoch zu beobachten, dass eine jüngere Schicht abgeleiteter Präpositionen (*wegen, angesichts, infolge …*) überwiegend den Genitiv regieren (EISENBERG 2017, 65).

Syntax

Im Bereich der Syntax ist auf die allgemeine Tendenz zur Verkürzung der Sätze hinzuweisen. Gegenwartssprachlichen Sätzen mit durchschnittlich 14–18 Wörtern (populärwissenschaftliche Texte), mit 5–13 Wörtern (journalistische Texte, Presse) und mit 10–11 Wörtern (Belletristik; Remarque 10, Strittmatter 8) stehen Sätze gegenüber mit einer Durchschnittszahl von 24 Wörtern bei Lessing, 30 bei Goethe, 36 bei Heine (s. SOMMERFELDT 1988, 216 f.). Allerdings sind diese Angaben insofern zu relativieren, als nicht alle Sprachverwendungsbereiche in gleicher Weise untersucht wurden und auch die Unterschiede innerhalb der Kommunikationsbereiche groß sind. Trotz dieser Tendenz zur Verkürzung der Sätze werden die vielfältigen Möglichkeiten syntaktischer Konstruktionen voll ausgeschöpft (s. ADMONI 1985, 1553; 1990; SOMMERFELDT 1988, 216 ff.; BRAUN 1998, 104 ff.).

Dessen ungeachtet wird eine zunehmende Tendenz zur Bevorzugung einfacher, leicht handhabbarer Satzmodelle deutlich. Nach BRAUN (1998, 110) werden von insgesamt 31 möglichen Satzbauplänen nur die folgenden häufig genutzt: Subj.-Präd. (-Akk.-Obj.); Subj.-Präd.-Präpositionalobj.; Subj.-Präd.-Raumergänzung; Subj.-Präd.-Artergänzung. Diesen Modellen entsprechen über 60 % aller Sätze. Die Tendenz zum Gebrauch einfacher Satzmodelle äußert sich weiterhin im Vordringen von Sätzen mit Streckformen (Funktionsverbgefügen): *unter Beweis stellen, Protest erheben, Einfluss nehmen* wie auch in der Bevorzugung von Sätzen mit einem transitiven Verb, vgl. *begrünen, bestuhlen, bespielen, erinnern, kommunizieren.*

Die in den 50er/60er Jahren im Zusammenhang mit der These *„vom inhumanen Akkusativ“* ausgelöste Diskussion erbrachte letztlich die Ablehnung der Moralisierung dieses grammatischen Kasus. Die Ausweitung von Akkusativkonstruktionen ist auf deren syntaktisch vorteilhafte Funktionen wie mögliche Einsparung des Agens, Passivierung, Partizipbildung u. a. zurückzuführen.

Im Bereich der Konjunktionen vollzieht sich ein Wandel im Gebrauch von *weil*, gelegentlich *obgleich*, *obwohl* und *trotzdem*.

Die subordinierende Konjunktion *weil* nimmt – ausgehend von der gesprochenen Sprache – immer häufiger (auch in öffentlicher Kommunikation) Hauptsatzposition ein (*Ich kann nicht pünktlich kommen, weil ich habe den Zug verpasst*) und übernimmt damit die Funktion von *denn*. Dieses sog. epistemische *weil* gilt in der geschriebenen Standardsprache noch nicht als korrekt. In der inzwischen umfangreichen Literatur zu *weil*-Konstruktionen finden sich neben strukturellen Erklärungen auch solche, die pragmatische Gründe für diesen Wandel anführen, z. B. die Unterscheidung zwischen Äußerungsrechtfertigung vs. Sachverhaltsbegründung – sog. „epistemisches" *weil* (s. u. a. WEGENER 1993, 1999, KELLER 2005, 200). Dem stehen „sprachgeschichtlich-langfristige Erklärungen" (V. POLENZ 1999, 358; SELTING 1999) gegenüber, die diese Entwicklung mit der stärkeren Verwendung sprechsprachlicher Muster, z. B. mit der Zunahme der Herausstellung, in Verbindung bringen.

Trotzdem kann im heutigen Deutschen sowohl als satzeinleitendes Adverb als auch als subordinierende Konjunktion verwendet werden. Diese Verwendung, in der *trotzdem* mit *obgleich/obwohl* konkurriert (*Trotzdem* ich *den Zug verpasst habe, versuche ich pünktlich zu kommen.*), gilt ungeachtet ihrer schriftsprachlichen Verbreitung jedoch weithin als umgangssprachlich.

Mit der Tendenz zur Verkürzung und Vereinfachung komplexer Satzstrukturen im Zusammenhang steht auch die Tendenz zur Nominalisierung, wie sie vor allem durch den Gebrauch von Suffixen wie *-heit, -keit, -ung* (*Verlorenheit, Zögerlichkeit, Durchwegung, Bestuhlung, Gentrifizierung*), durch substantivierte Infinitive (*das Befahren, Prüfen*) und andere Nomina actionis (*der Abzug, die Vergabe*) sowie kurze, deverbale Ableitungen auf *-e* (*Schreibe* ‚Schreibgerät', *Glotze* ‚Fernseher', *Latsche* ‚Teppich') realisiert wird.

Übermäßige Nominalisierung war auch im politischen Sprachgebrauch der DDR verbreitet und führte zu dem zu Recht kritisierten ‚gestelzten Parteistil': *Zur Sicherung der kontinuierlichen Steigerung der Arbeitsproduktivität und zur Durchführung des technisch-wissenschaftlichen Höchststandes sowie der Übererfüllung des Planes.* Er findet sich aber auch in aktuellen, insbesondere amtlichen Texten: *Wegfall der Zahlungserinnerungen vor Fälligkeit für gleichbleibende Vorauszahlungsbeträge bei der Einkommenssteuer und Körperschaftssteuer einschließlich Folgesteuern*; *Entschließung des Bundesrates zur Aufhebung der Einstufung des westlichen Maiswurzelbohrers (Diabrotica vigifera Le Conte) durch die Kommission als Quarantäneschadorganismus in der Europäischen Gemeinschaft* (Pressemitteilung 1997).

Mit der Nominalisierung sind zugleich Bestrebungen nach Vergrößerung des Umfanges der Satzglieder und zur Reihung verbunden. Dabei ist die Substantivgruppe selbst „grammatikalisch durchaus nichts Neues, auffällig ist nur die überaus starke Nutzung und quantitative Ausweitung." (BRAUN 1998, 119). Das zeigt sich u. a. in der Aufschwellung von Attributen in der nominalen Klammer:

durch die – in einem Bericht des Ausschusses zur Bekämpfung der Rassenungleichheit in der amerikanischen Hauptstadt wiedergegebene – Auskunft

und in überlangen Attributketten:

Die Haftung der Eisenbahn für die Tötung und Verletzung von Reisenden auf Grund des internationalen Personenbeförderungsvertrages unter besonderer Berücksichtigung der internationalen Bestrebungen für Vereinheitlichung der Haftungsprinzipien.

Knappheit und Streben nach Abstraktion laufen mit diesen Entwicklungstendenzen parallel. Besonders groß ist hierbei der Einfluss der Fachsprachen.

Satzrahmen und Ausrahmung

Obgleich die Tendenz zur Ausrahmung von Satzgliedern (wie auch Herausstellung, Nachstellung und Parenthese) unter dem Einfluss gesprochener Sprache zunimmt, findet auch weiterhin der volle Satzrahmen seine Verwendung (s. ADMONI 1985, SOMMERFELDT 1988): *Er stieg blasend und rückwärtsgehend die Treppe zu der kleinen Bühne hinauf, die sie sich gebaut hatten/für die Feierabende und Sonntage* (H. Kant). Obwohl „die Häufigkeit von Ausklammerungen in verschiedenen Funktionalstilen unterschiedlich ist" (SOMMERFELDT 1988, 234), konnte nachgewiesen werden, dass vor allem Präpositionalobjekte zunehmend ausgerahmt werden, „weil sie besonders eng mit dem Rahmenende verbunden sind" (ebd., 237).

Insgesamt lässt sich im Bereich der Syntax eine Annäherung an die mündliche Kommunikation beobachten, die „zumindest als Entstehung eines sozial nicht mehr diskriminierten Substandards erklärt werden kann" (V. POLENZ 1999, 359).

Wortbildung

Komposition: Die Zunahme und Verstärkung der Univerbierung (Vorgang und Ergebnis des Zusammenwachsens mehrgliedriger syntaktischer Konstruktionen zu einem Wort) kann als Haupttendenz im Bereich der deutschen Wortbildung angesehen werden (s. BRAUN 1998). Dabei ist sowohl die Tendenz zu immer komplexeren Komposita als auch zu Verkürzungen zu beobachten. Den Mehrfach-Komposita liegt das Bestreben zur Genauigkeit zugrunde.

Besonders in der Sprache der Verwaltung, Technik und Wirtschaft sind solche überlangen substantivischen Bildungen verbreitet:

Rindfleischetikettierungsüberwachungsaufgabenübertragungsgesetz (1999 auf Platz 10 der „Wörter des Jahres"), *Wohnraummodernisierungssicherungsgesetz, Umsatzrückerstattungsnovellierungsverordnung, Arbeiterwohnungsbaugenossenschaft, Eisenbahntransportfacharbeiter, Datenverarbeitungsanlagenindustrie, Ersatzteillagerregaleinlegeboden, warmwasserfußbodenbeheizungsgeeignet.*

In der Schreibweise tritt zugleich verstärkt der Durchkopplungsbindestrich mit *und* auf: *Arbeiter-und-Bauern-Staat, Kohle-und-Energie-Programm*, daneben auch ohne *und*: *Alkali-Mangan-Batterie, Krankenversicherungs-Neuordnungsgesetz, Ein-Aus-Tastung.* Dies betrifft wiederum vor allem fachsprachliche Wörter: *3,5 mm-Klinkenmikro-Stecker, AsRock-und-Asus-Boards, Bild-Upload*, wobei allerdings insbesondere in den digitalen Medien (wohl unter englischem Einfluss) auch zunehmend Getrenntschreibung zu beobachten ist: *Gaming Modus, Authentifizierungs SMS, Offset Modus Zeichen* (s. DZIUBALLE 2018).

In jüngster Zeit verstärkt sich ausgehend von der Werbung auch die Binnengroßschreibung: *MegaFUNParty, BahnCard, KulturBahnhof, TeleBanking, ZweitPhone.*

Die Kennzeichnung der Fugen bei Komposita nimmt zu:

Antriebsmechanismus, Gesprächsthema, Ideenkraft, Löwenzwinger, Nachrichtenagentur, Gästebuch, Kräfteverhältnis, Discothekenanlage, Sicherheitspatche

Bei den Determinativkomposita wird das Modell attributives Adjektiv + Substantiv + Substantiv bevorzugt: *Altstoffsammlung, Klarsichtfolie, Großwetterlage.*

Einen produktiven Wortbildungstyp bei adjektivischen Zusammensetzungen stellen Verbindungen von Substantiven mit Partizip I und II dar: *friedliebend, postlagernd, schlafraubend, richtungsweisend; gasbeheizt, preisgekrönt, abgasreduziert.*

Verben bilden unter dem Einfluss der Fachsprachen häufiger „(Pseudo-)Verbzusammensetzungen" (v. POLENZ 1999, 368): *bergwandern, zweckentfremden, schutzimpfen, windsurfen, bausparen.* Diese „Rückbildungen" sind Ableitungen komplexer Verben aus komplexen Substantiven, deren Zweitglied seinerseits bereits von einem Verb stammt (*Berg + wandern* > (das) *Bergwandern* > *Bergwanderer* > *bergwandern*).

Verkürzung: Die Tendenz zur Verkürzung komplexer Wörter oder syntaktischer Konstruktionen gehört zum Prinzip der Ökonomie, gewissermaßen als sprachliche Reaktion auf die Mehrfachzusammensetzungen. Dabei sind verschiedene Bildungsweisen zu beobachten:

Kopfwörter: *Oberkellner* > *Ober, Bockbier* > *Bock, Lokomotive* > *Lok, Kriminalroman* > *Krimi*; vgl. auch Firmenbezeichnungen wie *Hertie* (*Hermann Tietz*), *Leica* (*Leitz-Camera*) (s. TSCHIRCH 1989, 219), Schwanzwörter: *(Ton)Band, (Eisen)Bahn*; Klammerformen: *Laub(holz)säge, Tank(stellen)wart, Mo(torho)tel, Smombie* (*Smartphone + Zombie*; Jugendwort des Jahres 2015). Ihre extremste Form findet die Verkürzung in den Initial- oder Buchstabenwörtern (Akronyme): *AEG* (*Allgemeine Elektricitäts-Gesellschaft*), *BGB* (*Bürgerliches Gesetzbuch*); *DGB* (*Deutscher Gewerkschaftsbund*); *GEWOBA* (*Gemeinnützige Wohnungsbau-Genossenschaft*); *EG* (*Europäische Gemeinschaft*), *EU* (*Europäische Union*). Dieser Wortbildungstyp ist nach v. POLENZ (1999, 364) ein wirklich innovativer Teilbereich, der die volle Alphabetisierung der Bevölkerung am Ende des 19. Jh. zur Voraussetzung hat. Zu jüngeren Bildungen gehören *ASCII, MS-Dos, CAD, ROM, RAM, CPU, DVD, SARS, PISA*, AStA, *PKW-IAA, EPK* (Kommission für Entwicklung und Planung). In der Wirtschaft und Wissenschaft, aber auch in der Kultur zeigt sich die Tendenz, Projekte, Institutionen und Funktionen mit „sprechenden" Bezeichnungen zu versehen: *SIN – Sprachvariation in Norddeutschland, Studio im Netz e. V., PETRA – Positron-Elektron-Tandem-Ring(beschleuniger)-Anlage/Positron-Electron Tandem Ring Accelerator.* Dabei kommt es auch zu gleichen Bezeichnungen für unterschiedliche Gegebenheiten, so steht *SAP* u. a. für: *Systeme Anwendungen Produkte* (der größte europäische Softwarehersteller), *South African Police, Service Access Point, Sozialistische Arbeiterpartei, Strukturanpassungsprogramm.* Ein Vorteil solcher Kurzwörter ist es, neue Möglichkeiten der Wortbildung zu nutzen:, *TÜV-mäßig/ein Auto tüven, ich habe gelolt* (zu *lol – laughing out loud, simsen* zu *SMS*), *ARD-Korrespondentin* (s. STEINHAUER 2001).

Die (übermäßige) Verwendung solcher Kurzwörter kann jedoch auch zu Problemen in der Kommunikation führen. Diese treten z. B. dann auf, wenn bei häufiger Verwendung der Kurzform die Semantik der Vollform nicht mehr vorhanden ist (vgl. *Nachrichtenagentur dpa*); die Orthographie (vgl. *GEWOBA*; *Stasi* für *Staatssicherheit, Trabbi* für *Trabant*) ebenso wie das Genus (*das/die PS*) oder die Deklination (*des BND/BNDs*) von der entsprechenden Langform abweichen, was allerdings die Eigenständigkeit solcher Konstruktionen unterstreicht. So zeigt auch die nach wie vor unterschiedliche Schreibung der Abkürzungen für *Electronic Mail* (*Elektronische Post*), wie groß die Unsicherheit gerade bei jüngeren Entlehnungen noch ist, auch wenn durch die amtliche Regelung nur *E-Mail* als normgerecht gilt: *E-mail, email, e-mail, eMail*: dem steht die Schreibung von *Email/Emaille* 'Schmelzüberzug' gegenüber.

In Weiterführung älterer Vorbilder bei der Bildung von (Kose-)Namen (*Andy/i, Mausi, Mutti*) sowie infolge englischen Einflusses (*Yuppi, Dandy*) werden als neue Kurzwörter-Diminutiva Formen auf *-i/y, -o*, gelegentlich auch („feministisches") *-a* gebildet, die. z. T. diminutive Bedeutung haben:

Sofi (für die Sonnenfinsternis 1999), *Sponti, Ossi/Wessi/Wossi, Ossa-Wessi-Ehe, Tussi, Studi, Prolo, Realo/Reala*; *Demo, Memo, Euro*. Besonders erfolgreich ist die Neubildung *Handy* (eine Schein-Entlehnung), die sich gegenüber der offiziellen Bezeichnung *Mobiltelefon* 1993 innerhalb weniger Monate durchgesetzt hat.
Andere Kurzformen sind endungslos: *Prof.*, *Stud, Kat, Fax* oder werden mit dem Suffix *-e* gebildet: *Häme, Schreibe.*
Möglich sind auch deadjektivische Ableitungen: *depri* ('depressiv'), *sponti* ('spontan'), *groggy* (Boxsport: 'schwer angeschlagen', Umgangssprache: 'sehr erschöpft' sein), *supi* ('super').

Derivation

Im Bereich der adjektivischen Ableitungen nimmt die Bildungsweise mit *-mäßig* zu. Sie dient der Verkürzung und bereichert die Möglichkeit, „Zugehörigkeitsbeiwörter" zu bilden: *rechtmäßig, plan-*, *verkehrs-*, *gesetz-*. Klischeehafte Verwendung mit der Tendenz zum Modewort tritt häufig in adverbialer Verwendung auf: *ich kann zeitmäßig nicht kommen* (*ich kann aus Zeitmangel nicht kommen/weil ich keine Zeit habe*). Der Übergang vom freien zum gebundenen Morphem und damit zur Reihenbildung ist auch zu beobachten bei *-los, -arm, -reich, -voll, -trächtig,* beim Substantiv bei *-gut, -werk, -zeug, -wesen* u. a. (s. BRAUN 1998, 177).

Produktive verbale Ableitungsmodelle nutzen die Präfixe *be-*, *er-*, *ent-*, *ver-*, *zer-*, die der Verdeutlichung der Verbinhalte und der Ausdrucksverkürzung dienen:

bedachten (‚mit einem Dach versehen'), *-lichten, -vorschussen; erarbeiten, -kunden, -schließen; entbeinen, -graten, -rosten; verbildlichen, -dichten, -zimmern, -karten, -opern; zergehen, -spanen.* Neuere Bildungen weisen auch schon zwei Präfixe auf: *verbeamten, bezuschussen, abverlangen.* Zunehmend werden deonomastische Verben gebildet: *verkohlen, verschrödern, vermerkeln, verriestern,* die allerdings nur selten auch ins Lexikon eingehen.
Mehr Verben werden auch mit trennbaren Präfixen wie *aus-*, *auf-*, *ein-* gebildet. Produktiv sind auch einfache Verbableitungen (mit Nullsuffix): *faxen, filmen, lacken, mailen, daten, checken.*

Lexik

Wie oben bereits gezeigt wurde, können Veränderungen in der Lexik als dem beweglichsten Teil des Sprachsystems nicht losgelöst von außersprachlichen Faktoren betrachtet werden. Der rasante wissenschaftlich-technische, inzwischen auch digitale Fortschritt und die sozialen Entwicklungen haben dabei nicht nur die Quantität, sondern auch die Qualität des deutschen Wortschatzes wesentlich erweitert und verändert. Folgende Entwicklungstendenzen sind zu unterscheiden, die in sehr spezifischer Weise miteinander interagieren (s. LANGNER 1980, BRAUN 1998):

Einfluss der Fachsprachen auf die Gemeinsprache: Infolge erweiterter Bildungsmöglichkeiten, der Massenkommunikation und der Auswirkungen von Wissenschaft und Technik auf das Alltagsleben dringen verstärkt Fachwörter in den allgemeinen Wortschatz ein: *Kommunikation, AIDS, Satellitenfernsehen, Interaktion, Paranoia, Kompetenz, Stress, Demenz, Gen, EKG.* Allein die Tatsache, dass heute von mehr als 300 Terminologien ausgegangen werden kann, macht dabei das Ausmaß und die Kompliziertheit der semantischen Veränderungen, die bei dem Übergang von Fachwörtern in die Alltagssprache erfolgen, deutlich. Die damit einhergehende Determinologisierung birgt auch die Gefahr von Missverständnissen und unangemessener Verwendung in sich. Fachleute assoziieren mit fachsprachlichen Lexemen, wie *Laser, Düsenantrieb, Metamorphose*, andere Bedeutungen als Laien, auch wenn sie auf denselben Sachverhalt referieren.

Tendenz der Spezialisierung: Sie äußert sich vor allem in der Zunahme der Mehrfachkomposita und Wortgruppen und zeugt für das Streben, einen Gegenstand knapp und doch umfassend zu kennzeichnen (s. o.), vgl. *Pflichtschirmbilduntersuchung, Fernsprechvermittlungsanlage.* Dieser Tendenz ordnen sich auch Terminologisierungen zu, d. h. die Übernahme gemeinsprachlicher Wörter in die Fachsprache, vgl. *Abprodukt, Herzschrittmacher, Presse, Strom,* sowie die Nutzung veralteter/veraltender Wörter für neue Erscheinungen: *Musiktruhe, Verkehrsampel.*

Bedeutungsdifferenzierungen unter dem Einfluss der Digitalisierung finden sich z. B. bei *Maus, Fenster, klicken, rollen, Ausschnitt, einfügen, löschen, hochfahren, abstürzen, Speicherplatz,* vgl. auch *(wind-)surfen* gegenüber *(im Internet) surfen.*

Generalisierung: Sie stellt eine Ergänzung zur Spezialisierung dar und ist Ausdruck des Bestrebens, viele Einzelheiten bzw. komplizierte Zusammenhänge in einem Wort zusammenzufassen: Ausdruck dieser Entwicklung sind z. B. Komposita, deren Grundwörter einen weiten Bedeutungsumfang besitzen: *System: Fahrschein-Entwerter-System, Wettsystem; Kraft* (z. T. nur/vorwiegend im Plural): *Aufsichtskraft, Lehrkräfte, Reinigungskräfte, Verwaltungskräfte.* Da viele dieser Wörter Ausgangspunkt von Reihenbildungen sind, bewirkt dieser Prozess auch semantische Veränderungen des Grundwortes und – besonders bei Adjektiven und Adverbien – den Übergang zu Wortbildungsmorphemen (s. LANGNER 1980, 681).

Rationalisierung/Ökonomie: Darunter wird oft zweierlei verstanden, zum einen das Bestreben, mit wenigen sprachlichen Mitteln viele Informationen zu vermitteln, zum anderen Veränderungen, die der Systematisierung und der Vereinfachung des Sprachbaus dienen (s. LANGNER 1980, 682). Dabei werden neben den bereits genannten Verkürzungen insbesondere Komposita (vgl. *Spitzenkandidat* 'führender Vertreter einer Partei/Massenorganisation, der an der Spitze einer Wahlliste steht'; *Gipfelkonferenz* 'Konferenz der obersten Politiker besonders einflussreicher Staaten' noch weiter reduziert in *K[anzlerkandidat(in)]-Frage*) und Abstraktbildungen (*sie fahren nach Berlin – die Fahrt nach Berlin – die Berlinfahrt*) verwendet.

Integration: Auch sie ist eine übergreifende Entwicklungstendenz und äußert sich vor allem darin, dass nichtstandardsprachliche Mittel – insbesondere Wortgut mit einer territorial und sozial begrenzten Geltung – Eingang in die Standardsprache finden, vgl. ursprünglich regional begrenzten Wörter und Wendungen: *Bube, Pelle, Samstag, schauen, Schrippe, tschüs*; ferner ursprünglich sozial begrenzte gültige Lexeme bzw. Wendungen: *zum alten Eisen gehören, in Fahrt kommen, sich (k)einen Kopf machen*; aus den Gruppensprachen: *Chef, Kumpel, Meister, schwänzen, büffeln, durchfallen.* (Zum Eindringen von Fachwörtern als einer weiteren Form der Integration s. o.)

Internationalisierung: Sie kann als besondere Ausprägung der Integration betrachtet werden und wird mitunter als die auffälligste und stärkste Triebkraft in der Entwicklung der deutschen Gegenwartssprache bezeichnet. Die Tendenz zur Internationalisierung erfasst heute (fast) alle Lebensbereiche, wobei Wissenschaft und Technik in besonderem Maße beeinflusst werden. Unter Internationalismen werden Lexeme und Wortgruppen verstanden, die in mehreren (Welt-)Sprachen in gleicher oder ähnlicher Semantik und in gleicher oder ähnlicher Form gebraucht werden (s. LANGNER 1990a, 1403; s. a. BRAUN/SCHAEDER/VOLLMERT 2003). Für das Deutsche spielen bei Neubildungen nach wie vor Wörter und Morpheme der lateinischen und griechischen Sprache eine besondere Rolle: *Biathlon, Bionik, Mikroelektronik, Television.* Besonders produktiv sind dabei die Morpheme *anti-, auto-, bi-, co/ko(m)-, ex-, inter-, iso-, kilo-, makro-, mik-*

ro-, *pro-*, *super-*. Neben diesen haben aus dem Englischen stammende Lexeme eine große Bedeutung. Jüngere Internationalismen sind: *Interface, Kompatibilität, Hardware, Software, Cursor, online, offline, Terminal, Chip, Byte, Bit, Basic, Compiler, Interface.* Dies führt aufgrund der starken romanischen Beeinflussung des Englischen zugleich zu einer Wiederbelebung bzw. Zweitentlehnung lateinischer Wörter (*Innovation, Session*) und stützt die Produktivität lateinischer und griechischer Morpheme. „Heute hat das Englische als lingua franca der westlichen Welt die Stelle des Französischen und Lateinischen eingenommen. Es entstand in bestimmten Bereichen eine englisch geprägte europ. Koine [...] Diese Koine hat eine zusammenführende Wirkung, stellt aber zugleich auch eine sprachliche Barriere dar." (MOSER 1985, 1685; s. auch LEHNERT 1990, CARSTENSEN 1990, VOSSEN 1992, EHLICH/SCHUBERT 2008, MUNSKE 2001.)

Entgegen pessimistisch argumentierenden sprachkritischen Äußerungen, die vor einer ‚Amerikanisierung' der deutschen Sprache warnen („Wir sind im Begriff, uns kulturell zu degradieren", „Denglisch" (ZABEL 2001), „Engländerei"), erfordert die Bewertung dieses Einflusses eine differenziertere Betrachtung. Neben den unterschiedlich zu bewertenden Einflüssen in den verschiedenen Lebensbereichen (z. B. Wissenschaft vs. Freizeit) sind auch die spezifischen Funktionen, die Anglizismen in der Kommunikation erfüllen, z. B. Kürze, Fachlichkeit, Variation, Lokalkolorit, zu berücksichtigen. Gewachsene Fremdsprachenkenntnisse, immer engere internationale wirtschaftliche und kulturelle Verflechtungen, Veränderungen durch die neuen Medien machen pauschalisierend ablehnende Urteile ebenso problematisch wie allzu unkritische Übernahmen. Wenn es gelingt, die „Sorge" um die deutsche Sprache produktiv zu nutzen für einen in der breiten Öffentlichkeit differenzierteren Umgang mit den Anglizismen, wobei Schule, Medien und sprachpflegerisch wirkende Institutionen eine besondere Verantwortung tragen, dann wird sich ein Sprachwandel vollziehen, der zwar eine zunehmende Öffnung des Deutschen, nicht aber seinen „Sprachverfall" oder gar „Untergang" bedeutet (zur Integration von Fremdwörtern in das Deutsche s. EISENBERG 2011). Dass sprachkritische Diskussionen allerdings auch den Sprachgebrauch beeinflussen können, zeigen Änderungen von Werbeslogans, so z. B. von *Douglas – come in and find out* zu *Douglas macht das Leben schöner.*

Differenzierung: Von der Differenzierung durch den wissenschaftlich-technischen Fortschritt, der zu einem gewaltigen Ausbau der Fachsprachen und damit zu einer Ausweitung der spezialisierten, fachsprachlichen Kommunikation führt, ist ein Differenzierungsprozess zu unterscheiden, der durch die sozialen Unterschiede innerhalb einer Gesellschaft (Soziolekte) hervorgerufen wird, vgl. z. B. die Jugend- u. „Szenesprache":

> „[...] also ick echt stoned wa total zu oder so ne und denn – p – tja ick weeß nich wa voll inne Bullenfalle rinjegeigt wa – g – also, alles klar: Pappe weg, wa ... Alles klar: von der Einbehaltung der Fahrerlaubnis gemäß Paragraph 316, 69 Abs. 1 u. 2., 69a StGB (fahrlässige Führung eines Kraftfahrzeuges unter Alkoholeinfluß) nach einer Verkehrskontrolle war die Rede." (HESS-LÜTTICH 1987, 24.)

Bei diesem Beispiel macht die Gegenüberstellung von Jugend- und Juristensprache den Unterschied besonders deutlich. Aber ebenso, wie es die Jugend als homogene Gruppe nicht gibt, ist auch die Jugendsprache vielfältig differenziert (s. NEULAND 2007, 2008a, b). In einem mit *Macker, packt die Badehose ein* überschriebenen Presseartikel fand sich in den 90er Jahren folgendes Zitat, das gleichzeitig die Tendenz der Integration verdeutlicht:

Diese Kerle“, stöhnt die 12jährige im Kölner Agrippa-Bad, „*ständig müssen sie dich irgendwie anbaggern. Ätzend*. (taz vom 16.6.90.)

1.8.6 Das Ringen um eine gendergerechte Sprache

Schließlich sei auf Veränderungen verwiesen, die im Zusammenhang mit den Forderungen der in der Frauenbewegung engagierten feministischen Linguistinnen und anderer nach sprachlicher Gleichbehandlung aller Geschlechter diskutiert werden bzw. bereits Eingang in die (Standard-)Sprache gefunden haben.

Nachdem – zunächst angeregt durch die amerikanischen Feministinnen und verstärkt durch die 68er-Studentenbewegung – das Problem der (sprachlichen) Diskriminierung von Frauen sowohl durch Mittel des Sprachsystems wie auch durch den Sprachgebrauch in das Blickfeld gerückt war, galt es – zunächst noch auf der Basis eines binären Geschlechtermodells –, Veränderungen zu fordern, durch welche der als sexistisch erkannte Sprachgebrauch zugunsten einer sprachlichen Gleichbehandlung der Geschlechter überwunden wird.

„Sprache ist sexistisch, wenn sie Frauen und ihre Leistungen ignoriert, wenn sie Frauen nur in Abhängigkeit von und Unterordnung zu Männern beschreibt, wenn sie Frauen nur in stereotypen Rollen zeigt und ihnen so über das Stereotyp hinausgehende Interessen und Fähigkeiten abspricht, und wenn sie Frauen durch herablassende Sprache demütigt und lächerlich macht.“ (GUENTHERODT u. a. 1980, 15.)

Im Ergebnis einer z. T. sehr emotionalen, kontroversen und von (durchaus bewusst provozierend gemeinten) überspitzten Forderungen begleiteten Diskussion, die auch in der Öffentlichkeit breites Interesse fand und nach wie vor findet, lassen sich – zumindest für den öffentlichen und halböffentlichen Sprachgebrauch sowie bei Sprecherinnen und Sprechern, die den grundlegenden Ansichten der Feministinnen folgen – eine Reihe von Veränderungen im System und im Sprachgebrauch beobachten. Diese werden gestützt durch zahlreiche amtliche Richtlinien zur sprachlichen Gleichbehandlung (s. DIEWALD/STEINHÄUSER 2017, WETSCHANOW 2017) sowie durch erfolgreiche Klagen von Frauen gegen als diskriminierend beurteilte (maskuline/generische) Amts- und Berufsbezeichnungen. (Erwähnt sei allerdings auch die erfolglose Klage einer Frau gegen die Asymmetrie von *Herr Müller* vs. *Frau Müller*, die bis zum Bundesverfassungsgericht gegangen ist.)

Solche Veränderungen betreffen: die Beidbenennung (Verwendung der Paarformel mit movierendem Ableitungssuffix: *Bürgerinnen und Bürger*); die zunehmende Verbreitung des (bisher allerdings nicht als standardsprachlich korrekt anerkannten) Binnen-*I* (*BürgerInnen, StudentInnen*). Dieses findet ungeachtet seiner schriftsprachlichen Herkunft auch Eingang in die gesprochene Sprache, wobei Sprechpausen und/oder durch Handbewegung angedeutete Anführungsstriche die Doppelform signalisieren. (Gestützt wird diese Form allerdings auch durch die zunehmend in Wirtschaft und Werbung verwendete Initialgroßschreibung von Mehrfachkomposita: *InterCityTreff, PrickNadelTest* – s. o.) Hier ordnen sich weiterhin ein: der Gebrauch von Paarformeln bei Pronomen (*er/sie, deren/dessen*), die Verwendung „feministischer Kongruenz“ (*Wer kann mir ihr Fahrrad leihen*?) sowie die Verwendung der neuartigen Personalpronomen *frau* (auch *mensch, jedefrau*), die Bildung generischer Formen (Neutralisation) wie *Studierende* (kritisch diskutiert z. B. von P. Eisenberg), *Lehrende, Reinigungskraft, Lehrperson, Studierendenschaft* sowie die Durchsetzung (movierter) femininer Berufs- und Amtsbezeichnungen bei vorhandenen maskulinen Bezeichnungen (*Heilpraktikerin, Standesbeamtin*) bzw. deren Neubildung: *Politesse, Bankkauffrau, Friseurin* (gegen älteres *Frisösin/Friseuse*). Andere Maßnahmen betreffen die bewusste Vermeidung geschlechtsspezifischer Bezeichnungen, wo sie nicht erforderlich sind (nur *Unterschrift* statt *Unterschrift des Pass-Inhabers*), und die Vermeidung der Anredebezeichnung *Fräulein* zugunsten von *Frau* unabhängig vom Familienstand. Zu nennen sind auch Veränderungen in der Familiennamen-Gesetzgebung sowie im Gesprächsverhalten.

Dass nach Jahren einer gewissen „Beruhigung" gegenüber geschlechtergerechter Sprache gegen Ende des 20. Jh. und seit Beginn des 21. Jh. unter Fachleuten und auch in der Öffentlichkeit erneut eine intensive Auseinandersetzung entbrannt ist, ist nicht nur eine Folge der nach wie vor nicht abgeschlossen Diskussion, sondern vor allem der Erkenntnis weiterer geschlechtlicher Identitäten geschuldet. Damit ist die Debatte darüber, wer mit welcher Sprachform benannt werden kann oder soll, wie die Lage insgesamt „komplexer und unübersichtlicher" geworden (DIEWALD 2018, 197). Dies hängt auch damit zusammen, dass der Zusammenhang zwischen sozialem Geschlecht (gender), grammatischem Genus und semantischem Geschlecht im Einzelnen sehr differenziert ist. Dennoch sind rein linguistische Argumentationen, die das „generische Maskulinum" als ‚geschlechtsneutral' verteidigen, durch zahlreiche empirische Studien widerlegt, da „diese Sprachverwendung ihre angebliche Funktion – Männer und Frauen gleichermaßen zu bezeichnen – nicht einmal ansatzweise erfüllt" (DIEWALD 2018, 201; s. a. bei ZIFONUN 2018, NÜBLING 2018, KOTTHOFF/NÜBLING 2018). Dass die z. T. noch immer hochemotionale Auseinandersetzung über „Syrx, Sternchen, großem I und bedeutungsschwere Striche" (zu ergänzen wären noch das „Dach" ^ u. a.) sich „zu weit von den Zielen der Anfangsphase der Pionierinnen entfernt hat und inzwischen in ihrer Spezifik von Otti-Normalverbraucherin nicht mehr nachvollzogen werden kann" (KOTTHOFF 2017, 110), sollte zu denken geben, könnte das doch auch einer der Gründe dafür sein, dass bei jüngeren Frauen eine „neue Unbekümmertheit" beim Gebrauch des generischen Maskulinums zu beobachten ist. Es könnte aber auch mit einer bewussten Abwendung von der Relevantsetzung von gender oder auch damit zusammenhängen, dass sich junge Frauen heute eher als gleichberechtigt wahrnehmen (s. ebd.).

Die Tatsache, dass interne sprachwissenschaftliche Kritik an Sprachvorschriften zur Anerkennung im Milieu der AfD führt, die die in ihrem Grundsatzprogramm konstatierte ‚naturgegebenen Unterschiede zwischen den Geschlechtern' marginalisiert sieht und grundsätzlich Gender-Mainstreaming als politische Strategie zur Gleichstellung der Geschlechter ablehnt, gibt der Diskussion allerdings eine rechts-ideologische Komponente, die in jeder Hinsicht zurückgewiesen werden muss.

Wenn auch die durch den Feminismus eingetretenen Wandlungen durchaus kontrovers bewertet werden und auch unterschiedlich ‚erfolgreich' sind, so kann dennoch eine höhere Sprachsensibilität und Kooperationsbereitschaft festgestellt werden, die eine allmählich immer breitere Akzeptanz sprachlicher Gleichbehandlung zeigen (EICHHOFF-CYRUS 2004, SCHMIDT/LUTJEHARMS 2006).

1.8.7 Zur Sprache und Kommunikation im Zeitalter der Digitalisierung und Globalisierung

Kaum eine technische Erfindung hat unsere Welt so schnell und so nachhaltig verändert wie das „Schlüsselmedium" (FAULSTICH 2006, 167) Computer. Schon in den 80er

Jahren des 20. Jh. prognostizierten führende Unternehmen: „Der Computer ist zur größten Herausforderung dieses Jahrhunderts geworden; zu einer Herausforderung an Wissen und Qualifikation. Schon heute gibt es Branchen, in denen jeder zweite Arbeitsplatz ohne Computereinsatz undenkbar ist. ‚Ohne EDV geht nichts mehr' prophezeit so das Münchner Control Data Institut, das die Versäumnisse der Schule durch EDV-Weiterbildungsmaßnahmen ‚nachbessert'". (Zit. nach HAGE/SCHMITT 1988, 75.)

Der Computer reiht sich damit in die Reihe neuer Kommunikationstechniken ein, die durch „ihre massenhafte Verbreitung [...] nicht nur die Modi und die Mittel des sprachlichen Kommunizierens verändert, sondern auch die Sprachentwicklung selbst beeinflusst [haben]. Die herkömmliche Domänenaufteilung zwischen den beiden Grundmodi des Schreibens/Lesens und des Sprechens/Hörens hat sich verschoben." (GLÜCK/SAUER 1990, 162.) Kaum noch aus der Alltagssprache wegzudenken ist inzwischen die große Anzahl neuer Wörter, die bereits breite Bevölkerungsgruppen – wenn natürlich in unterschiedlichem Maße – erreicht hat und sich mit enormer Geschwindigkeit vervielfacht, vgl. z. B. die massenhaften Weiterbildungen zu *Computer*: *-branche, -experte, -freak, -service, -literatur, -viren, -kriminalität, -graphik* u. a. oder zu *Cyber*: *-cash, -girl, -slang, -sex, -space, -naut* u. a.

Inzwischen gibt es eine Reihe von Untersuchungen, die sich mit den (ersten) Auswirkungen der ‚Neuen Medien' auf die Kommunikation beschäftigen. Dabei gilt nach wie vor: „Aus heutiger Sicht im Jahre 2010 ist die Forschungsliteratur der letzten Jahre thematisch breiter, begrifflich sicherer und methodisch (auch dank korpuslinguistischer Verfahren) oft gründlicher geworden, häufig aber auch kleinteiliger, diversifizierter und heterogener (übrigens auch was Publikationsformen und -orte bis hin zum Internet betrifft). So fällt es schwer, einheitliche Tendenzen auszumachen. Der Medientag vergeht so schnell, dass die linguistische Eule der Minerva kaum Ruhe in der Nacht findet." (SCHMITZ 2011, 119 f.)

Die Problematik einer auch nur annähernd angemessenen Bewertung der ablaufenden Prozesse liegt in der im Einzelnen kaum zu verfolgenden, geradezu explosionsartigen Entwicklung der Branche. Dies gilt nicht nur im Hinblick auf die rasante Zunahme der *Nutzer* (*User*) der modernen Medien, sondern auch bezüglich der Erschließung immer neuer Anwendungen in de facto allen Lebensbereichen. Einige ausgewählte Veränderungen in der medial vermittelten Kommunikation sollen im Folgenden unter den Aspekten Hypertextualität und Multimedialität als den grundlegend neuen Eigenschaften computergestützter Produktion und Rezeption von Texten sowie unter dem Aspekt neuer interaktiver Kommunikationsformen skizziert werden.

Hypertext beruht auf der Grundlage, dass die ursprünglich für Print- und audiovisuelle Medien charakteristischen linearen Anordnungen von Texteinheiten nun „via einer komplexen Struktur von Verknüpfungen interaktiv gehandhabt werden können" (PFAMMATTER 1998, 46). Hypertext entspricht nicht nur den kognitiven Grundlagen der Verarbeitung von Wissen, sondern fördert zugleich die Kreativität des Nutzers, weil er in einem hohen Maße selbstverantwortlich, aktiv und flexibel aus einem virtuellen Angebot Wissen in seinen eigenen Bezugsrahmen in für ihn plausible Sinnzusammenhänge zu integrieren hat. „Hypertextstrukturen helfen die Vernetzung von Phänomenen zu begreifen, sie in verschiedene Kontexte einzubetten und immer wieder neue Perspektiven einzunehmen." (A. a. O., 59.)

Die spezifisch neue Qualität von Hypertext besteht also darin, dass er multipel und offen ist, der hermetische Textbegriff, dem die Vorstellung von einem abgeschlossenen Werk zugrunde liegt, somit zugunsten eines „Textbegriffs mit rhizomatisch verzweigten Links“ aufgelöst wird. Damit löst sich auch die „klassische Leseperspektive“ auf, da der Leser eines Hypertextes beliebige Lesepfade einnehmen kann und selbst zum Autor wird. Und schließlich ändert sich der Text insofern, als neben schriftlichen auch visuelle (Bild, Video) und akustische (Ton) Informationen integriert werden (können) (s. RUNKEHL/SCHLOBINSKI/SIEVER 1998, 208), mithin Text multimedial konstituiert wird. In diesem Zusammenhang muss die Frage nach der Kohärenz von Texten völlig neu diskutiert werden (s. u. a. MARX/WEIDACHER 2014, 178 ff.).

Die Folge von **Multimedialität**, der Verknüpfung unterschiedlicher Kommunikationsmodi (Bild – Text – Ton – Grafik – Animation – Musik usw.) zu einem Gesamttext, wird in ihren Auswirkungen auf die Produktion und Rezeption von Texten noch kontrovers diskutiert. So ist der ‚Mehrwert‘ des Einsatzes multimedialer Informationsquellen für den Rezipienten nur dann gegeben, wenn ihre spezifischen Möglichkeiten für die Konstituierung des Gesamttextes adäquat integriert werden. Redundante, ‚überflüssige‘ Visualisierung kann den Rezeptionsprozess ebenso behindern wie die Unterschätzung der Bedeutung der unterschiedlichen semiotischen Kodes. Noch kaum beschrieben sind die Folgen, die sich aus der in der Regel notwendigen interdisziplinären Zusammenarbeit unterschiedlichster Experten bei der Produktion von Hypertexten für die gemeinsame Gesprächspraxis ergeben.

Besondere Aufmerksamkeit verdienen die durch das Internet – ein gigantisches Kommunikationsnetzwerk (*World-Wide-Web/WWW*), das die Kommunikation in einem *global village* über Raum und Zeitzonen hinweg ermöglicht, – entstandenen neuen Interaktionsformen, z. B.: E-Mail-Kommunikation, SMS, Kommunikation in sozialen Netzwerken, Nutzung von Messenger-Diensten, Chat. Hier entsteht eine Kommunikationsgemeinschaft, die durch unterschiedliche Grade der Entpersonalisierung und Anonymität gekennzeichnet ist. Unter diesem Aspekt ist „diese Gemeinschaft eine weltweite Gemeinschaft von Texten und Intersubjektivität wird somit zur Interpersonalität“ (RUNKEHL/SCHLOBINSKI/SIEVER 1998, 210).

Inzwischen kaum mehr aus der beruflichen wie privaten Praxis wegzudenken ist die **E-Mail-Kommunikation**, der „elektronisch beschleunigte Briefverkehr, in dem Verabredungen getroffen, Informationen subskribiert und Geschäfte getätigt werden, mittels derer Werbung verschickt wird wie auch Bilder und Töne.“ (A. a. O. 206.) Untersuchungen haben deutlich gemacht, dass hier ein großes Spektrum von Schreibpraxen vorliegt, das je nach Teilnehmerkreis und Kommunikationssituation variiert. Wirklich neue kommunikative Praktiken lassen sich (bisher) nicht feststellen, am auffälligsten ist noch der (zumindest im eher privaten Bereich) verstärkte Gebrauch sprechsprachlicher Elemente und graphostilistischer Mittel sowie ein großzügiger Umgang mit der Orthographie und Grammatik.

Halloele m.!!!
*nicht dass du jetzt zu viel erwartest weil ich am telefon eben so rumgeschwaermt habe wie cool es dochj war, weil soooo umwerfend wars nicht aber genug um mich happy zu machen. also, erstmal kam der rammler an und meinte:wie jetzt, ist das nicht doof so alleine? Da hab ich ihmverklickert dasss nicht und warum ich gehen sollte wenn ich dich nioch lawenger darf und man kann ja auch allein zugucken und ob er mich etwa loswerden wolle. Er so ach quatsch nein! (ich so *freu!*) dann haben wir uns noch unterhalten, fuer unsere verhaeltnisse echt lange. [...] also dann, ciao, deine S.*

(Quelle: RUNKEHL/SCHLOBINSKI/SIEVER 1998, 41.)

Einen höheren Grad der Anonymität besitzen Diskussionsgruppen, sogenannte *Newsgroups*, in denen wissenschaftlich konferiert und über „Gott und die Welt" diskutiert wird. Inzwischen gibt es zu jedem denkbaren Thema **Diskussionsforen,** an denen man partizipieren kann. Auch hier lassen sich vielfältige Variationen in einem Spektrum von wissenschaftlichen bis hin zu stark gruppenbezogenen Sprachkodes ausmachen. Neben den in traditionellen Diskussionsforen üblichen Normen finden sich ebenfalls verstärkt sprechsprachliche Elemente und eine Newsgroup-spezifische Lexik. Die Chance, in unterschiedlichen Gruppen zu agieren, erfordert und fördert jedoch zugleich eine spezifische kommunikative Kompetenz, die Fähigkeit, unterschiedliche Sprachregister zu benutzen.

Chatten, obwohl erst 1988 eingeführt, ist die gegenwärtig wohl populärste Form der Internet-Kommunikation, die gegenüber der E-Mail-Kommunikation in ‚Echtzeit', also synchron erfolgt: „Die Chat-Kommunikation ist ein komplexer Kommunikationsraum, der aus unzähligen Channels besteht, in denen sich Menschen treffen, um zu plaudern, neue Leute kennenzulernen, Informationen auszutauschen, zu flirten. Hier wie in den **MuDs**, den textbasierten fiktionalen Kommunikationswelten, in denen Spieler sich und ihre Umwelten konstruieren, wird die Identität durch Pseudonyme camoufliert." (RUNKEHL/SCHLOBINSKI/SIEVERS 1998, 206.) Diese grundsätzlich an traditionelle Konversationsnormen anknüpfende Kommunikationsform ist vor allem dadurch charakterisiert, dass sprachliche Elemente und Versatzstücke aus diversen Diskurswelten zu einem spezifischen Stilmix zusammengebastelt werden. Alltägliche Sprachkonventionen finden sich ebenso wie para- und nonverbale ikonographische Symbole, Sprachspiele, Anglizismen, eine eigenartige Kurzsprache (*hdl – hab dich lieb*; *hdgdl – hab dich ganz doll lieb*, *rofl – rolling on the floor laughing*, *g – grins*) sowie speziell kreierte graphostilistische Mittel (*Emoticons, Emojis*), die für Außenstehende zu Verständnisproblemen führen (können) (s. BENNING 1998, 98; SCHMITZ 2004, SIEVER 2005, SCHLOBINSKI 2006 u. a.).

Insgesamt haben die bisherigen Analysen der neuen Kommunikationspraxen gezeigt, dass es eine Vielzahl von Variationen gibt, die das Internet als einen „Varietätenraum" erscheinen lassen, für den das Prinzip der Bricolage konstitutiv ist (RUNKEHL/SCHLOBINSKI/SIEVERS 1998, 209). Offensichtlich ist die stärker sprechsprachliche Orientierung, die mit spezifischen medialen Elementen verbunden wird und die Normen konzeptioneller Mündlichkeit und Schriftlichkeit verändern. Aber: „Das Innovative in der computer-vermittelten Kommunikation liegt nicht in der – wenn auch partiell in neuen Konstellationen auftretenden – Interaktion von (Sprech-)Sprache und Schrift, sondern einerseits im Binäralphabet, also der Interaktion von alphabetischen und numerischen Notationen zu einem Zeichensatz, und der Interaktion von Bild, Ton und Schrift andererseits." (KRÄMER 1996, zit. nach RUNKEHL/SCHLOBINSKI/SIEVERS 1998, 210.)

Andere Kommunikationspraxen wie Fax, Internet-Telefonie, Internet-Konferenz, Skype, Surfen (z. B. auf der Suche nach Informationen in Datenbanken) u. a. erweitern die kommunikativen Möglichkeiten ebenso, wie Online-Radio, Web-TV und Online-Presse sowie multimediale mobile Geräte (*Laptop, Smartphone, E-Book*) das Rezeptionsverhalten bis in den Freizeitbereich beeinflussen.

Aber die neuen Medien verändern nicht nur Interaktion, „sondern schaffen zudem neue soziale Realitäten wie Öffentlichkeiten, Populärkultur oder virtuelle Räume, die ohne mediale Vermittlung kaum denkbar sind" (SCHMIDT/MARX 2017, 23). Runkehl konstatiert mittlerweile ein „kommunikatives Grundrauschen" (2018, 21), wodurch

Kommunikation eine Qualitätsminderung erfährt, z. B. durch latente Aufmerksamkeitsteilung, welche Konzentration mindert. Sowohl das Jugendwort des Jahres 2015 *Smombie* (eine Wortkreuzung aus *Smartphone* und *Zombie*) als auch *Bompel* (‘eine in den Boden eingelassene Ampel, die Smartphone-Nutzer vor Straßenbahnen warnen soll’) sind ein sprachlicher Ausdruck dieser Entwicklung.

Dass eine solche Entwicklung auch zu problematischen Prozessen führt, wie die sog. *Hate-Speech* (LAUBER-RÖNSBERG 2017, MARX 2017a), Nutzung der digitalen Medien zur Verbreitung rechtspopulistischen Gedankenguts (JANUSCHEK/REISIGL 2014, MATHIAS 2018), Cybermobbing (MARX 2017b, 2018) oder *Fake-News*, die den positiven Möglichkeiten gegenüberstehen, verdeutlicht die anhaltende Notwendigkeit, in die nachhaltige Bildung sprachlich-kommunikativer Kompetenzen zu investieren (s. RUNKEHL 2018, MARX 2018).

Literaturverzeichnis

Das Verzeichnis enthält die im Buch zitierte Literatur. Folgende Abkürzungen werden verwendet:

Adelung	Sprache und Kulturentwicklung im Blickfeld der deutschen Spätaufklärung. Der Beitrag Johann Christoph Adelungs. Hg. von WERNER BAHNER. Berlin 1984.
Althochdeutsch	Althochdeutsch. 2 Bände. In Verb. mit HERBERT KOLB/KLAUS MATZEL/KARL STACKMANN hg. von ROLF BERGMANN/HEINRICH TIEFENBACH/LOTHAR VOETZ. Heidelberg 1987.
BES	Beiträge zur Erforschung der deutschen Sprache. Leipzig.
Beiträge	Beiträge zur Geschichte der deutschen Sprache und Literatur. H = Halle, T = Tübingen.
DaF	Deutsch als Fremdsprache.
Dialektologie	Dialektologie. Ein Handbuch zur deutschen und allgemeinen Dialektforschung. Hg. von WERNER BESCH/ULRICH KNOOP/WOLFGANG PUTSCHKE/HERBERT ERNST WIEGAND. 2 Halbbde. Berlin/New York 1982/1983.
Dt. Sprachgesch.	Deutsche Sprachgeschichte 1990. Grundlagen, Methoden, Perspektiven. Fs. für Johannes Erben. Hg. von WERNER BESCH. Bern/Frankfurt (Main)/New York/Paris.
DUDEN-WB	DUDEN. Das große Wörterbuch der deutschen Sprache, Bd. 1–6. Mannheim/Wien/Zürich 1976–1981. 3. Aufl. in 10 Bden. 1999.
DUDEN-UWB	DUDEN. Deutsches Universalwörterbuch. 2. Aufl. Mannheim/Wien/Zürich 1989. 3. Aufl. 1996. 4. Aufl. 2001. 5. Aufl. 2003. 7. Aufl. 2011.
DWB	GRIMM, JACOB/WILHELM GRIMM: Deutsches Wörterbuch. Bd. 1–16. Leipzig 1854–1971. Neubearbeitung Bd. lff. Stuttgart/Leipzig 1965ff. Digitale Ausgabe 2004.
EWBD	Etymologisches Wörterbuch des Deutschen. Erarbeitet von einem Autorenkollektiv unter Leitung von WOLFGANG PFEIFER. 3 Bde. Berlin 1989. 2. Aufl. in 2 Bden. 1993. 5. Aufl. 2000.
Grundriß	Kurzer Grundriß der germanischen Philologie bis 1500. Bd. 1: Sprachgeschichte. Hg. von LUDWIG ERICH SCHMITT. Berlin 1970.
GSR	Gesellschafts- und sprachwissenschaftliche Reihe.

HWDG	Handwörterbuch der deutschen Gegenwartssprache. 2 Bde. Von einem Autorenkollektiv unter der Leitung von GÜNTER KEMPCKE. Berlin 1984.
LGL	Lexikon der Germanistischen Linguistik. Hg. von HANS PETER ALTHAUS/HELMUT HENNE/HERBERT ERNST WIEGAND. 2. Aufl. Tübingen 1980.
LiLi	Zeitschrift für Literaturwissenschaft und Linguistik.
LS/ZISW/A	Linguistische Studien des Zentralinstituts für Sprachwissenschaft der Akademie der Wissenschaften der DDR, Reihe A.
Muttersprache	Muttersprache. Zeitschrift zur Pflege und Erforschung der deutschen Sprache.
Nd. Jb.	Jahrbuch des Vereins für niederdeutsche Sprachforschung.
SB AdW	Sitzungsberichte der Akademie der Wissenschaften der DDR.
Sprachgeschichte[1]	Sprachgeschichte. Ein Handbuch zur Geschichte der deutschen Sprache und ihrer Erforschung. Hg. von WERNER BESCH/OSKAR REICHMANN/STEFAN SONDEREGGER. 2 Halbbde. Berlin/New York 1984/85.
Sprachgeschichte[2]	Sprachgeschichte. Ein Handbuch zur Geschichte der deutschen Sprache und ihrer Erforschung. 2. Aufl. Hg. von WERNER BESCH/ ANNE BETTEN/OSKAR REICHMANN/STEFAN SONDEREGGER. Berlin/New York. 1. Tlbd. 1998. 2. Tlbd. 2000. 3. Tlbd. 2003. 4. Tlbd. 2004.
Stud. Frnhd.	Studien zum Frühneuhochdeutschen 1988. Emil Skála zum 60. Geburtstag. Hg. von PETER WIESINGER. Göppingen.
VL[2]	Die deutsche Literatur des Mittelalters. Verfasserlexikon. 2. Aufl. 14 Bde. Berlin/New York 1978ff.
WDG	Wörterbuch der deutschen Gegenwartssprache. Hg. von RUTH KLAPPENBACH/WOLFGANG STEINITZ. Bd. 1–6. Berlin 1954–1977.
WW	Wirkendes Wort.
WZ	Wissenschaftliche Zeitschrift Jena: der Friedrich-Schiller-Universität Jena. Potsdam: der Pädagogischen Hochschule Potsdam. Zwickau: der Pädagogischen Hochschule Zwickau.
ZfAA	Zeitschrift für Anglistik und Amerikanistik.
ZfdA	Zeitschrift für deutsches Altertum und deutsche Literatur.
ZfdMaa	Zeitschrift für deutsche Mundarten.
ZfdPh	Zeitschrift für deutsche Philologie.
ZDL	Zeitschrift für Dialektologie und Linguistik.
ZfG	Zeitschrift für Germanistik.
ZfMaf	Zeitschrift für Mundartforschung.
ZGL	Zeitschrift für Germanistische Linguistik.
ZPSK	Zeitschrift für Phonetik, Sprachwissenschaft und Kommunikationsforschung.

ADELBERG, ELFRIEDE 1978: ‚Arbeiter' – Bezeichnungen für den Angehörigen der Arbeiterklasse. In: Zum Einfluß von Marx und Engels auf die deutsche Literatursprache. Studien zum Wortschatz der Arbeiterklasse im 19. Jahrhundert. Von einem Autorenkollektiv unter der Leitung von JOACHIM SCHILDT. Berlin, S. 113ff.

ADELBERG, ELFRIEDE 1981: Die Entwicklung einiger Kernwörter der marxistischen Terminologie. In: Auswirkungen der industriellen Revolution auf die deutsche Sprachentwicklung im 19. Jahrhundert. Von einem Autorenkollektiv unter Leitung von JOACHIM SCHILDT. Berlin, S. 193ff.

ADELUNG, JOHANN CHRISTOPH 1795: Deutsche Sprachlehre für Schulen. 3. Aufl. Berlin.

ADLER, ASTRID/CHRISTIAN EHLERS/REINHARD GOLTZ/ANDREA KLEENE/ALBRECHT PLEWNIA 2016: Status und Gebrauch des Niederdeutschen. Erste Ergebnisse einer repräsentativen Erhebung. Mannheim.

ADMONI, WLADIMIR G. 1985: Syntax des Neuhochdeutschen seit dem 17. Jahrhundert. In: Sprachgeschichte[1] 1985, S. 1538ff.

ADMONI, WLADIMIR G. 1990: Historische Syntax des Deutschen. Tübingen.

AHRENDS, MARTIN 1990: Kleine DDR-Sprachschule I. In: Die Zeit, 23.2.1990.

ALEFF, EBERHARD 1974 (Hg.): Das Dritte Reich. 6. Aufl. Hannover.

ALTMANN, URSULA 1981: Leserkreise zur Inkunabelzeit. In: Buch und Text im 15. Jahrhundert. Book and Text in the Fifteenth Century. Hg. von LOTTE HELLINGA/HELMAR HÄRTEL. Hamburg, S. 203ff.

AMMAN, ANDREAS 2005: Abbau und Anschwemmung: Doppelte Perfektformen und Grammatikalisierung im deutschen Tempussystem. In: MORTELSMANS, TANJA/TORSTEN LEUSCHNER/SARAH DE GROOT (Hg.): Grammatikalisierung im Deutschen. Bern, S. 251ff.

AMMON, ULRICH 1991: Die internationale Stellung der deutschen Sprache. Berlin/New York.

AMMON, ULRICH 1995: Die deutsche Sprache in Deutschland, Österreich und der Schweiz. Das Problem der nationalen Varietäten. Berlin/New York.

AMMON, ULRICH 1997: Nationale Varietäten des Deutschen. Heidelberg.

AMMON, ULRICH 1998: Plurinationalität oder Pluriarealität? Begriffliche und terminologische Präzisierungsvorschläge zur Plurizentrizität des Deutschen – mit einem Ausblick auf ein Wörterbuchprojekt. In: PETER ERNST/FRANZ PATOCKA (Hg.): Deutsche Sprache in Raum und Zeit. Fs. Peter Wiesinger. Wien, S. 313ff.

AMMON, ULRICH 2000: „Sprache" – „Nation" und die Plurinationalität des Deutschen. In: ANDREAS GARDT (Hg.): Nation und Sprache. Berlin/New York, S. 509ff.

AMMON, ULRICH u.a. 2016: Variantenwörterbuch des Deutschen. Die Standardsprache in Österreich, der Schweiz, Deutschland, Liechtenstein, Luxemburg, Ostbelgien und Südirol sowie Rumänien, Namibia und Mennonitensiedlungen. Berlin/Boston.

ANTOS, GERD/ULLA FIX/INGRID KÜHN (Hg.) 2002: Deutsche Sprach- und Kommunikationserfahrungen zehn Jahre nach der „Wende". Frankfurt (Main) u. a.

ANTOS, GERD/THOMAS SCHUBERT 1997: Unterschiede in kommunikativen Mustern zwischen Ost und West. In: ZGL 25, S. 308ff.

ARENDT, BIRTE 2009: Krankgepflegt? Was Sprachpolitik bewirken kann. In: Aptum 5, S. 38ff.

ARENS, HANS 1955/1969: Sprachwissenschaft. Der Gang ihrer Entwicklung von der Antike bis zur Gegenwart. Freiburg/München. Taschenbuchausgabe in 2 Bden. Frankfurt (Main).

ARNDT, ERWIN 1962: Luthers deutsches Sprachschaffen. Ein Kapitel aus der Vorgeschichte der deutschen Nationalsprache und ihre Ausdrucksformen. Berlin.

ARNDT, ERWIN 1983: Sprache und Sprachverständnis bei Luther. In: ZPSK 36, S. 251ff.

ARNDT, ERWIN 1984: Luthers Bibelübersetzung – eine revolutionäre Tat. In: Luthers Sprachschaffen – Gesellschaftliche Grundlagen – Geschichtliche Wirkungen. Hg. von JOACHIM SCHILDT. Bd. 1. Berlin, S. 59ff.

AUSENDA, GIORGIO 2009 (Hg.): The Langobards before the Frankish conquest. An ethnographic perspective. Woodbridge u.a. 2009.

BACH, ADOLF 1970: Geschichte der deutschen Sprache. 9. Aufl. Heidelberg.

BAUER, DIRK 1993: Das sprachliche Ost-West-Problem: Untersuchungen zur Sprache und Sprachwissenschaft in Deutschland seit 1945. Frankfurt (Main).

BAUER, GERHARD 1988: Sprache und Sprachlosigkeit im Dritten Reich. Köln.

BAUER, LEONHARD/HERBERT MATIS 1988: Geburt der Neuzeit. München.

BAUER, OSWALD 2011: Zeitungen vor der Zeitung. Die Fuggerzeitungen (1568–1605) und das frühmoderne Nachrichtensystem. Berlin.

BECKER, HORST 1969: Sächsische Mundartenkunde. Neubearb. von GUNTER BERGMANN. Halle (Saale).

BELLMANN, JOHANN D. 1975: Kanzelsprache und Sprachgemeinde. Dokumente zur plattdeutschen Verkündigung. Bremen.

BENNING, MARIA 1998: KauderWebsch. Die rabiateste Rechtschreibreform findet fast unbemerkt statt – im Internet. In: c't 10, S. 98f.

BENTZINGER, RUDOLF 1990: Die mittelhochdeutsche ‚Dichtersprache' im sprachgeschichtlichen Kontext. In: Der Helden minne, triuwe und êre. Literaturgeschichte der mittelhochdeutschen Blütezeit. Von einem Autorenkollektiv unter Leitung von ROLF BRÄUER. Berlin, S. 57ff.

BENTZINGER, RUDOLF/GERHARD KETTMANN 1983: Zu Luthers Stellung im Sprachschaffen seiner Zeit. In: ZPSK 36, S. 265ff.

BERGMANN, GUNTER 1964: Mundarten und Mundartforschung. Leipzig.

BERGMANN, ROLF/CLAUDINE MOULIN/MICHAEL RUGE 2011: Alt- und Mittelhochdeutsch. Arbeitsbuch zur Grammatik der älteren Sprachstufen und zu deutschen Sprachgeschichte. 8. Aufl. Göttingen.

BERGMANN, ROLF/STEFANIE STRICKER 2005: Katalog der althochdeutschen und altsächsischen Glossenhandschriften, 6 Bde. Berlin/New York.

BERGMANN, ROLF 1983: Der rechte Teutsche Cicero oder Varro. Luther als Vorbild in den Grammatiken des 16. bis 18. Jahrhunderts. In: Sprachwissenschaft 8, S. 265ff.

BERGMANN, ROLF 1995: ‚Europäismen' und ‚Internationalismen'. Zur lexikologischen Terminologie. In: Sprachwissenschaft 20, S. 239ff.

BERGMANN, ROLF/STEFANIE STRICKER (Hg.) 2009: Die althochdeutsche und altsächsische Glossographie. Ein Handbuch. 2 Bde. Berlin/New York.

BERGMANN, ROLF/STEFANIE STRICKER/CLAUDIA WICH-REIF 2012: Sprachhistorisches Arbeitsbuch zur deutschen Gegenwartssprache. Heidelberg.

BERNS, JÖRG JOCHEN 1976: Justus Georg Schottelius 1612–1676. Ein Teutscher Gelehrter am Wolfenbütteler Hof. Wolfenbüttel.

BERTHOLD 1965: Berthold von Regensburg. Vollständige Ausgabe seiner Predigten. Hg. von FRANZ PFEIFFER. Berlin (Nachdruck der Ausgabe 1862).

BESCH, WERNER (Hg.) 1981–1983: Sprachverhalten in ländlichen Gemeinden: Forschungsbericht Erp-Projekt. Berlin.

BESCH, WERNER 1967: Sprachlandschaften und Sprachausgleich im 15. Jahrhundert. München.

BESCH, WERNER 1972: Bemerkungen zur schreibsoziologischen Schichtung im Spätmittelalter. In: Die Stadt in der europäischen Geschichte. Fs. Edith Ennen. Bonn, S. 459ff

BESCH, WERNER 1998: Duzen, Siezen, Titulieren. Zur Anrede im Deutschen gestern und heute. 2. Aufl. Göttingen.

BESCH, WERNER 2000: Die Rolle Luthers in der deutschen Sprachgeschichte. 2. Aufl. Heidelberg.

BESCH, WERNER 2009a: Anredeformen als Spiegel der Gesellschaft und ihrer Veränderungen. In: BESCH/WOLF 2009, S. 117ff.

BESCH, WERNER/NORBERT RICHARD WOLF 2009: Geschichte der deutschen Sprache. Längsschnitte — Zeitstufen — Linguistische Studien. Berlin.

BETZ, WERNER 1974: Lehnwörter und Lehnprägungen im Vor- und Frühdeutschen. In: Deutsche Wortgeschichte. Hg. von FRIEDRICH MAURER/HEINZ RUPP. Bd. 1. 3. Aufl. Berlin/New York, S. 135ff.

BIBELFRÜHDRUCKE 1976: Die niederdeutschen Bibelfrühdrucke. Hg. von GERHARD ISING. Bd. 6. Berlin.

BITTNER, ANDREAS/KLAUS-MICHAEL KÖPCKE 2008: Sprachwandel – oder Verlotterungsprozesse – Versuch einer Versachlichung. In: MARKUS DENKLER u. a. (Hg.): Frischwärts und unkaputtbar. Sprachverfall oder Sprachwandel im Deutschen. Münster, S. 59ff.

BLACKALL, ERIC ALBERT 1966: Die Entwicklung des Deutschen zur Literatursprache 1700–1775. Mit einem Bericht über neue Forschungsergebnisse 1955–1964 von DIETER KIMPEL. Stuttgart.

BOCK, ROLF 1979: Zur Geschichte der deutschen Sprache in der Sowjetunion. In: WZ Potsdam 23, H. 2, S. 235ff.

BOESCH, BRUNO 1968: Die deutsche Urkundensprache. Probleme ihrer Erforschung im deutschen Südwesten. In: Rheinische Vierteljahrsblätter 32, S. 1ff.

BRANDT, AHASVER VON 1992: Werkzeug des Historikers. 13. Aufl. Stuttgart.

BRANDT, WOLFGANG 2003: Hörfunk und Fernsehen in ihrer Bedeutung für die jüngste Geschichte des Deutschen. In: Sprachgeschichte^2, S. 2159ff.

BRAUN, CHRISTIAN 2017: Das Althochdeutsche aus textlinguistischer Sicht. Soziopragmatische Einordnung und ausgewählte textgrammatische Studien. Berlin/Boston.

BRAUN, PETER 1998: Tendenzen in der deutschen Gegenwartssprache. Sprachvarietäten. 4. Aufl. Stuttgart/Berlin/Köln.

BRAUN, PETER 2004: Trotzdem! Versuch einer ‚Lobrede' auf die deutsche Sprache. In: Sprachreport 20, H. 3, S. 6ff.

BRAUN, PETER/BURKHARD SCHAEDER/JOHANNES VOLMERT (Hg.) 2003: Internationalismen II. Studien zur interlingualen Lexikologie und Lexikographie. Tübingen.

BRAUNE, WILHELM 1994: Althochdeutsches Lesebuch, 17. Aufl. bearbeitet von ERNST A. EBBINGHAUS. Tübingen.

BRAUNE, WILHELM/FRANK HEIDERMANNS 2018: Althochdeutsche Grammatik I. Laut- und Formenlehre. 16. Aufl. Berlin/Boston.

BRAUNE, WILHELM/INGO REIFFENSTEIN 2004: Althochdeutsche Grammatik I. Laut- und Formenlehre. 15. Aufl. Tübingen.

BRENDEL, BETTINA/REGINA FRISCH/STEPHAN MOSER/NORBERT RICHARD WOLF (1997): Wort- und Begriffsbildung in frühneuhochdeutscher Wissensliteratur. Wiesbaden.

BRINKMANN, BETTINA u. a. 1992: Ein Staat – eine Sprache? Empirische Untersuchungen zum englischen Einfluß auf die Allgemein-, Werbe- und Wirtschaftssprache im Osten und Westen Deutschlands vor und nach der Wende. Frankfurt (Main) u. a.

BRUGMANN, KARL/HERMANN OSTHOFF 1878: Morphologische Untersuchungen auf dem Gebiet der indogermanischen Sprachen. Leipzig.

BRUNNER, HORST 2010: Geschichte der deutschen Literatur des Mittelalters und der Frühen Neuzeit. Erw. Ausgabe. Stuttgart.

BUCHWALD-WARGENAU, ISABEL 2010: Zur Herausbildung der doppelten Perfektbildungen. In: Arne Ziegler (Hg.): Historische Textgrammatik und historische Syntax des Deutschen: Traditionen, Innovationen, Perspektiven. Bd. 1: Diachronie, Althochdeutsch, Mittelhochdeutsch. Berlin/New York, S. 221ff.

BUMKE, JOACHIM 1990: Geschichte der deutschen Literatur im hohen Mittelalter. München.

CARSTENSEN, BRODER 1990: Englische Einflüsse auf die deutsche Sprache nach 1945. In: Studium Generale an der Universität Würzburg im Wintersemester 1989/90. Würzburg.

CHERUBIM, DIETER/SIEGFRIED GROSSE/KLAUS J. MATTHEIER (Hg.) 1998: Sprache und bürgerliche Nation. Beiträge zur deutschen und europäischen Sprachgeschichte des 19. Jahrhunderts. Berlin/New York.

CLAVIS MEDIAEVALIS 1966. Hg. von RENATE KLAUSER/OTTO MEYER. Wiesbaden.

COLEMAN, EVELYN SCHERABON 1964: Die Lehnbildungen in Notkers Übersetzungen. In: Taylor Starck Festschrift. Hg. von WERNER BETZ u.a. London/The Hague/Paris, S. 106ff.

CORSTEN, SEVERIN 1983: Der frühe Buchdruck und die Stadt. In: Studien zum städtischen

Bildungswesen des späten Mittelalters und der frühen Neuzeit. Hg. von BERND MOELLER/HANS PATZE/KARL STACKMANN. Göttingen, S. 9ff.

COSERIU, EUGENIO 1988: Einführung in die Allgemeine Sprachwissenschaft. Tübingen.

COWGILL, WARREN/MANFRED, MAYRHOFER 1986: Indogermanische Grammatik. Band I. Heidelberg.

DIEWALD, GABRIELE 1997: Grammatikalisierung. Eine Einführung in Sinn und Werden grammatischer Formen. Tübingen.

DIEWALD, GABRIELE 2018: Gendergerechte Sprache. Was ist das? Was soll das? Wie geht das? In: Der Sprachdienst 34, H. 6, S. 195ff.

DIEWALD, GABRIELE/ANJA STEINHAUER 2017: Richtig gendern. Wie Sie angemessen und verständlich schreiben. Berlin.

DINZELBACHER, PETER 1987: Volkskultur und Hochkultur im Spätmittelalter. In: Volkskultur des europäischen Spätmittelalters. Hg. von PETER DINZELBACHER/HANS-DIETER MÜCK. Stuttgart, S. 1ff.

DITFURTH, HOIMAR V. 1984: Wir sind nicht nur von dieser Welt. München.

DITTMAR, NORBERT/URSULA BREDEL 1999: Die Sprachmauer: die Verarbeitung der Wende und ihrer Folgen in Gesprächen mit Ost- und WestberlinerInnen. Berlin.

DOMASCHNEW, ANATOLI 1991: Adé, DDR-Deutsch! Zum Abschluß einer sprachlichen Entwicklung. In: Muttersprache 101, S. 1ff.

DÖRING, BRIGITTE 1984: Johann Christoph Adelung zum Verhältnis von Geschichte der Gesellschaft und Sprachgeschichte. In: ADELUNG, S. 205ff.

DOST, WOLFGANG 1975: Untersuchungen zu den sprachlichen Existenzformen Mundart und Umgangssprache im Raum Wittstock unter Einschluß seines nördlichen Vorlandes. Masch. Diss. Rostock.

DROSDOWSKI, GÜNTHER/HELMUT HENNE 1980: Tendenzen der deutschen Gegenwartssprache. In: LGL. 2. Aufl. S. 619ff.

DRUX, RUDOLF 1984: Latein/Deutsch. In: Sprachgeschichte[1], S. 854ff.

DS 2016: Themenheft: Leibniz als Sprachwissenschaftler. Deutsche Sprache. Zeitschrift für Theorie, Praxis, Dokumentation. Heft 04/2016.

DÜCKERT, JOACHIM 1981: Naturwissenschaftliche und technische Fachlexik. In: Auswirkungen der industriellen Revolution auf die deutsche Sprachentwicklung im 19. Jahrhundert. Von einem Autorenkollektiv unter Leitung von JOACHIM SCHILDT. Berlin, S. 102ff.

DUDEN AUSSPRACHWÖRTERBUCH 2015: Der Duden. Bd. 6:. Wörterbuch der deutschen Standardaussprache. Hg. Dudenredaktion. 7. Aufl. Mannheim u. a.

DUDEN-UWB 2015: Duden. Deutsches Universalwörterbuch. 8. Aufl. Berlin.

DÜWEL, KLAUS 2001/2008: Runenkunde, 3./4. Aufl. Stuttgart/Weimar.

DZIUBALLE, TONI 2018: Wortbildungstendenzen bei deutsch-englischen Nominalkomposita. Die Verwendung von Spatien, Syngraphemen und Binnenmajuskeln in Online-Foren. Potsdam (unveröff. MA-Arbeit).

EAGLETON, TERRY 2017: Kultur. Berlin.

EBERT, ROBERT PETER 1978: Historische Syntax des Deutschen. Stuttgart.

ECKHART 1857: Meister Eckhart 1. Abt. Hg. von FRANZ PFEIFFER. Leipzig.

ECKHART 1993a/b: Meister Eckhart: Werke Bd. 1 und 2. Hg. von NIKLAUS LARGIER. Frankfurt (Main).

EGGERS, HANS 1963–1977/1986: Deutsche Sprachgeschichte. 4 Bde. Reinbek bei Hamburg. 2. Aufl. in 2 Bden.

EHLICH KONRAD/VENANZ SCHUBERT (Hg.) 2008: Sprachen und Sprachenpolitik in Europa. 2. Aufl. Tübingen.

EHLICH, KONRAD 1998: ‚...LTI, LQI, ...‘ Von der Unschuld der Sprache und der Schuld der Sprechenden. In: HEIDRUN KÄMPER/HARTMUT SCHMIDT (Hg.): Das 20. Jahrhundert. Sprachgeschichte – Zeitgeschichte. Berlin/New York, S. 275ff.

EHRISMANN, OTFRID 1995: Ehre und Mut, Âventiure und Minne. Höfische Wortgeschichten aus dem Mittelalter. München.

EICHHOFF, JÜRGEN 1997: Der ‚Wortatlas der deutschen Umgangssprachen‘: Neue Wege, neue Erkenntnisse. In: GERHARD STICKEL (Hg.): Varietäten des Deutschen.

Regional- und Umgangssprachen. Berlin/New York, S. 183ff.

EICHHOFF-CYRUS KARIN M./RUDOLF HOBERG (Hg.) 2000: Die deutsche Sprache zur Jahrtausendwende. Sprachkultur oder Sprachverfall? Mannheim u. a.

EICHHOFF-CYRUS, KARIN M. (Hg.) 2004: Adam, Eva und die Sprache. Beiträge zur Geschlechterforschung. Mannheim u. a.

EICHINGER, LUDWIG M. 2002: Nominale Wortbildung in Sachtexten des 18. Jahrhunderts. In: MECHTHILD HABERMANN u. a. (Hg.): Historische Wortbildung des Deutschen. Tübingen, S. 341ff.

EICHINGER, LUDWIG M. 2005: Norm und regionale Variation. Zur realen Existenz nationaler Varietäten. In: ALEXANDRA, LENZ/KLAUS J. MATTHEIER (Hg.): Varietäten – Theorie und Empirie. Frankfurt (Main) u. a., S. 141ff.

EICHINGER, LUDWIG M. 2013: Die Entwicklung der Flexion: Gebrauchsverschiebungen, systematischer Wandel und die Stabilität der Grammatik. In: Dt. Akademie f. Spr. u. Lit./Union der dt. Akad. d. Wiss. (Hg.): Reichtum und Armut der deutschen Sprache. Erster Bericht zur Lage der deutschen Sprache. Berlin/Boston, S. 121ff.

EIKE 1984: EIKE VON REPGOW: Der Sachsenspiegel. Hg. von CLAUSDIETER SCHOTT. Übers. von RUTH SCHMIDT-WIEGAND. Zürich.

EISENBERG, PETER 2006a/b: Grundriß der deutschen Grammatik. Bd. 1, Das Wort; Bd. 2, Der Satz. 1. Aufl. 2004; 3. Aufl. Stuttgart.

EISENBERG, PETER 2006c: Niemand hat das letzte Wort: Sprache – Schrift – Orthographie. Göttingen.

EISENBERG, PETER 2011: Das Fremdwort im Deutschen. Berlin/Boston.

EISENBERG, PETER 2013: Anglizismen. In: Dt. Akad. f. Sprache u. Dichtung/Union d. dt. Akademie d. Wiss. (Hg.): Reichtum und Armut der deutschen Sprache. Erster Bericht zur Lage der deutschen Sprache. Berlin/Boston, S. 57ff.

EISENBERG, PETER 2017: Standarddeutsch: Überdachung der Varietäten. In: Dt. Akademie f. Spr. u. Lit./Union der dt. Akad. d. Wiss. (Hg.): Vielfalt und Einheit der deutschen Sprache. Zweiter Bericht zur Lage der deutschen Sprache. Tübingen, S. 53ff.

EITZ, THORSTEN/GEORG STÖTZEL 2007/2009: Wörterbuch der Vergangenheitsbewältigung. Die NS-Vergangenheit im öffentlichen Sprachgebrauch. 2 Bde. Hildesheim/Zürich/New York.

ELSPASS, STEPHAN 2005: Sprachgeschichte von unten. Untersuchungen zum geschriebenen Alltagsdeutsch im 19. Jahrhundert. Tübingen.

ENDRES, RUDOLF 1983: Das Schulwesen in Franken im ausgehenden Mittelalter. In: Studien zum städtischen Bildungswesen des späten Mittelalters und der frühen Neuzeit. Hg. von BERND MOELLER/HANS PATZE/KARL STACKMANN. Göttingen, S. 173ff.

ENGELS, FRIEDRICH 1952/1973: Zur Geschichte und Sprache der Frühzeit. Berlin.

ENGELSING, ROLF 1973: Analphabetentum und Lektüre. Zur Sozialgeschichte des Lesens in Deutschland zwischen feudaler und industrieller Gesellschaft. Stuttgart.

ERBEN, JOHANNES 1954: Grundzüge einer Syntax der Sprache Luthers. Berlin.

ERBEN, JOHANNES 1974: Luther und die neuhochdeutsche Schriftsprache. In: Deutsche Wortgeschichte. Bd. 1. 3. Aufl. Hg. von FRIEDRICH MAURER/HEINZ RUPP. Berlin/New York, S. 509ff.

ERBEN, JOHANNES 1985: Luthers Bibelübersetzung. In: Martin Luther im Spiegel heutiger Wissenschaft. Hg. von KNUT SCHÄFERDIEK. Bonn, S. 33ff.

ERBEN, JOHANNES 2006: Einführung in die deutsche Wortbildungslehre. 5. Aufl. Berlin.

ERBEN, JOHANNES 2016: Sprachwissenschaft als Kulturwissenschaft. In: Perspektiv-Wechsel *oder*: Die Wiederentdeckung der Philologie Bd. 1. Sprachdaten und Grundlagenforschung in der Historischen Linguistik. Hg. von SARAH KWEKKEBOOM/SANDRA WALDENBERGER. Berlin, S. 167ff.

ERNST, PETER/JÖRG MEIER/KRYSTYNA WALIGORA 2014: Kontinuitäten und Neuerungen in Textsorten- und Textallianztraditionen vom 13. bis zum 18. Jahrhundert. Berlin.

EROMS, HANS-WERNER (Hg.) 1997: Die Rechtschreibreform: pro und kontra. Berlin.

FALK, HJALMAR/ALF TORP 1979: Wortschatz der germanischen Spracheinheit. 5. Aufl. Göttingen.

FAULSTICH, WERNER 2006: Mediengeschichte von 1700 bis ins 3. Jahrtausend. Göttingen.

FAULSTICH-CHRIST, KATJA 2008: Konzepte des Hochdeutschen. Der Sprachnormierungsdiskurs im 18. Jahrhundert. Berlin.

FEULNER, ANNA HELENE 2004: Vestigia Grecitatis. Zur ältesten christlichen Terminologie in den germanischen Sprachen. In: Die Indogermanistik und ihre Anrainer. Dritte Tagung der Vergleichenden Sprachwissenschaftler der Neuen Länder. Hg. von THORWALD POSCHENRIEDER. Innsbruck, S. 31ff.

FEULNER, ANNA HELENE 2005: Gotisch-Bairisches. Zur Frage des Entlehnungswegs von Ergetag, Pfinztag, †pher(i)ntag. In: Kreuther Kräuterbuschen. Beiträge zur 9. bayerisch-österreichischen Dialektologentagung in Wildbad Kreuth, September 2004. Hg. von ULRICH KANZ/ALFRED WILDFEUER. Regensburg, S. 223ff.

FIRYN, SYLWIA 2011a: Zu den einzelnen Richtungen in der Diskussion über die Normierung der deutschen Rechtschreibung. In: SYLWIA FIRYN: Beiträge zur jüngeren und jüngsten Geschichte der deutschen Sprache. Berlin u. a., S. 9ff.

FIRYN, SYLWIA 2011b: Wortmanipulation in der Sprache des Nationalsozialismus als Beispiel für Manipulation im Dienste der Diktatur. In: SYLWIA FIRYN: Beiträge zur jüngeren und jüngsten Geschichte der deutschen Sprache. Berlin u. a., S. 121ff.

FIRYN, SYLWIA 2011c: Beiträge zur jüngeren und jüngsten Geschichte der deutschen Sprache. Berlin u. a.

FISCHER, MARLENA 2019: Warum Deutsch die wundervollste Sprache der Welt ist. München.

FIX, ULLA 1994: Sprache vor und nach der „Wende": „Gewendete" Texte – „gewendete" Textsorten. In: HANS JÜRGEN HERINGER/GUNHILD SAMSON/MICHEL KAUFFMANN/WOLFGANG BADER (Hg.): Tendenzen der deutschen Gegenwartssprache. Tübingen, S. 131ff.

FIX, ULLA 1998: Ritualität in der Kommunikation der DDR: ergänzt durch eine Bibliographie zur Ritualität. Frankfurt (Main) u. a.

FIX, ULLA 2000: Sprachbiographien: Sprache und Sprachgebrauch vor und nach der Wende von 1989 im Erinnern und Erleben von Zeitzeugen aus der DDR. Inhalte und Analysen narrativ-diskursiver Interviews. Frankfurt (Main) u. a.

FIX, ULLA/MARIANNE SCHRÖDER 1997: Allgemeinwortschatz der DDR-Bürger: nach Sachgruppen geordnet und linguistisch kommentiert. Heidelberg.

FLEISCHER, JÜRG/OLIVER SCHALLERT 2011: Historische Syntax des Deutschen. Eine Einführung. Tübingen.

FLEISCHER, WOLFGANG 1988: Wortschatz der deutschen Sprache in der DDR. Fragen seines Aufbaus und seiner Verwendungsweise. 2. Aufl. Leipzig.

FLEISCHER, WOLFGANG/IRMHILD BARZ 2007: Wortbildung der deutschen Sprache. 3. Aufl. Tübingen.

FLEMMING, WILLI/ULRICH STADLER 1974: Vom Barock bis zur Gegenwart. In: Deutsche Wortgeschichte. Hg. von FRIEDRICH MAURER/HEINZ RUPP. Bd. 2. 3. Aufl. Berlin/New York, S. 3ff.

FLURY, ROBERT 1964: Struktur- und Bedeutungsgeschichte des Adjektivsuffixes *-bar*. Winterthur.

FOERSTE, WILLIAM 1957: Geschichte der niederdeutschen Mundarten. In: Deutsche Philologie im Aufriß. Bd. 1. Hg. von WOLFGANG STAMMLER. 2. Aufl. Berlin, Sp. 1729ff.

FÖLDES, CSABA 2002: Deutsch als Sprache mit mehrfacher Regionalität. Die diatopische Variationsbreite. In: Muttersprache 112, S. 225ff.

FORSTER, IRIS 2009: Euphemistische Sprache im Nationalsozialismus: Schichten, Funktionen, Intensität. Bremen.

FORTSON IV, BENJAMIN W. 2010: Indo-European Language and Culture. An Introduction. 2end ed. Chichester/U.K.

FRATZKE, URSULA 1978: „Klassenkampf" – Entwicklung und Gebrauch eines marxistischen Terminus. In: Zum Einfluß von

Marx und Engels auf die deutsche Literatursprache. Studien zum Wortschatz der Arbeiterklasse im 19. Jahrhundert. Autorenkollektiv unter der Leitung von JOACHIM SCHILDT. Berlin, S. 57ff.

FREIDANK 1872: Fridankes Bescheidenheit. Hg. von H. E. BEZZENBERGER. Halle.

FRIEDRICH, UDO 1995: Naturgeschichte zwischen artes liberales und frühneuzeitlicher Wissenschaft. Conrad Gessners Historia animalium und ihre volkssprachliche Rezeption. Tübingen.

FRINGS, THEODOR 1956: Sprache und Geschichte III. Mit Beiträgen von KÄTHE GLEISSNER/ RUDOLF GROSSE/HELMUT PROTZE. Halle (Saale).

FRINGS, THEODOR 1957: Grundlegung einer Geschichte der deutschen Sprache. 3. Aufl. Halle (Saale).

FROMM, HANS 1957/58: Die ältesten germanischen Lehnwörter im Finnischen. In: ZfdA 88, S. 81ff., 211ff., 299ff.

FUSS, MARTIN 2000: Die religiöse Lexik des Althochdeutschen und Altsächsischen., Frankfurt (Main) u.a.

GABRIEL, GOTTFRIED/KLAUS MAINZER/PETER JANICH 1984: Kausalität. In: Enzyklopädie Philosophie und Wissenschaftstheorie. Hg. von JÜRGEN MITTELSTRASS. Bd. 2. Mannheim/Wien/Zürich, S. 372ff.

GANSWINDT, BRIGITTE 2017: Landschaftliches Hochdeutsch. Rekonstruktion der oralen Prestigevarität im ausgehenden 19. Jahrhundert. Stuttgart.

GARDT, ANDREAS 1994: Sprachreflexion in Barock und Frühaufklärung. Entwürfe von Böhme bis Leibniz. Berlin/New York.

GARDT, ANDREAS 1998: Sprachgesellschaften des 17. und 18. Jahrhunderts. In: Sprachgeschichte², S. 332ff.

GARDT, ANDREAS 1999: Geschichte der Sprachwissenschaft in Deutschland. Vom Mittelalter bis im 20. Jahrhundert. Berlin/ New York.

GENZMER, FELIX 1966: Heliand und die Bruchstücke der Genesis. Aus dem Altsächsischen und Angelsächsischen übertr. von FELIX GENZMER. Stuttgart.

GERNENTZ, HANS JOACHIM 1980: Zum hochdeutsch-niederdeutschen Austauschprozeß bei der Ausbildung der deutschen Literatursprache. In: ZPSK 33, S. 318ff.

GESSINGER, JOACHIM 1980: Sprache und Bürgertum. Zur Sozialgeschichte sprachlicher Verkehrsformen im Deutschland des 18. Jahrhunderts. Stuttgart.

GESSINGER, JOACHIM 1995: Kommunikative Verdichtung und Schriftlichkeit: Lesen, Schreiben und gesellschaftliche Organisation im 18. Jahrhundert. In: ANDREAS GARDT/KLAUS J. MATTHEIER/OSKAR REICHMANN (Hg.): Sprachgeschichte des Neuhochdeutschen. Gegenstände, Methoden, Theorien. Tübingen, S. 279ff.

GESSINGER, JOACHIM 1999: Regionale Sprachgeschichtsforschung: Metropolenbildung und Sprachwechsel am Beispiel Berlin-Brandenburg. In: sociolinguistica, S. 159ff.

GEUENICH, DIETER 1992: Zum Zeugniswert frühmittelalterlicher Personennamen für die Sprachgeschichte des Althochdeutschen. In: Verborum Amor. Studien zur Geschichte und Kunst der deutschen Sprache. Festschrift für Stefan Sonderegger. Hg. von HARALD BURGER/ALOIS M. HAAS/PETER VON MATT. Berlin/New York, S. 667ff.

GEUENICH, DIETER 2000: Ludwig „der Deutsche" und die Entstehung des ostfränkischen Reiches. In: Theodisca. Beiträge zur althochdeutschen und altniederdeutschen Sprache und Literatur in der Kultur des frühen Mittelalters. Eine internationale Fachtagung in Schönmühl bei Penzberg, vom 13. bis 16. März 1997. Hg. von WOLFGANG HAUBRICHS. Berlin/New York, S. 313ff.

GIESECKE, MICHAEL 1980: ‚Volkssprache' und ‚Verschriftlichung des Lebens' im Spätmittelalter – am Beispiel der gedruckten Fachprosa in Deutschland. In: HANS ULRICH GUMBRECHT (Hg.): Literatur in der Gesellschaft des Spätmittelalters. Heidelberg, S. 39ff.

GIESECKE, MICHAEL 1991: Der Buchdruck in der frühen Neuzeit. Eine historische Fallstudie über die Durchsetzung neuer Informations- und Kommunikationstechnologien. Frankfurt (Main).

GLASER, ELVIRA 1999: Der bestimmte Artikel in den althochdeutschen Glossen. In: Zur

Geschichte der Nominalgruppe im älteren Deutsch. Festschrift für Paul Valentin. Akten des Pariser Kolloquiums, März 1999. Hg. von YVON DESPORTES. Heidelberg, S. 187ff.

GLÜCK, HELMUT (Hg.) 2000: Metzler Lexikon Sprache. CD-ROM-Ausgabe.

GLÜCK, HELMUT 2002: Deutsch als Fremdsprache in Europa vom Mittelalter bis zur Barockzeit. Berlin/New York.

GLÜCK, HELMUT/MARK HÄBERLEIN (Hg.) (2014): Militär und Mehrsprachigkeit im neuzeitlichen Europa. Wiesbaden.

GLÜCK, HELMUT/WOLFGANG WERNER SAUER 1997: Gegenwartsdeutsch. 2. Aufl. Stuttgart.

GOETHE-WÖRTERBUCH 1978ff. Hg. von der Akademie der Wissenschaften der DDR, der Akademie der Wissenschaften in Göttingen und der Heidelberger Akademie der Wissenschaften. Bd. 1ff. Stuttgart/Berlin/Köln/Mainz.

GOETZ, HANS-WERNER 2000: *Gentes et linguae*. Völker und Sprachen im ostfränkisch-deutschen Reich in der Wahrnehmung der Zeitgenossen". In: Theodisca. Beiträge zur althochdeutschen und altniederdeutschen Sprache und Literatur in der Kultur des frühen Mittelalters. Eine internationale Fachtagung in Schönmühl bei Penzberg, vom 13. bis 16. März 1997. Hg. von WOLFGANG HAUBRICHS u.a. Berlin/New York, S. 290ff.

GOTTFRIED 1984: GOTTFRIED VON STRASSBURG: Tristan. 3 Bde. Nach dem Text von Friedrich Ranke hg. und übers. von RÜDIGER GOTTFRIED KROHN. Stuttgart

GÖTZE, HEINRICH 1999: Lateinisch-althochdeutsches Wörterbuch. Berlin.

GRAICHEN, GISELA/ROLF HAMMEL-KIESOW 2011: Die deutsche Hanse. Eine heimliche Supermacht. Reinbek.

GREEN, DENNIS H. 2001: The beginnings of literacy in the Early Germanic world. In: Varieties and consequences of literacy and orality. Hg. von URSULA SCHAEFER/EDDA SPIELMANN. Tübingen, S. 185ff.

GREULE ALBRECHT/MATTHIAS SPRINGER (Hg.) 2009: Namen des Frühmittelalters als sprachliche Zeugnisse und als Geschichtsquellen. Berlin/New York.

GREULE, ALBRECHT 1999: Syntaktisches Verbwörterbuch zu den althochdeutschen Texten des 9. Jahrhunderts. Frankfurt (Main) u.a.

GREULE, ALBRECHT (Hg.) 2004: Tarnung – Leistung – Täuschung: Untersuchungen zur Sprache im Nationalsozialismus. Frankfurt (Main).

GROSSE, RUDOLF 1983: Luthers Bedeutung für die Herausbildung einer nationalen deutschen Literatursprache. In: Martin Luther. Kolloquium anläßlich der 500. Wiederkehr seines Geburtstages (10. November 1983). Berlin, S. 42ff.

GUENTHERODT, INGE/MARLIES HELLINGER/LUISE PUSCH/SENTA TRÖMEL-PLÖTZ 1980: Richtlinien zur Vermeidung des sexistischen Sprachgebrauchs. In: Linguistische Berichte 69, S. 15 ff.

GÜTTER, ADOLF 2003: Zur Chronologie des Primärumlauts von /a/ im Altoberdeutschen, vor allem im Altbairischen. In: PBB 125, S. 1ff.

HAARMANN, HARALD 1990: Universalgeschichte der Schrift. Frankfurt (Main). 2. Aufl. 1991. 4. Aufl. 1998.

HAAS, ALOIS M. 1973: Das Verhältnis von Sprache und Erfahrung in der deutschen Mystik. In: Deutsche Literatur des späten Mittelalters. Hg. von WOLFGANG HARMS/L. PETER JOHNSON. Berlin, S. 240ff.

HAAS, ALOIS M. 1979: Sermo mysticus. Freiburg (Schweiz).

HAAS, ALOIS M. 2009: Mystik und Sprache, Literatur. In: Lexikon für Theologie und Kirche. 3. Aufl. Sonderausgabe Bd. 7. Freiburg/Basel/Wien, Sp. 595f.

HAAS, ELKE 1980: Rhetorik und Hochsprache. Über die Wirksamkeit der Rhetorik bei der Entstehung der deutschen Hochsprache im 17. und 18. Jahrhundert. Frankfurt (Main).

HABERMANN, MECHTHILD 2001: Deutsche Fachtexte der frühen Neuzeit. Naturkundlich-medizinische Wissensvermittlung im Spannungsfeld von Latein und Volkssprache. Berlin/New York.

HAGE, ERICH/RUDOLF SCHMITT 1988: Deutschunterricht und Computer. Bamberg.

HAHN, WALTHER von 1983: Fachkommunikation. Entwicklung – Linguistische Konzepte – Betriebliche Beispiele. Berlin/New York.

HANNIG, JÜRGEN 1990: Mittelalter. In: Das Fischer-Lexikon Geschichte. Hg. von RICHARD VON DÜLMEN. Frankfurt (Main), S. 346ff.

HARJUNG, J. DOMINIK 2000: Lexikon der Sprachkunst. München.

HARM, VOLKER 2001: Zur Genese der verallgemeinernden Relativsätze des Althochdeutschen. In: Indogermanische Forschungen 106, S. 241ff.

HARTMANN 1968: Hartmann von Aue: Iwein. Eine Erzählung. Hg. von GEORG FRIEDRICH BENECKE/LUDWIG WOLFF. Berlin.

HARTMANN, STEFAN 2018: Deutsche Sprachgeschichte. Grundzüge und Methoden. Tübingen.

HARTWEG, FRÉDÉRIC 1985: Die Rolle des Buchdrucks für die frühneuhochdeutsche Sprachgeschichte. In: Sprachgeschichte[1], S. 1415ff.

HASS-ZUMKEHR, ULRIKE 1998: „Wie glaubwürdige Nachrichten versichert haben". Formulierungstraditionen in Zeitungsnachrichten des 17. bis 20. Jahrhunderts. Tübingen.

HAUBRICHS, WOLFGANG 1995: Geschichte der deutschen Literatur von den Anfängen bis zum Beginn der Neuzeit. Hg. von JOACHIM HEINZLE. Band I: Von den Anfängen zum hohen Mittelalter, Teil 1: Die Anfänge: Versuche volkssprachlicher Schriftlichkeit im frühen Mittelalter (ca. 700–1050/60). 2. Aufl. Tübingen.

HÄUSLER, ALEXANDER 1998: Zum Ursprung der Indogermanen. Archäologische, anthropologische und sprachwissenschaftliche Gesichtspunkte. In: Ethnographisch-Archäologische Zeitschrift 39/1, S. 1ff.

HECHT, WOLFGANG 1995: Nachwort zu Schottelius 1663. Tübingen.

HEINEMANN, MARGOT 1990: Kleines Wörterbuch der Jugendsprache. Leipzig.

HELLGARDT, ERNST 2001: Einige altenglische, althoch- und altniederdeutsche Interlinearversionen des Psalters im Vergleich. In: Mittelalterliche volkssprachliche Glossen. Hg. von ROLF BERGMANN u. a. Heidelberg, S. 261ff.

HELLMANN, MANFRED W. 1980: Deutsche Sprache in der Bundesrepublik Deutschland und der Deutschen Demokratischen Republik. In: LGL, S. 519 ff.

HELLMANN, MANFRED W. 2000: Divergenz und Konvergenz: Sprachlich-kommunikative Folgen der staatlichen Trennung und Vereinigung Deutschlands. In: KARIN EICHHOFF-CYRUS/RUDOLF HOBERG (Hg.): Sprache zur Jahrtausendwende. Mannheim/Zürich, S. 247ff.

HELLMANN, MANFRED W. 2004: Wörter in Texten der Wendezeit. Ein Wörterbuch zum „Wendekorpus" des IDS. Mai 1989 bis Ende 1990. CD-ROM und Begleitband. Mannheim.

HELLMANN, MANFRED W./MARIANNE SCHRÖDER/ULLA FIX (Hg.) 2008: Sprache und Kommunikation in Deutschland Ost und West: ein Reader zu fünfzig Jahren Forschung. Hildesheim.

HENZEN, WALTER 1954: Schriftsprache und Mundarten. Ein Überblick über ihr Verhältnis und ihre Zwischenstufen im Deutschen. 2. Aufl. Bern.

HENZEN, WALTER 1965: Deutsche Wortbildung, 4. Aufl. Tübingen.

HERBERG, DIETER/DORIS STEFFENS/ELKE TELLENBACH 1997: Schlüsselwörter der Wendezeit. Wörter-Buch zum öffentlichen Sprachgebrauch 1989/90. Berlin/New York.

HERKOMMER, HUBERT 1992: Sächsische Weltchronik. In: VL^2 Bd. 8, Sp. 473ff.

HERRES, JÜRGEN/MANFRED NEUHAUS (Hg.) 2002: Politische Netzwerke durch Briefkommunikation. Berlin.

HETTRICH, HEINRICH (i. Dr.): Die Expansion des Indogermanischen. In: Die Ausbreitung des Indogermanischen. Hg. von HEINRICH HETTRICH/SABINE ZIEGLER. Wiesbaden.

HEUSINGER, KLAUS VON/SABINE VON HEUSINGER 1999: Aus der lateinischen Fachsprache zur deutschen Mystik. Der lange Weg der Suffixe -ung und -heit. In: KIRSTEN ADAMZIK/JÜRG NIEDERHAUSER (Hg.): Wissenschaftssprache und Umgangssprache. Frankfurt (Main) u. a., S. 59ff.

HEYD, VOLKER (i.Dr.): Das Zeitalter der Ideologien. Migration, Interaktion & Expansion im prähistorischen Europa des 4. und

3. Jahrtausends v.Chr. In: Die Ausbreitung des Indogermanischen. Hg. von HEINRICH HETTRICH/SABINE ZIEGLER. Wiesbaden.

HEYNE, MORIZ 1877: Hanse. In: DWb, Bd. 4/II, Sp. 462ff.

HEYNE, MORIZ 1905: Spiegel. In: DWb, Bd. 15, Sp. 2222ff.

HILDEBRANDT, REINER 1998: Der Beitrag der Sprachgeographie zur Sprachgeschichtsforschung. In: Sprachgeschichte², S. 495ff.

HOFFEND, ANDREA 1987: Bevor die Nazis die Sprache beim Wort nahmen. Wurzeln und Entsprechungen nationalsozialistischen Sprachgebrauchs. In: Muttersprache 97, S. 257ff.

HOFFMANN, FERNAND 1979: Sprachen in Luxemburg. Wiesbaden.

HOHELIED 1998: Das St. Trudperter Hohelied. Hg. von FRIEDRICH OHLY. Frankfurt.

HOLTHAUSEN, FERDINAND (1921): Altsächsisches Elementarbuch. Heidelberg.

HOLZBERG, NIKLAS 1984: Griechisch/Deutsch. In: Sprachgeschichte¹, S. 861ff.

HOSOKAWA, HIROFUMI (2014): Zeitungssprache und Mündlichkeit: soziopragmatische Untersuchungen zur Sprache in Zeitungen um 1850. Frankfurt (Main).

HUBER, CHRISTOPH 1996: Der gebildete Dichter im hohen Mittelalter. In: Literaten – Kleriker – Gelehrte. Hg. von RUDOLF W. KECK u. a. Köln u. a., S. 171ff.

HUNDT, MARKUS 2000: „Spracharbeit“ im 17. Jahrhundert. Studien zu GEORG PHILIPP HARSDÖRFFER, JUSTUS GEORG SCHOTTELIUS UND CHRISTIAN GUEINTZ. Berlin/New York.

HUNDT, MARKUS 2002: Die Instrumentalisierung der „Wortforschung“ im Sprachpatriotismus des 17. Jahrhunderts. In: MECHTHILD HABERMANN u. a. (Hg.): Historische Wortbildung des Deutschen. Tübingen, S. 289ff.

HUNDT, MARKUS 2011: Doppelte Perfektkonstruktionen mit *haben* und *sein*. Funktionale Gemeinsamkeiten und paradigmatische Unterschiede. In: Deutsche Sprache 39, H. 1, S. 1ff.

HUTTERER, CLAUS-JÜRGEN 1975/1987/1990/2002: Die germanischen Sprachen. Ihre Geschichte in Grundzügen. 2., dt. Aufl. Budapest. 3. Aufl. Wiesbaden. 4. Aufl. 1999/2002.

ISING, ERIKA 1956: Die Begriffe ‚Umlaut‘ und ‚Ablaut‘ in der Terminologie der frühen deutschsprachigen Grammatik. In: ROLF HIERSCHE/ERIKA ISING/GUNHILD GINSCHEL: Aus der Arbeit an einem historischen Wörterbuch der sprachwissenschaftlichen Terminologie. Berlin, S. 21ff.

ISING, ERIKA 1959: Wolfgang Ratkes Schriften zur deutschen Grammatik (1612–1630). Berlin.

JAEHRLING, JÜRGEN 1969: Die philosophische Terminologie Notkers des Deutschen in seiner Übersetzung der Aristotelischen „Kategorien“, Berlin.

JAHN, FRIEDRICH LUDWIG/ERNST EISELEN 1816 (Reprint 1960): Deutsche Turnkunst zur Einrichtung der Turnplätze. Berlin.

JAKOB, KARLHEINZ 1999: Die Sprachnormierungen Johann Christoph Gottscheds und ihre Durchsetzung in der zweiten Hälfte des 18. Jahrhunderts. In: Sprachwissenschaft 24, S. 1ff.

JANUSCHEK, FRANZ/MARTIN REISIGL (2014): Populismus in der digitalen Mediendemokratie. (OBST) Duisburg.

JELLINEK, MAX HERMANN 1913/1914: Geschichte der neuhochdeutschen Grammatik von den Anfängen bis auf Adelung. 2 Bde. Heidelberg.

JOSTEN, DIRK 1976: Sprachvorbild und Sprachnorm im Urteil des 16. und 17. Jahrhunderts. Sprachlandschaftliche Prioritäten, Sprachautoritäten, sprachimmanente Argumentation. Bonn/Frankfurt (Main).

KAISER, ELKE (i. Dr.): Die frühen Räderfahrzeuge im nordpontischen Raum. In: Die Ausbreitung des Indogermanischen. Hg. von HEINRICH HETTRICH/SABINE ZIEGLER. Wiesbaden. Im Druck.

KÄMPER, HEIDRUN/HARTMUT SCHMIDT (Hg.) 1998: Das 20. Jahrhundert. Sprachgeschichte – Zeitgeschichte. Berlin/New York.

KARG-GASTERSTÄDT, ELISABETH (1958): Althochdeutsch *thing* – neuhochdeutsch *Ding*. Die Geschichte eines Wortes. In: Berichte über die Verhandlungen der Sächsischen Akademie der Wissenschaften zu Leipzig. Philologisch-historische Klasse 104, S. 3ff.

KARTSCHOKE, DIETER 1990: Geschichte der deutschen Literatur im frühen Mittelalter. München.

KÄSTNER HANNES/EVA SCHÜTZ/JOHANNES SCHWITALLA 2000: Die Textsorten des Frühneuhochdeutschen. In: Sprachgeschichte[2], S. 1605ff.

KEHREIN, ROLAND/ALFRED LAMELI/STEFAN RABANUS (Hg.): 2015 Regionale Variation des Deutschen. Berlin/Boston.

KELIH, EMMERICH (o. J.): Zur quantitativen Lehn- und Fremdwortforschung: Eine Einleitung. https://homepage.univie.ac.at/emmerich.kelih/wp-content/uploads/p2014_quant_Lehnwort_Einleitung_EK.pdf [17.10.2018].

KELLER, HAGEN/GERD ALTHOFF 2008: Die Zeit der späten Karolinger und der Ottonen. 888–1024, 10. Aufl. Stuttgart o.J.

KELLER, RUDI 1994: Sprachwandel. Von der unsichtbaren Hand in der Sprache. 2. Aufl. Tübingen/Basel.

KELLER, RUDI 2005: Ist die deutsche Sprache vom Verfall bedroht? In: Aptum 2, S. 193ff.

KELLERMEISTER-REHBEIN, BIRTE 2014: Plurizentrik. Einführung in die nationalen Varietäten des Deutschen. Berlin.

KERN, FRIEDERIKE 2002: Kulturen der Selbstdarstellung. Ost- und Westdeutsche in Bewerbungsgesprächen. Wiesbaden.

KETTEMANN, BERNHARD 2002: Anglizismen allgemein und konkret. Zahlen und Fakten. In: MUHR/KETTEMANN, S. 55ff.

KETTMANN, GERHARD 1969: Die kursächsische Kanzleisprache zwischen 1486 und 1546. Studien zum Aufbau und zur Entwicklung. 2. Aufl. Berlin.

KETTMANN, GERHARD 1981: Die Existenzformen der deutschen Sprache im 19. Jahrhundert – ihre Entwicklung und ihr Verhältnis zueinander unter den Bedingungen der industriellen Revolution. In: Auswirkungen der industriellen Revolution auf die deutsche Sprachentwicklung im 19. Jahrhundert. Von einem Autorenkollektiv unter der Leitung von JOACHIM SCHILDT. Berlin, S. 35ff.

KETTMANN, GERHARD 1982: Bemerkungen zu einigen Prämissen der Datierung des Frühneuhochdeutschen. In: Zur Periodisierung der deutschen Sprachgeschichte. Hg. von JOACHIM SCHILDT. Berlin, S. 134ff.

KIEFER, ULRIKE 2000: Das Jiddische in Beziehung zum Mittelhochdeutschen. In: Sprachgeschichte[2], S. 1399ff.

KIEPE, HANSJÜRGEN 1983: Die älteste deutsche Fibel. Leseunterricht und deutsche Grammatik von 1486. In: Studien zum städtischen Bildungswesen des späten Mittelalters und der frühen Neuzeit. Hg. von BERND MOELLER/HANS PATZE/KARL STACKMANN. Göttingen, S. 453ff.

KILIAN, JÖRG/THOMAS NIEHR/JÜRGEN SCHIEWE 2016: Ansätze und Methoden der kritischen Sprachbetrachtung. 2. Aufl. Berlin/Boston.

KINDER, HERMANN/WERNER HILGEMANN 1964: dtv-Atlas zur Weltgeschichte. 2 Bde. München.

KIRCHERT, KLAUS 1984: Grundsätzliches zur Bibelverdeutschung im Mittelalter. In: ZfdA 113, S. 61ff.

KIRCHHOFF, HANS GEORG 1957: Zur deutschsprachigen Urkunde des 13. Jahrhunderts. In: Archiv für Diplomatik 3, S. 286ff.

KIRKNESS, ALAN 1998: Das Phänomen des Purismus in der Geschichte des Deutschen. In: Sprachgeschichte[2], S. 407ff.

KLEIN, THOMAS 1985: Heinrich von Veldeke und die mitteldeutschen Literatursprachen. In: THOMAS KLEIN/COLA MINIS: Zwei Studien zu Veldeke und zum Straßburger Alexander. Amsterdam, S. 1ff.

KLEIN, THOMAS 2003: Althochdeutsch und Altniederländisch. In: Amsterdamer Beiträge zur älteren Germanistik 57, S. 19ff.

KLEIN, WOLF PETER 1992: Am Anfang war das Wort. Theorie- und wissenschaftsgeschichtliche Elemente frühneuzeitlichen Sprachbewußtseins. Berlin.

KLEIN, WOLF PETER 1999: Die Geschichte der meteorologischen Kommunikation in Deutschland. Eine historische Fallstudie zur Entwicklung von Wissenschaftssprachen. Hildesheim.

KLEIN, WOLF PETER 2004: Gab es eine Fachsprachenforschung im 17. Jahrhundert? Versuch einer Antwort mit besonderer Berücksichtigung von Johann Heinrich Alsted. In: Historiographia linguistica 31, S. 297ff.

KLEIN, WOLF PETER 2009: Auf der Kippe? Zweifelsfälle als Herausforderung(en) für Sprachwissenschaft und Sprachnormierung. In: KONOPKA/STRECKER, S. 141ff.

KLEIN, WOLF PETER 2010: Kaspar Stielers Sprach- und Textnormen. Das „kommunikative Ereignis“ als Grundlagenkategorie frühneuzeitlicher Textsortengeschichte. In: MICHAEL LUDSCHEIDT (Hg.): Kaspar Stieler (1632–1707). Studien zum literarischen Werk des „Spaten“. Bucha bei Jena, S. 301ff.

KLEIN, WOLF PETER 2011a: Die deutsche Sprache in der Gelehrsamkeit der frühen Neuzeit. Von der lingua barbarica zur HaubtSprache. In: HERBERT JAUMANN (Hg.): Diskurse der Gelehrtenkultur in der Frühen Neuzeit. Berlin/New York, S. 465ff.

KLEIN, WOLF PETER 2011b: Deutsch statt Latein! Zur Entwicklung der Wissenschaftssprachen in der frühen Neuzeit. In: WIELAND EINS/HELMUT GLÜCK/SABINE PRETSCHER (Hg.): Wissen schaffen – Wissen kommunizieren. Wissenschaftssprache in Geschichte und Gegenwart. Wiesbaden, S. 35ff.

KLEIN, WOLF PETER 2018: Sprachliche Zweifelsfälle im Deutschen. Berlin/Boston.

KLEINER, STEFAN 2013: Die Kodifikation der deutschen Standardaussprache im Spiegel der faktischen Variabilität des Gebrauchsstandards. In: ALBRECHT PLEWNIA/ANDREAS WITT (Hg.): Sprachverfall? Dynamik – Wandel – Variation. Berlin/Boston (Jb. 2012 des IdS), S. 273ff.

KLEMPERER, VICTOR 2007/2015/1. Aufl. 1947: LTI. Notizbuch eines Philologen. 24. Aufl. Stuttgart.

KLINGENBERG, HEINZ 1976: Runenfibel von Bülach, Kanton Zürich. Liebesinschrift aus alemannischer Frühzeit. In: Alemannica. Landeskundliche Beiträge. Fs. Bruno Boesch. Bühl/Baden, S. 308ff.

KLÖTZER, WOLFGANG 1983: Schwerpunkte kulturellen Lebens in der mittelalterlichen Stadt, mit besonderer Berücksichtigung von Frankfurt am Main. In: Stadt und Kultur. Hg. von HANS EUGEN SPECKER. Sigmaringen, S. 29ff.

KLUGE, FRIEDRICH 1904: Von Luther bis Lessing. 4. Aufl. Straßburg.

KLUGE/SEEBOLD 2011: KLUGE. Etymologisches Wörterbuch der deutschen Sprache. 25. Aufl. von ELMAR SEEBOLD. Berlin/Boston.

KOHRT, MANFRED 1998: Historische Graphematik und Phonologie. In: Sprachgeschichte². Bd. 1, S. 551ff.

KÖLLER, WILHELM 1988: Philosophie der Grammatik. Stuttgart.

KÖNIG, EKKEHARD/MARTIN HASPELMATH 1999: Der europäische Sprachbund. In: Eurolinguistik. Hg. von NORBERT REITER. Wiesbaden, S. 111ff.

KONOPKA, MAREK/BRUNO STRECKER (Hg.) 2009: Deutsche Grammatik: Regeln, Normen, Sprachgebrauch. (Jb. 2008 des IdS) Mannheim.

KONRAD 1993: Das Rolandslied des Pfaffen Konrad. Hg. und übers. von DIETER KARTSCHOKE. Stuttgart.

KORLÉN, GUSTAV 1983: Deutsch in der Deutschen Demokratischen Republik. Bemerkungen zum DDR-Wortschatz. In: Tendenzen, Formen und Strukturen der deutschen Standardsprache nach 1945. Vier Beiträge zum Deutsch in Österreich, der Schweiz, der Bundesrepublik Deutschland und der Deutschen Demokratischen Republik. Von INGO REIFFENSTEIN/HEINZ RUPP/PETER VON POLENZ/GUSTAV KORLÉN. Marburg, S. 61 ff.

KOTTHOFF, HELGA 2017: Von Syrx, Sternchen, großem I und bedeutungsschweren Strichen. In: KONSTANZE SPIESS/MARTIN REISGL (Hg.): Sprache und Geschlecht. Bd.1: Sprachpolitiken und Grammatik . (OBST 90) Duisburg, S. 91ff.

KOTTHOFF. HELGA/DAMARIS NÜBLING 2018: Genderlinguistik. Tübingen.

KRECH, EVA MARIA/EDUARD KURKA/HELMUT STELZIG (Hg.) 1982: Großes Wörterbuch der deutschen Aussprache. Leipzig.

KROESCHELL, KARL 1972: Deutsche Rechtsgeschichte. Bd. 1. Reinbek.

KROTZ, ELKE 2002: Auf den Spuren des althochdeutschen Isidor. Studien zur Pariser Handschrift, den Monseer Fragmenten und zum Codex Junius 25. Mit einer Neuedition des Glossars Jc. Heidelberg.

KUBCZAK, JAQUELINE 2015: *Mit echtem bayerischem Senf* oder *mit echtem bayerischen Senf?* – Flexion bei artikellosen Folgen von Adjektiven (aus „Grammatik in Fragen und Antworten"). In: Sprachreport 31, H. 3, S. 22ff.

KUHN, HUGO 1980: Entwürfe zu einer Literatursystematik des Spätmittelalters. Tübingen.

KUNZE, KONRAD 1999: dtv-Atlas Namenkunde. Vor- und Familiennamen im deutschen Sprachgebiet. 2. Aufl. München.

LACHMANN, KARL 1876: Kleinere Schriften zur deutschen Philologie. Berlin.

LAMBRECHT 2007: Pfaffe Lambrecht: Alexanderroman. Hg. und übers. von ELISABETH LIENERT. Stuttgart.

LAMELI, ALFRED/CHRISTOPH PURSCHKE/STEFAN RABANUS 2015: Der digitale Wenker-Atlas (DIWA). In: ROLAND KEHREIN/ALFRED LAMELI/STEFAN RABANUS (Hg.): Regionale Variation des deutschen. Berlin/ Boston

LANGER, OTTO 2000: Mystik. In: Reallexikon der deutschen Literaturwissenschaft. Bd. 2. Berlin/New York, S. 653ff.

LANGNER, HELMUT 1980: Entwicklungstendenzen in der deutschen Sprache der Gegenwart. Überblick über wichtige Erscheinungen und Probleme. In: WZ Potsdam 24, S. 673ff.

LANGNER, HELMUT 1985: Zur Tendenz der Differenzierung in der deutschen Sprache der Gegenwart. In: WZ Zwickau 21, H. 1, S. 60ff.

LANGNER, HELMUT 1986: Zum Einfluß des Angloamerikanischen auf die deutsche Sprache in der DDR. In: ZfG 7, S. 402 ff.

LANGNER, HELMUT 1990: Zur Tendenz der Internationalisierung in der deutschen Gegenwartssprache – Erscheinungen und Probleme. In: WERNER BAHNER u. a. (Hg.): Proceedings of the Forteenth International Congress of Linguists. Bd. 2, S. 1403ff.

LANGNER, HELMUT 1990: Zur Umgangssprache in der Gegenwart. In: Deutschunterricht 43, S. 376ff.

LANGNER, HELMUT 1991: Sprachkultur und Entwicklungstendenzen. In: KARL-ERNST SOMMERFELDT (HG.): Sprachwissenschaft und Sprachkultur. Tagungsband der Konferenz in Neubrandenburg am 10. u. 11. Mai 1990. Frankfurt (Main)/Bern/New York/ Paris, S. 39ff.

LANGNER, HELMUT 2013: Einführung. In: WILHELM SCHMIDT, Geschichte der deutschen Sprache. 11. Aufl. Stuttgart, S. 5ff.

LANGNER, HELMUT/ ROLF BOCK/ ELISABETH BERNER 1987: Zur Entwicklung des deutschen Wortschatzes. Unter besonderer Berücksichtigung der Verwandtschaft zwischen den europäischen Sprachen. In: Deutschunterricht 40, S. 369ff.

LARGIER, NIKOLAUS 1993a: Kommentar zu ECKHART, S, 713ff.

LARGIER, NIKOLAUS 1993b: Kommentar zu ECKHART, S. 645ff.

LASCH, AGATHE 1914/1974: Mittelniederdeutsche Grammatik. Halle (Saale). 2. Aufl. Tübingen.

LATEIN-LEXIKON 1998: Neues Latein-Lexikon. Lexicon recentis latinitatis. Darmstadt.

LAUBER-RÖNSBERG, ANNE 2017: Hate Speech – ein Überblick über rechtliche Rahmenbedingungen, ihre Durchsetzung und das neue netzDG. In: Aptum 13, H. 1, S. 100ff.

LEHMANN, CHRISTIAN (URL 2): Lautwandel. https://www.christianlehmann.eu/ling/elements/index.html? [15.11.2018]

LEHNERT, MARTIN 1990: Anglo-Amerikanisches im Sprachgebrauch der DDR. Berlin.

LENK, WERNER 1989: Die nationale Komponente in der deutschen Literaturentwicklung der frühen Neuzeit. In: Nation und Literatur im Europa der Frühen Neuzeit. Hg. von KLAUS GARBER. Tübingen, S. 669ff.

LERCHNER, GOTTHARD 1980: Zu Lessings Stellung in der sprachgeschichtlichen Entwicklung des 18. Jahrhunderts. In: ZPSK 33, S. 345ff.

LERCHNER, GOTTHARD 1984: „... daß es die guten Schriftsteller sind, welche die wahre Schriftsprache eines Volkes bilden". Zur sprachgeschichtlichen Bedeutsamkeit der Auseinandersetzung zwischen Wieland und Adelung. In: ADELUNG, S. 109ff.

LERCHNER, GOTTHARD 1992: Die historische Formierung von Spielräumen individuellen Sprachverhaltens. In: Beiträge T 114, S. 227ff.

LERCHNER, GOTTHARD 1997: Regionale Identität und standardsprachliche Entwicklung. Aspekte einer sächsischen Sprachgeschichte. Leipzig. (Sb. der Sächs. Akademie der Wiss. zu Leipzig, Phil.-hist. Klasse, Bd. 135, H.1.)

LESER, HERMANN 1925: Das pädagogische Problem in der Geistesgeschichte der Neuzeit. Bd. 1: Renaissance und Aufklärung im Problem der Bildung. München/Berlin.

LEUSCHNER, JOACHIM 1975: Deutschland im späten Mittelalter. Göttingen.

LEWELING, BEATE 2005: Reichtum, Reinigkeit und Glanz – Sprachkonzeptionen in der Sprachreflexion des 18. Jahrhunderts. Ein Beitrag zur Sprachbewusstseinsgeschichte. Frankfurt (Main) u.a.

LINDNER, BETTINA 2018: Medizinische Gutachten des 17. und 18. Jahrhunderts. Sprachhistorische Untersuchungen zu einer Textsortenklasse. Berlin/Boston.

LINKE, ANGELIKA 1996: Sprachkultur und Bürgertum. Zur Mentalitätsgeschichte des Bürgertums. Stuttgart/Weimar.

LINKE, ANGELIKA 1998: Sprache, Gesellschaft und Geschichte. Überlegungen zur symbolischen Funktion kommunikativer Praktiken der Distanz. In: ZGL 26, S. 135ff.

LOCKWOOD, WILLIAM B. 1979: Überblick über die indogermanischen Sprachen. Tübingen.

LÖWE, HEINZ 1973: Deutschland im fränkischen Reich. München.

LÜDTKE, HELMUT 2009: Der Ursprung der romanischen Sprachen. Eine Geschichte der sprachlichen Kommunikation. 2. Aufl. Kiel.

LUDWIG, OTTO 1998: Alphabetisierung und Volksschulunterricht im 19. Jahrhundert. Der Beitrag der Schreib- und Stilübungen. In: CHERUBIM/GROSSE/MATTHEIER (Hg.), S. 148ff.

LÜHR ROSEMARIE 1982: Untersuchungen zur Sprache des Hildebrandliedes. 2 Tle. Frankfurt (Main).

LUTHER, MARTIN 1899: D. Martin Luthers Werke. Kritische Gesamtausgabe. Bd. 15. Weimar.

LUTHER, MARTIN 1951. Sendbrief vom Dolmetschen. Hg. von KARL BISCHOFF. Halle (Saale).

LUTHER, MARTIN 1965: Sendbrief vom Dolmetschen. Hg. von KARL BISCHOFF. 2. Aufl. Tübingen.

LUTHER, MARTIN 1992: Studienausgabe. Hg. von HANS-ULRICH DELIUS. Bd. 2. Berlin.

MAAS, UTZ 1984: „Als der Geist der Gemeinschaft eine Sprache fand.“: Sprache im Nationalsozialismus. Versuch einer historischen Argumentationsanalyse. Wiesbaden.

MAAS, UTZ 1991: Sprache im Nationalsozialismus. Macht des Wortes oder Lähmung der Sprache. In: WERNER BOHLEBER (Hg.): „Gift, das du unbewußt eintrinkst ...“. Der Nationalsozialismus und die deutsche Sprache. Bielefeld, S. 25ff.

MAAS, UTZ 2016: Brüche in der Sprachforschung im 20. Jahrhundert. In: Geschichte der Germanistik. Historische Zeitschrift für die Philologien. Hg. von CHRISTOPH KÖNIG/MARCEL LEPPER. Doppelheft 49/50, S. 33ff.

MACKENSEN, LUTZ 1971: Die deutsche Sprache in unserer Zeit. Zur Sprachgeschichte des 20. Jahrhunderts. 2. Aufl. Heidelberg.

MAITZ, PETER/STEPHAN ELSPASS 2013: Zur Ideologie des ‚Gesprochenen Standarddeutsch‘. In: JÖRG HAGEMANN/WOLF PETER KLEIN/SVEN STAFFELDT (Hg.): Pragmatischer Standard. Tübingen, S. 35 ff.

MANGOLD, MAX 2000: Entstehung und Problematik der deutschen Hochlautung. In: Sprachgeschichte^2, S. 1804ff.

MARAN, JOSEPH 2004a: Die Badener Kultur und ihre Räderfahrzeuge. In: Rad und Wagen. Der Ursprung einer Innovation. Wagen im Vorderen Orient und Europa. Hg. v. MAMOUN FANSA/STEFAN BURMEISTER. Mainz, S. 265ff.

MARAN, JOSEPH 2004b: Kulturkontakte und Wege der Ausbreitung der Wagentechnologie im 4. Jahrtausend v.Chr. In: Rad und Wagen. Der Ursprung einer Innovation. Wagen im Vorderen Orient und Europa. Hg. v. MAMOUN FANSA/STEFAN BURMEISTER. Mainz, S. 429ff.

MARX, CONSTANZE/GEORG WEIDACHER 2014. Internetlinguistik. Tübingen.

MARX, KONSTANZE 2017a: Rekontextualisierung von Hate Speech als Aneignungs- und Positionierungsverfahren in Sozialen Medien. In: Aptum 13, H.1, S. 132 ff.

MARX, KONSTANZE 2017b: Diskursphänomen Cybermobbbing. Ein internetlinguistischer Zugang zu [digitaler] Gewalt. Berlin/Boston.

MARX, KONSTANZE 2018: Cybermobbing aus sprachwissenschaftlicher Perspektive. In: Sprachreport 34, H. 1, S. 1ff.

MASSER, ACHIM 1994: Die lateinisch-althochdeutsche Tatianbilingue Stiftsbibliothek St. Gallen Cod. 56. Göttingen.

MATHIAS, ALEXA 2018: Lexik und Legitimation in rechtspopulistischen Bewegungen: Korpuslinguistische Befunde aus Facebook-Postings von Pegida-Sympathisanten. In: Muttersprache, H. 1, S. 41ff.

MATTAUSCH, JOSEF 1982: Die Sprachwelt Goethes – Repräsentanz und Schöpfertum. Beobachtungen an einem Autorenwörterbuch. In: BES 2, S. 218ff.

MATTHEIER, KLAUS J. 1986: „Lauter Borke um den Kopp“. Überlegungen zur Sprache der Arbeiter im 19. Jahrhundert. In: Rheinische Vierteljahrsblätter 50, S. 221ff.

MATTHEIER, KLAUS J. 1989: Die soziokommunikative Situation der Arbeiter im 19. Jahrhundert. In: DIETER CHERUBIM/KLAUS J. MATTHEIER (Hg.): Voraussetzungen und Grundlagen der Gegenwartssprache. Sprach- und sozialgeschichtliche Untersuchungen zum 19. Jahrhundert. Berlin/New York, S. 93ff.

MATTHEIER, KLAUS J. 1997: Dialektverfall und/oder Dialektrenaissance. Überlegungen zur Entwicklung der Dialektalität in der gegenwärtigen deutschen Sprachgemeinschaft. In: GERHARD, STICKEL (Hg.): Varietäten des Deutschen. Regional- und Umgangssprachen. (Jb. 1996 des IdS) Berlin/New York, S. 404ff.

MATTHEIER, KLAUS J. 1998: Allgemeine Aspekte einer Theorie des Sprachwandels. In: Sprachgeschichte². Bd. 1, S. 824ff.

MAURER, FRIEDRICH 1952: Nordgermanen und Alemannen. 3. Aufl. Bern/München.

MAURER, FRIEDRICH 1964/1970: Die religiösen Dichtungen des 11. und 12. Jahrhunderts. Bd. 1 und 3. Tübingen.

MAZAL, OTTO 1975: Buchkunst der Gotik. Graz.

MAZAL, OTTO 1986: Lehrbuch der Handschriftenkunde. Wiesbaden.

MCFADDEN, THOMAS 2003 [2009]: On the pronominal origins of the Germanic strong adjective inflection. In: Münchener Studien zur Sprachwissenschaft, 63, S. 53ff.

MCGINN, BERNARD 1990: Mystik. Historisch-theologisch. In: Lexikon für Theologie und Kirche. 3. Aufl. Sonderausgabe Bd. 7. Freiburg/Basel/Wien, Sp. 587ff.

MECHTHILD 2010: Mechthild von Magdeburg. Zweisprachige Ausgabe. Hg. und übers. von GISELA VOLLMANN-PROFE. Berlin.

MEIER, JÖRG/ALBRECHT GREULE (Hg.) (2016): Von der Arznei bis zum Ziegeldach. Historische Fach- und Handwerkssprachen. Berlin.

MEIER, JÜRGEN/DIETER MÖHN 2000: Die Textsorten des Mittelniederdeutschen. In: Sprachgeschichte², S. 1470ff.

MEIER-BRÜGGER, MICHAEL 2010: Indogermanische Sprachwissenschaft. 9. Aufl. Berlin / New York.

MEINEKE, ECKHARD 2001: Einführung in das Althochdeutsche. Unter Mitarbeit von JUDITH SCHWERDT. Paderborn u.a.

MEINHOLD, GOTTFRIED/EBERHARD STOCK 1982: Phonologie der deutschen Gegenwartssprache. 2. Aufl. Leipzig.

MENZEL, WOLFGANG WALTER 1996: Vernakuläre Wissenschaft. Christian Wolffs Bedeutung für die Herausbildung und Durchsetzung des Deutschen als Wissenschaftssprache. Tübingen.

MIHM, AREND 1998: Arbeitersprache und gesprochene Sprache im 19. Jahrhundert. In: CHERUBIM/GROSSE/MATTHEIER (Hg.), S. 282ff.

MIHM, AREND 2000: Die Rolle der Umgangssprachen seit der Mitte des 20. Jahrhunderts. In: Sprachgeschichte², S. 2107ff.

MÖLLER, KLAUS-PETER 2000: Der wahre E. Ein Wörterbuch der DDR-Soldatensprache. 2. Aufl. Berlin.

MÖLLMANN, ULRICH 1994: Die althochdeutschen Adjektive auf *-sam*. Göttingen.

MOSER, HANS 1978: Zur Kanzlei Kaiser Maximilians I. Graphematik eines Schreibusus. In: Beiträge H 99, S. 32ff.

MOSER, HANS 1982: Rez. von Walther Schenker: Die Sprache Huldrych Zwinglis im Kontrast zur Sprache Luthers. Berlin/New York 1977. In: ZDL 49, S. 397ff.

MOSER, HANS 1985: Die Kanzleisprachen. In: Sprachgeschichte[1], S. 1398ff.

MOSER, HUGO 1965/69: Deutsche Sprachgeschichte. 5./6. Aufl. Tübingen.

MOSER, HUGO 1985: Die Entwicklung der deutschen Sprache seit 1945. In: Sprachgeschichte[1], S. 1678ff.

MOSER, VIRGIL 1929/1951: Frühneuhochdeutsche Grammatik. Bd. 1/1 und 1/3/2. Heidelberg.

MOTTAUSCH, KARL-HEINZ 2011: Der Nominalakzent im Frühgermanischen. Konstanten und Neuerungen. Hamburg.

MOULTON, WILLIAM G. 1967: Types of phonemic change. In: To honor Roman Jakobson. Essays on the occasion of his seventieth birthday. The Hague, S. 1393ff.

MUHR, RUDOLF/BERNHARD KETTEMANN (Hg.) 2002: Eurospeak. Der Einfluss des Englischen auf europäische Sprachen zur Jahrtausendwende. Frankfurt (Main)/Berlin u. a.

MÜLLER, JOHANNES 1882: Quellenschriften und Geschichte des deutschsprachlichen Unterrichtes bis zur Mitte des 16. Jahrhunderts. Gotha (Nachdruck mit einer Einführung von MONIKA RÖSSING-HAGER. Darmstadt 1969).

MÜLLER, JOHANNES 1885 und 1886: Vor- und frühreformatorische Schulordnungen und Schulverträge in deutscher und niederländischer Sprache. Tl. 1 und Tl. 2. Zschopau.

MÜLLER, STEPHAN 2007: Althochdeutsche Literatur. Eine kommentierte Anthologie. Stuttgart.

MUNSKE, HORST HAIDER 1983: Umgangssprache als Sprachenkontakterscheinung. In: Dialektologie. 2. Halbbd., S. 1002ff.

MUNSKE, HORST HAIDER 2001: Fremdwörter in deutscher Sprachgeschichte: Integration oder Stigmatisierung? In: GERHARD STICKEL (Hg.): Neues und Fremdes im deutschen Wortschatz. Aktueller lexikalischer Wandel. Berlin/New York, S. 7ff.

MUNSKE, HORST HAIDER/ALAN KIRKNESS (Hg.) 1996: Eurolatein. Das griechische und lateinische Erbe in den europäischen Sprachen. Tübingen.

MUSSELECK, KARL-HEINZ 1981: Untersuchungen zur Sprache katholischer Bibelübersetzungen der Reformationszeit. Heidelberg.

NAIL, NORBERT 2003: Zeitungssprache und Massenpresse in der jüngeren Geschichte des Deutschen. In: Sprachgeschichte[2], S. 2152ff.

NAUMANN, HORST 2000: Eigennamen im Frühneuhochdeutschen – in Grimma. In: Germanistisches Jahrbuch 6. Ostrava/Erfurt, 6, S. 19ff.

NEDOMA, ROBERT 1995: Die Inschrift auf dem Helm B von Negau. Möglichkeiten und Grenzen der Deutung norditalischer epigraphischer Denkmäler. Wien.

NEIDHART 1999: Die Lieder Neidharts. Hg. von EDMUND WIESSNER. 5. Aufl. von PAUL SAPPLER. Tübingen.

NELLMANN, EBERHARD 1985: Pfaffe Konrad. In: VL[2], Bd. 5, Sp. 115ff.

NERI, SERGIO 2009: Rez.-Aufsatz zu DON RINGE 2006. In: Kratylos 54, S. 1ff.

NERIUS, DIETER (Hg.) 2007: Deutsche Orthographie. 4. Aufl. Hildesheim/Zürich/New York.

NERIUS, DIETER 1990: Stand der Rechtschreibreform. In: Deutschunterricht 43, S. 273ff.

NEULAND, EVA 2007: Jugendsprachen: mehrsprachig – kontrastiv – interkulturell. Frankfurt (Main) u. a.

NEULAND, EVA 2008a: Jugendsprache – Jugendliteratur – Jugendkultur: interdisziplinäre Beiträge zu sprachkulturellen Ausdrucksformen Jugendlicher. 3. Aufl. Frankfurt (Main) u. a.

NEULAND. EVA 2008b: Jugendsprache: eine Einführung. Tübingen u. a.

NEUMANN, FRIEDRICH 1980: Freidank. In: VL[2] Bd. 2, Sp. 897.

NEUMANN, GÜNTER 1998: Sprache und Dichtung. In: Die Germanen. Studienausgabe. Reallexikon der Germanischen Altertumskunde. 2. Aufl. Berlin/New York, S. 79ff.

NEUMANN, HANS 1987: Mechthild von Magdeburg. In: VL², Bd. 6, Sp. 260ff.

NEUMANN, HANS 1993: Sprachgestalt und Stilformen in Mechthilds „Fließendem Licht der Gottheit". In: Mechthild von Magdeburg: Das Fließende Licht der Gottheit. Hg. von HANS NEUMANN. Bd. 2: Untersuchungen. Bearb. von GISELA VOLLMANN-PROFE. München/Zürich, S. IXff.

NEWALD, RICHARD 1942: Das erste Auftreten der deutschen Urkunde in der Schweiz. In: Zeitschrift für Schweizerische Geschichte 22, S. 489ff.

NIBELUNGENLIED 2003: St. Galler Nibelungenhandschrift (Cod. Sng. 857). CD-ROM. St. Gallen.

NIBELUNGENLIED 2007: Das Nibelungenlied. Nach der Ausgabe von KARL BARTSCH/HELMUT DE BOOR hg. und übers. von SIEGFRIED GROSSE. Stuttgart.

NIEHAUS, KONSTANTIN 2015: Areale Variation in der Syntax des Standarddeutschen. Ergebnisse zum Sprachgebrauch und zur Frage Plurizentrik vs. Pluriarealität. In: ZDL 82, H. 2, S. 133ff.

NIELSEN, HANS FREDE 1989: The Germanic Languages. Origins and Early Dialectal Interrelations. Tuscaloosa/London.

NIEVERGELT, ANDREAS 2011: Zur gegenwärtigen Quellen- und Editionslage der althochdeutschen Glossen. In: Sprachwissenschaft 36, S. 307ff.

NÜBLING, DAMARIS 2006/2017: Historische Sprachwissenschaft des Deutschen. In Zusammenarb. mit ANTJE DAMMEL/JANET DUKE/RENATA SZCZEPANIAK. 1. Aufl./5. Aufl. Tübingen.

NÜBLING, DAMARIS 2016: Braucht man Sprachgeschichte? Berlin.

NÜBLING, DAMARIS 2018: Und ob das Genus mit dem Sexus. Genus verweist nicht nur auf Geschlecht, sondern auch auf die Geschlechterordnung. In: Sprachreport 34, H. 3, S. 44ff.

NÜBLING, DAMARIS u. a. 2017: Historische Sprachwissenschaft des Deutschen. Eine Einführung in die Prinzipien des Sprachwandels. 5. Aufl. Tübingen.

OETTINGER, NORBERT 2003: Neuerungen in Lexikon und Wortbildung des Nordwest-Indogermanischen. In: Languages in Prehistoric Europe. Hg. von ALFRED BAMMESBERGER/THEO VENNEMANN. Heidelberg, S. 183ff.

OHLY, FRIEDRICH 1995: Das St. Truperter Hohelied. In: VL², Sp. 1089ff.

OHLY, FRIEDRICH 1998: Kommentar. In: Hohelied 1998, S. 315ff.

ÖHMANN, EMIL 1954: Die ältesten germanischen Wörter im Finnischen. In: Nachrichten der Akad. d. Wiss. in Göttingen. Phil.-Hist. Kl. 1954,2.

ÖHMANN, EMIL 1974: Der romanische Einfluß auf das Deutsche bis zum Ausgang des Mittelalters. In: Deutsche Wortgeschichte. Hg. von FRIEDRICH MAURER/HEINZ RUPP. Bd. 1. 3. Aufl. Berlin/New York, S. 323ff.

OPITZ, MARTIN 2002: Buch der Deutschen Poetery (1624). Studienausgabe. Hg. von HERBERT JAUMANN. Stuttgart.

Osche Günther 1979: Evolution. Grundlagen – Erkenntnisse – Entwicklungen der Abstammungslehre. 10. Aufl. Freiburg/Basel/Wien.

OSCHLIES, WOLF 1989: Würgende und wirkende Wörter – Deutschsprechen in der DDR. Berlin.

OSCHLIES, WOLF 1990: „Vierzig zu Null im Klassenkampf?" Sprachliche Bilanz von 4 Jahrzehnten DDR. Melle.

OSWALD 1987: Die Lieder OSWALDS VON WOLKENSTEIN. Hg. von KARL KURT KLEIN. 3. Aufl. von HANS MOSER/NORBERT RICHARD WOLF/NOTBURGA WOLF. Tübingen.

OUBOUZAR, ERIKA 1999: Zur Entwickelung von ein in der Nominalgruppe des Althochdeutschen. In: Zur Geschichte der Nominalgruppe im älteren Deutsch. Festschrift für Paul Valentin. Akten des Pariser Kolloquiums, März 1999. Hg. von YVON DESPORTES. Heidelberg, S. 255ff.

PARPOLA, ASKO 2008: Proto-Indo-European Speakers of the Late Tripolye Culture as the Inventors of Wheeled Vehicles: Linguistic and archeological considerations of the PIE homeland problem. In: KARLENE JONES-BLEY et al. (eds): Proceedings of the Nineteenth Annual UCLA Indo-European Conference 2007. Washington D.C., S. 1ff.

PAUL, HERMANN 1880, 1886, 1909, 1920, 1975: Principien der Sprachgeschichte. Halle (Saale), 1. Aufl. 1880. 2. Aufl. 1886. 4. Aufl. 1909. 5. Aufl. 1920. 9. Aufl. 1975.

PAUL, HERMANN 1916–1920: Deutsche Grammatik. 5 Bde. Halle (Saale).

PAUL, HERMANN 1998: Mittelhochdeutsche Grammatik. 23. Aufl. von PETER WIEHL/ SIEGFRIED GROSSE. Tübingen. 24. Aufl. 1998.

PAUL, HERMANN 2002: Deutsches Wörterbuch. 10. Aufl. von HELMUT HENNE/HEIDRUN KÄMPER/GEORG OBJARTEL. Tübingen.

PAUL, HERMANN 2007: Mittelhochdeutsche Grammatik. 25. Aufl. von THOMAS KLEIN/ HANS-JOACHIM SOLMS/KLAUS-PETER WEGERA. Syntax von INGEBORG SCHÖBLER bearb. HEINZ-PETER PRELL. Tübingen.

PETER-RÖCHER, HEIDI (i. Dr.): Migrationstheorien in der Prähistorischen Archäologie. In: Die Ausbreitung des Indogermanischen. Hg. von HEINRICH HETTRICH/SABINE ZIEGLER. Wiesbaden.

PETERS, ROBERT 2000: Die Rolle der Hanse und Lübecks in der mittelniederdeutschen Sprachgeschichte. In: Sprachgeschichte², S. 1496ff.

PETERS, URSULA 1983: Literatur in der Stadt. Studien zu den sozialen Voraussetzungen und kulturellen Organisationsformen städtischer Literatur im 13. und 14. Jahrhundert. Tübingen.

PFAMMATTER, RENÉ (Hg.) 1998: Multi-Media-Mania: Reflexionen zu Aspekten neuer Medien. Konstanz.

PIETSCH, PAUL 1902/03: Leibniz und die deutsche Sprache. In: Wissenschaftliche Beihefte zur Zeitschrift des Allgemeinen Deutschen Sprachvereins. Vierte Reihe. Heft 29 und 30. Berlin, S. 265ff., S. 313ff.

PIRENNE, HENRI 1971: Sozial- und Wirtschaftsgeschichte Europas im Mittelalter. 2. Aufl. München.

POLENZ, PETER von 1994/1999/2000: Deutsche Sprachgeschichte vom Spätmittelalter bis zur Gegenwart. Bd. 1: 2. Aufl. 2000. Bd. 2: 1994. Bd. 3: 1999. Berlin/New York.

POLENZ, PETER von 1998: Zwischen ‚Staatsnation' und ‚Kulturnation'. Deutsche Begriffsbesetzungen um 1800. In: CHERUBIM/GROSSE/MATTHEIER (Hg.), S. 55ff.

PÖRKSEN, UWE 1998: Deutsche Sprachgeschichte und die Entwicklung der Naturwissenschaften. Aspekte einer Geschichte der Naturwissenschaftssprache und ihrer Wechselbeziehungen zur Gemeinsprache. In: Sprachgeschichte², S. 193ff.

PRINZ, FRIEDRICH [2004]: Europäische Grundlagen deutscher Geschichte (4.–8. Jahrhundert). In: GEBHARDT. Handbuch der deutschen Geschichte, Bd. 1, 10. Aufl. Stuttgart o.J., S. 145ff.

QUINT, JOSEF 1964: Mystik und Sprache. In: Altdeutsche und altniederländische Mystik. Hg. von KURT RUH. Darmstadt, S. 113ff.

RASMUSSEN, JENS E. 1999: On the Origin of the Germanic weak preterite. In: Selected Papers of Indo-European Linguistics. With a Selection on Comparative Eskimo Linguistics. Part 2. Copenhagen, S. 597ff.

RAUTENBERG, URSULA 2000: Soziokulturelle Voraussetzungen und Sprachraum des Mittelhochdeutschen. In: Sprachgeschichte², S. 1294ff.

REICH, GERHARD 1972: Muttersprachlicher Grammatikunterricht von der Antike bis um 1600. Weinheim.

REICHMANN, OSKAR 1988: Zur Vertikalisierung des Variantenspektrums in der jüngeren Sprachgeschichte des Deutschen. In: HORST HAIDER MUNSKE u. a. (Hg.): Deutscher Wortschatz. Lexikologische Studien. Ludwig Erich Schmitt zum 80. Geburtstag von seinen Marburger Schülern. Berlin/ New York, S. 151ff.

REICHMANN, OSKAR 1990: Sprache ohne Leitvarietät vs. Sprache mit Leitvarietät. Ein Schlüssel für die nachmittelalterliche Geschichte des Deutschen. In: WERNER BESCH (Hg.): Deutsche Sprachgeschichte. Grundlagen – Methoden – Perspektiven. Fs. für Johannes Erben zum 65. Geburtstag. Frankfurt (Main) u. a., S. 141ff.

REIFFENSTEIN, INGO 1975: Hochsprachliche Norm und Sprachnormen. In: Grazer Linguistische Studien 1, S. 126ff.

REIFFENSTEIN, INGO 1983: Deutsch in Österreich. In: Tendenzen, Formen und Strukturen der deutschen Standardsprache nach

1945. Vier Beiträge zum Deutsch in Österreich, der Schweiz, der Bundesrepublik Deutschland und der Deutschen Demokratischen Republik von INGO REIFFENSTEIN/HEINZ RUPP/PETER VON POLENZ/GUSTAV KORLÉN. Marburg, S. 15 ff.

REIFFENSTEIN, INGO 1987: Stammesbildung und Sprachgeschichte. Das Beispiel der bairischen Ethnogenese. In: ALTHOCHDEUTSCH. Bd. 2, S. 1333ff.

REIFFENSTEIN, INGO 1988: Der „Parnassus Boicus“ und das Hochdeutsche. Zum Ausklang des Frühneuhochdeutschen im 18. Jahrhundert. In: Stud. Frnhd., S. 27ff.

REIFFENSTEIN, INGO 1989: Gottsched und die Bayern. Der Parnassus Boicus, die Bayerische Akademie der Wissenschaften und die Pflege der deutschen Sprache im 18. Jahrhundert. In: Soziokulturelle Kontexte der Sprach- und Literaturentwicklung. Fs. für Rudolf Große zum 65. Geburtstag. Hg. von SABINE HEIMANN u. a. Stuttgart, S. 177ff.

REIFFENSTEIN, INGO 1990: Interne und externe Sprachgeschichte. In: Deutsche Sprachgeschichte. Fs. für Johannes Erben zum 65. Geburtstag. Frankfurt (Main) u.a., S. 21ff.

REIFFENSTEIN, INGO 2003: Bezeichnungen der deutschen Gesamtsprache. In: Sprachgeschichte^2, S. 2191ff.

REIHER, RUTH 2007: “Was das einmal war: ‘die Sprache in der DDR’”. Zur Erstellung eines Korpus von DDR-Texten. In: HARTMUT E. H. LENK/MAIK WALTER (Hg.): Wahlverwandtschaften: Valenzen – Verben – Varietäten. (Germanistische Linguistik, H. 188–189), S. 229ff.

REIHER, RUTH 2008: Zum Umgang der Linguistik mit dem sprachlichen Ost-West-Problem seit dem Mauerfall. In: KERSTEN SVEN ROTH/MARKUS WIENEN (Hg.): Diskursmauern. Aktuelle Aspekte der sprachlichen Verhältnisse zwischen Ost und West. Bremen, S. 1ff.

REIHER, RUTH/WOLFDIETRICH HARTUNG 2005: „Vorwärts und nichts vergessen.“ Zur Sprache in der DDR. In: Sitzungsberichte der Leibniz-Sozietät 76, S. 57ff.

REIHER, RUTH/ANTJE BAUMANN (Hg.) 2000: Mit gespaltener Zunge? Die deutsche Sprache nach dem Fall der Mauer. Berlin.

REIHER, RUTH/ANTJE BAUMANN (Hg.) 2004: Vorwärts und nichts vergessen. Sprache in der DDR. Was war, was ist, was bleibt. Berlin.

REIHER, RUTH/ANTJE BAUMANN 2004: DDR-Deutsch – Wendedeutsch – Westdeutsch als Gesamtdeutsch: Der Wandel des Sprachgebrauchs in den neuen Bundesländern. In: German as a Foreign Language, gfl-journal, No. 2, S. 2ff.

REIHER, RUTH/RÜDIGER LÄZER (Hg.) 1993: Wer spricht das wahre Deutsch? Erkundungen zur Sprache im vereinigten Deutschland. Berlin.

REIHER, RUTH/RÜDIGER LÄZER (Hg.) 1996: Von Buschzulage und Ossinachweis. Ost-West-Deutsch in der Diskussion. Berlin.

REIHER. RUTH 1996: Mit sozialistischen und anderen Grüßen: Porträt einer untergegangenen Republik in Alltagstexten. 2. Aufl. Berlin.

REINITZER, HEIMO 1983: Biblia deutsch. Luthers Bibelübersetzung und ihre Tradition. Wolfenbüttel.

REINITZER, HEIMO 1987: Oberdeutsche Bibeldrucke (vollständige Bibeldrucke). In: VL^2, Bd. 6, Sp. 1276ff.

RIECKE, JÖRG 1996: Die schwachen *jan*-Verben des Althochdeutschen. Ein Gliederungsversuch. Göttingen.

RIECKE, JÖRG 2014: Duden. Das Herkunftswörterbuch. Etymologie der deutschen Sprache. 5. Aufl. Berlin.

RINGE, DON 2006: From Proto-Indo-European to Proto-Germanic. A linguistic history of English. Vol. 1. Oxford.

RIX, HELMUT 2003: Ausgliederung und Aufgliederung der italischen Sprachen. In: Languages in Prehistoric Europe. Hg. von ALFRED BAMMESBERGER/THEO VENNEMANN. Heidelberg, S. 147ff.

ROBINSON, ORRIN W. 1992: Old English and its Closest Relatives. A Survey of the Earliest Germanic Languages. London/New York.

ROELCKE, THORSTEN 1995: Periodisierung der deutschen Sprachgeschichte. Berlin/New York.

ROELCKE, THORSTEN 2003: Die englische Sprache im deutschen Sprachdenken des 17. und 18. Jahrhunderts. In: Beiträge zur

Geschichte der Sprachwissenschaft 13.1, S. 85ff.

RÖSEL, LUDWIG 1962: Die Gliederung der germanischen Sprachen nach dem Zeugnis ihrer Flexionsformen. Nürnberg.

ROSENFELD, HANS 1987: Die Völkernamen *Baiern* und *Böhmen*, die althochdeutsche Lautverschiebung und W. Mayerthalers These ‚Baiern = Salzburger Rätoromanen' – Völkernamen, Völkerwanderung, Stammesgenese und die Namen *Baiern, Bayern, Bajuwaren.* In: ALTHOCHDEUTSCH. Bd. 2, S. 1305ff.

RÖSSING-HAGER, MONIKA 1984: Konzeption und Ausführung der ersten deutschen Grammatik. Valentin Ickelsamer: „Ein Teütsche Grammatica". In: Literatur und Laienbildung im Spätmittelalter und in der Reformationszeit. Symposion Wolfenbüttel 1981. Stuttgart, S. 534ff.

ROTH, KERSTEN SVEN/MARKUS WIENEN u. a. (Hg.) 2008: Diskursmauern: aktuelle Aspekte der sprachlichen Verhältnisse zwischen Ost und West. Bremen.

RUH, KURT 1951: Thomas von Aquin in mittelhochdeutscher Sprache. Theologische Zeitschrift. Hg. von der Theologischen Fakultät der Universität Basel, 7, S. 341ff.

RUH, KURT 1978: Geistliche Prosa. In: Europäisches Spätmittelalter. Hg. von WILLI ERZGRÄBER. Wiesbaden, S. 565ff.

RUH, KURT 1985: Überlieferungsgeschichte mittelalterlicher Texte als methodischer Ansatz zu einer erweiterten Konzeption von Literaturgeschichte. In: Überlieferungsgeschichtliche Prosaforschung. Hg. von KURT RUH. Tübingen, S. 262ff.

RUH, KURT 1993/1996: Geschichte der abendländischen Mystik Bd. 2 und 3. München.

RUNKEHL, JENS 2018: Sprache im medialen Diskurs: Progression – Eruption – Regression. In: Muttersprache, H. 1, S. 17.

RUNKEHL, JENS/PETER SCHLOBINSKI/THORSTEN SIEVER 1998: Sprache und Kommunikation im Internet. Überblick und Analysen. Opladen.

RUPP, HEINZ 1983: Deutsch in der Schweiz. In: INGO REIFFENSTEIN/HEINZ RUPP/PETER VON POLENZ/GUSTAV KORLÉN: Tendenzen, Formen und Strukturen der deutschen Standardsprache nach 1945. Vier Beiträge zum Deutsch in Österreich, der Schweiz, der Bundesrepublik Deutschland und der Deutschen Demokratischen Republik. Marburg.

SANDERS, WILLY 1982: Sachsensprache, Hansesprache, Plattdeutsch. Sprachgeschichtliche Grundzüge des Niederdeutschen. Göttingen.

SARAN FRANZ/BERT NAGEL 1975: Das Übersetzen aus dem Mittelhochdeutschen. 6. Aufl. Tübingen.

SCHAFFNER, STEFAN 2001: Das Vernersche Gesetz und der innerparadigmatische Wechsel des Urgermanischen im Nominalbereich. Innsbruck.

SCHARLOTH, JOACHIM 2005: Sprachnormen und Mentalitäten. Sprachbewusstseinsgeschichte in Deutschland im Zeitraum von 1766 bis 1785. Tübingen.

SCHERER, CARMEN 2005: Wortbildungswandel und Produktivität. Eine empirische Studie zur nominalen -er-Derivation im Deutschen. Tübingen.

SCHERER, WILHELM 1878: Zur Geschichte der deutschen Sprache. 2. Aufl. Berlin.

SCHEURINGER, HERMANN 1997: Sprachvarietäten in Österreich. In: GERHARD, STICKEL (Hg.): Varietäten des Deutschen. Regional- und Umgangssprachen. (Jb. 1996 des IdS) Berlin/New York, S. 332ff.

SCHIEB, GABRIELE 1969: Die deutsche Sprache im hohen Mittelalter. In: Die deutsche Sprache. Kleine Enzyklopädie. Leipzig, S. 233ff.

SCHIEFER, RUDOLF [2005]: Die Zeit des karolingischen Großreichs. 714–887. 10. Aufl. Stuttgart o.J.

SCHIEWE, JÜRGEN 1996: Sprachenwechsel – Funktionswandel – Austausch der Denkstile. Die Universität Freiburg zwischen Latein und Deutsch. Tübingen.

SCHIEWE, JÜRGEN 1998: Die Macht der Sprache. Eine Geschichte der Sprachkritik von der Antike bis zur Gegenwart. München.

SCHIKORSKI, ISA 1990: Private Schriftlichkeit im 19. Jahrhundert. Untersuchungen zur Geschichte des alltäglichen Sprachverhaltens ‚kleiner Leute'. Tübingen.

SCHILDT, JOACHIM 1984: Abriß der Geschichte der deutschen Sprache. 3. Aufl. Berlin.

SCHIPPAN, THEA 1975: Einführung in die Semasiologie. 2. Aufl. Leipzig.

SCHIRMER, ALFRED 1969: Deutsche Wortkunde. 6. Aufl. bearb. von WALTHER MITZKA. Berlin.

SCHIROKAUER, ARNO 1957: Frühneuhochdeutsch. In: Deutsche Philologie im Aufriß. Bd. 1. Hg. von WOLFGANG STAMMLER. 2. Aufl. Berlin, Sp. 85ff.

SCHLÄPFER, ROBERT 1990: Deutsche Schweiz. In: GERHARD STICKEL (Hg.): Deutsche Gegenwartsprache. Tendenzen und Perspektiven. Berlin/New York, S. 192ff.

SCHLEICHER, AUGUST 1873: Die Darwinische Theorie und die Sprachwissenschaft. Weimar.

SCHLIEBEN-LANGE, BRIGITTE 1988: Die Folgen der Schriftlichkeit. In: Wir sprechen anders. Warum Computer nicht sprechen können. Hg. von HANS-MARTIN GAUGER/ HERBERT HECKMANN. Frankfurt (Main), S. 13ff.

SCHLOBINSKI, PETER 2006: Von *hdl* bis *cul8r*: Sprache und Kommunikation in den neuen Medien. Mannheim u. a.

SCHLOSSER, HORST DIETER (Hg.) 1991: Kommunikationsbedingungen und Alltagssprache in der ehemaligen DDR. Hamburg.

SCHLOSSER, HORST DIETER 1990: Die deutsche Sprache in der DDR zwischen Stalinismus und Demokratie. Historische, politische und kommunikative Bedingungen. Köln.

SCHLOSSER, HORST DIETER 2004: Althochdeutsche Literatur. Mit altniederdeutschen Textbeispielen. Auswahl mit Übertragungen und Kommentar. Berlin.

SCHLOSSER, HORST DIETER 2013: Sprache unterm Hakenkreuz: eine andere Geschichte des Nationalsozialismus. Köln u. a.

SCHMID, HANS ULRICH 1998: *-līh*-Bildungen. Vergleichende Untersuchungen zu Herkunft, Entwicklung und Funktion eines althochdeutschen Suffixes. Göttingen.

SCHMID, HANS ULRICH 2015a: Historische deutsche Fachsprachen. Von den Anfängen bis zum Beginn der Neuzeit. Eine Einführung. Berlin.

SCHMID, HANS ULRICH 2015b: Die älteste deutsche Sportsprache. Fechtlehrbücher des späten Mittelalters. In: AXEL SATZGER/ LENKA VAŇKOVÁ/NORBERT RICHARD WOLF (Hg.): Fachkommunikation im Wandel. Ostrava, S. 175ff.

SCHMID, HANS ULRICH 2017: Einführung in die deutsche Sprachgeschichte. 3. Aufl. Stuttgart/Weimar.

SCHMIDLIN, REGULA 2011: Die Vielfalt des Deutschen: Standard und Variation. Gebrauch, Einschätzungen und Kodifizierung einer plurizentristischen Sprache. Berlin/New York.

SCHMIDT, AXEL/KONSTANZE MARX 2017: Interaktion und Medien. In: Sprachreport 33, H. 4, S. 22ff.

SCHMIDT, CLAUDIA/MADELINE LUTJEHARMS 2006: Sprachliche Diskriminierung der Frau – Gibt es das noch? Sprachkritik aus der Genderperspektive. In: Der DU, H. 5, S. 64ff.

SCHMIDT, HARTMUT 1984: Einige Grundbegriffe von Johann Christoph Adelungs Sprachkonzept. In: ADELUNG, S. 135ff.

SCHMIDT, JOHANNES 1872: Die Verwandtschaftsverhältnisse der indogermanischen Sprachen. Weimar.

SCHMIDT, JÜRGEN ERICH 2017: Vom traditionellen Dialekt zu den modernen Regionalsprachen. In: Dt. Akademie f. Sprache u. Dichtung/Union d. dt. Akademien d. Wissensch. (Hg.): Vielfalt und Einheit der deutschen Sprache. Zweiter Bericht zur Lage der deutschen Sprache. Tübingen, S. 105ff.

SCHMIDT, JÜRGEN ERICH/JOACHIM HERRGEN 2011: Sprachdynamik. Eine Einführung in die moderne Regionalsprachforschung. Berlin.

SCHMIDT-BRANDT, ROBERT 1998: Einführung in die Indogermanistik. München.

SCHMIDT-REGENER, IRENA 1989: Normbewußtsein im 18./19. Jahrhundert. Zeitgenössische Sprachwissenschaftler über die Herausbildung und Funktion einer national verbindlichen Sprachnorm des Deutschen. In: BES 9, S. 164ff.

SCHMIDT-WIEGAND, RUTH 1980: Eike von Repgow. In: VL^2, Bd. 2, Sp. 400ff.

SCHMIDT-WIEGAND, RUTH 2000: Volkssprachige Rechtswörter in karolingischen Kapitularien. In: *De consolationae philologiae.* Studies in honor of Evelyn S. Firchow. Hg. von ANNA GROTANS u.a. Bd. 1. Göppingen, S. 335ff.

SCHMIDT-WIEGAND, RUTH 2006: Sprache, Recht, Rechtssprache bei Franken und Alemannen vom 6. bis zum 8. Jahrhundert. In: Leges – Gentes – Regna. Zur Rolle von germanischen Rechtsgewohnheiten und lateinischer Schrifttradition bei der Ausbildung der frühmittelalterlichen Rechtskultur. Hg. von GERHARD DILCHER/EVA-MARIE DISTLER. Berlin, S. 141ff.

SCHMIDT-WILPERT, GABRIELE 1985: Die Bedeutung der älteren deutschen Grammatiker für das Neuhochdeutsche. In: Sprachgeschichte[1], S. 1556ff.

SCHMITZ, ULRICH 2004: Sprache in modernen Medien. Einführung in Tatsachen und Theorien, Themen und Thesen. Berlin.

SCHMITZ, ULRICH 2011: Linguistica ancilla mediorum? Sprachwissenschaft und Medien 1960–2010: Von kühler Distanz zu teilnehmender Beobachtung & von Textmaterial zu multimodaler Verblendung. In: BÖHM, MANUELA/ELISABETH BERNER/JÜRGEN ERFURT (Hg.): Nach dem linguistic turn. Sprachwissenschaft im Wandel. (OBST 78) Duisburg, S. 113ff.

SCHMITZ-BERNING, CORNELIA 2007: Vokabular des Nationalsozialismus. 2. Aufl Berlin.

SCHNEIDER, JAN GEORG 2005: Was ist ein sprachlicher Fehler? Anmerkungen zur populären Sprachkritik am Beispiel der Kolumnensammlung von Bastian Sick. In: Aptum 2, S. 154ff.

SCHNEIDER, KARIN 1999: Paläographie und Handschriftenkunde für Germanisten. Eine Einführung. Tübingen.

SCHNELL, RÜDIGER 1978: Zum Verhältnis von hoch- und spätmittelalterlicher Literatur. Berlin.

SCHOTTELIUS, JUSTUS G. 1663/1995: Ausführliche Arbeit von der Teutschen HaubtSprache. Neudruck. 2. Aufl. Tübingen 1995.

SCHRÖDER, INGRID 1997: Niederdeutsch im Kontext der Sprachpolitik. In: ZGL 25, S. 200ff.

SCHRÖDER, THOMAS 1995: Die ersten Zeitungen. Textgestaltung und Nachrichtenauswahl. Tübingen.

SCHRODT, RICHARD 1998: Sprachgeschichte in der Sicht strukturalistischer Schulen. In: Sprachgeschichte[2], S. 520ff.

SCHULZ, MATTHIAS (Hg.) (2014): Sprachliche Aspekte des Reisens in Mittelalter und Früher Neuzeit. Wiesbaden.

SCHULZ, MATTHIAS 2005: Schichten alter und neuer fremder Wörter als Europäismen im Deutschen. In: Deutsche Sprache 33, S. 60ff.

SCHULZE, URSULA 1975: Lateinisch-deutsche Parallelurkunden des 13. Jahrhunderts. München.

SCHUSTER, BRITT-MARIE/OLIVER PFEFFERKORN/JÖRG RIECKE (Hg.) 2017: Die Zeitung als Medium der neueren Sprachgeschichte: Korpora, Analysen, Wirkungen. Berlin/Boston.

SCHUSTER, BRITT-MARIE/SUSAN HOLFTRETER (Hg.) 2017: Textsortenwandel vom 9. bis zum 19. Jahrhundert. Berlin.

SCHWARZ, ALEXANDER 2000: Die Textsorten des Althochdeutschen. In: Sprachgeschichte[2], S. 1222ff.

SCHWARZ, ERNST 1951: Deutsche und germanische Philologie. Heidelberg.

SCHWENCKE, OLAF 1987: Niederdeutsche Bibeldrucke (vollständige Bibeln). In: VL[2]. Bd. 6, Sp. 977.

SCHWITALLA, JOHANNES 1983: Deutsche Flugschriften 1460–1525. Textsortengeschichtliche Studien. Tübingen.

SCHWITALLA, JOHANNES 1999: Flugschrift. Tübingen.

SEEBOLD, ELMAR 1998: Sprache und Schrift. In: Die Germanen. Studienausgabe. Reallexikon der Germanischen Altertumskunde. 2. Aufl. Berlin/New York, S. 96ff.

SEEBOLD, ELMAR 2001: Chronologisches Wörterbuch des deutschen Wortschatzes. Der Wortschatz des 8. Jahrhunderts (und früherer Quellen). Berlin/New York.

SEEBOLD, ELMAR 2008: Chronologisches Wörterbuch des deutschen Wortschatzes 2. Der Wortschatz des 9. Jahrhunderts, Berlin/New York.

SEHRT, EDWARD H. 1962: Notker-Glossar. Ein Althochdeutsch-Lateinisch- Neuhochdeutsches Wörterbuch zu Notkers des Deutschen Schriften. Tübingen.

SEIBICKE, WILFRIED 1985: Die Lexik des Neuhochdeutschen seit dem 17. Jahrhundert. In: Sprachgeschichte[1], S. 1510ff.

SEIDEL, EUGEN/INGEBORG SEIDEL-SLOTTY 1961: Sprachwandel im Dritten Reich. Halle (Saale).

SELTING, MARGRET 1999: Kontinuität und Wandel der Verbstellung von ahd. wanta bis gwd. weil. Zur historischen und vergleichenden Syntax der weil-Konstruktionen. In: ZGL 27, S. 167ff.

SIEVER, TORSTEN 2005: Websprache.net: Sprache und Kommunikation im Internet. Berlin u. a.

SIMONS, GERALD 1968: Barbarian Europe. New York.

SKÁLA, EMIL 1985: Urkundensprache, Geschäfts- und Verkehrssprachen im Spätmittelalter. In: Sprachgeschichte[1], S. 1773ff.

SMET, GILBERT DE 1990: Theodor Frings und die Literatur an Maas und Rhein im 12.-13. Jahrhundert. In: Sprache in der sozialen und kulturellen Entwicklung. Beiträge zu Ehren von Theodor Frings. Hg. von RUDOLF GROSSE. Berlin, S. 375ff.

SOCIN, ADOLF 1888: Schriftsprache und Dialecte im Deutschen nach Zeugnissen alter und neuer Zeit. Heilbronn.

SODMANN, TIMOTHY 1973: Der Untergang des Mittelniederdeutschen als Schriftsprache. In: Niederdeutsch. Sprache und Literatur. Bd. 1. Hg. von JAN GOOSSENS. Neumünster, S. 166ff.

SODMANN, TIMOTHY 2000: Die Verdrängung des Mittelniederdeutschen als Schreib- und Druckersprache Norddeutschland. In: Sprachgeschichte[2], S. 1505ff.

SOMMERFELDT, KARL-ERNST 1988: Entwicklungstendenzen im Satzbau. In: KARL-ERNST SOMMERFELDT (Hg.): Entwicklungstendenzen in der deutschen Gegenwartssprache. Leipzig, S. 216ff.

SONDEREGGER, STEFAN 1970: Althochdeutsch in St. Gallen. St. Gallen.

SONDEREGGER, STEFAN 1979: Grundzüge deutscher Sprachgeschichte. Diachronie des Sprachsystems. Bd. 1: Einführung, Genealogie, Konstanten. Berlin/New York.

SONDEREGGER, STEFAN 1998: Geschichte deutschsprachiger Bibelübersetzungen in Grundzügen. In: Sprachgeschichte2, S. 229ff.

SONDEREGGER, STEFAN 2003: Althochdeutsche Sprache und Literatur. 3. Aufl. Berlin/New York.

SPARMANN, HEINZ 1970ff.: Neues im deutschen Wortschatz unserer Gegenwart. In: Sprachpflege 19 (1970), H. 10, S. 109ff.; 24 (1975), H. 12, S. 245ff.; 28 (1979), H. 5, S. 103ff.

STACKMANN, KARL 1984: Probleme germanistischer Lutherforschung. In: Archiv für Reformationsgeschichte 75, S. 7ff.

STAMMLER, WOLFGANG 1953: Deutsche Scholastik. In: ZfdPh 72, S. 1ff.

STEARNS JR., MACDONALD 1989: Das Krimgotische. In: Germanische Rest- und Trümmersprachen. Hg. von HEINRICH BECK. Berlin u.a., S. 175ff.

STEER, GEORG 1980: Meister Eckhart. In: VL[2], Bd. 2, Sp. 327ff.

STEER, GEORG 1981: Hugo Ripelin von Straßburg. Tübingen.

STEER, GEORG 1983: Intentionen der Bibelübersetzung im deutschen Spätmittelalter, bei Martin Luther und den Katholiken des 16. Jahrhunderts. Ein Exposé. In: Text + Kritik. Sonderband Martin Luther. München, S. 59ff.

STEER, GEORG 1986: Der Prozeß Meister Eckharts und die Folgen. In: Literaturwissenschaftliches Jahrbuch 27, S. 47ff.

STEINHAUER, ANJA 2001: Von „Azubi“ bis „Zivi“, von „ARD“ bis „ZDF“. Kurzwörter im Deutschen. In: Der Sprachdienst 45, H. 1, S. 1ff.

STERNBERGER, DOLF/GERHARD STORZ/WILHELM E. SÜSKIND 1986: Aus dem Wörterbuch des Unmenschen. 4. Aufl. Frankfurt (Main)/Berlin.

STICKEL, GERHARD (Hg.) 1990: Deutsche Gegenwartsprache. Tendenzen und Perspektiven. (Jb. 1989 des IdS). Berlin/New York.

STICKEL, GERHARD (Hg.) 1997: Varietäten des Deutschen. Regional- und Umgangssprachen. (Jb. 1996 des IdS) Berlin/New York.

STÖRMER-CAYSA, UTA 2003: Spiegel. In: Reallexikon der deutschen Literaturwissenschaft. Bd. 3. Berlin/New York, S. 467ff.

STORRER, ANGELIKA 2013: Variation im deutschen Wortschatz am Beispiel der Streckverbgefüge. In: Dt. Akademie f. Spr. u. Lit./Union d. dt. Akad. d. Wiss. (Hg.): Reichtum und Armut der deutschen Sprache. Erster Bericht zur Lage der deutschen Sprache. Berlin/Boston, S. 171ff.

STRICKER, STEPHANIE 2002: Konkurrenzen im Wortbildungssystem um 1800. Aufgezeigt an der Wortbildung Goethes. In: MECHTHILD HABERMANN u. a. (Hg.): Historische Wortbildung des Deutschen. Tübingen, S. 315ff.

STUKENBROCK, ANJA 2005: Sprachnationalismus. Sprachreflexion als Medium kollektiver Identitätsfindung in Deutschland (1617–1945). Berlin/New York.

SUCHSLAND, PETER 1968: Die Sprache der Jenaer Ratsurkunden. Berlin.

SUF 2008: Sprachatlas von Unterfranken. Bd. 3: Formengeographie I (Nomen und Pronomen). Formengeographie II (Verb). Bearb. von MARION BAYER-WEGHAKE/ELKE SIMON/OLIVER HERBST. Heidelberg.

SUHRBIER, STEFAN (i.Dr.): Und bewegten sie sich doch? Die Ausbreitung der schnurkeramischen Kultur in Mitteleuropa. In: Die Ausbreitung des Indogermanischen. Hg. von HEINRICH HETTRICH/SABINE ZIEGLER. Wiesbaden.

SZULC, ALEKSANDER 1987: Historische Phonologie des Deutschen. Tübingen.

TECHTMEIER, BÄRBEL 1987: Bedeutung zwischen Wort und Text – Die Sprache des Faschismus im Spiegel von Victor Klemperers „LTI". In: WERNER NEUMANN/BÄRBEL TECHTMEIER (Hg.): Bedeutungen und Ideen in Sprachen und Texten. Werner Bahner gewidmet. Berlin, S. 315ff.

TELLING, RUDOLF 1987: Französisch im deutschen Wortschatz. Lehn- und Fremdwörter aus acht Jahrhunderten. Berlin.

THEOBALD, TINA (2012): Presse und Sprache im 19. Jahrhundert: eine Rekonstruktion des zeitgenössischen Diskurses. Berlin.

THEOBALD, TINA (2017): Die „Industrialisierung" von Presse und Sprache im 19. Jahrhundert. – In: BRITT-MARIE, SCHUSTER/OLIVER PFEFFERKORN/JÖRG RIECKE (Hg.): Die Zeitung als Medium der neueren Sprachgeschichte: Korpora, Analysen, Wirkungen. Berlin/Boston, S. 23ff.

THOMASIN 1965: THOMASIN VON ZIRCLARIA: Der Wälsche Gast. Hg. von HEINRICH RÜCKERT. Mit einer Einleitung und einem Register von FRIEDRICH NEUMANN. Berlin.

THOMASON, SARAH G./TERRENCE KAUFMAN 1988: Language Contact, Creolization, and Genetic Linguistics. Berkeley u.a.

THOME, SEBASTIAN 2016: „Es ist der Geist, der sich den Körper baut." Aspekte der sprachlichen Konstruktion geschlechterspezifischer Körperlichkeit. In: Aptum 12, H. 1, S. 1ff.

TIEFENBACH, HEINRICH 2010: Altsächsisches Handwörterbuch. A concise Old Saxon Dictionary. Berlin/New York.

TIMPE, DIETER 1998: Geschichte. In: Die Germanen, S. 2ff.

TOPHINKE, DORIS 1999: Handelstexte. Zur Textualität und Typik kaufmännischer Rechnungsbücher im Hanseraum des 14. und 15. Jahrhunderts. Tübingen.

TRITHEMIUS, JOHANNES 1970: De laude scriptorum. Hg. von KLAUS ARNOLD. Würzburg.

TSCHIRCH, FRITZ: 1983/1989: Geschichte der deutschen Sprache. 2 Bde. 3. Aufl. von WERNER BESCH. Berlin.

UNTERMANN, JÜRGEN 1985: Ursprache und historische Realität. Der Beitrag der Indogermanistik zu Fragen der Ethnogenese. In: Studien zur Ethnogenese. Hg. von der Rhein.-Westfäl. Akad. d. Wiss. Opladen, S. 133ff.

VAŇKOVÁ, LENKA (Hg.) 2014: Fachtexte des Spätmittelalters und der Frühen Neuzeit. Tradition und Perspektiven der Fachprosa- und Fachsprachenforschung. Berlin.

VEITH, WERNER HEINRICH 2004: Bestrebungen der Orthographiereform im 18., 19. und 20. Jahrhundert. In: Sprachgeschichte^2, S. 1782ff.

VELDEKE 1986: Heinrich von Veldeke: Eneasroman. Nach dem Text von Ludwig Ettmüller übers. von DIETER KARTSCHOKE. Stuttgart.

VESTER, FREDERIC 1984: Neuland des Denkens. 2. Aufl. München 1984.

VIERECK, WOLFGANG 1984: Britisches Englisch und amerikanisches Englisch. In: Sprachgeschichte[1], S. 938ff.

VOESTE, ANJA 2008: Orthographie und Innovation. Die Segmentierung des Wortes im 16. Jahrhundert. Hildesheim u. a.

VORBERGER, LARS 2015: Sprachwechsel im Brandenburgischen. Eine Analyse von Wenkerbögen. In: Deutsch im Norden. Varietäten des norddeutschen Raumes. (Jb. für Germ. Sprachgeschichte 6) Berlin/Boston, S. 298ff.

VOSSEN, CARL 1992: Mutter Latein und ihre Töchter. Europas Sprachen und ihre Herkunft. Düsseldorf.

WAAG, ALBERT/HANS JOACHIM GERNENTZ 1970: Kleinere deutsche Gedichte des 11. und 12. Jahrhunderts. Leipzig.

WAGNER, KURT 1978: Das 19. Jahrhundert. In: FRIEDRICH MAURER/HEINZ RUPP (Hg.): Deutsche Wortgeschichte. Bd. 2. 3. Aufl. Berlin/New York, S. 498ff.

WAHRIG 2011: Wahrig. Deutsches Wörterbuch. 9. Aufl. Gütersloh/München.

WAHRIG 2012: Wahrig. Deutsches Wörterbuch. CD-ROM-Ausgabe. Gütersloh/München.

WALTER, HENRIETTE 1994: L'aventure des Langues en Occident. Paris.

WARTBURG, WALTER von 1951: Die Entstehung der romanischen Völker. 2. Aufl. Halle (Saale).

WEGENER, HEIDE 1993: weil –das hat schon seinen Grund. Zur Verbstellung in Kausalsätzen mit *weil* im gegenwärtigen Deutsch. In: Deutsche Sprache 21, S. 289 ff.

WEGENER, HEIDE 1999: Syntaxwandel und Degrammatikalisierung im heutigen Deutsch? Noch einmal zu weil-Verbzweit. In: Deutsche Sprache 27, S. 3ff.

WEGERA, KLAUS-PETER/SIMONE SCHULTZ-BALLUFF/NINA BARTSCH 2011: Mittelhochdeutsch als fremde Sprache. Berlin.

WEGSTEIN, WERNER 2003: Die sprachgeographische Gliederung des Deutschen in historischer Sicht. In: Sprachgeschichte2, S. 22291ff.

WEHRLI, MAX 1980: Geschichte der deutschen Literatur vom frühen Mittelalter bis zum Ende des 16. Jahrhunderts. Stuttgart.

WEIMAR, KLAUS 1989: Geschichte der deutschen Literaturwissenschaft bis zum Ende des 19. Jahrhunderts. München.

WEINREICH, OTTO 1974: Die Suffixablösung bei den Nomina agentis während der althochdeutschen Periode. Berlin.

WEINRICH, HARALD 1988: Die Accademia della Crusca als Lehrmeisterin der Sprachkultur in Deutschland. In: HARALD WEINRICH: Wege der Sprachkultur. München, S. 85ff.

WEISGERBER, LEO 1948: Die Entdeckung der Muttersprache im europäischen Denken. Lüneburg.

WEISSBERG, JOSEF 1988: Jiddisch. Eine Einführung. Bern u.a.

WEITHASE, IRMGARD 1961: Zur Geschichte der gesprochenen deutschen Sprache. Tübingen.

WELLS, CHRISTOPHER J. 1990: Deutsch: eine Sprachgeschichte bis 1945. Aus dem Englischen übers. von RAINHILD WELLS. Tübingen.

WERNHER 2002: Wernher der Gärtner: Helmbrecht. Hg. und übers. von FRITZ TSCHIRCH. Stuttgart.

WETSCHANOW, KARIN 2017: Von nichtsexistischem Sprachgebrauch zu *fairen W_ortungen* – Ein Streifzug durch die Welt der Leitfäden zu sprachlicher Gleichbehandlung. In: KONSTANZE, SPIESS/MARTIN REISGL (Hg.): Sprache und Geschlecht. Bd. 1: Sprachpolitiken und Grammatik. (OBST 90) Duisburg, S. 3ff.

WIESINGER, PETER 1990: Österreich. In: GERHARD, STICKEL (Hg.): Deutsche Gegenwartssprache. Tendenzen und Perspektiven. (Jb. 1989 des IdS) Berlin/New York, S. 218ff.

WIKIPEDIA (URL 1): Lexicon recentis Latinitatis. https://de.wikipedia.org/wiki/Lexicon_recentis_Latinitatis [06.11.2018]

WOLF, BIRGIT 2000: Sprache in der DDR. Ein Wörterbuch. Berlin/New York.

WOLF, NORBERT RICHARD 2017: „..., dass Reformation kein abgeschlossener Prozess ist, sondern stets fortgeschrieben werden muss.“ Bibelrevisionen 1522 bis 2017. In:

Martin Luther und die deutsche Sprache – damals und heute. Hg. von NORBERT RICHARD WOLF. Heidelberg, S. 187ff.

WOLF, NORBERT RICHARD 1987: Probleme wissensliterarischer Kommunikation. In: Wissensorganisierende und wissensvermittelnde Literatur im Mittelalter. Hg. von NORBERT RICHARD WOLF. Wiesbaden, S. 208ff.

WOLF, NORBERT RICHARD 1989: Zur Periodisierung der deutschen Sprachgeschichte. Eine Notiz. In: Soziokulturelle Kontexte der Sprach- und Literaturentwicklung. Fs. Rudolf Große zum 65. Gebuartstag. Stuttgart, S. 121ff.

WOLF, NORBERT RICHARD 1991: Mittelhochdeutsch aus Handschriften II: Zur Adjektivflexion. In: ZfdPh 110, Sonderheft: Mittelhochdeutsche Grammatik als Aufgabe, S. 93ff.

WOLF, NORBERT RICHARD 1994: Österreichisches zum österreichischen Deutsch. In: ZDL 61, S. 66ff.

WOLF, NORBERT RICHARD 2009: Der ‚DDR-Wortschatz' als Indikator einer nationalen Varietät? Mit einem Blick auf die Lexikographie des DDR-Wortschatzes. In: Deutsche Sprache 37, S. 130ff.

WOLF, NORBERT RICHARD 2013: Schrift und Orthographie. Jacob Grimm und die Folgen. In: Эволюционные процессы в системе языка и дискурсе. Sprach- und Diskurswandel. Hg. von SERGEJ I. DUBININ. Samara, S. 15ff.

WOLF, NORBERT RICHARD 2018: „das es eine vollige Deutsche klare rede wird". Zu Luthers Spracharbeit. In: Studia Germanistica 23, S. 51ff.

WOLFF, PHILIPPE 1971: Sprachen, die wir sprechen. Ihre Entwicklung aus dem Lateinischen und Germanischen von 100–1500 n.Chr. München.

WOLFRAM 1981: Wolfram von Eschenbach: Parzival. 2 Bde. Nach der Ausgabe von KARL LACHMANN übers. von WOLFGANG SPIEWOK. Stuttgart.

WORSTBROCK, FRANZ JOSEF 2005: Sophisten, Humanisten, Mediävisten und ihre Wortgenossen. In: PETER O. MÜLLER (Hg.): Fremdwortbildung. Theorie und Praxis in Geschichte und Gegenwart. Frankfurt (Main), S. 379ff.

WUKETITS, FRANZ M. 1988: Evolutionstheorien. Historische Voraussetzungen, Positionen, Kritik. Darmstadt.

WUSTMANN, GUSTAV 1891: Allerhand Sprachdummheiten. Kleine deutsche Grammatik des Zweifelhaften, des Falschen und des Häßlichen. Leipzig.

ZABEL, HERMANN (Hg.) 1997: Widerworte. „Lieber Herr Grass, Ihre Aufregung ist unbegründet". Antworten an Gegner und Kritiker der Rechtschreibreform. Aachen.

ZABEL, HERMANN 2001: Denglisch, nein danke! Zur inflationären Verwendung von Anglizismen und Amerikanismen in der deutschen Gegenwartssprache. Paderborn.

ZEMANN, HERBERT 1966: Kaspar Stieler: Versuch einer Monographie. Wien.

ZIFONUN, GISELA 2018: Die demokratische Pflicht und das Sprachsystem: Erneute Diskussion um einen geschlechtergerechten Sprachgebrauch. In: Sprachreport 34, H. 4, S. 44ff.

ZIRKER, OTTO 1923: Die Bereicherung des deutschen Wortschatzes durch die spätmittelalterliche Mystik. Jena.

ZWIERZINA, KONRAD 1900/1901: Mittelhochdeutsche Studien. In: ZfdA 44, S. 1ff., 249ff., 345ff.; 45, S. 19ff., 253ff., 317ff.

ZYBATOW, TATJANA/THOMAS WESKOTT 2018: Das Doppelperfekt: Theorie und Empirie. In: ZfS 37 (1), S. 83 ff.

Sachregister

einschl. Register der Wortbildungsmorpheme

Wortregister

1. Althochdeutsch

2. Mittelhochdeutsch

3. Neuhochdeutsch

Dieses Register listet auch einen großen Teil des Wortschatzes in Kap. 1.6 auf, da in dem behandelten Zeitraum das Deutsche zu einer funktionsfähigen Literatur- und Wissenschaftssprache ausgebaut wurde. Demgegenüber werden die Fach- und Sonderwortschätze in den folgenden Abschnitten hier nicht vollständig verzeichnet.